L'Orpheline de Manhattan

*

Catalogage avant publication de Bibliothèque et Archives nationales du Québec et Bibliothèque et Archives Canada

Titre : L'orpheline de Manhattan / Marie-Bernadette Dupuy
Nom : Dupuy, Marie-Bernadette, 1952- , auteure
Identifiants : Canadiana 20190020296 | ISBN 9782898040351 (vol. 1)
Classification : LCC PQ2664.U693 O77 2019 | CDD 843/.914–dc23

Conception de la couverture : Laurence Verrier
Images de la couverture : Lisa Holloway, Trevillion Images
Steve Lewis Stock, Getty Image
Joreks, Getty Image

Les éditions JCL bénéficient du soutien financier de la SODEC
et du Programme de crédit d'impôt du gouvernement du Québec.

Financé par le gouvernement du Canada | Canada

Édition
LES ÉDITIONS JCL
jcl.qc.ca

Distribution nationale
MESSAGERIES ADP
messageries-adp.com

Imprimé au Canada

Dépôt légal : 2019
Bibliothèque et Archives nationales du Québec
Bibliothèque nationale du Canada

MARIE-BERNADETTE

DUPUY

L'Orpheline de Manhattan

*

LES ÉDITIONS JCL

À mon ami Philippe Porée-Kurrer... C'était autour d'un bon repas à New York, t'en souviens-tu mon cher ami ? Nous parlions avec passion de cette immense et si belle ville de lumière, mais aussi de son passé, de ses zones d'ombre, de ses intrigues... Que de rires et d'émotions, d'idées échangées...

En souvenir de ces inoubliables moments, je suis heureuse de te dédier cet ouvrage.

Note de l'auteure

Un soir d'été à New York, alors que depuis le pont de Brooklyn, je regardais s'allumer les millions de lumières de la formidable cité, j'ai été frappée par l'idée d'un roman inspiré de faits authentiques, dont l'action empreinte d'intrigues et de suspense se déroulerait en partie ici. Le point de départ serait le destin souvent tragique des hordes d'orphelins qui déferlaient sur les marches du Nouveau Monde à l'époque charnière de l'immigration massive, entre le XIXe et le XXe siècle.

Par la suite, mes promenades matinales dans Central Park m'ont confortée dans ce projet. Je voyais l'image d'une fillette endormie sur un banc. Une enfant perdue, au cœur brisé par un sort cruel.

Dès mon retour en France, je me suis lancée dans cette nouvelle aventure, avec les terres viticoles d'un vieux château de Charente comme seconde toile de fond, où j'ai donné naissance à la petite Élisabeth, dont je vous invite à suivre la tumultueuse destinée, ponctuée par les cauchemars lourds de sens dont elle s'éveille effrayée, même devenue jeune fille… Mais je ne veux pas en dire plus, vous le savez.

J'espère que vous apprécierez ces pages et que vous aurez plaisir à voyager avec moi dans le passé, depuis la France jusqu'à la fascinante ville de New York, que j'aime tant et où je me sens si bien. C'est son atmosphère unique qui m'a inspiré cette histoire, où grondent les orages du cœur et de l'âme.

Je vous en souhaite une belle lecture,

Avec toute mon affection,

Marie-Bernadette Dupuy

1
Une famille déchirée

Château de Guerville, vendredi 15 octobre 1886

— Non, non et non ! Je m'oppose à votre départ ! C'est de la pure folie ! s'écria Hugues Laroche, dont le poing fermé s'abattit sur la table si violemment que les verres en cristal en tremblèrent.

Un coup de tonnerre répondit aux exclamations indignées de l'homme.

L'orage s'était abattu sur le pays depuis une demi-heure. Maintenant il se déchaînait. Derrière les vitres, que chaque grondement faisait vibrer, le ciel était d'un gris métallique, couleur de plomb, strié par instants de longs éclairs blancs.

— Que ton mari aille courir les mers si ça lui chante, mais toi, Catherine, tu dois rester en France, sur la terre où tu es née ! ajouta le maître des lieux.

— Papa, je suivrais Guillaume au bout du monde s'il le fallait, alors arrête de vociférer. Nous ne changerons pas d'avis.

La jeune femme, une main posée sur son ventre rebondi, adressa à son père un paisible sourire, vaguement ironique. Ensuite elle observa d'un regard inquiet les chênes centenaires du parc, dont les feuilles rousses s'envolaient dans une ronde folle, au gré des rafales du vent.

L'enfant qu'elle portait s'agitait, comme troublé par l'atmosphère d'apocalypse.

— Ne crains rien, ma princesse, nous sommes à l'abri ici, dit-elle à sa fille de six ans, assise à ses côtés.

Jérôme, le majordome, avait ajouté un coussin sur la chaise. La petite était à bonne hauteur pour manger, en l'occurrence son dessert, un flan meringué. Mais pour l'instant elle ouvrait de grands yeux affolés.

Sa mère la prit dans ses bras et la cajola, en lui soufflant à l'oreille des paroles de réconfort.

— Ce n'est plus un bébé, Catherine, protesta Adela Laroche. Tu la rendras faible, si tu la couves trop.

— Élisabeth est effrayée, maman. Je la connais mieux que toi, l'orage l'impressionne. Et les hurlements de papa aussi.

— J'ai de quoi hurler, trancha celui-ci.

C'était un homme de stature mince, aux traits énergiques, imbu de sa position sociale. Riche propriétaire terrien, à la tête d'excellents vignobles, il avait coutume d'imposer sa loi.

— Oui, j'ai de quoi être furieux, s'écria-t-il, après ce que je viens d'entendre ! Moi qui me réjouissais de vous recevoir pour dîner… Vous, vous n'aviez qu'une hâte : me planter un couteau dans le dos !

Hugues Laroche pointa un index accusateur en direction de son gendre.

— Guillaume, vous dépassez les bornes, dit-il. Pour le bonheur de Catherine, j'ai toléré ce que je considérais comme une mésalliance, mais la coupe est pleine. Pleine à ras bord ! Vous entraînez ma fille unique dans une aventure périlleuse et ridicule. L'Amérique, New York ! Qu'est-ce que vous croyez, qu'ils ont besoin d'un minable charpentier, là-bas ?

Élisabeth, toujours blottie contre sa mère, ne quittait pas son grand-père des yeux. Il lui faisait penser à l'ogre des contes que lui lisaient ses parents, ou bien au diable qui, selon une vieille femme du village, emportait les enfants désobéissants.

Le maître du château n'avait ni cornes ni sabots fourchus, pourtant la petite croyait voir autour de sa tête une brume grisâtre, comme s'il crachait de la fumée.

— Bon-papa est fâché, n'aie pas peur, murmura Catherine en la serrant plus fort contre elle.

Guillaume Duquesne avait constaté la panique qui terrassait sa fille. Il s'indigna :

— Je vous en prie, monsieur, dit-il d'un ton calme, nous en discuterons plus tard, quand Élisabeth sera couchée. Elle n'a pas à être témoin de notre querelle.

Compagnon charpentier du tour de France des Devoirs, âgé de trente-trois ans, il affronta d'un air serein son beau-père :

— De surcroît, votre fureur est vaine. Rien ne nous empêchera de partir. Dans quatre jours, nous embarquons sur le paquebot *La Champagne*, au Havre. Il serait préférable de nous séparer en bons termes.

— Je suis d'accord avec Guillaume, papa, renchérit Catherine. Ne nous quittons pas sur un mauvais souvenir, je t'en prie.

Le jeune couple s'était préparé à la scène qui se déroulait dans la vaste salle à manger. Hugues Laroche pinça les lèvres. Il couva sa fille unique d'un regard passionné. Elle était si jolie. Ses cheveux blonds s'accordaient à son teint laiteux, à ses traits harmonieux et délicats. Elle aurait bientôt vingt-neuf ans, courage et détermination brillaient dans ses beaux yeux verts.

Malade d'amertume, il se demanda encore une fois pourquoi et comment elle était tombée amoureuse de ce Guillaume au teint hâlé, aux prunelles grises et aux cheveux noirs.

« Le troisième rejeton d'un meunier, se disait-il en son for intérieur. J'aurais souhaité un gendre capable de me succéder sur le domaine, et non pas un jean-foutre pareil. »

Il allait poursuivre son agression lorsqu'un long coup de tonnerre éclata, d'une telle virulence que tous se figèrent. Aussitôt la pluie redoubla. Adela Laroche se signa, en essayant de garder une expression impassible.

— Quelle soirée, déplora-t-elle. Comment ne pas avoir les nerfs à vif ? Cependant ton père dit vrai, c'est une pure folie. Pense à ta fille, Catherine, aux désagréments de la traversée ! Le roulis, le mal de mer, la mauvaise nourriture, les nausées inévitables, la promiscuité ! Je suppose que vous serez en troisième classe ?

— Le voyage dure une dizaine de jours, précisa Catherine. Ma grossesse ne me cause aucun désagrément, je suis dans mon septième mois. Je suis désolée de vous faire autant de peine. Je l'admets, nous vous annonçons la nouvelle au dernier moment. C'était pour éviter des jours et des jours de discussion, de reproches. Nous avons vendu nos meubles, un terrain qui m'appartenait en propre, afin de payer les billets.

— On nous attend à New York, précisa Guillaume. Un ami compagnon m'a assuré d'un emploi, sur la construction d'un immeuble de la 23e Rue. Ils ont besoin de charpentiers qualifiés.

— Quelle blague, comme s'il n'y en avait pas déjà sur place, mon pauvre Duquesne, s'égosilla Hugues Laroche.

Sur ces mots, il leva les bras au ciel. Un nouveau grondement ponctué de crépitements menaçants retentit, si bien qu'Élisabeth eut l'impression que son grand-père l'avait provoqué, en s'agitant ainsi. Elle eut alors la prescience aiguë d'un danger, sans pouvoir déterminer d'où il venait.

— J'ai très peur, maman, réussit-elle à murmurer.

— Il ne faut pas, ma chérie, je te le répète, nous sommes bien à l'abri, lui dit Catherine tout bas, avant de l'embrasser sur le front avec une infinie tendresse.

Guillaume ruminait, l'air sombre, le « mon pauvre Duquesne » que Laroche lui avait assené. S'il avait pu, il aurait emmené sur-le-champ sa petite famille. Mais la danse infernale des éclairs continuait, derrière les vitres ruisselantes.

— Ce sera pire au milieu de l'océan, insinua perfidement Adela Laroche en tamponnant ses lèvres du bout de sa serviette de table blanche.

Une silhouette passa dans le couloir voisin. C'était le majordome, attentif à la bonne marche du dîner.

— Vous pouvez débarrasser, Jérôme, ordonna la maîtresse des lieux. Catherine, il me vient une idée : laissez-nous Élisabeth. Elle bénéficiera d'une bonne éducation, sous le toit de ses ancêtres. Notre petite-fille égaiera par sa présence notre demeure un peu austère.

Les yeux bleus d'Élisabeth s'attachèrent aussitôt au profil de sa grand-mère. Elle la connaissait peu, et l'idée d'être confiée à cette dame au chignon blond et au nez busqué la jeta au cou de Catherine.

Le décor de la grande salle à manger, auquel l'enfant n'avait guère prêté attention, lui apparut obscur, oppressant, prêt à se refermer sur elle pour la retenir prisonnière. Son regard effaré alla des lourds doubles rideaux en velours vert aux tableaux où figuraient des personnages à l'air renfrogné.

Puis elle leva le nez vers le plafond en plâtre blanc, orné de rosaces en relief qui représentaient des grappes de raisin, des feuillages, des fleurs extravagantes. Quant aux lambris de chêne sombre, Élisabeth eut la certitude qu'ils cachaient des portes secrètes, menant à des caves humides.

— Ma chérie, tu me serres si fort que je peux à peine respirer, protesta sa mère en riant. Élisabeth, ne crains rien, enfin. Tu viens avec nous en Amérique.

— Je n'aime pas le château, maman, chuchota-t-elle. Je préfère chez nous, ou chez pépé Toine.

Élisabeth avait grandi dans une agréable maisonnette, au bord du fleuve Charente, dans le village de Montignac[1]. Son autre grand-père, le meunier Antoine

---

1. La commune se nomme en réalité Montignac-Charente depuis 1801.

Duquesne, habitait un kilomètre en amont. Un paradis pour l'enfant, entourée d'affection et libre de déambuler du matin au soir dans un modeste jardin.

— Ne t'inquiète pas, ma princesse, répliqua Catherine à son oreille. Tu viendras avec nous, je te le promets.

— Et pourquoi ? s'enflamma Hugues Laroche. Adela a raison, nous pouvons au moins garder Élisabeth. Elle ne manquera de rien. Je lui léguerai tout.

Guillaume frappa à son tour sur la table du plat de la main. Il était outré.

— N'y pensez pas, s'exclama-t-il. Notre fille grandira sur le sol d'Amérique, loin des valeurs frelatées de ce vieux continent. Je suis capable de subvenir aux besoins de ma famille. N'en parlons plus, je vous prie.

Élisabeth s'apaisait, cajolée par sa mère. Catherine en profita pour donner son opinion. Elle rayonnait, ses épaules menues nappées de sa chevelure dorée, aux boucles soyeuses.

Guillaume ne put s'empêcher de lui sourire. Il l'aimait de tout son être. D'abord séduit par sa beauté chaleureuse, sa finesse de tanagra[1], puis très vite conquis par ses qualités de cœur, son intelligence, sa vitalité.

— Maman, papa, ce débat me fatigue. Nous vous écrirons, c'est promis. Mon mari et moi, nous rêvons de partir, pourquoi vous y opposer ?

Le majordome s'affairait autour de la table où l'argenterie scintillait autant que les verres en cristal. Le vent hurlait dans les cheminées, à présent, et malgré les feux allumés dans la salle à manger et dans le grand salon voisin, on aurait dit qu'une meute de loups rôdait autour du château.

Une pluie drue noyait les pelouses du parc, ruisselant sur les hautes toitures d'ardoise pour se changer en torrents impétueux au creux des gouttières de zinc.

---

1. Statuette antique finement sculptée.

— Mon Dieu, ce n'est plus un orage, mais une tempête ! Vous devriez dormir ici, proposa Adela. Il fera bientôt nuit. Jérôme, demandez à Madeleine de préparer une chambre. Le feu allumé, les draps chauffés à la bassinoire. Et dressez un lit pour Mlle Élisabeth dans la nursery.

— Oui, Madame, répondit le domestique.

— Maman, tu décides pour nous, s'insurgea Catherine. La calèche que nous a prêtée le docteur est équipée d'une capote en toile gommée, quasiment imperméable. Nous avions l'intention de rentrer chez M. Duquesne. Mais je veux bien passer la nuit au château. Demain matin, il faudra nous dire au revoir. Nous serons peut-être tous dans de meilleures dispositions.

Adela se félicita du délai obtenu. Quelques heures suffisaient parfois à peser lourd dans une décision.

Une trêve s'instaura, en l'honneur des digestifs, nécessaires après un rôti de veau à la croûte dorée, sur sa garniture de cèpes et de pommes de terre. Tout en dégustant une liqueur de cassis, Hugues Laroche cherchait comment retenir sa fille et sa petite-fille. Il refusait de les imaginer en mer, et même dans les rues de New York.

— Guillaume, mon gendre, commença-t-il après avoir terminé son assiette, je vous présente mes excuses. Mettez-vous à ma place, vous m'annoncez dès que nous prenons place à cette table que vous embarquez au Havre, dans quatre jours. J'avais de quoi être bouleversé ! Un projet d'une telle gravité, j'aurais apprécié d'en discuter auparavant avec vous et Catherine. Le mal est fait, j'ai tenu des propos désagréables à votre égard, veuillez me pardonner.

— Je vous pardonne volontiers, monsieur.

— Je serai franc, j'ai été contrarié et fort désagréable, au début de votre mariage. Accordez-moi une chose, j'ai su m'incliner devant votre amour. Reprenons le problème à la source.

— Que voulez-vous dire ?

— Si je vous offrais une perspective d'avenir sur nos terres ? Devenez mon associé, installez-vous au château, qui dispose de plusieurs chambres confortables. Ma fille retrouvera un train de vie qui lui est familier, le bébé naîtra dans les meilleures conditions. Nous partagerons l'ouvrage et les bénéfices.

Catherine était stupéfaite. Elle mesurait l'importance de la proposition de son père, l'intransigeant viticulteur n'ayant jamais envisagé de formuler pareille offre à un gendre qu'il méprisait.

« Guillaume ne peut pas refuser, il serait stupide, triomphait intérieurement Adela, le regard brillant d'espoir. Mon Dieu, ils vont rester ici, j'en suis certaine. »

— C'est très généreux de votre part, monsieur, répondit d'un ton poli le charpentier. Mais je n'ai pas le goût d'exploiter vos vignobles, ni de profiter de vos largesses. J'aime mon travail, et le Nouveau Monde m'appelle. Nous forgerons notre destinée là-bas, ma femme, nos enfants et moi, sans dépendre de personne. Je suis désolé.

Catherine, soulagée, se redressa. Elle croyait sentir le vent du large sur son front, ses joues. Son père nota son mouvement de joie, mais il dissimula son irritation sous un sourire résigné.

— Au fond, vous êtes un orgueilleux, Guillaume, fit-il, ce qui est souvent gage de réussite. Fier aussi, et je ne peux vous le reprocher. Nous aurions pu trouver un terrain d'entente. Eh bien, restons-en là.

Guillaume consentit d'un signe de tête, mais il jeta un regard amusé à Catherine. Rien n'aurait pu influencer le jeune couple, qui éprouvait le même désir de liberté, de découverte.

Élisabeth avait repris place sur sa chaise. Elle terminait son flan meringué, réconfortée par la certitude que ses parents l'aimaient et l'emmèneraient.

Chaque soir, depuis deux semaines, elle les écoutait raconter comment se déroulerait leur grand voyage sur la mer. Catherine la berçait de descriptions idéales. Elle lui avait montré des images représentant l'immense océan bleu et vert, aux vagues ourlées d'écume blanche. Il y avait aussi des mouettes dessinées dans le ciel, une espèce d'oiseaux inconnue en Charente.

Guillaume, lui, avait trouvé une photographie de paquebot, pour expliquer à sa fille qu'ils passeraient dix jours sur un bateau énorme, pareil à une immense maison flottante.

Pourtant sa quiétude retrouvée fut balayée par Madeleine, la femme de chambre des Laroche, qui tira son siège en arrière. C'était une robuste paysanne, au regard perçant, aux traits un peu lourds, âgée de vingt-huit ans. Elle portait une petite coiffe blanche, sur des cheveux châtains, attachés sur la nuque.

— Demoiselle, je dois vous mettre au lit, lui dit-elle.

Catherine ébaucha un geste de protestation, accoutumée à coucher sa fille elle-même. Mais Adela s'interposa :

— Madeleine s'occupera bien d'Élisabeth, nous devons avoir une conversation, toutes les deux. Tu as été élevée ainsi, l'aurais-tu oublié ? Les enfants de cet âge doivent se coucher tôt, être au calme.

— Je m'en souviens parfaitement, rétorqua Catherine. J'étais obligée, l'été, de m'ennuyer au lit, alors que tu recevais tes invités dans le parc, sous les lampions. J'entendais la musique, et je me languissais d'être loin de la fête. L'hiver, c'était pire encore, j'avais peur seule là-haut, quand le vent sifflait dans la cheminée, comme ce soir. Au fond, je me sentais moins seule au pensionnat.

— Est-ce ma faute si je n'ai pu te donner des frères et sœurs ? se plaignit sa mère. Allons, ne sois pas si sensible, dis bonne nuit à Élisabeth.

Contrariée, Catherine céda. Dès l'aube, ils s'en iraient, son mari, sa fille et elle. Plus jamais on ne lui imposerait des principes ineptes.

— Élisabeth, ma chérie, tu vas suivre Madeleine. Obéis-lui, récite ta prière et endors-toi. Je viendrai te voir en montant me coucher.

Sur ces mots, elle câlina sa fille, l'embrassa encore et encore, afin de la réconforter.

— Tu viendras, dis, maman ? s'alarma celle-ci.

— Je croyais qu'elle était muette, notre poupée, s'esclaffa alors Hugues Laroche. Eh bien, non, elle sait parler.

— Élisabeth n'est pas une poupée, monsieur, s'indigna Guillaume, et chez nous, elle se montre bavarde, curieuse de tout. Elle commence à lire des termes simples sans notre aide, ce dont nous sommes fiers.

Le viticulteur s'apprêta à répliquer, un bruit épouvantable l'en empêcha. Ils eurent tous l'impression qu'un pan de toiture s'effondrait ou qu'on brisait portes et fenêtres.

— Mon Dieu, qu'est-ce qui s'est passé ? s'affola Adela. Je croyais l'orage terminé !

— La foudre, sûrement, répondit son époux.

Le majordome accourut alors, blafard, les yeux exorbités. Il s'inclina devant ses maîtres :

— Monsieur, Madame, le grand sapin est tombé contre la tourelle, Vincent me l'a annoncé à l'instant, il rentrait de l'écurie.

— Seigneur, un arbre vieux de deux cents ans, déplora Laroche en se levant précipitamment. Excusez-moi d'être pessimiste, mais j'y vois un triste présage. Je dois constater les dégâts !

— Je vous accompagne ! s'écria Guillaume.

Adela ne bougea pas, mais elle eut un élan vers Catherine, dont elle étreignit la main. Madeleine, imperturbable, conduisit la petite fille vers la salle du XIIe siècle, qui donnait accès au pont-levis. La vaste pièce, d'architecture romane, servait de hall d'honneur aux Laroche.

Le couple ne manquait pas une occasion d'évoquer auprès de leurs invités le riche passé historique de l'ancienne forteresse, que les gens du village de Guerville appelaient respectueusement le « château ».

Élisabeth se retourna pour regarder sa mère une dernière fois. Elle aurait voulu rester sur ses genoux, ou bien monter avec elle. La salle à manger, où elle ne, se sentait pas à son aise auparavant, lui paraissait soudain un agréable refuge. Les lampes à pétrole dispensaient une douce lumière jaune, sous laquelle luisait le bois des meubles de taille colossale.

— Dépêchons, mademoiselle, ordonna la domestique.

Une fois dans le hall agrémenté de plantes vertes, de miroirs, la fillette ralentit le pas. Des trophées de chasse étaient accrochés sur les murs tendus de panneaux de velours rouge. Élisabeth ne les avait pas vus en arrivant. Là, sous les reflets changeants de la bougie, elle observa les animaux aux yeux de verre coloré, de malheureuses bêtes à son idée, car ils avaient perdu une partie de leur corps.

Elle identifia un sanglier, un cerf, des chevreuils. Ces gracieux cervidés passaient souvent près de leur maison, pour aller boire dans le fleuve, et elle s'attrista davantage.

— C'est m'sieur votre grand-père qui les a tous tués, commenta la femme d'un ton respectueux. Mais il n'a fait empailler que les plus beaux !

Gravir les innombrables marches qui conduisaient aux chambres vint à bout des forces d'Élisabeth. Elle bâilla à plusieurs reprises jusqu'à l'étage. Enfin Madeleine la fit entrer dans la nursery en la poussant par l'épaule. Loin du regard sévère de ses patrons, elle perdait ses manières mielleuses et son air docile.

— Couche-toi vite, jeta-t-elle durement. Tu nous en causes, du dérangement, pour une nuit.

Le feu, allumé depuis cinq minutes à peine, n'avait pas encore réchauffé la pièce, éclairée par une chandelle en partie consumée.

— Bien sûr, il te faut une chemise, s'impatienta la domestique.

— J'en ai une sous ma robe.

— Tiens, tu as retrouvé ta langue. Oui, ça suffira, ôte-moi tout ça. J'ai mis deux couvertures dans ton lit, tu n'auras pas froid.

— Est-ce que vous êtes fâchée ?

La question, énoncée d'une voix nette, surprit Madeleine. Elle observa la petite avec méfiance.

— Fâchée ou pas, je n'ai pas le temps de m'occuper de toi. J'ai de l'ouvrage plus qu'il n'en faut du matin au soir, moi. Et Vincent m'attend pour notre partie de cartes.

— Qui est Vincent ?

— Le valet d'écurie, il monte le bois dans les chambres, aussi. As-tu fini de me tirer les vers du nez, vilaine curieuse ?

Élisabeth dut retenir ses larmes, désorientée par l'attitude de Madeleine. Son cœur lui faisait mal. Sans rien dire, sans pleurer, elle se laissa déshabiller. Soudain un cri lui échappa, en apercevant des silhouettes confuses à quelques pas, une femme et un autre enfant, qui s'agitaient, brassaient des tissus.

— Là, là, murmura-t-elle. Des gens !

— Misère, que tu es bête, se moqua Madeleine. C'est nous deux dans le miroir, petite sotte, tu n'as jamais vu de miroir ? Avance un peu.

L'enfant savait ce qu'était un miroir, mais celui qu'utilisaient ses parents était rond, de la taille d'une assiette. Catherine lui montrait son reflet le dimanche matin, avant la messe, ce qui l'amusait beaucoup.

Là, c'était différent, elle se voyait des pieds à la tête, en chemise blanche à bretelles. Ses yeux semblaient agrandis, ses joues et son menton plus ronds. Elle considéra ses boucles brunes, le ruban rose qui les maintenait en arrière et se reconnut enfin.

— Il n'y a pas de quoi avoir peur, s'esclaffa la domestique. Maintenant, couche-toi.

— Je dois dire mes prières !

— Tu les diras dans ton lit, entends-tu, je suis pressée.

Madeleine l'aida à s'allonger entre les draps glacés, que n'avait réchauffés aucune bassinoire garnie de braises. Ensuite elle s'accroupit près de la cheminée, actionna le soufflet avec énergie. Des flammes jaunes, très claires, s'élevèrent.

— Je souffle la chandelle, le feu servira de veilleuse, décréta-t-elle. Tu n'es pas à plaindre, va ! Il y en a de plus mal lotis. Et je te préviens, si tu racontes à ta mère comment je t'ai parlé, gare à toi. Je connais des mauvais sorts, qui punissent les gamines trop bavardes. Oui, je peux faire sortir des asticots de ta bouche, des vers de terre de tes oreilles. Compris ?

— Oui, murmura la fillette terrifiée, en remontant la couverture jusqu'à son nez.

La hargne de Madeleine à son égard lui était perceptible, mais de façon confuse, accordée en fait aux grondements de l'orage, tout à l'heure, à la furie de la tempête. La voix sèche de la femme de chambre, ses gestes nerveux ne la surprenaient plus.

Du fond de son petit cœur anxieux, Élisabeth accusa le sombre château d'être l'unique coupable. Rien de bon ne pouvait y arriver. Elle en avait eu la preuve. Son grand-père hurlait et tapait sur la table, sa grand-mère ne l'avait même pas embrassée.

— Maman, appela-t-elle tout bas. Viens, maman.

Du seuil de la nursery, Madeleine la menaça d'un rictus sévère.

— Ta mère a autre chose à faire, tu ferais mieux de dormir.

La porte se referma. Le feu lançait des étincelles, crépitait parfois, mais il ne suffisait pas à rendre rassurant le décor qui entourait l'enfant. Elle considérait, saisie de frayeur, les rideaux blancs, immenses, qui voilaient les fenêtres. Elle crut les voir s'agiter doucement et cessa de les observer. Ses yeux se posèrent sur les ornements de plâtre ornant les angles de la pièce, mais parmi les arabesques, elle imagina des araignées tapies.

Enfin elle chercha du réconfort du côté d'une haute armoire au fronton triangulaire. Les battants luisaient dans la pénombre, et ils s'entrouvraient lentement.

Élisabeth en perdit le souffle. Un sanglot la secoua.

— Maman, papa, gémit-elle.

Personne ne vint à son secours.

Catherine, qui avait rejoint son mari et son père dans le petit salon surnommé «fumoir», était loin de soupçonner dans quels tourments se débattait sa fille. Malgré l'odeur pénible du tabac, elle s'était blottie contre Guillaume, toujours avide de sa présence. Les deux hommes avaient les cheveux luisants de pluie, car ils venaient de rentrer.

— Je suis écœuré, disait Hugues Laroche. Le grand sapin était un peu l'emblème du domaine. J'ai souvent pensé qu'il était déjà planté quand Louis XIV, le Roi-Soleil, est passé ici, dans notre château.

— C'est fort possible, l'arbre avait plus de deux cents ans, confirma le jeune charpentier. Mais il s'est brisé à mi-hauteur, il ne mourra pas.

— Peu importe, il faudra le couper à ras, pour préserver la beauté du parc, soupira Laroche. J'en planterai un autre, que je ne verrai pas atteindre une taille pareille.

— Cher papa, je suis vraiment désolée. Ne sois pas triste, s'écria Catherine.

— Ma seule consolation serait de vous garder tous les trois, ainsi que l'enfant à naître, dit-il d'un ton grave. Si tu as un fils, si Guillaume acceptait mon offre, je pourrais m'éteindre en paix, sachant que la propriété, les vignobles seront entre de bonnes mains.

La jeune femme esquissa un sourire. Elle abandonna le bras de son mari pour aller cajoler son père.

— Tu as cinquante-deux ans, tu tiendras encore longtemps les rênes de ton fameux domaine, papa!

— Comment en être sûre, ma fille? Souviens-toi des paroles de l'Évangile, on ne sait ni le jour ni l'heure où Dieu nous rappelle à lui. Enfin, je renonce à vous convaincre. Les dés sont jetés, je sens bien que rien ne vous retiendra sur le sol français.

Adela fit son entrée au même instant. Elle agita la main devant son visage, afin de signifier son dégoût pour la fumée de cigare. Tout de suite, Hugues Laroche jeta l'objet du délit dans le feu.

— Retournons dans la salle à manger, déclara-t-il. Jérôme nous apportera du champagne. Autant trinquer à votre départ.

Catherine et Guillaume échangèrent un regard soulagé. La soirée s'achevait sur leur victoire.

— J'espère qu'Élisabeth ne m'attend pas, déplora seulement la jeune mère. Telle que je la connais, elle aurait été plus à son aise près de nous.

— Ciel, une enfant de cet âge installée à côté de votre lit, s'indigna Adela.

— Pour une fois, cela ne nous aurait pas dérangés, se récria Catherine. Chez nous, à Montignac, je lui avais aménagé une petite pièce qui communiquait avec notre chambre. Mais elle ne dort pas bien, depuis quelques jours.

— Rien d'étonnant, la perspective du voyage la perturbe, sans doute, hasarda Guillaume.

La discussion tourna court. Hugues Laroche entraîna sa fille en la prenant par la taille. Il avait un besoin viscéral de la toucher, de s'imprégner de son image, de son délicat parfum de lavande.

— Si vous êtes dans la peine, chuchota-t-il à son oreille, écris-moi, je ne te laisserai manquer de rien, Catherine. Et revenez quand vous le souhaitez, ma proposition tiendra tant que j'aurai un souffle de vie.

— Papa, comme tu es bon sous ton armure, répliqua-t-elle tout aussi bas. Je te remercie. Ne te fais aucun souci, nous sommes si heureux de découvrir New York ensemble. Hier matin, nous avons bien ri, en nous avouant que ce serait un peu notre lune de miel.

Guillaume et Adela avaient entendu les paroles de la jeune femme, qu'ils suivaient de près.

— Votre lune de miel, répéta cette dernière d'une voix amère. Est-ce notre faute si vous avez refusé de partir en Italie ? C'était un cadeau que nous avions convenu de vous faire, mais non. Vous avez préféré passer une semaine au bord de la Charente, pour rendre habitable la pauvre maison où vous alliez vivre.

Catherine évita de répondre à sa mère, qu'elle devinait prête à pleurer de dépit. Elle se contenta de l'embrasser sur la joue, tandis que le majordome, sur un ordre marmonné, se ruait vers l'office, afin de rapporter le champagne. Madeleine le croisa dans le hall. Elle lui fit un clin d'œil avant d'entrer dans la salle à manger.

— Madame, Mlle Élisabeth a récité ses prières et elle dort déjà, annonça-t-elle en fixant Catherine.

— Je vous remercie d'avoir pris soin d'elle, dit gentiment celle-ci. Je craignais qu'elle prenne peur, seule à l'étage.

— Oh non, Madame, j'ai patienté à son chevet, mais elle était fatiguée, mentit la domestique avant de se retirer avec force courbettes.

À l'étage du château, dans la nursery silencieuse, Élisabeth faisait l'apprentissage de la peur irraisonnée, instinctive. Elle voyait distinctement les battants de l'armoire s'entrebâiller puis se refermer à peine, à un rythme régulier. La première fois, elle s'était enfouie sous les draps, sans cesser d'appeler sa mère. Puis, comme fascinée, elle avait fixé le meuble à travers les barreaux en bois laqué de son lit, afin de guetter le mystérieux va-et-vient des portes.

Maintenant elle n'avait plus la force de crier, de hurler, certaine qu'au moindre bruit, un monstre apparaîtrait, se jetterait sur elle. Mais elle pleurait, reniflait, en étouffant l'écho de ses sanglots d'une menotte tremblante, en travers de sa bouche.

Comble de malheur, le feu ne produisait plus que des flammes orangées, rampantes. L'enfant, devant l'assaut de l'obscurité, essaya de prier. Elle aurait pu aussi tenter de se lever, de s'enfuir, cependant elle n'avait pas le courage de quitter son refuge.

Elle suffoqua de panique lorsqu'un battant de l'armoire s'ouvrit vraiment. Des vêtements suspendus remuèrent, enfin une main en émergea, les doigts écartés.

— Tu pleures, fit une voix presque inaudible, n'faut pas pleurer !

Cette fois, Élisabeth traça maladroitement un signe de croix en l'air. Les histoires que lui racontait son pépé Toine s'imposaient à son esprit épouvanté. Le meunier de Montignac, pendant les veillées au coin de l'âtre, évoquait avec malice de dangereuses créatures.

Il y avait la sorcière au crochet de fer, tapie au fond des puits, qui attrapait les petits curieux, penchés sur le gouffre d'ombre. Malgré les remontrances de Guillaume, il affirmait à la fillette que certains hommes, la nuit, se muaient en loups-garous et dévoraient ceux qu'ils surprenaient dans les bois.

Pourtant Élisabeth se demanda si un monstre pouvait parler d'une voix aussi douce et conseillerait à sa victime de ne pas pleurer. Elle se redressa, en scrutant la silhouette qui se glissait hors du meuble.

— Je crois que je t'ai fait peur, murmura un garçon vêtu d'une longue chemise blanche.

— Oui, oh oui, souffla-t-elle.

— Je voulais te voir de tout près, alors je me suis caché. Si ma tante me trouve ici, elle me donnera le fouet, alors ne crie pas.

— Qui est ta tante ? interrogea la petite d'un ton tremblant.

— Ben, Madeleine, la femme de chambre, pardi. Chut, n'bouge pas, je vais m'occuper du feu. Il s'éteint.

Élisabeth respira mieux. Elle se frotta les yeux, essuya ses joues humides. Assise dans son lit, elle observa le garçon accroupi devant la cheminée. Il maniait le soufflet, arrangeait une bûche. Bientôt de belles flammes claires pétillèrent. Vite, il se releva et vint examiner la fillette d'un œil sombre.

— Je t'ai déjà vue, tantôt, quand tu es arrivée en calèche avec tes parents, mais de loin. Ma tante disait que tu étais une sale pimbêche, moi, je t'ai trouvée mignonne. Dis, pourquoi tu pleurais ? Tu appelais ta maman, tout à l'heure.

— J'avais peur. Très peur.

— Oui, et puis ma tante a été méchante, ça, elle ne peut pas s'en empêcher. C'est vrai que tu t'appelles Élisabeth ? Moi, on m'a baptisé Justin. J'ai huit ans.

Ils se dévisagèrent en silence. Justin admira les boucles brunes, le menton rond, les joues roses, les grands yeux d'un bleu très clair. Il eut un large sourire ébloui.

— Je n'voulais pas te faire peur, tu me pardonnes ?

— Je te pardonne, répondit sérieusement la petite.

— Tu vas rester longtemps au château ? Je n'aurai pas le droit de jouer avec toi, mais demain soir, je pourrai revenir te parler.

Élisabeth n'avait pas l'habitude des autres enfants. Un de ses oncles était marié, mais ne lui avait pas encore donné de cousin ou de cousine. Elle était habituée à vivre entourée d'adultes. Un vague regret lui enserra le cœur, à l'idée du départ.

— On s'en va demain matin, précisa-t-elle. D'abord on prend un train, ensuite un grand bateau sur la mer. Papa va travailler en Amérique.

Sidéré, Justin hocha la tête. Il ignorait encore où se trouvait l'Amérique, mais le mot lui était familier.

— Je crois que c'est très loin, déplora-t-il. Si tu t'en vas sur la mer, je dois te donner un cadeau. Il y a plein de vieux jouets, ici. Je viens en cachette pour m'amuser avec.

Justin trottina vers une malle en osier, au couvercle dressé contre le mur. Il fouina dans une boîte en carton d'où il extirpa un objet qui logeait au creux de sa main.

— Tiens, un soldat de plomb, mon préféré, il joue du tambour. Il te protégera pendant le voyage, et si tu as encore peur, tu lui diras de m'appeler. Je viendrai te sauver.

— Tu ne pourras pas, protesta-t-elle en souriant. Mais je le garderai et je penserai à toi, comme ça.

Elle s'empara de la minuscule figurine. Le métal était tiède entre ses doigts, il lui offrait la chaleur du garçon.

— Merci, Justin, je ne le perdrai jamais. Je te le promets.

— Promets aussi de revenir un jour, d'accord ?

Elle hésita, car ses parents lui avaient appris la valeur d'un serment, en dépit de son jeune âge. Mais elle trouvait Justin tellement charmant, avec ses cheveux blonds, ses yeux sombres, qu'elle chuchota :

— Je te le promets aussi.

— Bon, ça me rend triste que tu t'en ailles demain. Je dois monter me coucher, si ma tante ne me voit pas là-haut, gare à mes os !

— Tu dors où, toi ?

— Dans le grenier, ma tante a une chambre, moi j'suis logé derrière un paravent, sur une paillasse. Au revoir, Élisabeth.

Il la contempla encore un instant, puis, après avoir pris sa respiration, il se pencha et l'embrassa sur la joue.

— Au revoir, dit-elle, surprise par cette marque de tendresse qui achevait de la réconforter. Dis, tu ne veux pas rester encore un peu. Maman attend souvent que je m'endorme, tu pourrais faire comme elle ?

— D'accord, j'ai bien cinq minutes, ils jouent sûrement aux cartes en bas, dans l'office.

— Qui ça, « ils » ?

— Ma tante, Vincent et le vieux Léandre, le jardinier. Et demain, si je peux, je te regarderai partir, de cette fenêtre, là, celle de droite. Tu me feras un signe, hein ?

Elle fit oui de la tête. Justin se mit à genoux près du petit lit et lui prit la main entre les barreaux.

— Tu es vraiment gentil, articula Élisabeth en bâillant. Où est ta maman ? Et ton papa ?

— Ils sont morts tous les deux, je ne me souviens même pas d'eux.

— Comme tu dois être triste, s'effara la fillette d'une voix faible. Mais ils sont au Ciel, avec les anges et le petit Jésus.

— Oui, bien sûr. Dors vite, que je ne sois pas puni.

Élisabeth ferma les yeux, ses doigts nichés entre ceux du garçon. Le sommeil la terrassa, un bon sommeil qui mit sur ses lèvres une expression heureuse.

Catherine, une demi-heure plus tard, la découvrit ainsi. Justin n'avait laissé aucune trace de sa présence. La jeune mère caressa le front bombé de son enfant, ses boucles douces comme de la soie, puis elle remonta un peu le drap. En mère vigilante, elle plaça le pare-feu devant l'âtre de la cheminée en marbre rose. Enfin, sur la pointe des pieds, elle alla rejoindre son mari.

« Je féliciterai Madeleine demain matin, songea-t-elle. Elle s'est bien occupée de ma petite princesse. »

Guillaume l'attendait, assis au bord du grand lit à baldaquin de leur chambre. Il étudiait d'un œil perplexe le décor luxueux qui l'entourait.

— C'est la troisième fois en cinq ans que je passe la nuit au château, fit-il remarquer à sa femme quand elle entra. Et je suis toujours mal à l'aise, en pensant que tu as grandi parmi tous ces beaux meubles, ces tentures hors de prix, ces bibelots. Tu prétendais te plaire dans notre humble maison de Montignac, mais qu'en sera-t-il à New York ? Tu n'auras plus de jardin. Élisabeth aime tellement gambader dehors. J'espère que tu ne regretteras pas de m'avoir suivi, ma Catherine. Ton père a semé le doute en moi. Si l'existence que je t'offre là-bas était trop dure, trop pénible ?

Elle haussa les épaules, rieuse, et lui tourna le dos.

— Au lieu de dire des bêtises, aide-moi à enlever ma robe, et surtout à délacer mon corset. Je n'en peux plus d'être aussi serrée.

— Le bébé n'en souffre pas?

— Non, mais il a beaucoup gigoté.

Bientôt Catherine fut en chemise de batiste blanche. Elle massa son ventre en soupirant de bien-être. Guillaume chercha sa bouche. Ils se fondirent l'un dans l'autre, le temps d'un baiser passionné.

— Tant que je serai près de toi, affirma-t-elle en reprenant son souffle, je serai comblée. Nos enfants fouleront le sol américain, ils deviendront de parfaits petits New-Yorkais, et nous ferons fortune, par nos propres moyens, par la force de notre amour.

Bouleversé, Guillaume l'embrassa encore. Catherine était la lumière de sa vie.

Moins d'une heure plus tard, Catherine se réveilla en sursaut et secoua son mari par l'épaule.

— Guillaume, as-tu entendu? C'est Élisabeth qui hurlait, j'en suis sûre! J'y vais!

— Quoi, que dis-tu? interrogea-t-il d'une voix étouffée.

— Je dis que notre fille a encore fait un cauchemar. Ce n'est guère étonnant, entre les cris de mon père et l'orage de ce soir.

La jeune femme était déjà debout. Elle se rua hors de leur chambre et courut jusqu'à la nursery, d'où s'élevaient encore des hurlements stridents. Là, elle découvrit sa fille en larmes, haletante, qui pouvait à peine respirer.

— Je suis là, ma chérie. Qu'est-ce que tu as?

— Un vilain rêve, maman, j'ai eu très peur! Et j'n'avais pas ma poupée.

— Viens, je t'emmène, je n'aurais pas dû te laisser dormir ici.

Guillaume les rejoignit. Sans hésiter, il souleva la petite, qui noua ses bras menus autour de son cou.

— C'est fini, papa te protège, dit-il. Je vais te porter jusqu'à notre lit, tu seras avec nous, ma mignonne. Raconte-nous ce que tu as vu, ça ira mieux ensuite.

— J'n'sais plus, articula difficilement Élisabeth. Il pleuvait fort, et… c'était tout noir.

Le couple longeait déjà le couloir, éclairé par une lampe à gaz murale. Catherine était la plus soucieuse.

— Je n'aurais pas dû plier devant la volonté de maman et coucher notre chérie moi-même, à côté de notre lit et pas dans cette nursery glacée, déplora-t-elle tout bas.

— Le départ chamboule ses repères, Cathy, à son âge, c'est normal. Elle ne peut pas se réjouir comme nous, plaida son mari. Tout rentrera dans l'ordre, ne t'inquiète pas.

Adela Laroche sortit de sa chambre au même instant. Elle les considéra tous trois d'un œil irrité.

— Qu'est-ce que vous faites ? Ramenez donc Élisabeth dans la nursery ! Vous auriez dû la punir de crier aussi fort !

— La punir, maman ! s'indigna Catherine. Et tu voulais la garder ici ? Seigneur, elle fait des cauchemars, ce n'est pas sa faute.

— Les enfants gâtés font de leur mieux pour attirer l'attention des parents, prêcha sévèrement Adela. Mais que tient-elle à la main ? On dirait un des soldats de plomb de mon grand-oncle !

Guillaume aperçut une figurine entre les doigts de sa fille. Il haussa les épaules.

— Justin me l'a offert, osa expliquer Élisabeth en reniflant.

Blottie dans les bras de son père, elle se sentait hors de danger. Si bien qu'elle ajouta :

— Justin, il est gentil, lui.

— De qui parles-tu ? demanda sa grand-mère, suspicieuse. Tu profères un mensonge, je ne te félicite pas. Je ne connais aucun Justin dans le château.

— Si, un petit garçon, le neveu de Madeleine, il m'a consolée.

— Mon Dieu, que vas-tu inventer, Élisabeth ? s'insurgea Adela. Je suis bien renseignée sur mes domestiques, or Madeleine n'a ni frère ni sœur, donc aucun neveu. De surcroît, il n'y a pas de petit garçon sous notre toit. Tu affabules, ma pauvre enfant. Espérons que nous pourrons dormir, à présent.

— Maman, veux-tu récupérer le soldat de plomb ? s'inquiéta Catherine.

— Non, la collection n'est plus complète depuis longtemps, ta fille peut le garder.

Élisabeth cacha son visage dans le cou de Guillaume, qui la serra plus fort, en embrassant la soie de ses cheveux bruns.

— Il ne faut pas mentir, ma chérie, dit la jeune femme. Tu as dû rêver de ce garçon, Justin.

La fillette refusa de répondre. Elle savait faire la différence entre un rêve, un cauchemar et le monde réel, quand elle était bien réveillée. Tant pis si ses parents ne la croyaient pas, tant qu'elle pouvait se coucher dans leur lit, à l'abri de tout.

2
Le grand départ

Le Havre, quatre jours plus tard, à l'aube,
mardi 19 octobre 1886

Guillaume aida Catherine à descendre du train, puis il attrapa Élisabeth par la taille. La voie ferrée s'arrêtait sur les quais du port du Havre, important point d'embarcation pour New York et d'autres destinations lointaines.

— Regardez, mes chéries, la mer, s'écria-t-il en désignant une vaste étendue bleue aux nuances grises, qui fermait l'horizon. Et toutes ces mouettes, dans le ciel. On voit les quatre mâts de *La Champagne*, notre bateau. Pardi, il attend la marée haute.

— Mon Dieu, comme c'est beau, s'extasia Catherine.

Son mari, au cours de son tour de France sous l'égide des compagnons, avait travaillé en Bretagne et près de La Rochelle. Il avait souvent dépeint à Catherine l'immensité de l'océan, ses vagues couronnées d'écume blanche, qui se brisaient avec fracas sur les rochers ou roulaient sur le sable des plages.

— Élisabeth, te sens-tu un peu mieux ? demanda Guillaume. Tu ne remonteras pas en train avant longtemps, sois tranquille.

— Oui, papa, un peu. Je suis désolée d'avoir été malade.

Le couple échangea un coup d'œil soucieux. Le comportement de leur fille les inquiétait. Elle avait souffert d'une vive anxiété, avant de monter dans leur wagon, en gare Saint-Lazare.

— Je ne veux pas, répétait-elle, livide, les yeux agrandis par un effroi inexplicable.

Ils avaient eu beau la rassurer, l'interroger sur les raisons de sa terreur, Élisabeth s'était fermée, tremblante. Son père avait dû la porter jusqu'à l'intérieur du compartiment. Catherine revoyait le triste tableau : son enfant adorée les paupières closes, la bouche pincée.

« Par chance, ma petite s'est calmée assez vite, sa tête posée sur mes genoux, se remémora-t-elle. Guillaume dit vrai, ce doit être dû au changement de vie que nous lui imposons. Elle était habituée à mon beau-père, son cher pépé Toine, à ses oncles. Jean, le plus jeune, pleurait au moment des adieux, Élisabeth l'a vu. »

Catherine fut tirée de sa songerie par le geste tendre de son mari, qui lui caressait la joue.

— Nous ne pouvons pas rester là, Cathy, nous gênons, souffla-t-il.

Il y avait foule autour d'eux et une agitation de ruche. Le bruit était assourdissant, composé d'appels, d'éclats de voix, d'ordres jetés à tue-tête. Des commis en blouse grise poussaient des chariots encombrés de bagages, d'autres relevaient sur un calepin les nombres inscrits sur de grosses caisses en bois.

— Eh bien, nous touchons au but, déclara Guillaume. Dans une heure ou deux, nous serons sur le pont du paquebot. Ne crains rien, Élisabeth, nous allons faire un beau voyage. Ici, au Havre, nous sommes au bord de la Manche, mais bientôt ce sera l'océan, tu verras. Il y aura de grosses vagues, et sans doute, je te montrerai des baleines, ou des dauphins.

La fillette approuva d'un faible sourire. Son père ajouta :

— Il faut se rapprocher de notre passerelle d'embarquement. Les passagers de troisième classe montent à bord les premiers, pour être inscrits sur les registres.

Quant au contrôle sanitaire, nous devrions l'éviter, grâce aux certificats de notre docteur.

— Et nos malles ? s'inquiéta Catherine.

— Attendez-moi sur ce banc, là, à l'abri du vent, dit-il en les conduisant vers un bâtiment en planches. Je vais me renseigner sur le transfert des malles, c'est plus prudent.

Élisabeth, une fois assise, se réfugia contre sa mère. Plusieurs odeurs désagréables les agressaient, celle du goudron, du métal rouillé, des détritus entassés dans l'angle d'un hangar. Les goélands et les mouettes survolaient les quais, en poussant des cris aigus, pareils à des ricanements.

— Tout ira bien, ma petite chérie, dit Catherine à sa fille, l'ayant sentie trembler de nervosité. Nous sommes des aventurières, n'est-ce pas ? Il faut tout observer et s'en amuser.

— Oui, maman.

Des inconnus passaient devant leur banc. La jeune femme salua discrètement le doyen d'un groupe d'étrangers, dont les vêtements et les chapeaux, la coiffure lui firent supposer qu'il s'agissait de Juifs, eux aussi en partance vers New York. Une autre famille défila, une vraie troupe composée de trois adultes et de six enfants.

Mais Catherine se lassa. Ses pensées allèrent vers ses parents, au moment de la séparation.

« Maman m'a embrassée au moins six fois, se remémora-t-elle, émue. Elle m'a glissé une enveloppe contenant des billets de banque dans la poche de mon manteau. Et elle avait les yeux pleins de larmes. »

Elle chassa ce souvenir poignant d'un gracieux mouvement de tête. Ses narines délicates se dilatèrent pour respirer l'air frais du large, qui lui parvenait au gré du vent et la grisait. Les embruns dominaient la senteur âpre des quais, comme les piaillements lancinants des oiseaux estompaient la rumeur des voyageurs.

Élisabeth guettait avec impatience le retour de son père. Elle avait éprouvé une sensation étrange en le voyant s'éloigner, dans son costume en velours gris.

— Pourquoi papa nous a laissées ? demanda-t-elle.

— Mais il va revenir tout de suite, répondit sa mère. Je suis là pour te protéger. Ma chérie, aurais-tu peur de traverser l'océan ?

— Non, je n'ai pas peur, mais je veux que papa revienne.

— Il ne devrait pas tarder, assura Catherine.

La fillette glissa sa menotte au fond de la poche de son paletot. Ses doigts trouvèrent le soldat de plomb et l'étreignirent. Elle s'interrogea sur Justin, qui, d'après sa grand-mère, n'existait pas. Pourtant il lui avait offert le jouet, elle n'avait pas rêvé, cette fois.

Les minutes filaient, l'agitation et les clameurs ne cessaient de s'amplifier, sur les quais. Catherine consulta sa montre en argent, cachée dans une poche de sa jupe. Il lui semblait que Guillaume était parti depuis longtemps.

Elle se leva du banc pour faire quelques pas. Ses yeux verts se fixèrent bientôt sur les quatre mâts et les deux grosses cheminées du paquebot *La Champagne*, lancé par la Compagnie générale transatlantique, au mois de mai[1]. Des matelots couraient sur les ponts. Elle aperçut plusieurs personnes qui montaient à bord, une file ininterrompue de silhouettes animées.

— Mais que fait Guillaume ? dit-elle entre ses dents, une main à hauteur de son cœur, dont les battements s'accéléraient.

Elle dissimula son angoisse pour ne pas affoler sa fille. D'un coup d'œil, elle vérifia la présence du gros sac en cuir où étaient rangées des affaires de première nécessité.

Un homme, en uniforme de marin, sûrement un gradé, vint la saluer. Il souleva de l'index sa casquette où figurait le nom de la Compagnie transatlantique.

---

1. Le paquebot *La Champagne* a bien existé, et il a effectué une de ses traversées à cette date. Il a été mis en service en mai 1886, ainsi que *La Gascogne*, *La Bourgogne* et *La Bretagne*. Il s'est échoué en mai 1915 à l'entrée du port de Saint-Nazaire et s'est cassé en deux, ce qui a conduit à sa vente pour démolition.

— Seriez-vous passagère sur *La Champagne*, madame ? s'enquit-il d'un ton poli.

— Oui, monsieur.

— Vous devriez vous diriger vers l'embarcadère, avec votre enfant. Vous avez sûrement réservé une cabine des secondes classes ?

L'allure élégante de la jeune femme, son élocution soignée l'avaient induit en erreur. Elle le détrompa d'un air modeste.

— Non, nous voyageons en troisième classe, monsieur. Je vous remercie de votre amabilité, cependant je préfère attendre mon mari. Il est parti s'occuper de nos malles.

— Les bagages ont été transportés à bord, il me semble. Si vous êtes en troisième classe, dépêchez-vous, madame.

Le marin se dirigea d'un pas rapide vers le quai pavé où était amarré le paquebot. Catherine scruta en vain les environs.

— Viens, Élisabeth, papa nous retrouvera près de la passerelle.

— Mais, maman ! On doit rester ici !

— Tu as entendu ce monsieur, ma chérie, il faut se préparer à embarquer. Papa comprendra où nous sommes parties et il nous rejoindra.

Catherine s'empara du sac en cuir. Elle ajusta sur son épaule une besace en toile qui contenait des provisions. Le vent, de plus en plus fort, fit voleter une mèche blonde échappée de son chapeau.

— Donne-moi la main, Élisabeth, tiens-moi bien, je ne voudrais pas que tu sois bousculée.

Elles arrivèrent enfin au pied de la coupée réservée à la troisième classe, après s'être faufilées parmi la foule. Catherine continua à chercher son mari des yeux, mais l'entreprise lui sembla vouée à l'échec, tant il y avait de monde. Les hommes portaient souvent le même genre de vêtements, une veste, un pantalon de couleur brune ou grise.

Deux employés de la compagnie vérifiaient le nom des derniers passagers de troisième classe, sur un gros cahier, avant de les laisser monter à bord.

— Guillaume, reviens, je t'en prie, murmura Catherine.

Élisabeth perçut ce murmure. Sa petite taille l'empêchait de pouvoir examiner le visage de ceux qui l'entouraient, mais elle s'obstinait à guetter l'apparition de son père. Soudain un souffle puissant, assorti d'un grognement, retentit dans son dos. Une odeur insolite assaillit la fillette qui se retourna.

— Maman, au secours ! s'égosilla-t-elle.

Catherine fit volte-face. Un cri peureux lui échappa, en voyant un ours juste derrière Élisabeth. L'animal humait l'air marin. Il avait un anneau passé dans ses narines luisantes, relié à une solide chaîne, que tenait un homme.

— Ayez pas peur, mesdames, messieurs, Garro n'est pas méchant pour deux sous, claironna-t-il. On lui a limé les griffes et les dents.

L'individu, au teint basané, parlait avec un accent rocailleux. Coiffé d'un chapeau noir, il arborait de longues moustaches. De sa main libre, il s'appuyait à un bâton.

Les gens s'écartaient, impressionnés, si bien que l'espace se dégagea, autour de la bête et de son maître.

— J'm'en vais amuser les gens de New York, clama-t-il à la cantonade. Je n'suis pas le premier ni le dernier. Un de mes frères est parti y a trois ans de ça, il gagne bien sa vie. Alors je pars aussi.

— D'où venez-vous, monsieur, s'enquit Catherine, tout en serrant sa fille contre elle.

— Des Pyrénées, pardi, de la vallée d'Ercé.[1]

Un contrôleur de *La Champagne* pointa un doigt méfiant sur le montagnard.

---

1. Beaucoup d'Ariégeois montreurs d'ours de cette vallée partaient pour l'Amérique à cette époque.

— Je vous ordonne de museler votre ours, mon gars, sinon je vous refuse l'embarquement.

— Hé, à vos ordres, capt'aine. J'ai ce qu'il faut. N'vous fâchez pas, je lui avais ôté sa muselière pour lui donner une pomme à croquer.

Élisabeth avait déjà vu des ours sur son livre d'images. Mais la stature imposante de l'animal l'incita à reculer.

— N'aie pas peur, petiote, s'esclaffa son dresseur. Quand tu le verras danser, tu seras bien contente.

L'incident avait distrait Catherine, néanmoins elle avait du mal à rester calme. Le retard de son mari prenait des proportions vraiment inquiétantes. Le montreur d'ours, qui voyageait lui aussi en troisième classe, s'engagea sur la passerelle, suivi par sa bête.

— Madame, vos titres de transport, exigea un autre employé de la compagnie, préposé au recensement des passagers.

Elle les sortit de la poche intérieure de son manteau. Ses doigts tremblaient.

— Monsieur, je ne peux pas monter à bord sans mon époux, il a dû être retardé, je vous en prie, accordez-moi un moment.

— Ce serait difficile, madame, nous devons ouvrir l'accès à la seconde classe. La mer sera haute dans moins de deux heures.

— Je vous en supplie, insista Catherine.

L'homme, d'une trentaine d'années, constata son état et hocha la tête, compatissant. Il n'était pas insensible à la beauté de cette jeune femme enceinte, ni au regard effrayé de l'enfant brune qui le fixait.

— Cinq minutes, pas davantage, trancha-t-il.

— Je vous remercie, monsieur, merci.

Élisabeth scrutait la masse mouvante des inconnus réunis le long du quai. Elle devina de riches personnages, à leur élégance, mais s'en désintéressa. Quelqu'un apparaissait à l'angle d'un hangar.

— Papa ! Là-bas ! Maman, c'est papa.

— Le voilà ! Merci mon Dieu ! s'écria Catherine.

Son soulagement fut de courte durée. Guillaume se dirigeait vers elles en titubant, comme pris de boisson. Une manche de sa veste était déchirée, le col de sa chemise aussi. Il avait le visage maculé de sang. Élisabeth jeta une plainte étouffée.

— Papa saigne, maman, tu as vu, il saigne !

Catherine rejoignit son mari en courant. D'instinct, elle tenait une main sur son ventre, comme pour préserver son bébé.

— Guillaume, qu'est-ce qui t'est arrivé ?

Le charpentier haletait, un peu voûté. Elle constata qu'il avait des vilaines meurtrissures bleuâtres à l'arcade sourcilière, au menton. Sa lèvre inférieure était fendue, son nez saignait.

— Mon Dieu, tu t'es battu, s'alarma-t-elle.

— Non, Cathy, on m'a rossé, des types surgis dans mon dos. Ils en avaient après mon portefeuille. J'ai été dépouillé, la montre à gousset de mon père, mon alliance, la médaille en or de Saint-Christophe que mon frère m'a offerte le mois dernier. J'ai dû me défendre, mais à trois contre un, je ne faisais pas le poids.

— Guillaume, mon amour, chuchota-t-elle. Je suis désolée que tu aies perdu des souvenirs de ta famille, mais nous devons monter à bord immédiatement. Je te soignerai quand nous serons installés. Je craignais un accident, tu es là, rien d'autre ne compte.

— Je n'ai pas eu le temps de me nettoyer, j'espère que je ne ferai pas peur à Élisabeth.

— Non, nous allons lui expliquer. Viens vite ! Par bonheur, j'avais les billets du voyage sur moi, sinon on te les aurait pris aussi, peut-être.

Catherine lui souriait à travers ses larmes. Guillaume grimaça. On l'avait également frappé au ventre, dans les côtes. Il tentait de donner le change, trop content de pouvoir embarquer.

Deux heures plus tard, sur le pont de La Champagne

Le mugissement prolongé d'une sirène retentissait. Des cris, des appels y répondaient. Des cheminées du paquebot montaient des panaches de fumée. Beaucoup de passagers se tenaient sur le grand pont du paquebot, accoudés au bastingage, certains afin de garder une dernière image d'un proche, d'une fiancée, d'une sœur ou d'un frère, d'une aïeule en larmes.

Une foule moins dense déambulait sur le quai. On agitait des mouchoirs blancs, les adieux et les « au revoir » fusaient, on pleurait, on souriait, on s'appelait encore.

— Personne n'est là pour nous, fit remarquer Élisabeth.

Elle leva le nez vers ses parents enlacés, debout à ses côtés. Ils lui sourirent gentiment.

— Non, puisque nous partons tous les trois, lui dit Catherine.

— Pourquoi pépé Toine et oncle Jean ne sont pas venus ?

— Le trajet en train jusqu'au Havre leur aurait coûté trop cher, expliqua Guillaume.

Élisabeth retint un soupir. Elle aurait tellement voulu être gaie, mais quelque chose d'indéfini pesait sur son cœur. Déjà, elle osait à peine regarder son père, impressionnée par les traces de coups qui le défigurait.

Un jeune matelot passa près d'elle. Il lui adressa un joyeux sourire en effleurant son béret blanc.

— Alors, mademoiselle, dit-il, on va découvrir l'Amérique ! Moi aussi, c'est mon premier grand voyage, sur ce « seigneur des mers », comme l'appelle le capitaine.

— Le seigneur des mers, c'est joli, ça, nota Catherine, exaltée par l'imminence du départ.

Le marin la salua et s'éloigna. Un homme modestement vêtu s'approcha à son tour du couple.

— Faut reconnaître que c'est un sacré bateau, déclara-t-il en tendant la main à Guillaume. Dites, on vous a esquinté ?

— Hélas ! Sur le port, du côté des entrepôts. On m'a volé.

— Bah, c'est souvent le cas, dans la cohue de l'embarquement, entre le train et les quais. Il faut se méfier. Enfin, vous vous en êtes tiré, conclut son interlocuteur.

— Je dois mon salut à l'arrivée d'un cheminot, les voyous ont décampé. Mais j'étais sonné. Un peu plus et nous restions à terre, en France.

Catherine aurait préféré partager seule avec son mari et sa fille le moment formidable où le bateau prendrait la mer, en direction du vaste océan. Cependant l'intrus semblait disposé à bavarder.

— La compagnie ne vous aurait même pas remboursé les billets, insinua celui-ci. Sacrebleu, ça aurait été dommage de manquer le départ. Nous avons sous nos pieds un navire de 6 726 tonneaux, doté d'une machine à vapeur de 9 000 chevaux ! Il paraît qu'il transporte plus de mille passagers et deux cents membres d'équipage. Je me suis renseigné.

La Champagne levait l'ancre. Le lourd bâtiment frémit tout entier. Derrière lui, au loin, la ligne d'horizon fermée par l'océan se confondait avec le ciel, l'eau et l'azur d'un bleu vert.

Catherine parvint à entraîner son mari et sa fille plus loin, presque à la pointe du paquebot. Elle éclata de rire.

— Quel bonheur ! Guillaume, nous partons enfin. Élisabeth, ma chérie, regarde les goélands ! Ils sont aussi libres que nous.

Une nuée d'oiseaux survolait le paquebot, en zigzaguant entre les quatre mâts. Le bruit assourdissant des moteurs provoqua un mouvement exalté sur le quai dont l'énorme coque s'écartait.

— Et dans dix jours, nous verrons New York et la statue de la Liberté éclairant le monde ! s'enflamma son mari. Élisabeth, ma princesse, fais tes adieux au pays de ta naissance !

— Oui, papa, mais comment ? répondit l'enfant, fascinée par le claquement sourd des vagues contre le gigantesque flanc du bateau.

— Avec ta menotte, fais au revoir toi aussi !

Elle s'empressa d'obéir, ses yeux d'un bleu limpide errant sur les quais qui reculaient, où les gens devenaient de plus en plus petits. De toute sa puissance, *La Champagne* s'élançait à l'assaut de l'immense océan Atlantique.

Guillaume attira sa femme et sa fille dans ses bras. Il se sentait fort et plein d'espérance, au seuil d'une nouvelle existence.

Peu à peu les passagers désertaient le pont. Selon son rang social, on gagnait la première classe, ou la seconde. Catherine retardait le moment de descendre au niveau inférieur, réservé aux voyageurs les plus pauvres. Autour d'eux et partout sur le navire, les hommes d'équipage s'affairaient dans un ballet bien ordonné.

— Nous devrions prendre possession de nos couchettes, lui souffla Guillaume. Ce sera l'occasion de faire un brin de toilette, surtout en ce qui me concerne.

Catherine accepta d'un signe de tête. Elle ne faiblirait pas, car elle devinait l'amertume bien cachée de son mari. Il évitait de se plaindre, mais la perte de sa montre et de sa médaille en or devait beaucoup l'affliger.

— Toi qui es la bonté même, chuchota-t-elle à son oreille. C'est injuste qu'on t'ait fait du mal.

— Qui sait, peut-être s'agissait-il d'un avertissement, afin de me faire renoncer à l'exil, répliqua-t-il très bas. Ma Cathy, tu es née dans la dentelle, comme dit mon père pour te taquiner, et par ma faute, tu as perdu tous les avantages de ton statut social. Nous aurions pu voyager en seconde classe, mais toutes nos économies y seraient passées.

— Je te défends de t'accuser de quoi que ce soit, Guillaume. Nous avons pris chaque décision ensemble. Ton chemin sera le mien, tant que nous vivrons. Assez discuté, descendons.

Élisabeth contemplait encore la terre, le port du Havre, les clochers des églises au loin.

— Maman, tu me donneras bientôt ma poupée ? demanda-t-elle, saisie de l'envie soudaine d'avoir son jouet.

— Sois patiente, ma chérie, lui dit gentiment Catherine. Il faut nous installer, d'abord. Papa ira chercher nos malles plus tard.

Le couple éprouva la même surprise, doublée d'une légitime consternation, en découvrant le dortoir de troisième classe où étaient situées leurs couchettes. Pour y accéder ils avaient dû descendre un escalier abrupt, aux marches glissantes.

Il régnait là un véritable tohu-bohu, étourdissant, effarant. Des dizaines de passagers s'agitaient, s'interpellaient, dans une atmosphère déjà enfumée. Beaucoup d'hommes avaient une cigarette ou une pipe au coin des lèvres. Les femmes dépliaient des couvertures, ouvraient leurs valises. Des pleurs d'enfants, de bébés, se devinaient malgré le vacarme.

Une âpre senteur de chair mal lavée, de sueur se dégageait de tous ces corps entassés là, en dessous de la ligne de flottaison du paquebot.

— Ce doit être mal aéré, ici, murmura Catherine, dont l'odorat délicat souffrait de ces remugles humains.

Sous leurs pieds, le sol vibrait de la trépidation des machines, et on aurait pu croire que des bêtes monstrueuses grognaient et secouaient le bateau. Élisabeth se réfugia dans les jupes de sa mère.

— Eh bien, avançons, dit Guillaume.

Des lits superposés en fer, très étroits, composaient un décor insolite, où l'espace manquait singulièrement. Ils semblaient déjà tous occupés. Élisabeth se cramponna à la main de son père.

— Ne crains rien, ma chérie, lui dit-il d'un ton ferme. C'est la fièvre du départ, le calme va se rétablir. Et puis nous aurons notre petit coin bien à nous.

— Je l'espère, s'alarma Catherine. Je commence à être fatiguée.

— Tu vas pouvoir te reposer, promit-il.

Ils s'étaient arrêtés pour se parler de près, tant le vacarme rendait difficile une conversation.

Une femme les héla d'une voix rocailleuse, en leur faisant signe de s'écarter :

— Hé, les tourtereaux, faudrait pas encombrer le passage, je vais aux commodités. Mazette, y a que deux cabinets d'aisance pour cent personnes, dans ce quartier. Je n'veux pas rater l'heure de la soupe, non plus.

Catherine recula si précipitamment qu'elle se cogna le dos contre un gros pilier en métal. Guillaume la vit retenir une grimace de douleur.

— Ma pauvre Cathy, souffres-tu ? s'enquit-il en l'enlaçant.

— Non. Je t'en prie, trouvons nos lits, je voudrais m'allonger. Ensuite tu te renseigneras pour l'eau, je ne pourrai pas te soigner sinon.

Au bout d'une fastidieuse exploration, Guillaume dénicha enfin leurs couchettes. Il souleva Élisabeth et l'assit sur celle du haut.

— Tu ne risques pas d'être bousculée, ici, affirma-t-il en lui caressant les cheveux. J'irai chercher ta poupée, sois tranquille.

— J'aimerais mieux retourner dehors, papa, ça sent mauvais.

— Nous remonterons sur le pont plus tard, ta petite maman est fatiguée. Sois sage.

Élisabeth se coucha en chien de fusil sur la couverture marron. Elle sortit de sa poche le soldat de plomb que lui avait donné son ami Justin et garda la figurine au creux de sa paume droite. Le trajet en train, les émotions de la matinée l'avaient épuisée. Elle finit par somnoler.

Catherine, quant à elle, feignit le sommeil pour fuir les coups d'œil curieux de ses voisins. Guillaume, parti en quête d'un point d'eau, avait eu soin de cacher le gros sac en cuir sous le lit du bas.

— Dites, ma p'tite dame, ce n'est point prudent de voyager dans votre état, lui cria-t-on.

La jeune femme sursauta. Elle cligna des paupières et aperçut une face rubiconde dont le regard noir la fixait.

— Excusez-moi, madame, je m'endormais, plaida-t-elle.

— Si vous arrivez à roupiller avec ce chahut, profitez-en. Paraît que ça ne tangue pas trop, encore. Après, en haute mer, on sera secoués comme des prunes sur l'arbre. D'où venez-vous?

— De Charente!

— Bah, j'n'sais point où c'est. On a quitté Valenciennes, mon homme et moi, avec nos quatre marmots. La mine a fermé, alors on a décidé de tenter notre chance aux Amériques. Moi, c'est Colette, mais on m'appelle Coco, souvent.

— Catherine Duquesne.

La dénommée Colette, rousse et plantureuse, fouillait dans une malle en osier. Elle en extirpa un corsage noir, le remit en place, sortit un tricot en laine.

— J'suis gelée, moi, pas vous?

— Non, je n'ai pas ôté mon manteau, il me tient chaud.

— Vot' mari, on l'a salement amoché, dites! Une bagarre?

— On l'a attaqué et volé. Peu de temps avant le départ, dans les entrepôts, sur le port, expliqua Catherine en se redressant.

— C'n'est vraiment pas de chance, ma jolie, soupira la femme d'un air navré.

— Où sont vos enfants, madame? s'enquit Catherine, surtout par politesse.

— Je les ai expédiés sur le pont, mon bonhomme aussi, histoire d'avoir la paix cinq secondes, s'esclaffa Colette.

Guillaume revenait, un petit seau rempli d'eau à bout de bras. Tout de suite, Catherine se ranima. Elle accueillit son mari d'un grand sourire heureux.

— Assieds-toi, je vais enfin pouvoir te soigner. Attrape notre sac, j'ai tout ce qu'il faut. Je te présente notre voisine, Colette. Madame, mon époux, Guillaume.

Le charpentier salua aimablement. En dépit de toute sa bonne volonté, il prenait déjà en horreur la promiscuité inévitable, avec son lot de corvées, de palabres vaines, sans compter les possibles querelles, les conditions d'hygiène dérisoires.

Morose, il laissa Catherine nettoyer ses plaies, puis les enduire d'un baume à base de consoude.

— Je vais me mettre à la couture, annonça-t-elle. Enlève ta veste, je te prie.

— Ce n'est pas si pressé, souffla-t-il. Tu es toute pâle, rallonge-toi.

Colette s'était éloignée. Guillaume en profita. Il embrassa sa femme sur la bouche, puis il la couvrit d'une œillade passionnée.

— Ma belle Cathy, dit-il. Je suis désolé de te voir au milieu de toute cette pagaille.

— Pourquoi, interrogea-t-elle calmement. Parce que je suis née dans un château ? Guillaume, je t'aime, je te l'ai prouvé en te suivant à Montignac, en t'épousant, et si j'ai refusé de vendre notre petite maison, c'est en souvenir du bonheur que nous y avons connu. Tes frères vont la louer, cela leur fournira un petit revenu, mais elle t'appartient toujours.

— Quelle importance, nous n'avons pas l'intention de rentrer en France ! Cet argent t'aurait mise à l'abri de ces gens, de leurs cris, des odeurs. L'air empeste déjà.

— Dix jours, Guillaume, le voyage ne dure que dix jours selon les prévisions de la compagnie maritime, répondit Catherine. Tu es près de moi, et nous sommes deux pour veiller sur Élisabeth. Cesse de te tourmenter et donne-moi ta veste. Je ne veux pas d'un mari dépenaillé.

Une heure plus tard, Catherine revivait la même situation que sur le port. Son mari était parti chercher leurs deux malles, mais il ne revenait pas. Elle avait eu le temps de sommeiller une vingtaine de minutes, de grignoter une tranche de pain, tirée de sa besace, et de raccommoder la veste.

— Où sont stockés les bagages? demanda-t-elle à sa voisine, Colette, occupée à changer un garçonnet, dont le gilet était souillé.

— Ils ne sont pas loin, ma jolie, la salle à côté du réfectoire. Voyez donc, mon homme m'a tout de suite apporté la mienne.

La femme désigna du menton la malle en osier rangée près de son lit.

— Heureusement, faut déjà que je lui enfile un autre tricot, à ce sagouin. C'est mon plus jeune, Paul, il a trois ans. L'aîné, qui en a dix, me l'a ramené. Misère, le pauvret a vomi, paraît que ça secoue là-haut, sur le pont.

— Même là, on sent le roulis des vagues, nota Catherine. Je n'imaginais pas qu'on pouvait souffrir du mal de mer à bord d'un aussi grand bateau. Ma fille ne s'aperçoit de rien, je suis contente, elle dort bien.

— Mais cette nuit, elle ne fermera pas l'œil, prêcha Colette. Bon, ma p'tite dame, je conduis le gosse aux commodités, sinon c'est le pantalon qui prendra, ce coup-ci.

En la suivant des yeux dans le dédale des lits, Catherine croisa le regard de Guillaume qui approchait. Il semblait désespéré. Son visage tuméfié n'arrangeait rien. Elle attendit, assise sur la couchette.

— Cathy, le sort s'acharne contre nous, avoua-t-il en s'asseyant près d'elle. J'ai dû solliciter une audience avec le capitaine.

— Pourquoi?

— Nos malles ont disparu. Elles sont introuvables. Un employé de la compagnie les a cherchées avec moi, il croyait à une erreur. Mais non, nos bagages ont été perdus entre le train et la cale du paquebot. Nous débarquerons à New York sans rien. Dans ta malle, il y avait vos vêtements, à Élisabeth et à toi, la layette du bébé, et dans la mienne, mes outils de charpentier, gravés à mon nom, mes habits de travail. Nos livres, la poupée de la petite.

Tout d'abord, Catherine fut incapable de prononcer un mot, accablée par la catastrophe. Son mari lui prit la main.

— Le capitaine est au courant, il m'a présenté ses excuses, en affirmant, bien sûr, que ce genre d'incident n'arrive jamais.

— Mais comment allons-nous faire ? s'indigna-t-elle. La compagnie devrait nous dédommager. Sommes-nous les seuls dans ce cas ?

— Peut-être que non, je le saurai ce soir.

— Dieu merci, il nous reste le sac en cuir. J'ai mis un peu de linge dedans pour Élisabeth, de quoi coudre, nos papiers d'identité.

— Je ne comprends pas, insista Guillaume. Je suis venu t'avertir, avant de retourner chercher encore et encore. Le bateau est immense, on a pu déposer nos malles dans une cabine de seconde classe.

— Non, je t'en prie, ne repars pas. J'en ai assez d'être seule. Les gens sont plus calmes, pourtant je ne suis pas à mon aise, sans toi. Il y a certains passagers qui n'ont pas l'air recommandables, avoua-t-elle tout bas. Tu devrais manger un peu, tu n'as rien avalé depuis ce matin. Je peux t'offrir du pain, du fromage, une pomme.

— J'ai surtout soif, Cathy. Un type m'a déconseillé de boire l'eau des citernes. Il a voyagé sur un autre paquebot, il y a deux ans, et il a failli mourir de la dysenterie. L'hygiène n'est pas la priorité pour les troisièmes classes. Ce soir, nous n'aurons qu'un peu de lumière.

Catherine demeura silencieuse. Elle lui tendit un gobelet en fer émaillé dans lequel elle versa le fond d'une bouteille.

— Le thé sucré que j'avais emporté, murmura-t-elle. Après, nous serons obligés de boire l'eau d'ici.

— Seigneur, si je me doutais que nous aurions autant d'ennuis. Pourvu qu'Élisabeth ne tombe pas malade, s'inquiéta Guillaume.

— Aucun de nous trois ne sera malade, trancha la jeune femme. Nous devons simplement nous organiser. Tant pis pour nos malles. Je sais coudre, je referai notre garde-robe, une fois en Amérique.

— Et mes outils ?

— Nous en rachèterons, ma mère m'a donné de l'argent. Dieu soit loué, j'ai accepté. Je sais, toi, tu as refusé l'aide de ma famille, mais tu dois ravaler ta fierté, nous n'avons plus le choix. J'ai de quoi tenir plusieurs semaines quand nous habiterons New York. Pour la layette, je m'arrangerai. Et s'il nous manque quelque chose, je suis sûre que de bonnes âmes nous aideront, pendant la traversée.

Elle eut un sourire confiant, mais Guillaume perçut une note de réel chagrin dans sa voix douce. Il l'admira davantage pour le courage dont elle faisait preuve.

— Tu es la femme la plus extraordinaire du monde, dit-il en l'embrassant.

Élisabeth avait entendu leur discussion. Elle était réveillée depuis un quart d'heure. Toute contente de reconnaître la voix de son père, elle s'apprêtait à se pencher vers lui quand il avait évoqué la disparition des malles.

« Et ma poupée, alors ? avait-elle pensé, prête à pleurer d'un brusque chagrin d'enfant. Pépé Toine ne sera pas content que je l'aie perdue. »

Elle étouffa un gémissement. Catherine tendit l'oreille, en faisant signe à son mari de se lever.

— Il faut lui parler, Guillaume. Notre chérie n'est plus la même, depuis trois semaines. J'aurais dû prendre sa poupée dans le sac.

Le couple vit apparaître deux petits pieds gainés de bas de laine, des mollets ronds.

— Maman, papa, je veux descendre, appela leur fille. Papa, tu m'attrapes ?

— Bien sûr, ma princesse !

Ses bras noués autour du cou de son père, Élisabeth se sentit rassurée. Guillaume couvrit son minois de petits baisers.

— Nous avons une mauvaise nouvelle, ma mignonne, dit-il à son oreille. Nos malles ont disparu.

— Je sais, papa.

— Tu vas être triste sans ta poupée, mais tu en auras bientôt une autre. On te l'achètera en Amérique.

— Ou bien je vais en confectionner une, là, sur le bateau, ajouta Catherine. Pépé Toine avait fabriqué la tienne avec du bois et des morceaux de tissu, je suis capable de faire comme lui.

— Tu es gentille, maman, je t'aime très fort.

— Nous aussi, nous t'aimons, ma chérie, dirent ses parents en chœur.

Ils éclatèrent de rire tous les trois. Une frêle musique s'éleva, en écho à leur gaieté. Quelqu'un jouait du violon. Au début de la mélodie, un certain silence se fit, puis la rumeur continue des conversations reprit de plus belle, à laquelle se mêlaient des voix fluettes d'enfants, des pleurs de bébés.

Des silhouettes qui semblaient innombrables allaient et venaient, grimpaient sur les lits en hauteur, se bousculaient. Le ronronnement sourd des machines, à fond de cale, dominait à peine le chahut permanent d'une centaine de personnes, souvent anxieuses ou souffrant du mal de mer.

— Je me demande où est le montreur d'ours, nota Catherine.

— Pas dans ce quartier de l'entrepont, répondit son mari. Il y aurait plus de mille passagers, Cathy, sans compter les hommes d'équipage. En troisième classe, nous sommes plus de cinq cents.

— Seigneur, dans ce cas, nous ne ferons jamais connaissance avec tout le monde !

— Maman, quand vas-tu fabriquer ma nouvelle poupée ? s'écria Élisabeth.

— Pourquoi pas maintenant, ça me permettra de rester assise, dit la jeune femme. Je te préviens, elle sera petite, toute petite.

La fillette hocha la tête d'un air satisfait. Ses parents, quant à eux, échangèrent un regard soulagé. Élisabeth paraissait remise de ses émotions, et prête à supporter sagement les péripéties de la traversée.

Le lendemain matin, sur le pont du paquebot

Guillaume tenait Catherine par l'épaule. Ils admiraient l'infini de l'océan, qui s'étendait devant eux jusqu'à la ligne d'horizon. Si le visage du charpentier gardait les marques violacées des coups reçus, son regard noir brillait de fierté. Malgré la perte de leurs malles, l'agression dont il avait été victime, le bonheur d'être à bord le rendait radieux.

— Nous avons réussi, Cathy chérie, dit-il d'un ton câlin. Dieu merci, Élisabeth a dormi comme un ange, cette nuit.

— Oui, quel soulagement, concéda sa femme. Sa nouvelle poupée doit y être pour quelque chose.

Ils rirent tout bas en contemplant leur fille, qui jouait avec Paul, le petit garçon de Colette. Leur voisine s'était assise sur un pliant en bois et tricotait. Les deux enfants se contentaient d'une balle en baudruche qu'ils s'envoyaient.

Par précaution, Guillaume l'avait attachée à une ficelle, elle-même nouée autour d'une barre du bastingage.

— Impossible qu'elle tombe à la mer, avait-il expliqué. Si vous la perdez, on aura peu de chances d'en trouver une autre.

Le temps était clair, le ciel d'un bleu pâle. Catherine savourait les rayons du soleil sur sa peau de blonde, se grisait d'air marin.

— Si nous pouvions coucher sur le pont, le voyage serait merveilleux, hasarda-t-elle. Quand je me suis réveillée, ce matin, l'odeur de vomi était insupportable. Du coup, j'ai eu la nausée aussi. Tant que nous pouvons rester dehors, nous le ferons. Il fait beau, l'océan est paisible, profitons-en.

Un homme vint s'accouder à côté d'eux. Il était assez jeune, coiffé d'une casquette en tweed.

— Ne nous réjouissons pas, décréta-t-il en allumant sa pipe. *La Champagne* naviguera dès demain dans des eaux plus froides. Souvent il y a de gros grains.

— Des grains, répéta Catherine d'un ton surpris. De quoi s'agit-il ?

— Des fortes pluies, du grand vent qui arrivent brusquement, précisa l'inconnu. Je vous rassure, madame, les bateaux de ce tonneau-là n'ont peur de rien. Non, je vous écoutais, je disais ça rapport à la pestilence, en bas. La troisième classe. Et encore, il y a du progrès. Si on remonte à quelques décennies, les navires qui transportaient des émigrants, on les surnommait les « bateaux-cercueils »[1].

L'individu souleva sa casquette d'un doigt et poursuivit sa balade. Élisabeth s'était arrêtée de jouer. Le petit Paul attendait de recevoir la balle en baudruche, mais la fillette la tenait serrée entre ses mains. Soudain elle la jeta sur le sol et courut vers ses parents pour se réfugier dans les jupes de Catherine.

— Ma princesse, qu'est-ce que tu as ? s'étonna Guillaume. Sois gentille avec ton petit camarade, il attend, lui.

— Je ne veux plus jouer, papa. Je préfère qu'on se promène.

— D'accord, on fait un tour tous les deux, concéda-t-il.

Paul avait ramassé la balle et il la lançait en l'air, sous l'œil perplexe de sa mère.

---

1. Surnom donné à ces navires en raison de la mortalité excessive des passagers souvent mal nourris et réduits à des conditions d'hygiène lamentables.

— Hé, n't'fais pas de bile, mon gamin, c'est capricieux, une fille, pardi, dit celle-ci bien fort.

Sur cette remarque, la dénommée Colette se remit à tricoter. Catherine, restée seule, jugea opportun d'excuser son enfant.

— Je suis désolée, madame, Élisabeth supporte mal le départ. Il faut la comprendre, nous l'emmenons loin de sa maison, de ceux qu'elle connaissait depuis sa naissance, son grand-père, ses oncles. Nous avons dû confier notre chatte à une voisine.

La femme haussa ses robustes épaules. Elle se demandait pourquoi la jolie Catherine, qui s'exprimait comme une dame de la bonne société, voyageait en troisième classe.

— Par sainte Barbe, j'n'suis point vexée. On n'va pas se faire des politesses pour des bricoles pareilles. Les gosses, on n'sait jamais ce qui leur trotte dans le ciboulot. Et faut m'appeler Coco, j'vous l'ai déjà dit.

Catherine approuva en souriant, bien décidée cependant à ne pas user de ce diminutif trop familier à son goût. Elle se tourna à nouveau vers l'immense étendue mouvante que fendait l'étrave du paquebot.

Les vagues, profondes et amples, semblaient accourir au galop de l'horizon vers lequel avançait *La Champagne* à bonne allure.

« New York, l'Amérique, songea-t-elle encore. J'ai hâte d'y être, même si rien ne sera facile, là-bas. »

Elle anticipa rêveusement, sans aucune crainte réelle, les difficultés à venir. L'obstacle de la langue, même si elle parlait un peu l'anglais, le problème du logement, qui ne serait pas aussi douillet que leur maison de Montignac, dotée d'un jardin.

« Je serai seule toute la journée, et quand le bébé naîtra, je devrai m'occuper de lui et de ma petite princesse, sans l'aide de ma belle-sœur. »

Ses pensées volèrent vers la douce Yvonne, l'épouse de Pierre, le frère aîné de Guillaume. Son soutien avait été précieux lors de la venue au monde d'Élisabeth et durant les premiers mois.

— Dites, ma jolie, s'écria Colette qui l'observait, ça doit vous causer du souci, l'histoire de vos malles ! J'suppose que la layette était prête, pour le petiot ?

— En effet, j'y avais travaillé tout l'été, avec ma belle-sœur, répondit Catherine en lui faisant face. Je recommencerai, que voulez-vous !

— C'n'est pas de chance, quand même ! Enfin, tant qu'on a la santé, ou des sous de côté. Faudra faire des emplettes, une fois à terre.

— Oui, mais mon mari accuse le coup. Il a perdu tous ses outils.

Les malles n'avaient pas été retrouvées, malgré les efforts de l'équipage. Guillaume s'efforçait de paraître fataliste, cependant Catherine le sentait amer, déçu.

La nuit était tombée sur le gigantesque bateau. Dans le dortoir où étaient logés les Duquesne et leur fillette régnait un calme relatif. Les enfants dormaient, car on les couchait tôt, après le frugal repas distribué par la Compagnie transatlantique. Une vaste salle rassemblait les passagers de troisième classe, qui devaient se présenter par groupes successifs.

Des rumeurs faisaient état de neuf cents personnes consignées dans l'entrepont, et non cinq cents, comme le disait le capitaine, seul maître à bord selon la tradition maritime.

Catherine ne parvenait pas à s'endormir. Le navire résonnait de mille bruits indéterminés, incessants et presque obsédants. Les grondements des machines, sous le plancher, l'angoissaient. De la multitude de gens autour d'elle émanaient des soupirs, des murmures, des ronflements, des quintes de toux. Enfin, plus lointains, au-dessus de leurs têtes, il y avait des pas rapides, des appels, et encore plus lointaine, de la musique. La jeune femme imaginait les voyageurs de la première classe, conviés à danser dans le grand salon richement décoré, après un dîner raffiné. Elle n'était pas envieuse, juste agacée.

« Quand donc tout ceci changera, se demandait-elle. Nous sommes traités plus ou moins bien au regard de nos moyens financiers. Les pauvres peuvent souffrir de la faim, de la saleté, comme s'ils le méritaient, les nantis s'en moquent, ils font la fête, ils ont droit à tous les honneurs. »

Ses idées et son refus de l'injustice avaient poussé Catherine à s'embarquer pour une nouvelle existence, fière et heureuse d'avoir épousé l'homme de son choix, son amour, en dépit des protestations virulentes de ses parents.

« Adieu, le château de mon enfance, adieu le mépris de ma famille pour Guillaume, adieu le Vieux Continent », se dit-elle encore.

La respiration régulière de son mari, allongé sur une couchette perpendiculaire à la sienne, la berçait. Elle avait envie de tendre la main pour le toucher, s'assurer de sa présence. Une plainte l'alarma, suivie aussitôt d'un cri aigu, de sanglots en cascade.

— Maman ! Maman ! hurla Élisabeth.

La fillette s'agitait, faisant grincer le sommier métallique au-dessus de Catherine. Elle se leva le plus vite possible.

— Ma chérie, je suis là, c'est fini, murmura-t-elle. Chut, il ne faut pas crier si fort.

La petite pleurait, le souffle court. Ses mains tremblantes s'accrochaient au cou de sa mère.

— Maman, j'ai peur, j'ai peur, répétait-elle.

— Là, là, descends, ma chérie, on va se serrer, tu vas dormir avec moi.

— Nom d'un chien, c'n'est pas bientôt fini, ce bordel ! menaça d'une voix rauque le mari de Colette. Foutez-lui une bonne paire de claques, elle fera moins de chichis.

— Excusez-nous, monsieur, chuchota Guillaume, réveillé lui aussi. Notre fille souffre de cauchemars, ces derniers jours.

L'homme maugréa une insulte et n'ajouta rien. Catherine, le cœur serré, caressait le front de son enfant.

— Mais qu'est-ce qui te fait aussi peur, ma chérie, soupira-t-elle très bas. Seigneur, si seulement je le savais.

3
Au milieu de l'océan

Sur La Champagne, *vendredi 22 octobre 1886*

Guillaume notait dans son calepin que leur quatrième jour de navigation débutait. Le temps demeurait clément, mais la houle était forte, le vent froid. Des matelots étaient venus distribuer des seaux supplémentaires aux passagers de troisième classe, car beaucoup étaient en proie au mal de mer. L'odeur dans les dortoirs était des plus pénibles.

— Nous passerons la journée en plein air, déclara Catherine à son mari. Je ne comprends pas ceux qui restent enfermés ici du matin au soir.

La jeune femme, à peine réveillée, se soucia de sa toilette. Elle se brossa les cheveux, pendant que Guillaume allait lui chercher de l'eau.

« Dieu merci, on m'a offert une cuvette, songea-t-elle. C'est plus pratique pour laver Élisabeth et me tenir propre. »

C'était une vieille dame juive qui lui en avait fait le cadeau. Depuis le départ du paquebot, la malheureuse restait alitée, en proie à des douleurs dans la poitrine.

— Une de vos voisines, qui se fait appeler Coco, m'a dit que vous aviez perdu vos malles, avait expliqué l'aïeule. Je pensais en avoir besoin, mais je n'ai plus de courage. Ma belle-fille fait de son mieux pour s'occuper de moi.

Catherine avait eu droit à ces explications lorsqu'elle était allée remercier l'aimable octogénaire, dont le teint d'ivoire ne présageait rien de bon.

— Vous attendez un enfant, s'était extasiée Rachel Bassan. Une bénédiction du Ciel. Il faudra m'amener votre petite fille, il paraît qu'elle est très mignonne.

Les deux femmes avaient beaucoup discuté, malgré les éclats de voix et les jurons d'un groupe d'hommes disputant une partie de cartes.

Ainsi, peu à peu, au fil des heures, on faisait connaissance, attirés par une sympathie spontanée, ou par le jeu du hasard. Il en était de même pour les caractères incompatibles, qui se révélaient vite. On se tenait alors bien à l'écart les uns des autres, afin d'éviter les querelles.

— Je conduirai Élisabeth sur le pont dès qu'elle sera prête, décida Guillaume en refermant son calepin.

Leur fille avait encore fait un cauchemar, durant la nuit. Elle s'était réveillée en larmes, moite de sueur, le regard effrayé.

— Comment s'en étonner, répliqua Catherine. La nourriture est insuffisante et de qualité médiocre. Des gens se plaignent, car ils sont malades, ils se lèvent plusieurs fois. Élisabeth ne peut pas avoir un bon sommeil, dans ces conditions.

— Ma chérie, elle est loin d'être la seule enfant ici. Les fils de Colette dorment à poings fermés, d'autres petits aussi, plaida son mari. Admets que ses cauchemars ont commencé à Montignac, avant le dîner chez tes parents. Je me demande ce qu'elle a.

Le couple échangea un regard navré. Le docteur du village, qu'ils avaient consulté une semaine avant leur départ, s'était montré rassurant.

— C'est de son âge, s'était-il exclamé en souriant. Cela passera. Faites-lui boire de la tisane de tilleul ou de camomille, qu'elle se dépense beaucoup la journée, il n'y paraîtra plus.

Ces paroles de réconfort tournaient à nouveau dans l'esprit de Catherine. Elle avait suivi les recommandations du médecin, mais de toute évidence, les plantes indiquées n'obtenaient pas le résultat espéré.

— Tant pis si nous sommes à l'étroit, ce soir, je la coucherai près de moi, annonça-t-elle.

— Fais à ton idée, pour l'instant, notre princesse récupère. Elle dort mieux le matin, fit remarquer Guillaume, attendri. Bon, je vais essayer de te rapporter un gobelet de café chaud.

— Merci, mon amour, chuchota-t-elle à son oreille, en l'embrassant sur la joue du bout des lèvres, par pudeur.

Ils devaient oublier jusqu'au sens du mot « intimité » jusqu'à l'arrivée sur le sol américain. Colette leur en fournit la preuve sur-le-champ, en déboulant, la mine affolée, de la salle du réfectoire.

— Mon Dieu, c'est-y possible, une chose pareille ! se lamenta-t-elle, les mains jointes à hauteur de son opulente poitrine. Cette pauv' dame, misère de nous !

— De qui parlez-vous ? Colette, demanda Guillaume, intrigué.

— Mais cette pauv' m'dame Rachel, qui vous a offert sa jolie cuvette émaillée. Voilà qu'elle est morte ! Au lever du soleil, a dit son fils, l'aîné, David.

— Seigneur, elle était si gentille, si douce, gémit Catherine. Je comptais lui rendre visite avec Élisabeth, vers midi. Je lui avais dit d'appeler le médecin du bord.

— Son cœur a lâché, ouais, insinua Colette. Pensez donc, elle avait quatre-vingt-deux ans. Mais elle voulait suivre sa famille qui émigrait. J'y retourne, j'ai proposé de faire la toilette du corps !

Bouleversé, Guillaume se leva. Il avait rencontré à plusieurs reprises David Bassan sur le pont et il l'appréciait.

— Que va-t-il se passer ensuite ? interrogea-t-il. Nous touchons terre dans six jours, pas avant.

— Le capitaine doit descendre causer avec ces pauvres gens, mais à votre avis, m'sieur Duquesne, que voulez-vous faire ?

Catherine, choquée, prit un petit flacon d'eau de Cologne dans son sac et en humecta un mouchoir. Elle respira le tissu parfumé les yeux mi-clos.

— Maman ?

La voix fluette de sa fille aida la jeune femme à dominer son émotion. Son mari attrapa Élisabeth sur le lit superposé et la posa sur le sol. L'enfant, en chemise de nuit, ses cheveux bruns en désordre, était exquise à voir. Elle fixa sa mère de ses yeux très bleus.

— Maman, ça sent bon, là, je trouve.

— Ma chérie, viens dans mes bras, supplia Catherine. Et ta poupée, tu l'as laissée seule ?

— Oui, elle se repose, maman.

Colette fit un signe de tête à Guillaume avant de s'éloigner. Il la suivit d'un pas rapide.

— Pourquoi il s'en va, papa ?

— Il reviendra vite, ma princesse. Moi, il me faut un gros câlin, tout de suite.

Élisabeth ne se fit pas prier. Elle enlaça sa mère, la cajola, frotta sa joue contre la sienne. Toutes les deux se grisèrent de tendresse, de petits baisers, comme elles le faisaient chaque matin, dans leur maison de Montignac. Catherine reprit courage, au contact des bras ronds et chauds de sa fille. Il ne fallait pas songer au décès de la vieille dame au sourire angélique, ni aux conséquences de sa mort.

— Élisabeth, ma chérie, je vais te coiffer et t'habiller, puis nous irons nous promener sur le pont. Il faut respirer l'air marin, et faire de l'exercice. Papa est occupé. Il nous rejoindra. Sais-tu, il me reste des biscuits à la cannelle. Tu vas en manger un, avec un peu d'eau.

— J'aimerais mieux boire du lait, maman !

— Nous allons en trouver, c'est promis. Je t'achèterai une boîte de lait concentré, ils en vendent au réfectoire.

Catherine savourait chaque geste familier. Elle brossa les boucles soyeuses de sa fille, qui se changeaient naturellement en anglaises à leur extrémité, noua un foulard bleu sur ses cheveux.

— S'il y a du vent, tu n'y verra pas, sinon, dit-elle en riant. Mets ton paletot en laine, aussi, et prends ta poupée. Tiens, tu l'avais cachée sous ton oreiller, coquine.

Le jouet confectionné avec amour et habileté par sa mère était devenu très précieux pour Élisabeth, autant que le soldat de plomb que lui avait donné Justin. Catherine avait sacrifié trois des grands mouchoirs en lin de son mari, rangés au fond du sac en cuir, et elle s'était efforcée, par un savant jeu de tissu, à leur conférer une silhouette avenante. Quant au visage, il lui avait suffi de broder des yeux, une bouche, à l'aide de fils de couleur.

Pour les nattes, la jeune femme n'avait pas hésité à couper des franges de son châle.

— Tu ne l'as pas encore baptisée, ta poupée, hasarda-t-elle.

— J'attends un peu, répliqua l'enfant d'un air rêveur. Ou alors, je l'appelle comme toi, Cathy. Papa, il parle tout gentiment quand il te dit ça, Cathy.

— Pourquoi pas, approuva sa mère.

Quelques minutes plus tard, elles grimpaient un interminable escalier, dont les marches raides étaient très glissantes. Les embruns parvenaient dans l'entrepont, déjà saturé d'humidité, et l'expédition se révélait périlleuse si on ne se cramponnait pas à la rampe.

Catherine dut s'arrêter un instant, une main sur son ventre. Le bébé s'agitait beaucoup. Elle en éprouva du soulagement, car le petit être ne s'était pas manifesté la veille.

— Tu as mal, maman ? s'inquiéta Élisabeth.

— Non, non, ma princesse. Ce n'est rien. Dépêchons-nous.

Le ciel était d'un bleu intense, parsemé de nuages d'un blanc pur. Les vagues, amples et profondes, déferlaient le long de la majestueuse coque noire du paquebot. Catherine s'émerveilla de la couleur turquoise de l'océan.

— Je ne me lasse pas de contempler la mer, soupira-t-elle. Je n'ai jamais rien vu d'aussi beau !

Elle offrait son ravissant visage au vent du large, qui faisait voleter ses mèches blondes.

— Papa avait dit qu'on verrait des baleines, s'écria Élisabeth. Mais il n'y en a pas.

— Sois patiente, ma chérie.

La jeune femme se retourna pour observer un attroupement, à une dizaine de mètres. Un matelot, en vareuse bleu foncé et casquette, gesticulait un peu à l'écart. Soudain elle aperçut une masse d'un brun roux, derrière les gens assemblés.

— On dirait que l'ours des montagnes est de sortie, confia-t-elle à sa fille. Si on approchait ? Tu n'en as pas peur ?

— Non, j'n'ai pas peur de lui, maman. Ni du monsieur avec le grand chapeau noir.

— Ah, tant mieux, je me demandais si tu n'avais pas fait un mauvais rêve, cette nuit, à cause de l'ours.

Élisabeth fit non de la tête. Elle était incapable de répondre à ses parents, lorsqu'ils la questionnaient sur ses cauchemars, et le plus souvent, les images qui la poussaient à hurler de terreur, la nuit, devenaient floues et confuses, au réveil. La fillette en gardait seulement une impression de tristesse, ensuite elle les oubliait.

Une voix à l'accent rocailleux retentissait. Le Pyrénéen s'en prenait au matelot.

— Et comment ça, j'n'peux pas faire danser ma bête ? Faut ben égayer tout ce monde ! Même ceux de la première classe, y sont prêts à applaudir Garro.

Le montagnard fit tournoyer son bâton ferré en direction des coursives du pont supérieur, où de riches passagers assistaient à la scène, depuis la terrasse d'un des salons. Catherine vit briller des bijoux luxueux, des tissus somptueux, des capelines ornées de plumes aériennes.

— Le capitaine est le maître à bord, mon gars, insistait le jeune matelot. Il ne veut pas de divertissement ce matin, nous avons eu un décès, avec tous les soucis que ça entraîne, comprenez-vous?

L'ours, indifférent à ces arguments, se dressa d'un coup sur ses pattes arrière. Dûment muselé, il commença à se balancer, à soulever un pied, puis l'autre.

— Et alors, vous voyez bien, clama l'Ariégeois, Garro a besoin de se dégourdir.

Une femme éclata de rire, un gamin siffla. Quelques pièces furent jetées sur l'animal, qui esquissa un simulacre de révérence. Catherine recula, apitoyée par l'attitude soumise de la bête.

— Cathy, ma princesse, vous êtes là? Je vous cherchais.

Guillaume glissa un bras autour de la taille de son épouse. Comme Élisabeth semblait fascinée par les pantomimes de l'animal, le couple s'écarta d'un mètre.

— Seigneur, Cathy, j'étais auprès de la famille de Rachel Bassan. Ils prient à son chevet. Une cérémonie aura lieu ce soir, dit-il à son oreille. C'est terrible, ils vont suivre la tradition maritime, jeter le corps à la mer, enveloppé d'un linceul.

— Mon Dieu, quelle horreur, protesta-t-elle tout bas.

— Le capitaine prétend qu'il n'a pas le choix, les causes du décès ne sont pas avérées, il redoute la contagion, et puis nous sommes au milieu de l'océan.

Catherine se signa, saisie d'un effroi sacré. Guillaume l'attira contre lui et l'embrassa.

— Je ferai acte de présence, dit-il, tu resteras dans le dortoir avec Élisabeth. Elle est si nerveuse, il faut la ménager.

La petite fille courut vers ses parents. Elle souriait, égayée, sa poupée à bout de bras.

— Demain soir, l'ours Garro fera un spectacle! s'écriat-elle. On ira le voir, hein, maman? Il y a aura de la musique, aussi.

— Bien sûr, nous irons, ma chérie. Maintenant, papa va essayer de te trouver du lait et du pain frais, proposa Catherine d'une voix caressante.

Son mari comprit qu'elle désirait se rendre au chevet de Rachel Bassan, et qu'il devait occuper Élisabeth. La jeune femme se hâta de redescendre dans l'entrepont pour atteindre leur dortoir, où régnait l'animation habituelle. Mais une fois parvenue à l'entrée du quartier où logeait la famille juive, elle fut saisie par le silence. Peu à peu, elle perçut des prières murmurées, qui firent songer à de tristes litanies.

En avançant de quelques pas, Catherine aperçut le corps de la vieille dame. Son visage cireux émergeait du drap dont on l'avait enveloppée. Ses fils, leurs épouses, deux enfants se tenaient près de la couchette.

« Je ne suis pas de leur confession, pensa-t-elle. Je connaissais à peine cette malheureuse, je risque de les gêner. »

Cependant elle s'attarda, en récitant tout bas le *Notre père.* Le cœur serré, sans oser approcher davantage, elle essuya une larme.

Sur La Champagne, *même jour, le soir.*

Guillaume ne pouvait détacher ses yeux des flots noirs où venait de disparaître un sinistre paquet de forme oblongue. Les vagues clapotaient contre la coque, la lune brillait dans le ciel, comme les autres soirs, mais un corps avait été livré à l'océan, cousu dans un linceul en tissu épais, lesté de poids en fonte.

Le capitaine se tenait toujours au garde-à-vous, une main à hauteur de sa casquette ornée de galons dorés. Une partie de l'équipage avait assisté à la cérémonie, rapide et éprouvante, sous la clarté jaune des lanternes à pétrole.

David Bassan salua respectueusement le maître de bord, mais lui aussi, à l'instar du jeune charpentier, il fixait l'eau sombre. Sa mère reposerait là, en un point indéfini de l'Atlantique, sans avoir pu partager un seul jour de leur nouvelle vie sur le sol américain.

Colette et Jacques, son mari, vinrent s'accouder au bastingage, la mine grave, près de Guillaume. Le couple avait confié ses deux fils à Catherine.

— J'n'aimerais point finir comme ça, marmonna Colette. J'en ai des frissons le long de l'échine.

— Ouais, nourrir les poissons, très peu pour moi, renchérit son époux, avec son accent traînant du Nord. Après, y avait guère d'autre moyen, pardi. C'est la loi chez les marins, j'ai causé à un matelot, faut même faire attention à ce qu'on dit !

L'ancien mineur grimaça, dévoilant une dentition en piteux état pour ajouter :

— J'avais eu le malheur de lui dire que j'élevais des lapins, là-bas, à Valenciennes. Paraît que c'est défendu, on n'dit pas le mot « lapin » à bord, ni lièvre, ni corde, ni ficelle, et surtout, m'sieur Duquesne, n'faites pas de mal à une mouette ! Ces oiseaux-là seraient habités par l'âme d'un noyé.

— Bah, y a pas de danger, ronchonna Colette. Depuis qu'on est en haute mer, on n'en voit plus, des mouettes.

Guillaume prit congé, tout en approuvant d'un signe de tête, afin de prouver que leur conversation l'avait intéressé. Il avait hâte de retrouver Catherine, d'embrasser Élisabeth même si leur fille dormait déjà.

« Dieu soit loué, se dit-il, le bateau est neuf, la compagnie a fait des efforts sur certains points. Je n'aurais pas voulu faire voyager mes deux princesses sur les bateaux réservés aux émigrants qui naviguaient ces vingt dernières années. »

Leur dortoir était pratiquement désert, car les passagers se trouvaient au réfectoire. Catherine, allongée sur le côté, racontait une histoire au petit Paul.

— Élisabeth s'est assoupie, dès qu'elle a bu son bol de potage, expliqua la jeune femme. Paul est sage, mais son frère gambade je ne sais où, malgré mon interdiction.

— Il doit traîner vers les cuisines, ne t'inquiète pas. Et Léonard est un grand garçon de dix ans, répliqua Guillaume d'un ton distrait. Les parents ne vont pas tarder. As-tu mangé, ma Cathy ?

— De la soupe, comme notre chérie. Et j'ai rapporté ta part, avec une tranche de pain.

Catherine lut dans le regard noir de son mari le reflet des émotions qu'il contenait. Elle ne l'interrogea pas, sachant qu'il lui parlerait plus tard. D'un geste tendre, elle lui saisit la main. Il s'installa à ses côtés. Le petit Paul, assis en face d'eux, se mit à sucer son pouce, impatient de connaître la fin de l'histoire.

— Je te la dirai demain, promit-elle. Je n'en suis qu'à la moitié, et maintenant Guillaume est là. Tu devrais grimper dans ton lit, tu sembles très fatigué.

La voix douce de Catherine faisait merveille auprès des jeunes enfants, ainsi que sa beauté blonde. Paul lui obéit aussitôt.

— Il est adorable, ce petit, avoua-t-elle. J'espère te donner un fils, cette fois. Brun comme toi, avec tes yeux.

— Non, je voudrais qu'il ait tes cheveux et tes yeux, vert et or. Élisabeth a hérité ses prunelles d'azur de mon père, nous avons eu de la chance.

— Tu deviens poète, mon amour, « des prunelles d'azur », c'est joli, souffla-t-elle à son oreille. Une chose est sûre, notre bébé apprécie le roulis du bateau, il gigote beaucoup.

— Et s'il souffrait du mal de mer, lui aussi, plaisanta Guillaume. Ce qui n'est pas le cas de sa divine maman.

Catherine sentit le désir de son mari s'éveiller, quand il l'étreignit en tremblant un peu. Elle reçut un baiser encore plus explicite.

— Nous ne pouvons pas, pas ici, murmura-t-elle.

— Les autres couples n'ont pas tant de scrupules, répondit-il en effleurant la pointe de ses seins. Je t'en prie, ma chérie. Tu me manques, une longue semaine sans te rendre hommage.

Il confessait son besoin d'elle, tout bas, grisé par le parfum capiteux de sa chevelure dénouée. Troublée, elle lança des coups d'œil navrés autour d'eux.

— J'ai une idée, s'enflamma-t-il. Viens vite, nous serons absents quelques minutes seulement.

— Mais je dois garder Paul, et Élisabeth pourrait nous chercher.

— Ils dorment tous les deux, ma chérie, viens.

L'arrivée de Colette arrangea le charpentier. Elle les découvrit debout, se tenant par le bras.

— Ah, vous tombez bien, Colette, dit Guillaume, j'accompagne ma femme aux commodités. Je préfère monter la garde, il y a des ivrognes qui traînent un peu partout, à cette heure-ci.

Leur voisine grommela un « oui » somnolent. Les jeunes gens se réfugièrent dans la salle où étaient stockées les malles qui restaient fermées jusqu'au jour de l'arrivée à New York. Les plus volumineuses, empilées en deux rangées, séparées par un étroit couloir, pouvaient servir de cachette.

L'escapade imprévue, la pénombre complice eurent raison des craintes de Catherine, bientôt aussi exaltée que son mari. Ils s'embrassèrent sur la bouche à perdre haleine, avides de trouver un petit bout de la peau de l'autre. Leurs mains se glissaient sous les vêtements, les doigts frémissaient de toucher enfin un carré de chair tiède.

— Tu feras attention, ne sois pas trop brusque, recommanda-t-elle, au moment où Guillaume soulevait sa jupe et son jupon. La matrone[1] du village prétend qu'il ne faut plus de relations, à six mois de grossesse. Le bébé pourrait naître avant le terme.

— Quand tu attendais Élisabeth, haleta-t-il, nous n'en savions rien et tu m'accueillais avec grand plaisir, ma chérie. Appuie-toi contre cette caisse, je ne te ferai pas mal.

---

1. Terme désignant une sage-femme, à la campagne, mais sans qualification.

Elle s'abandonna, parcourue d'ondes voluptueuses, fascinée par l'expression extatique de Guillaume. Il la caressait entre les cuisses, exaspérait le point le plus sensible de son sexe de femme. Paupières mi-closes, il savourait l'instant.

La demoiselle du château de Guerville et le fils du meunier de Montignac avaient fait un mariage d'amour, un amour si fort qu'il s'était moqué des barrières sociales, des reproches des uns, des appréhensions des autres. Catherine et Guillaume avaient été des amants durant six mois, avant de convoler.

Leurs étreintes clandestines, de l'automne au printemps, les avaient marqués à jamais d'un sceau mystérieux, celui des âmes sœurs, des corps destinés à se fondre et à se confondre à l'apogée de la jouissance.

Là encore, la jeune femme ne put retenir une sourde plainte langoureuse, tandis que son bel époux allait et venait au sein de son ventre fécond. Il ne la pénétrait pas profondément, car elle était adossée au mur de bagages, face à lui, mais il s'en contentait.

Apaisés, ils échangèrent encore des baisers, plus tendres, en riant d'avoir réussi à gagner un peu d'intimité.

— Dis, ça me rappelle nos cachettes de jadis, avoua-t-il, très câlin. Le grenier à foin de mon frère, la cave de la maison en ruine, au bord du fleuve.

— Et le pavillon de chasse du château, la nuit où il neigeait, ajouta-t-elle, amusée. J'avais dû attendre que mes parents soient endormis. Quelle fête, nous deux sous d'épaisses couvertures.

— Tu t'étais arrangée pour dérober du vin et des biscuits à l'office. Ma chérie, ma Cathy, tu es vraiment une aventurière, une belle aventurière.

— Retournons vite dans le dortoir, dit-elle en guise de réponse, non sans quêter un ultime baiser.

Colette les accueillit d'un clin d'œil égrillard, ce qui prouvait qu'elle n'était pas dupe de leur stratagème.

Catherine évita de la regarder, mais Guillaume ne put retenir un sourire confus.

— Bah, mon homme joue aux cartes dans le réfectoire, y en a qui dansent, là-bas, bougonna enfin leur voisine. Seigneur, autant prendre du bon temps avant de finir six pieds sous terre ou au fond d'ce fichu océan. J'suis pressée de débarquer, moi.

— Bonne nuit, Colette, souffla Catherine. Merci d'avoir surveillé notre fille.

— Hé, je vous ai rendu la pareille, ma foi. Bonne nuit.

Les veilleuses clignotèrent. Elles fonctionnaient à l'huile, mais il fallait remplir le réservoir tous les deux jours. Guillaume se coucha, comblé. Il comprit ce qui avait suscité un désir aussi impérieux.

« Repousser l'image du corps jeté à la mer, les prières de la famille, le chagrin. C'est vrai, il faut mordre à belles dents dans la vie, la joie, l'amour. »

Sur ces pensées, il sombra dans un sommeil bienheureux. Le grand paquebot poursuivait sa route, chargé de sa moisson d'êtres humains, riches et pauvres, curieux de connaître New York ou en partance vers une nouvelle existence.

Sous les lustres du salon dévolu aux voyageurs de première classe, on dansait la valse, en robe de soie, colliers de diamants, en costume noir et plastron blanc pour les messieurs. Le vin de Champagne coulait au creux des coupes en cristal, afin de mieux déguster d'exquises pâtisseries.

Deux mondes très différents vibraient de joie et de peine sans se côtoyer, ou rarement. Catherine y songeait, tenue éveillée par son impatience de fouler le sol américain, de croiser mille et un visages inconnus. Le bébé lui décochait de petits coups de pied qui la faisaient rire en silence. Elle massait son ventre, pour le calmer.

— Patience, petit fou, reste encore à l'abri, mon mignon. Si tu savais combien je t'aime déjà…

Le lendemain, samedi 23 octobre 1886

Personne, sur *La Champagne*, n'avait pu ignorer le décès d'une vieille femme dont le corps gisait désormais au fond de l'océan. La haute société présente sur le bateau avait commenté le déplorable événement, tout en évoquant la brève cérémonie religieuse organisée par la famille juive.

La pensée de cette mort en dérangeait certains, les autres faisaient en sorte de l'oublier. Le capitaine, afin de détendre l'atmosphère, venait de permettre au montreur d'ours de donner un petit spectacle.

Les voyageurs de troisième classe seraient aux premières loges, comme une partie des matelots, mais le seul maître à bord savait pertinemment que beaucoup de passagers plus aisés profiteraient du divertissement, depuis la terrasse couverte du pont supérieur.

Alphonse Sutra, enchanté de l'aubaine, se préparait à séduire la foule rassemblée autour de lui et de sa bête. Le montagnard sortit un harmonica de sa poche et le brandit en l'air. Le métal argenté capta les rayons du soleil couchant.

— On s'entraîne pour les gens de New York, claironna-t-il en lissant sa moustache. Hé, Garro, sois à la hauteur ! Ce soir, nous avons un violoneux, rien que ça !

Il désigna un jeune homme blond, aux joues rouges, qui partait pour l'Amérique dans l'espoir de gagner son pain avec son unique héritage, un violon de belle qualité.

Catherine, Élisabeth et Guillaume s'étaient assis sur le rebord d'une écoutille. Colette se tenait près d'eux, debout, rieuse. Elle surveillait ses fils du coin de l'œil, mais on la sentait prête à esquisser des pas de danse, au moindre refrain.

— Si on m'avait dit que j'verrais un ours, un vrai de vrai, déclara Léonard, l'aîné de ses garçons. Hier soir, je lui ai apporté un quignon de pain, dans la cale où y doit coucher. Même que le type attache sa chaîne à un pilier, sinon, il se sauverait, pardi.

— Veux-tu causer mieux, devant m'dame Catherine, le gronda sa mère. Faut pas dire ce « type », mais ce « m'sieur ».

Élisabeth écoutait à peine la voix criarde de leur voisine de dortoir. Son regard bleu ciel était rivé sur la silhouette de Garro. L'animal se dandinait sur ses pattes arrière, en tendant sa tête brune vers le violoniste.

— As-tu remarqué, murmura Guillaume, l'homme a ficelé un tambourin à l'une de ses pattes de devant.

— Oui, sans doute qu'il lui a appris à en jouer, nota Catherine.

L'instant suivant, une musique au rythme entraînant s'éleva. L'Ariégeois interprétait une polka sur son harmonica, secondé par le violoniste. Des exclamations enthousiastes fusèrent, des enfants tapaient dans leurs mains.

— Allez, Garro, ordonna Alphonse Sutra en roulant les *r*.

L'ours commença à tourner sur lui-même. Il se balançait, la gueule entrouverte malgré la muselière en cuir. Enfin il fit tinter le tambourin.

Ce fut un concert d'applaudissements, de rires, qui s'amplifia lorsque le pittoresque montagnard, toujours coiffé de son large chapeau noir, entonna à pleine gorge un chant de son pays, mais en patois.

— En voilà un qui me plaît, s'esclaffa Colette. Peut-être qu'on se croisera, à New York.

Sur ces mots, elle adressa un de ses clins d'œil malicieux à Catherine. La jeune femme approuva d'un léger sourire. Elle se réjouissait surtout de la bonne humeur d'Élisabeth. La petite, soudain enhardie, s'était levée pour entrer dans la ronde que formaient Léonard, Paul et deux autres fillettes. Guillaume admirait lui aussi le visage joyeux de leur « princesse ». Sa jupe de serge bleu foncé voletait autour de ses mollets ronds, ses boucles sombres s'échappaient de son bonnet en calicot. Une expression insouciante la rendait encore plus jolie.

Chaque fois qu'Élisabeth se trouvait face à l'ours, elle lui dédiait un regard amical. Garro continuait à danser, suivant la cadence de la musique. Son public l'acclamait et la grosse bête, accoutumée à recueillir des vivats et des bravos, se mit à saluer, plus tôt que prévu.

— Merci mesdames, merci messieurs, s'écria son dresseur. Vous applaudissez le redoutable fauve des Pyrénées, la terreur des bergers et des moutons ! Voyez comme il est devenu sage, mon meilleur ami, oui, le meilleur !

Pour achever de séduire les spectateurs, le montagnard donna l'accolade à l'animal, qui referma ses pattes sur lui. Il y eut quelques cris de frayeur, mais l'instant suivant, Garro saluait de nouveau.

— As-tu des sous sur toi ? demanda Catherine à son mari. Cet homme les mérite. Nous descendrons vite, ensuite, je suis gelée.

— Tu as raison, il fait froid ce soir, le bateau a viré vers le nord, c'est la route maritime la plus rapide, précisa Guillaume.

Il sortit trois pièces de sa poche. Déjà Alphonse Sutra tendait son chapeau à l'assistance. Élisabeth revint se blottir dans les bras de sa mère. Elle respirait fort, l'air ébloui.

— On s'amuse bien, maman, haleta-t-elle. Le monsieur qui joue du violon ne doit pas s'arrêter, c'est si beau. Autant que le ciel, regarde toutes les étoiles !

Catherine leva le nez vers l'immense voûte céleste, presque noire, mais piquetée de millions de points lumineux. Un fin quartier de lune semblait suspendu en haut d'un des mâts. La mer était très calme, on entendait à peine le clapotis des vagues contre la coque.

Guillaume revenait, escorté par Jacques, le mari de Colette. L'ancien mineur avait bu. Il aperçut son épouse en train de plaisanter avec le montreur d'ours, qui, lui, comptait sa recette. L'harmonie se brisa net.

— Coco ! hurla-t-il. Je t'y prends à fricoter dans mon dos. Tu lui causes bien près du bec, à ce traîne-misère !

J'm'en vais lui dire ce que j'en pense, moi ! Sale catin, tu n'peux pas t'empêcher, hein ?

— Lui au moins, il n'est pas saoul tous les jours que le bon Dieu fait, rétorqua-t-elle.

Il se rua sur Colette qui esquiva souplement l'attaque, en dépit de sa corpulence. Leurs fils poussèrent des clameurs affolées.

— Et toi, là, approche, que je t'arrange le portrait !

Alphonse Sutra fit tournoyer son bâton ferré en direction de l'ivrogne pour se défendre. Pris de panique, l'ours gronda en tirant sur sa chaîne.

— Arrête, Jacques, arrête donc ! s'égosillait Colette, devenue écarlate, tant elle avait honte.

L'Ariégeois frappa son agresseur à l'épaule, mais celui-ci s'empara de son bâton qu'il jeta à l'écart. Ensuite il décocha un coup de poing à l'aveuglette.

Des matelots se précipitèrent pour séparer les deux hommes. Parmi la foule, chacun prenait parti pour l'un ou l'autre, ce qui déclencha un véritable tintamarre et un début d'émeute.

— Descends dans l'entrepont, Cathy, emmène Élisabeth, vous pourriez être bousculées, conseilla Guillaume.

— Ne t'en mêle pas, surtout, répliqua-t-elle. Mon Dieu, nous étions si tranquilles. Je t'en prie, raccompagne-nous.

— Papa, oui, viens, supplia la fillette. Prends le petit Paul, il pleure, tout seul, là-bas.

Attendri par la compassion dont faisait preuve Élisabeth, pour le garçonnet de trois ans son cadet, le charpentier s'exécuta. Il souleva l'enfant et le cala sur son bras. Catherine, qui serrait fort la main de sa fille, eut le temps d'entendre de grands éclats de rire moqueurs, en provenance du pont supérieur.

— Les premières classes se régalent de la bagarre, confia-t-elle à son mari, écoute-les se moquer. Seigneur, ils se croient sans doute supérieurs ! Eux, ils règlent leurs affaires en secret, mais ils ne valent pas mieux que ce montreur d'ours et que ce pauvre Jacques, qui a travaillé dès douze ans au fond de la mine.

Révoltée, la jeune femme s'engagea d'un pas rapide dans l'étroit escalier menant à l'entrepont. Elle ne tenait pas la rampe et manqua la deuxième marche.

— Cathy !

Guillaume la vit glisser sur le dos, les bras en l'air comme en quête d'une prise invisible. Sa lourde jupe était retroussée sur ses jambes quand elle s'immobilisa enfin, ayant calé son pied gauche contre la paroi. Il se rua à son secours, après avoir posé Paul près d'Élisabeth.

— Maman, maman ! hurla la petite. Tu as mal ?

— Non, ce n'est rien, balbutia Catherine, le souffle coupé.

Guillaume l'aida à se relever. Il était livide, hébété lui aussi par la brusquerie de sa chute.

— Seigneur, quelle peur j'ai eue ! Souffres-tu, ma chérie ?

— J'ai senti l'arête de chaque marche le long de mon dos, mais Dieu merci, je ne suis pas tombée en avant. Ne crains rien, mon amour. C'est ma faute aussi, je n'ai pas fait attention.

— Et le bébé ?

— Il a dû être un peu secoué, le malheureux. Guillaume, tu es tout pâle. Je suis désolée. Aide les enfants à descendre l'escalier, je t'en prie.

Catherine avança avec prudence vers le couloir qui donnait accès aux dortoirs. Elle avait menti, son ventre s'était durci, une douleur aiguë lui vrillait les reins. Une fois parvenue près de sa couchette, elle feignit encore d'aller bien.

— Je vais me charger de la toilette d'Élisabeth, annonça son mari. Tu ferais mieux de vite t'allonger. Il reste de l'eau. Paul peut se mettre au lit tout de suite. Enlève tes chaussures et ta veste, mon gars, ça suffira pour ce soir.

Habitué à dormir avec ses vêtements, le petit garçon obéit sans discuter. Catherine en profita.

— Enfile sa chemise de nuit à notre princesse, je fais un tour aux commodités, Guillaume.

— D'accord, tu cries très fort si quelqu'un t'importune, dit-il, encore inquiet.

Élisabeth bâillait. Elle se frotta les yeux, puis tendit les bras à son père. Il la cajola tendrement.

— Dis, papa, pourquoi ils se battaient, les messieurs? Ils ne vont pas faire de mal à Garro?

— Garro?

— Mais oui, l'ours!

— Bien sûr que non, ma Lisbeth.

— Lisbeth?

— Quand nous serons à New York, je t'appellerai ainsi, ça sonnera plus «américain». C'est une autre forme de ton prénom, ou alors Betty! Je me suis renseigné.

— Pas Betty, papa, j'aime mieux Lisbeth. Les gens de là-bas, ils diront ça, eux aussi?

— Sans doute, répliqua-t-il, distrait.

Il revoyait sa femme étendue en travers des marches et il en avait le front moite. Il sut néanmoins dissimuler son émotion, pour s'occuper de sa fille. Il la borda en l'embrassant.

— Tu avais laissé ta poupée sous ton oreiller, nota-t-il. Tu as eu raison, elle était au chaud.

Guillaume perçut la froideur nouvelle de l'air, comme si le vent du large s'engouffrait dans les profondeurs du paquebot. Il jeta un regard vers les autres couchettes. Ceux qui étaient déjà installés pour la nuit avaient remonté leurs couvertures jusqu'au menton.

— Tu me chantes une comptine, papa, pas fort? implora Élisabeth.

— Attends un peu, ma chérie, j'écoute quelque chose.

Il ne prêta pas attention aux bruits familiers : les ronflements, les grincements des sommiers, les quintes de toux, les murmures échangés. Une rumeur insolite l'intriguait, dehors, autant que le roulis plus accentué du grand bateau.

« La mer devient forte, se dit-il. Que fait donc Catherine ? »

La jeune femme constatait le même phénomène que lui, du réduit malodorant où elle s'était enfermée. Le paquebot tanguait beaucoup et une sensation de froid intense l'avait saisie. Elle percevait également des voix, des galopades.

Mais ce n'était pas ce qui la faisait trembler. Du sang maculait sa culotte longue en coton, ornée de dentelles à l'ourlet. La tache rouge l'obsédait, telle une menace, et en rabattant jupe et jupon, elle voulait se convaincre qu'elle ne l'avait pas vue.

4

Une nuit en mer

Sur La Champagne, *nuit du samedi 23 au dimanche 24 octobre 1886*

Catherine, de sa couchette, assista au retour bruyant et animé de ses voisins. La faible lueur des veilleuses à huile soulignait les traits affaissés du mineur, qui avait la moitié du visage marqué d'une ecchymose. Colette, encore furieuse, secouait son mari en l'invectivant tout bas.

— Tu n'as pas honte, sale poivrot, t'donner en spectacle devant tout ce monde? N't'avise plus de boire autant, Jacques, sinon j'me débrouillerai sans toi, aux Amériques!

L'homme tenait à peine sur ses jambes. Soudain il s'effondra en avant, face contre sol, entre le lit de Catherine et celui de sa femme. Aussitôt il se mit à vomir. Ses hoquets réveillèrent Guillaume.

— Nom d'un chien, s'indigna-t-il. Il ne manquait plus que ça! Mon épouse a besoin de repos, elle est tombée dans l'escalier. Occupez-vous de lui, Colette, je vais nettoyer.

Le charpentier, vite sur pied, aida Jacques à se relever, puis il enjamba la flaque nauséabonde et fila jusqu'au point d'eau, situé près des toilettes.

— Comment s'est terminée la bagarre? demanda Catherine, car Colette lui marmonnait des excuses pour le dérangement.

— Ce brave montreur d'ours s'en tire avec un œil au beurre noir ! Bah, il n'est pas rancunier, ils se sont serré la pogne, ensuite. Alors paraît que vous avez fait une mauvaise chute, ma jolie ?

— Rien de grave, j'ai glissé sur le dos.

— On n'a pas fini de valdinguer d'un côté et de l'aut', un matelot m'a dit qu'on aurait du vilain temps, cette nuit, professa Colette avec une moue soucieuse. Jacques n'sera pas le dernier à salir le plancher, j'vous le dis. Doux Jésus, vous sentez comme ça remue ? J'en ai le tournis, pardi.

Le paquebot, en dépit de la puissance de ses moteurs, de sa masse imposante, subissait depuis une heure de fortes secousses. Dans l'entrepont, situé sous la ligne de flottaison, on entendait des chocs sourds contre la coque. Les vagues se ruaient à l'assaut du bateau, qu'elles ébranlaient comme prises de furie.

— Vous avez raison, Colette, ça remue beaucoup, avoua Catherine d'une petite voix anxieuse. Je ne me sens pas très bien, le mal de mer, sûrement, je ne l'avais pas eu depuis notre départ.

— Dites, ça vous brasse le bide, tout ce bazar, dehors.

La jeune femme ferma les yeux, indifférente à la gouaille de sa voisine. Des spasmes irréguliers durcissaient le bas de son ventre et elle se massait du plat de la main, à l'abri de la couverture. Pour se rassurer, elle se remémora l'avis du médecin qu'elle avait consulté deux semaines auparavant.

« D'après le docteur, j'accoucherai vers la mi-janvier. Au cœur de l'hiver. Nous aurons un logement bien chauffé, Guillaume me l'a promis. Dieu merci, je ne saigne plus, songea-t-elle. Si je reste allongée demain, tout rentrera dans l'ordre. Je n'aurais pas dû me précipiter ainsi dans l'escalier. Oh, cette odeur, quelle horreur ! »

Son mari, une fois de retour, un seau d'eau à chaque main, la retrouva un mouchoir sur le nez.

— Je suis désolé que tu endures ça, marmonna-t-il.

— Allons donc, j'vais vous aider, m'sieur Duquesne, proposa Colette, déjà couchée. Et puis pour les odeurs, ça n'fait que commencer, écoutez un peu.

Elle disait vrai. Des plaintes s'élevaient, des bruits rauques de vomissements. *La Champagne* oscillait, plongeait et se redressait sans cesse, si bien que les passagers, pour la plupart, rejetaient le repas du soir. Des enfants pleuraient, effrayés.

— Je serais curieux de monter sur le pont, déclara Guillaume tout en nettoyant le sol de son mieux. Les vagues doivent être énormes.

— Non, n'y va pas, lui défendit Catherine. Si tu étais projeté par-dessus bord ! Qu'est-ce que je deviendrais, moi, toute seule, et notre fille ? Je t'en conjure, ne prends aucun risque.

— Je te le promets, ma chérie. Par chance, notre Élisabeth dort bien, malgré ce vacarme. Il doit pleuvoir, et le vent siffle. On dirait que les hommes de l'équipage ont fort à faire.

Guillaume écoutait, tendu à l'extrême. Catherine devina combien il avait envie de se confronter aux éléments déchaînés, d'aider les matelots s'il le fallait.

— Ne monte pas, je t'en prie, insista-t-elle.

— Non, mais je vais vider les seaux, car il n'y en aura jamais assez pour tout le monde, cette nuit. Repose-toi, Cathy, je veille sur toi, sur vous deux, mes princesses.

Il s'éloigna en marchant comme s'il était ivre, à cause du roulis de plus en plus violent. Un homme accourut vers lui, dans le couloir.

— Une tempête arrive ! cria-t-il. Personne n'a le droit d'aller sur le pont, ordre du capitaine. De toute façon, faudrait être fou pour rester en haut, les vagues passent par-dessus le bastingage.

— C'est à ce point, s'inquiéta Guillaume. Qui vous a parlé d'une tempête ?

— Le second du capitaine. D'après lui, ce serait fréquent dans ces parages, une histoire de courants sous-marins, je n'ai pas tout compris. Je vais prévenir ma sœur, on voyage tous les deux.

— Bonsoir, et merci.

Songeur, Guillaume se dirigea vers les sanitaires. Le lieu était en piteux état, et il eut un haut-le-cœur en pataugeant dans une eau jaunâtre, malodorante. Sa besogne terminée, il se rinça les mains et repartit, soulagé. Mais à peine sorti, il fut projeté contre la cloison qui lui faisait face.

— Nom d'un chien, jura-t-il. On peut à peine tenir debout.

La curiosité l'emporta. En dépit de l'avertissement que lui avait donné l'inconnu, un moment plus tôt, le charpentier s'élança le long du couloir, grimpa l'escalier. Il n'était pas arrivé sur le pont qu'une pluie glacée le frappa en plein visage.

Le tableau qu'il découvrit, en restant sur la dernière marche, le frappa d'épouvante. Le vent sifflait dans les haubans, et on aurait pu croire à des cris stridents, poussés par des démons. Le « seigneur des mers » n'était plus qu'un frêle esquif ballotté par l'océan démonté, dont les vagues démesurées grondaient avant de se briser sur le bastingage.

Il distingua la course affolée des matelots, vêtus de cirés. L'un d'eux l'aperçut.

— Redescendez tout de suite, monsieur ! Nous allons avoir une tempête, lui ordonna-t-il. Nous devons fermer les écoutilles et l'entrepont.

— Elle est déjà là, votre tempête, rétorqua Guillaume.

— Faites ce qu'on vous dit !

Catherine guettait le retour de son mari. Elle était incapable de dormir, car un filet de sang avait souillé sa chemise de nuit. Elle perdait le contrôle de ses nerfs, privée de son linge de rechange.

— Si seulement nous avions nos malles, j'avais emporté des carrés de tissu, en prévision de l'accouchement. Là, je n'ai plus rien, plus rien, disait-elle tout bas, les mâchoires crispées.

Sa voisine rouvrit un œil alarmé. Elle se redressa sur un coude.

— Qu'est-ce qui s'passe, ma p'tite dame ? Un souci ?

— Oh, Colette, je crois bien, oui. Je saigne, ça a commencé après ma chute, tout à l'heure, et je ne peux pas me changer ni m'arranger, enfin, vous comprenez…

— Doux Jésus, je peux vous dépanner, mais c'est-y le travail qui se met en route ?

— Non, je n'ai pas de douleur, j'ai dû me faire mal.

— Hé, y a un toubib à bord de ce maudit rafiot, faudra vous faire examiner, demain. Enfin, si on est encore vivants !

— Mon Dieu, ne dites pas des choses pareilles, Colette !

La jeune femme se signa. Elle venait de prendre conscience du bruit assourdissant des vagues, dehors, qui étouffait de leur rumeur menaçante le grondement des moteurs, sous le plancher.

— Guillaume ! s'écria-t-elle. Mon mari, il ne revient pas ! Coco, le bateau penche, regardez, il penche !

Élisabeth se réveilla au même instant, en hurlant « maman » de toutes ses forces. Aussitôt d'autres enfants appelèrent leur mère, ceux qui, effrayés, n'avaient pas pu s'endormir.

— Ma chérie, calme-toi ! s'exclama Catherine. Je ne peux pas me lever. Papa va venir !

Guillaume surgit de la pénombre, les cheveux trempés. Il se pencha sur le lit de sa fille. La petite hoquetait, sa poupée serrée contre son cœur.

— N'aie pas peur, ma princesse, la mer est en colère, mais elle va redevenir sage.

L'enfant le fixait d'un regard halluciné. Il lui caressa la joue, en souriant pour dissimuler sa propre angoisse.

— Lisbeth chérie, parle-moi, as-tu fait un cauchemar ?

Elle fit oui d'un signe de tête. Son père soupira de dépit, avant de proposer :

— Veux-tu te coucher à côté de maman ?

— Non, prends-la avec toi, Guillaume, protesta Catherine. J'ai la nausée, je t'en supplie, garde Élisabeth. As-tu remarqué, le bateau penche.

— J'ai vu, Cathy, trancha-t-il. Soyons confiants. Le capitaine sait ce qu'il fait, il n'en est pas à sa première traversée.

Pourtant, d'autres passagers cédaient à la panique, devant l'inclinaison anormale du paquebot. On en discutait, les femmes lançaient des imprécations anxieuses, les hommes se relevaient et, inquiets, se rhabillaient. Le mot « tempête » circulait, chargé d'effroi, d'incompréhension.

— Doux Jésus, je n'en mène pas large, moi, avoua Colette.

Ses fils pleuraient, assis sur la couchette qu'ils partageaient. L'aîné, Léonard, tenait le petit Paul par l'épaule.

— Et votre père qui ronfle, enragea leur mère. Lui, on pourrait couler, il cuverait son vin quand même.

Catherine se mit à prier. Elle refusait de perdre son bébé, et si ce drame se produisait, elle s'en estimerait responsable sa vie durant.

— Maman ! cria à nouveau Élisabeth. Maman, un bisou !

— Mais tu es avec papa, ma chérie, rendors-toi, sois sage. Je serai malade si je viens t'embrasser.

Un bref sanglot fit écho à son refus. Guillaume raisonna la fillette à voix basse. Peu après, Catherine entendit son mari fredonner la chanson préférée d'Élisabeth : « Mariann' s'en va-t-au moulin, pour y faire moudre son grain… »

Des souvenirs l'envahirent, apaisants – l'été sur les rives du fleuve Charente, les champs de blé dorés par le soleil, le parfum de la menthe et du thym, dans leur jardin de Montignac. Elle essuya ses larmes, nées d'une douce nostalgie, celle du pays natal, si lointain déjà.

Durant plus d'une heure, *La Champagne* affronta vaillamment la colère des éléments et la fureur de l'océan. Guillaume demeurait sur le qui-vive, Élisabeth nichée au creux de son épaule. La fillette s'était endormie, réconfortée par la chaude présence de son père. Le charpentier n'était pas le seul à rester aux aguets. Des silhouettes circulaient entre les lits, soit pour aller aux sanitaires, soit afin de rendre visite à un voisin.

Les conversations, à voix haute ou basse, composaient un bruit de fond incessant, auquel s'ajoutaient les coups de boutoir des vagues, toujours aussi violentes, les hurlements du vent.

Soudain, la tempête annoncée déferla. Le paquebot, frappé de plein fouet, s'ébranla tout entier. Tous ceux qui espéraient un retour à la normale comprirent leur erreur.

— Seigneur, protégez-nous, ayez pitié, murmura Catherine, elle aussi victime d'insomnie.

La jeune femme se pelotonna au creux de sa couchette, ses doigts fermés autour de sa médaille de baptême. Elle se sentait prête à endurer l'épreuve, puisque un petit miracle avait eu lieu.

« Je n'ai plus de douleur au ventre, je ne saigne plus du tout, pensa-t-elle. Colette m'a dit que ça lui était déjà arrivé, pendant sa grossesse, ce genre d'incident. »

Quelques minutes plus tard, ce fut le chaos. Tous les occupants du vaste entrepont eurent l'impression épouvantable que le grand navire chavirait à bâbord. Immédiatement il sembla se cabrer en avant. Le sol prit une inclinaison inquiétante. Des objets divers roulèrent d'un bout à l'autre des allées.

Des jurons retentissaient, des clameurs, des plaintes. Les enfants hurlaient de frayeur. Aussi brusquement, *La Champagne* parut plonger vers un gouffre sans fin.

Si les passagers de la troisième classe avaient pu se rendre sur le pont supérieur, ils auraient vu la hauteur des vagues et leur violence. Le bateau les franchissait pourtant, mais à la façon d'un brin de paille agité en tous sens.

Catherine continuait de prier, tout en se cramponnant aux montants métalliques des couchettes. Elle entendait Guillaume qui s'efforçait de rassurer Élisabeth, réveillée par les secousses et les cris, comme la plupart des enfants.

— Courage, ma chérie, dit-elle. Accroche-toi bien au cou de papa, ça va passer, ça s'arrêtera bientôt.

— Oui, maman, répondit la petite, mais je ne te vois pas, je voudrais tant te voir.

Des veilleuses s'étaient décrochées et celles restées en place diffusaient de faibles rais de lumière. Une ombre oppressante avait envahi le dortoir.

— Les matelots devraient nous apporter des lanternes, brailla un homme. On nous traite comme des bêtes !

— Ils sont sûrement trop occupés à sauver notre peau à tous, rétorqua un autre.

Chacun y alla de son commentaire. Catherine prit conscience qu'ils pouvaient vraiment être condamnés, tous. Les pleurs de sa fille, qui la réclamait encore, lui vrillèrent le cœur.

« Je tiens ma princesse à l'écart de moi, songea-t-elle, elle si petite. Elle veut sa maman. Nous l'avons déjà laissée seule dans la nursery du château, notre mignonne. »

— Guillaume, appela-t-elle. Aide Élisabeth à me rejoindre, je veux être avec elle, si jamais… Et près de toi, aussi.

— Tu as raison, ma chérie, souffla-t-il.

Son mari avait compris l'allusion. La fillette lui échappa, folle de joie et de soulagement à l'idée de retrouver sa mère. Elle sortit du lit au moment précis où le paquebot se dressait à nouveau, incliné à tribord, cette fois.

Déséquilibrée, Élisabeth trébucha, tenta de se rattraper, mais elle tomba et glissa en avant, entraînée par la pente anormale du sol. Colette, qui tenait ses deux garçons contre elle, poussa un cri rauque.

— Misère, vot' gamine !

Catherine oublia toute prudence. Elle se leva, devançant son mari et se précipita au secours de sa fille. Guillaume jura, une jambe empêtrée dans la couverture. Une fois debout, il scruta la pénombre en vain, alerté par un choc sourd et un gémissement étouffé.

— Cathy, Élisabeth !

Il hurlait, malade de peur. Un jeune homme, en qui il crut reconnaître le violoniste, lui tapa sur l'épaule.

— Là-bas, monsieur ! Derrière nous, enfin, je crois.

Ils se ruèrent tous les deux dans la direction indiquée. Il fallait s'accrocher aux structures des lits, bousculer leurs compagnons de misère qui, eux aussi, souvent, cherchaient à relever une épouse, une sœur, ou à retrouver leurs maigres biens éparpillés.

— Seigneur, c'est un enfer, enragea Guillaume. Cathy, Élisabeth !

— Papa, papa !

Sa fille lui répondait. Il arracha de la main d'un adolescent une lampe Pigeon[1] dont la flamme dissipait les ténèbres.

— Je te la rapporte vite, jeta-t-il entre ses dents.

— Là, elles sont là, indiqua le musicien.

Élisabeth était recroquevillée dans un recoin, son regard bleu dilaté par l'angoisse. Catherine gisait à ses côtés, en apparence inanimée.

— Maman s'est cognée fort, papa, balbutia la petite. Au front.

— Cathy chérie ! Ma Cathy !

Il se mit à genoux. Le violoniste l'éclaira, s'étant chargé de la lampe. Guillaume souleva le haut du corps de sa femme, pour examiner sa tête. Du sang suintait des mèches blondes, sur le crâne. La blessée cligna des paupières.

— Je suis désolée, lâcha-t-elle dans un soupir.

---

1. Petite lampe à pétrole portative, dont la flamme était protégée par un verre rond.

— Dieu soit loué, tu n'as rien de grave. Mon petit amour, tu es folle de t'être levée !

— Mais Élisabeth pouvait se faire du mal.

— Pardon, maman, c'est ma faute, sanglota celle-ci.

— Non, ma princesse, protesta son père. Le seul coupable, c'est l'océan qui nous a envoyé une terrible tempête.

— On dirait que ça se calme, fit remarquer le jeune musicien. Je vais vous aider à regagner vos couchettes.

— Merci, vous êtes bien aimable, affirma Guillaume, éperdu de bonheur.

Il étreignit sa bien-aimée, couvrit son front de baisers, puis il caressa tendrement la joue d'Élisabeth.

— Sèche tes larmes, ma chérie, murmura-t-il. Ce monsieur dit vrai, ça remue beaucoup moins, maintenant. Maman n'a rien de grave. Je te parie que demain, il fera grand soleil et la mer sera redevenue sage. Tu verras, ma princesse.

Le lendemain, dimanche 24 octobre 1886

Catherine gisait sur le lit étroit de l'infirmerie du paquebot. Au lever du jour, elle avait accouché après d'atroces souffrances d'un petit être mort-né. Maintenant, très pâle, elle souriait à Guillaume qui lui tenait la main. Le médecin de bord les avait laissés seuls.

— Je te demande pardon, mon amour, soupira-t-elle. J'ai brisé tous nos rêves par ma sottise.

— Ne dis pas ça, Cathy, ma chérie, gémit-il. Tu n'es coupable de rien. C'est moi qui n'ai pas su retenir Élisabeth. Tu as réagi comme toutes les mères l'auraient fait, en te précipitant à son secours.

— Si seulement je n'avais pas fait cette chute dans l'escalier, déplora tout bas la jeune femme. Je perdais un peu de sang, déjà, mais je n'ai pas voulu t'alarmer. Ensuite, quand j'ai cru pouvoir rattraper notre fille, j'ai heurté une caisse, un pilier, et voilà. C'était un garçon, Seigneur, un beau petit garçon, ton fils, Guillaume.

Des larmes d'amertume coulaient sur les joues du charpentier, gouttaient sur sa chemise. Catherine le regarda avec avidité. Son mari portait encore les marques, un peu estompées, des coups reçus avant l'embarquement.

— Que tu es beau, dit-elle. Comme je t'ai aimé ! J'ignorais qu'on pouvait aimer aussi fort.

— Tu m'aimeras encore, Cathy, mon adorée. Tu es ma lumière, une partie de mon cœur. Et c'est à moi d'implorer ton pardon, je t'ai entraînée dans cette aventure sans rien savoir de la violence de la mer. Mon Dieu, combien je le regrette !

Il leva vers le hublot ses yeux sombres, aux paupières meurtries. Un rond de ciel rose et or s'y dessinait. Le bateau poursuivait sa course sur l'océan apaisé.

— Guillaume, je t'en prie, nous avons si peu de temps, lui dit Catherine d'une voix douce. Je suis très lasse, je m'en vais, mon amour. Je voudrais embrasser Élisabeth une dernière fois, il faudrait aller la chercher.

— Qu'est-ce que tu racontes ? Cathy ! Mais non, tu ne peux pas me quitter ! s'enflamma-t-il. Non, ça ne peut pas finir ainsi, nous deux. Tu vas te rétablir, avec du repos, une meilleure nourriture. Je sacrifierai l'argent de ta mère, nous aurons une cabine de deuxième classe, de bons repas.

Elle n'avait plus la force de secouer la tête, à peine celle de lui parler. Guillaume l'aida à avaler un peu d'eau sucrée.

— Accroche-toi, ma chérie, supplia-t-il. Tu as été si courageuse cette nuit, tu t'en souviens ?

Catherine souffla un « oui » du bout des lèvres. Elle revivait l'instant terrifiant où elle s'était écroulée près d'Élisabeth qui hurlait de panique.

« Je me suis cognée à une barre de métal, et après je n'étais plus qu'un objet projeté de droite et de gauche. Quand j'ai repris connaissance, dans les bras de

Guillaume, je sentais du sang couler entre mes cuisses, et j'avais mal au ventre, tellement mal. »

Son mari l'avait portée jusqu'à sa couchette, où les douleurs de l'enfantement s'étaient déclarées, à une cadence implacable, sans guère de résultat.

Colette avait tout de suite tendu un drap et une couverture, empruntés à une autre femme, pour isoler Catherine des regards curieux et ménager sa pudeur.

— Maman va avoir le bébé ? interrogeait Élisabeth. Dis, papa, le bébé vient ?

Fou d'inquiétude, certain que le nouveau-né n'avait aucune chance de survivre, le charpentier avait tenté de rassurer sa fille. Il l'aurait volontiers confiée à des voisines du dortoir, comme le préconisait Colette, mais la petite refusait en sanglotant.

— Sois sage, Élisabeth, je dois m'occuper de maman, trouver le docteur du bateau, alors reste dans ton lit avec ta poupée et récite tes prières, s'était-il écrié, à bout de nerfs.

Jamais encore il n'avait parlé aussi rudement à leur enfant chérie, leur princesse. Catherine avait entendu et elle s'en affolait maintenant, se sachant perdue.

— Guillaume, mon amour, dit-elle d'une voix faible, une lourde tâche t'attend. Tu vas élever seul Élisabeth et tu dois promettre de veiller sur elle, de lui épargner le froid, la faim, la peur.

— Tais-toi, tais-toi, se lamenta-t-il.

— Transmets-lui de solides valeurs, la franchise, l'honnêteté, le respect d'autrui. Et surtout, ne la quitte jamais, tant qu'elle ne sera pas devenue une jeune fille accomplie. Si mes parents te proposent de la prendre chez eux, refuse, ne leur cède pas. Elle serait malheureuse au château, je le sais. Je veux qu'elle grandisse sur la terre d'Amérique, près de toi. Promets, Guillaume, que je puisse m'en aller en paix.

Son mari l'observa. Elle était livide, les lèvres bleuies, des cernes bruns sous ses beaux yeux verts. Il comprit enfin. Rien ne la sauverait.

— Cathy, ça ne peut pas nous arriver, pas toi.

Elle approuva d'un humble sourire navré. La vie s'écoulait de son corps, lentement, inexorablement. Sous elle, le drap était tiède, humide.

— Le docteur n'a pas pu arrêter le flux de sang, c'est ainsi, ajouta-t-elle. J'ai une dernière volonté, mon amour. Il faut offrir mon corps à l'océan, dès aujourd'hui, le jour du Seigneur, sinon je serai vite un objet d'horreur. Élisabeth doit garder une belle image de sa maman. Et puis, souviens-toi, tu me répétais que mon regard, sous la lumière de l'été, prenait la couleur de la mer, bleu-vert, entre la turquoise et l'émeraude. J'aurai la plus belle sépulture du monde.

Guillaume tomba à genoux près du lit. Il appuya son front contre la poitrine de sa femme, tout en embrassant ses mains d'une rare finesse. Elle articula avec peine :

— Tu as l'argent que maman m'a donné, vends tous mes bijoux, mais laisse à Élisabeth ma médaille de baptême.

— Catherine, ma chérie, je n'aurai pas la force, sans toi.

— Je veillerai sur vous, du Ciel, mon amour. Je t'en prie, va chercher Élisabeth, tant que je suis capable de lui dire adieu.

Il fit un effort surhumain pour s'éloigner d'elle, après avoir déposé un baiser tremblant sur sa bouche. Chaque pas lui coûtait le long de la coursive, si bien qu'il vit à peine le médecin et le bouscula.

— Pardon, docteur, balbutia-t-il, la gorge nouée. Vraiment, il n'y a aucun espoir ?

— Je suis désolé, monsieur, répondit l'homme. Une naissance avant terme implique ce genre de risque. Votre épouse a été d'un courage admirable. Je retourne à son chevet.

— Catherine veut voir notre petite. Je vous remercie, docteur, pour votre dévouement. C'était aimable aussi de faire transporter ma femme à l'infirmerie.

— Le capitaine et moi-même avons estimé que c'était nécessaire, autant pour votre fille que pour les autres passagers du dortoir. Je tenais également à soigner de mon mieux votre épouse, hélas, le destin a tranché.

Guillaume approuva d'un air hébété. Le médecin lui tapota l'épaule, plein de compassion.

Élisabeth venait de se réveiller. Ses parents n'étaient toujours pas là. Elle les avait appelés longtemps en pleurant et en gémissant, jusqu'à somnoler d'épuisement. Les bonnes paroles de Colette, apitoyée par son chagrin, s'étaient avérées inutiles. C'était une brave femme et une mère. Elle avait retrouvé la poupée de la fillette, qui s'en était emparée avec un cri pathétique. Les bouts de tissu composant le jouet sentaient l'eau de Cologne qu'utilisait Catherine.

Lorsque Guillaume réapparut, il découvrit Élisabeth prostrée sur sa couchette. Leur voisine devina ce qui se passait, au coup d'œil égaré que lui lança le charpentier.

— Papa, tu es là, murmura la petite en soulevant sa tête brune. Et maman ? Pourquoi tu ne l'as pas ramenée ici, avec nous ?

— Viens, ma chérie, maman t'attend. Tu vas l'embrasser très fort, parvint-il à dire.

Il la prit à son cou, sous les regards compatissants de Colette et de son mari, Jacques, qui était réveillé. Élisabeth, soulagée à l'idée de retrouver sa mère, eut un léger éclat de rire. En chemise de nuit, ses cheveux bruns en désordre, elle évoquait l'innocence et la pureté de l'enfance.

Guillaume la porta ainsi jusqu'à l'infirmerie du bateau. Le médecin guettait son retour devant la porte. D'un signe de tête, il lui fit comprendre que Catherine était morte.

— Déjà, s'écria-t-il, effaré. Oh Seigneur !

Il vacilla sous le choc, car il gardait au fond de son cœur un espoir insensé. La fillette perçut une profonde détresse dans le cri de son père, tout en remarquant l'air désolé du docteur. Elle ne posa aucune question, pénétrée par l'imminence d'un terrible chagrin. L'expression de joyeuse impatience qui plissait ses joues s'effaça, tandis que son regard bleu se voilait.

— Il faut embrasser maman, répéta Guillaume, hébété.

Le médecin les fit entrer. Un infirmier s'affairait autour du lit étroit où reposait Catherine Duquesne, née Laroche vingt-huit ans plus tôt, sous les toitures d'ardoise du château de Guerville. La jeune défunte semblait endormie, les mains croisées sur sa poitrine, ses mèches blondes hâtivement coiffées.

Élisabeth tressaillit de tout son petit corps. Elle priait le petit Jésus, dont elle connaissait l'histoire et qu'elle trouvait si gentil, de réveiller sa maman. Tout redeviendrait comme avant, peut-être même qu'ils rentreraient en France tous les trois, dans leur maison au bord du fleuve.

— Maman est montée au Ciel, ma princesse, souffla Guillaume à son oreille. Elle veillera sur nous, elle me l'a promis.

— Mais elle n'y restera pas trop longtemps, répondit Élisabeth pour se rassurer.

Elle refusait l'évidence qui lui broyait le cœur. La mort avait frappé, elle le savait et s'en effrayait. L'odeur du local la révulsait. Jamais elle ne devait oublier la senteur mêlée du sang et du savon noir avec lequel on avait lessivé le lino.

Guillaume posa sa fille et la guida d'une main tremblante près du lit. Élisabeth caressa le front encore tiède de sa mère, puis, se hissant sur la pointe des pieds, elle l'embrassa sur la joue. Le médecin toussota nerveusement, la gorge nouée par le pathétique de la scène.

— Maman est au paradis, ma chérie, affirma le charpentier d'une voix morne. Ton petit frère aussi. Nous devons prier pour eux tous les jours de notre vie.

— Oui, papa.

Un gros soupir échappa à Élisabeth. Des larmes perlèrent au coin de ses yeux. La respiration saccadée, elle leva son joli visage vers les hommes qui l'entouraient. N'y tenant plus, l'infirmier, un matelot d'une trentaine d'années, se pencha sur la fillette.

— Si ton papa est d'accord, je peux t'emmener sur le pont, proposa-t-il. Le soleil se lève, et j'ai cru entendre un matelot signaler des dauphins. Ce sont des animaux marins, ils sautent haut au-dessus de l'eau. Tu n'es pas assez couverte, mais je vais t'envelopper dans un plaid.

— Je vous remercie, soupira Guillaume, toujours hagard. Il est inutile qu'elle reste ici. Et j'en profiterai pour passer un moment avec mon épouse.

On le laissa. Quand la porte se referma, il put enfin pleurer.

La triste nouvelle s'était vite répandue sur le paquebot, de la première classe huppée à l'entrepont où s'entassaient plus de cinq cents passagers de troisième classe. On résumait le drame en quelques mots : « Une femme était morte en couches, son bébé également, à cause de la tempête. »

Beaucoup s'émurent à la pensée du veuf et de sa fille de six ans. On chuchota aussi que les corps de la malheureuse et du nouveau-né seraient confiés aux abîmes de l'Atlantique, comme celui de la vieille dame juive, deux jours auparavant.

L'apparition de l'infirmier et d'Élisabeth, à demi enfouie dans un carré de lainage écossais, suscita tout de suite de l'intérêt. Il était très tôt, cependant l'équipage était en plein travail, afin de réparer les dégâts provoqués par la violence des éléments.

Le montagnard, coiffé de son chapeau noir, promenait sa bête le long du bastingage. Le capitaine de *La Champagne* lui avait autorisé une sortie matin et soir, d'un quart d'heure seulement. L'ours humait les embruns, suivant son maître d'une démarche paisible. L'homme, lui, fumait sa pipe. Il rebroussa chemin à la vue de l'enfant, dont le fin visage livide trahissait une poignante détresse.

Élisabeth n'y prêta pas attention. Elle était secouée par de brefs sanglots qui navraient son protecteur du moment.

— Alors, où se cachent les dauphins? dit-il d'un ton faussement enjoué.

Muette d'accablement, la petite fille fixait l'horizon d'un air absent. Un poids affreux pesait sur elle, et malgré son jeune âge, elle avait conscience de la perte immense qui la frappait.

— Maman voulait voir des baleines, avoua-t-elle soudain d'une voix faible.

— Ah, des baleines, nous en croiserons sûrement, mais plus au nord, répliqua l'infirmier. Sais-tu, on raconte qu'elles chantent, et leur chant est très beau. Les premiers navigateurs pensaient que c'était le chant des sirènes. Est-ce que tu connais les sirènes?

— Oui, monsieur, papa m'a montré une image.

Le vent du large acheva d'ébouriffer la chevelure d'Élisabeth. Ses doigts menus cramponnés à la rambarde métallique, elle scrutait l'infini de l'océan. Les vagues crénelées d'écume étaient fortes; elles heurtaient la coque avec un bruit sec, et à chaque fois des gerbes d'eau argentée captaient les rayons dorés de l'aurore.

Enfin, assez loin du bateau, une silhouette grise jaillit des flots, suivie de plusieurs autres. Les dauphins se montraient et n'étaient pas avares d'acrobaties, de bonds surprenants, assortis de cris aigus.

Des acclamations ravies s'élevèrent de la terrasse du pont supérieur, où quelques voyageurs fortunés dégustaient leur café ou leur thé.

— Tu as vu ça, petite? demanda l'infirmier. C'est joli!

Élisabeth approuva à nouveau, mais c'était par politesse. Elle se moquait bien des dauphins, puisque sa précieuse maman ne pouvait pas les admirer. L'ombre envahissait son esprit, tout était noir, douloureux.

— S'il vous plaît, monsieur, je veux mon papa, balbutia-t-elle.

Guillaume appréhendait le crépuscule. Il avait dû s'éloigner du corps de Catherine pour s'occuper d'Élisabeth, malgré le déchirement qu'il avait ressenti.

— J'ai promis à ma femme de veiller sur notre chérie, avait-il expliqué à Colette, qui offrait de s'occuper de l'enfant. Ma Cathy serait déçue si je trahissais mon serment. Elle me l'a dit, notre princesse ne doit pas souffrir, ni de la faim ni du froid, jamais.

Il ressassait ce dilemme, sa fille lovée contre lui, tous deux allongés sur la même couchette. Élisabeth s'était endormie après bien des larmes et des gémissements affolés.

« Je dois être fort, songeait-il. En surmontant cette épreuve, je prouverai mon amour à Catherine. Mais je voudrais mourir aussi, la rejoindre. Ma Cathy, ma toute belle, toute douce. »

La catastrophe l'avait atteint au plus vif de son âme, de sa chair d'homme passionnément épris. Il aurait voulu se réveiller et apercevoir le visage de son épouse, son regard bleu-vert, sa bouche pareille à un bouton de rose.

— Hé, m'sieur Duquesne, appela sa voisine tout bas, de retour du réfectoire.

— Oui ?

— Ce soir, faudrait quand même tenir la gamine à l'écart. La pauvrette est bien secouée, alors si vous la conduisez là-haut, ce sera pire, suggéra sa voisine d'un ton inquiet.

— Peut-être, je l'ignore, rétorqua-t-il. Est-ce qu'il y a pire pour une fillette de six ans que perdre sa mère ? J'y réfléchis.

— J'comprends, si vous avez besoin de moi, j'serai là, ajouta Colette avant de faire une toilette succincte à Paul, son benjamin.

Le charpentier pesa longuement le pour et le contre. Il se disait qu'une existence difficile attendait Élisabeth.

« Autant la confronter dès maintenant aux dures réalités de la vie. Je serai bien obligé de travailler, une fois arrivé à New York, que fera-t-elle du matin au soir ? Je la placerai dans une école, mais elle ne parle pas la langue du pays. »

Il avait à peine pris sa décision qu'il revoyait Catherine, si pâle, le suppliant de choyer leur fille, de la préserver.

« Non, ma princesse ne verra pas la mise à l'eau du corps de sa maman, non et non. Élisabeth est tellement sensible, nerveuse. Je ferai de mon mieux, Cathy, je te le jure. Je trouverai une personne de confiance, à New York, qui gardera notre petite. »

L'heure approchait. Il se leva sans bruit, en ayant soin de ne pas réveiller Élisabeth. Colette, qui semblait épier le moindre de ses faits et gestes, brandit un cintre en bois sur lequel étaient présentés une chemise blanche et un costume noir, un peu fripé.

— Vous serez plus correct, m'sieur Duquesne, c'est celui de mon homme. Jacques vous le prête, puisque vous avez perdu vos malles.

— Je vous remercie, Colette, c'est gentil. Vous dites la vérité, j'ai perdu mes malles, mes outils, ma canne de compagnon, au pommeau gravé d'un compas, d'une équerre et d'une règle, j'ai perdu la montre en or de mon père. J'en souffrais, idiot que j'étais. Aujourd'hui je perds ma Cathy, ma femme, mon adorée. Je donnerais ma vie pour la revoir me sourire, rien qu'une fraction de seconde.

— Il vous reste votre petite, mon brave monsieur, hasarda l'ancien mineur, qui venait de les rejoindre.

Quand il n'avait pas bu, Jacques, le mari de Colette, était dévoué et d'une nature charitable. Il s'enhardit même à faire une proposition au jeune veuf.

— Coco et moi, on va loger dans le Bronx. J'ai eu l'adresse par un de mes cousins qui y habite depuis deux ans. Si vous êtes dans la peine, faudrait trouver quelque chose près de chez nous, Coco prendra votre fille avec nos gamins, la journée.

— Pourquoi pas, Jacques, j'aurai besoin de soutien, c'est sûr.

Sur ces mots marmonnés, Guillaume se changea dans l'espace restreint qui séparait les lits superposés. Il était bouleversé, hanté par la mort de Catherine. La vie ne l'intéressait plus.

«J'écrirai à mon beau-père, de New York. Quand il saura la tragédie qui s'est produite, il pourra venir chercher Élisabeth. En France, elle ne manquera de rien, ce sera une demoiselle, élevée dans un château, et moi, moi, je me supprimerai, car tout est ma faute.»

Il fut soulagé d'avoir une solution à la douleur atroce qui le ravageait. C'était si simple, au fond. Encore quelques jours de torture, un mois sans doute et il ne respirerait plus, il serait rayé de la surface de la terre, comme sa Cathy.

— Je vous fais le nœud de la cravate, annonça Colette à mi-voix. N'vous tracassez pas, si vot' petite se réveille, je lui dirai de vous attendre sagement.

— Je ne sais pas comment vous remercier, affirma Guillaume. L'aumônier du bateau doit m'attendre.

— Du courage, mon pauvre monsieur, déclara Jacques en lui serrant la main. Bah, ça ne traînera pas, la cérémonie.

Guillaume approuva d'un air affligé. Il s'éloigna, hésitant.

Élisabeth les avait écoutés, sans se manifester, les paupières closes. Elle ne comprenait pas ce qui se passait, mais malade de peur et de chagrin, elle serrait sa poupée sur son cœur. De la discussion, elle ne retenait qu'une chose, son père s'en allait. Il l'abandonnait, alors qu'elle n'avait plus que lui.

— Il n'est pas né sous une bonne étoile, ce gars-là, philosopha l'ancien mineur. Dis, ma Coco, je monterais quand même bien lui tenir compagnie. Juste un petit tour sur le pont.

— Oui, vas-y, il est tout seul pour dire adieu à sa petite dame qu'était si jolie. Léonard et Paul sont couchés, j'ai mon tricot à continuer.

Jacques partit à son tour, secoué par une quinte de toux. Il avait les poumons rongés par la poussière de charbon, mais il avait choisi de tenter sa chance en Amérique, à l'instar de tant d'autres émigrants.

— Ah, quelle misère, soupira Colette, penchée sur le contenu de sa malle en osier, qu'elle avait tirée à ses pieds.

Élisabeth, le souffle court, vérifia qu'on ne l'avait pas mise en chemise de nuit. Elle se souvenait même du moment précis où son père lui avait enfilé sa robe en serge grise, brodée de festons roses au col et aux poignets. Avec maladresse, il l'avait aidée à mettre ses bas de laine noire et ses chaussures.

— Oui, misère de nous autres, serina la voisine, toujours en train de trier des pelotes de laine, mais assise cette fois-ci.

La fillette rejeta sa couverture d'un geste brusque. Elle se laissa tomber du lit pour se redresser immédiatement et prendre la fuite en courant. Une femme alerta Colette :

— La gamine se sauve !

— Comment ça ?

Colette, assez corpulente, eut du mal à se lever. Elle appela en vain Élisabeth, qui avait disparu de son champ de vision.

La fugitive n'avait qu'un but : rejoindre son père, ne pas être séparée de lui. Elle était souvent montée sur le pont avec ses parents et connaissait l'itinéraire. Personne ne l'arrêta lorsqu'elle grimpa l'escalier étroit éclairé par des veilleuses à pétrole. Sa poupée contre son cœur qui cognait fort, Élisabeth fut surprise de parvenir aussi rapidement à destination.

D'abord, elle aperçut le ciel étoilé, d'un bleu semé de bandes jaunes sur l'horizon. Ensuite elle vit des torches allumées, dont les flammes se tordaient au vent du soir. Il y avait beaucoup de silhouettes rassemblées autour d'un long paquet enveloppé d'une toile claire.

— Papa, chuchota-t-elle. Papa, où es-tu?

Ses oreilles bourdonnaient, des larmes naissantes piquaient ses yeux. La fillette, tremblante, sortit par l'écoutille, mais elle se figea aussitôt, sidérée. Elle avait déjà vu ces gens vêtus de noir, l'homme en soutane qui récitait une prière. Oppressée, elle dut retenir un hurlement de pure terreur, car elle revivait l'affreux cauchemar qui la réveillait depuis des jours, haletante, en proie à l'épouvante. Là-bas, à une dizaine de mètres, des marins soulevaient le long paquet et le poussaient sur une planche inclinée, posée sur l'entrée d'une coupée.

Élisabeth se mit à claquer des dents, quand elle distingua le bruit d'une chute dans l'eau. L'océan happait le paquet, l'aspirait dans ses abîmes. Un sanglot rauque y fit écho, c'était une plainte de Guillaume. L'enfant n'en douta pas, on avait jeté le corps de sa maman à la mer. Des images de Catherine la traversèrent, du temps de leur bonheur tranquille, à Montignac.

Une jolie maman en robe fleurie, qui riait sans cesse, aimait cueillir les fleurs du jardin, un chapeau de paille sur ses longs cheveux d'un blond lumineux. La lumière s'était éteinte, la nuit pesait sur le bateau, sur les mâts, les cheminées, sur le pont silencieux et sur une toute petite fille dépouillée de celle qu'elle chérissait et qui l'aimait tant.

La bouche ouverte, les yeux écarquillés, Élisabeth put enfin hurler. Son appel désespéré glaça tous ceux qui assistaient aux obsèques.

— Maman! Non! Maman!

Guillaume se précipita vers sa fille. Il l'attrapa par la taille et la souleva, mais il ne tenait plus qu'une poupée inerte, les bras ballants, la tête rejetée en arrière. Il tomba à genoux, son fardeau serré contre lui.

— Pardonne-moi, Cathy, dit-il. Pardon, ma princesse. Papa est là. Je ne te quitterai plus, je te le promets.

Le jeune veuf couvrit son enfant de baisers. Durant quelques secondes, il osa imaginer le corps de sa femme qui descendait en douceur au sein des profondeurs marines, puis il repoussa cette vision. Désormais, Élisabeth serait son unique souci, son unique trésor.

— Reviens-moi, ma chérie, souffla-t-il en embrassant sa joue, ses boucles brunes. Nous allons découvrir l'Amérique tous les deux, et maman, du Ciel, veillera sur nous.

La petite émit un hoquet, tressaillit. Guillaume l'étreignit plus fort encore, infiniment soulagé. Il se sentait envahi d'une force nouvelle et il eut l'étrange certitude que son épouse la lui avait insufflée.

— Merci, mon adorée, dit-il. Repose en paix, ma Cathy.

5
Le Nouveau Monde

Sur La Champagne, *samedi 30 octobre 1886*

Guillaume, alerté par des exclamations joyeuses, auxquelles se mêlait le cri des mouettes, vérifia la tenue de sa fille. Il avait eu soin de boucler leur modeste bagage, le gros sac en cuir où Catherine s'était efforcée de rassembler des affaires de première nécessité.

— Nous allons monter sur le pont, ma chérie. Le paquebot arrive à New York, c'est la fin du voyage.

Élisabeth hocha la tête en guise de réponse, un éclat anxieux au fond de ses yeux bleus. Elle était demeurée prostrée durant deux jours après la mort de sa mère, en refusant la nourriture. Pourtant elle dormait mieux qu'à l'accoutumée, nichée contre son père. Peu à peu, elle avait accepté du bouillon et elle s'était remise à jouer avec sa poupée. Mais elle ne parlait presque plus, hormis quelques « oui » et « non » marmonnés.

— Ma princesse, je t'en prie, je vais avoir besoin de travailler dès lundi. Un ami m'a promis de l'ouvrage sur un chantier. Tu dois être courageuse, car je serai obligé de te confier à Colette. Elle est gentille, et tu aimes bien Paul, son petit garçon ?

— Oui, papa, je serai sage.

Attendri, le jeune veuf l'attira sur son épaule pour la cajoler. Il avait eu droit à plusieurs mots d'affilée et s'en réjouissait.

— Je sais que tu es très malheureuse, car maman n'est plus près de nous, mais elle est devenue un ange du Ciel. Pour lui faire plaisir, nous devons nous débrouiller comme des chefs, tous les deux.

— Tu es sûr que maman est là-haut, au paradis? demanda l'enfant d'un air inquiet. Parce que les gens en noir l'ont jetée dans la mer.

— Tu n'aurais pas dû voir ça, déplora Guillaume. Tu as été effrayée, je le regrette de toute mon âme. Mais maman voulait reposer au fond de l'océan et de là, elle s'est envolée vers les nuages, pour rester toujours belle, et te protéger.

Songeuse, Élisabeth mordilla l'extrémité d'une des anglaises de soie brune qui frôlaient ses épaules. Elle hésitait.

— Moi, papa, j'ai un secret, avoua-t-elle. J'avais déjà vu les gens en noir, et ce qu'ils faisaient sur le bateau. C'était dans mes vilains rêves.

Elle eut un frisson, reprit sa respiration et pleura enfin. Son père l'écarta de lui pour l'observer attentivement.

— Tu aurais vu la scène dans tes cauchemars ! s'écria-t-il. Mais tu disais que tu ne te souvenais de rien !

— C'était vrai, papa, mais je m'en suis souvenue quand ils ont jeté le corps de maman à l'eau.

Saisie de panique, Élisabeth sanglota. Désemparé, Guillaume la berça contre lui.

« Mon Dieu, voilà pourquoi elle était terrifiée, songea-t-il. Ma pauvre petite fille ! »

Soudain il se remémora les aveux qu'avait faits sa propre mère, des années plus tôt. Un soir à la veillée, Ambroisie Duquesne, assise au coin de la cheminée familiale, s'était lancée dans un récit singulier, où elle évoquait certains de ses rêves qui se seraient réalisés dans le moindre détail.

« Élisabeth aurait été victime du même phénomène, se dit-il. Pourquoi ? Qu'est-ce que ça signifie ? Tout serait écrit, ma Cathy devait mourir pendant la traversée ? »

Le brouhaha, sur le pont, s'amplifiait encore. Guillaume renonça à s'interroger davantage. Il prit sa fille d'une main, le sac de l'autre.

— Je suis désolé, ma chérie, et j'espère que tu ne feras plus de cauchemars à l'avenir, déclara-t-il, trop bouleversé pour tenter de fournir une explication sensée à Élisabeth.

Elle le suivit docilement, à la manière d'un petit animal craintif.

Une foule bruyante et agitée se pressait contre les rambardes. Tout le monde scrutait avec ferveur la magnifique et gigantesque « statue éclairant le monde » qui se dressait à l'embouchure de l'Hudson, sur Bedloe's Island[1], au sud de Manhattan. Le soleil de midi brillait, dans un ciel d'un bleu pur. D'autres bateaux naviguaient à proximité, et leurs panaches de fumée ressemblaient à des drapeaux flottant au vent.

— Vous avez vu ça, la statue ! Bon sang, elle est colossale ! cria un homme coiffé d'un béret.

— Un chef-d'œuvre, renchérit un monsieur très élégant, son monocle sur l'œil, un journal plié sous son bras. Nous pouvons en être fiers, car c'est la France qui l'a offerte aux États-Unis à l'occasion du centenaire de la Déclaration d'indépendance. L'inauguration s'est déroulée il y a deux jours, le 28 octobre, en présence du président des États-Unis, Grover Cleveland. Je l'ai appris par le capitaine.

Le cœur serré, Guillaume se livrait à un jeu cruel. Il imaginait Catherine debout à ses côtés, contemplant elle aussi la fameuse statue.

— Regarde, Lisbeth, regarde tous ces gens sur les quais, sur les barques ! On dirait qu'ils nous accueillent. Seigneur ! Nous sommes en Amérique.

— Pourquoi tu me dis Lisbeth, papa, protesta-t-elle faiblement.

1. Rebaptisée Liberty Island en 1956.

— Tu sais bien pourquoi, ça sonnera mieux, à New York, et puis ça changera un peu, ma princesse. Nous sommes au seuil d'une nouvelle vie, sur le Nouveau Monde.

Le charpentier se tut, la gorge nouée. Il feignait la joie, dans l'espoir d'amener un sourire sur le fin visage désolé de sa fille. Il la trouvait adorable, avec son bonnet de calicot blanc noué sur ses boucles brunes, son menton orné d'une fossette, ses traits délicats.

— Nous serons heureux, ma chérie, insista-t-il comme pour s'en persuader.

On les bouscula. Guillaume se retourna et découvrit, tout proche de lui, la face rubiconde de Colette. Sa voisine jubilait, chaudement vêtue, un chapeau déformé sur la tête.

— M'sieur Duquesne, c'est-y pas beau, tout ça ! Mon Jacques s'occupe des gamins, alors j'suis venue vous tenir compagnie. Paraît qu'un ferry va nous conduire au fort de Castle Clinton, où se trouve le centre d'accueil des immigrants.

La brave femme écorchait les termes étrangers de son accent du Nord. En d'autres circonstances, Guillaume s'en serait amusé. Il se contenta d'approuver.

— Je suis au courant, Colette, le médecin de bord m'avait déjà informé de ce qui se passait en débarquant. Encore des contrôles d'identité et des examens sanitaires.

— Dans ce cas, j'n'vous ennuie pas plus, c'était pour aider, répliqua-t-elle.

— Excusez-moi, ajouta-t-il, d'être si peu aimable. Vous avez été une amie secourable, Colette, je vous en suis reconnaissant. Tout est si difficile. Je pense à chaque seconde à mon épouse, qui devrait partager l'enthousiasme général. Son décès figure dans le registre du paquebot, le capitaine a consigné les circonstances de sa mort, et la date. Je dois prévenir ses parents, en France. Ils vont me mépriser davantage. Ils s'opposaient à notre départ. Seigneur, ils avaient raison…

Les mots le libéraient d'une oppression intolérable. Colette l'écoutait en arborant une moue navrée.

Élisabeth entendait également les paroles de son père. La mine grave, sa poupée serrée contre sa poitrine, elle observait un vol de mouettes. De l'autre main, elle sortit de la poche de sa veste le soldat de plomb.

Des images l'assaillirent : le château, l'orage derrière les vitres ruisselantes de pluie, la nursery où lui était apparu Justin, ce gentil petit garçon si blond. Elle aurait aimé le voir apparaître sur le pont. S'il était là, elle serait moins triste.

Le débarquement de tous les passagers prit plusieurs heures. Enfin Guillaume et sa fille posèrent le pied sur un quai, à la pointe de Manhattan, autour de South Street, parmi une foule cosmopolite d'où s'élevaient des appels et des discussions dans des langues différentes.

Il y avait là des Irlandais, des Italiens, des Polonais, des Juifs d'Europe de l'Est, des Français aussi. Le bruit était assourdissant et des pugilats éclataient déjà, à cause d'un bagage volé, d'un mot mal compris.

Élisabeth était épuisée et terrifiée par tous ces inconnus. Du coup, Guillaume relégua au second plan la brûlure du deuil pour parer au plus urgent. Il se répétait trois consignes : être économe, mettre son enfant à l'abri de la cohue et rejoindre Baptiste, le compagnon charpentier qui l'attendait dans le Bronx.

— N'aie pas peur, ma chérie, nous allons trouver une chambre pour la nuit, affirma-t-il sans conviction.

Il avait été séparé de Colette et de son mari, embarqués sur un autre ferry que le sien, pourtant il aurait apprécié leur présence. Il ne les connaissait pas dix jours auparavant, maintenant il les considérait comme des amis. New York l'impressionnait. Tout lui semblait démesuré, la hauteur des immeubles, la longueur des rues, la frénésie ambiante.

— Si seulement maman était là, se plaignit-il après avoir cherché en vain son chemin.

Quand ils préparaient leur grand départ, Catherine, toute rieuse, s'était engagée à s'entretenir avec les

New-Yorkais, car elle parlait bien anglais, ce qui n'était pas le cas de Guillaume. Par chance, en demandant la direction du Bronx, il arrivait à se faire comprendre et on lui répondait par des gestes véhéments.

La nuit tombait quand il put allonger Élisabeth sur le lit d'une modeste chambre d'hôtel, après avoir changé de l'argent chez un épicier originaire de Normandie, déniché par hasard. C'était aussi le commerçant qui lui avait indiqué une pension bon marché, à l'angle d'un pâté de maisons proche de sa boutique.

La fillette s'endormit aussitôt. En guise de repas, elle avait croqué une pomme. Son père, assis à son chevet, la regardait. Jamais le charpentier ne s'était senti en proie à une telle horreur de la vie. La tête entre ses mains, le dos voûté, il ressassa son désespoir une partie de la nuit, en versant des larmes amères sur la femme qu'il adorait et dont le beau corps si tendre gisait au fond de l'océan.

Des détails lui revenaient, comme la discussion qu'il avait surprise entre deux matelots, sur le pont, au moment fatidique de confier la défunte aux flots sombres. En hommes de la mer, ils s'étaient occupés d'envelopper Catherine et de lester le linceul de fortune, à l'aide de cercles de plomb, réservés à cet usage.

Guillaume revit également le nouveau-né, minuscule poupon bleuâtre, maculé de sang. Son fils.

— Pourquoi mon Dieu, murmura-t-il. Pourquoi ? Mon garçon aurait grandi sur la terre d'Amérique, je lui aurais appris mon métier.

Dans les lettres qu'il avait échangées avec son ami exilé, celui-ci insistait sur une évidence. Personne ne manquerait de travail à New York, la ville ne cessant de s'étendre. On construisait sans cesse des immeubles de plus en plus haut, et cela exigeait des ouvriers qualifiés, des artisans habiles. La nationalité d'origine importait peu, tous les immigrants deviendraient un jour des citoyens américains.

Brisé par le destin, Guillaume Duquesne tentait de s'accrocher à cet espoir. Il travaillerait dur, il serait infatigable, le premier à pied d'œuvre, le dernier parti du chantier.

— Oui, mais Élisabeth, se demanda-t-il tout bas. Cathy devait rester avec notre petite, et après la naissance du bébé, elle comptait faire de la couture, chez nous, pour gagner un peu plus.

Il frissonna, révolté, transi, démuni devant l'adversité. Cependant la même priorité le hantait. Il avait fait une promesse à sa femme et la tiendrait.

— Demain, je rencontrerai Baptiste, et je finirai par retrouver Colette et sa famille, dit-il entre ses dents. Au moins, ils sont français comme moi, il y aura moyen de s'arranger.

Vaguement réconforté par cette idée, Guillaume somnola un moment. Un cri strident le fit sursauter. Élisabeth hurlait, les yeux fermés encore, ses menottes crispées sur le drap.

— Ma princesse, calme-toi, je suis là, papa est là, gémit-il.

Vite, il s'étendit près d'elle, la serra contre lui. Elle respirait par saccades, le front moite.

— Papa? Mon papa? appela-t-elle d'une voix tremblante.

Il l'embrassa, car elle pleurait, mais il n'osa pas l'interroger sur le mauvais rêve qui venait de la plonger, une fois de plus, dans une terrible angoisse.

Château de Guerville, mercredi 3 novembre 1886

Hugues Laroche rentrait d'une promenade à cheval. Il venait d'inspecter ses vignes, où ses ouvriers agricoles commençaient la taille. C'était l'époque idéale pour ce labeur primordial, après des vendanges fructueuses.

Il guida sa monture jusqu'aux écuries, non sans jeter un coup d'œil furibond sur l'emplacement du grand sapin dont il était si fier, et que la foudre avait détruit. L'arbre, deux fois centenaire, avait causé des dégâts à la toiture de la tourelle en demi-lune, qui était fort heureusement déjà réparée. La vision de la souche le fit grimacer. Il ne pouvait oublier le soir du désastre, l'orage d'une violence implacable, les adieux faits à Catherine le lendemain matin.

Vincent, le palefrenier, accourait. Il prit les rênes de l'animal d'un geste ferme. Laroche mit pied à terre avec souplesse.

— Tu diras au vieux Léandre de planter des lilas, par ici, ce sera plus gai que ce vestige de tronc !

— Oui, Monsieur, j'y veillerai. Madame vous attend.

— Eh bien, elle m'attendra, j'ai envie de monter la jument que j'ai achetée cet été. J'ai besoin d'exercice.

Le visage émacié du viticulteur trahissait la colère froide qui ne le quittait pas depuis le départ de sa fille unique. Vincent, les joues rouges de confusion, osa insister :

— Madame m'a demandé d'aller vous chercher, je me préparais à seller votre hongre[1], pour vous rejoindre dans les vignes, patron, pardon, monsieur.

Hugues Laroche étudia la physionomie de son domestique. Vincent, à trente ans bien sonnés, était d'ordinaire moins gêné et il affichait rarement une mine aussi navrée.

— Très bien, dans ce cas, j'y vais sur-le-champ. J'espère que tu ne me caches rien de grave. Tu m'as tout l'air d'un coupable !

Le palefrenier garda le silence, ce qui acheva d'intriguer Laroche. Il s'éloigna après avoir haussé les épaules. Sa femme se rua vers lui, les bras tendus, dès qu'il pénétra dans le hall. Adela n'était pas d'une nature affectueuse et elle dissimulait avec soin ses émotions. Il fut donc effaré de la voir en larmes.

— Hugues ! Oh, mon Dieu, jeta-t-elle en sanglotant. Notre fille, Hugues…

Son épouse titubait, accrochée à son cou. Il ne douta pas un instant. Un malheur était arrivé. Il eut l'impression d'être frappé en pleine poitrine.

---

1. Cheval mâle, mais castré, plus docile que l'étalon, qui peut se reproduire.

— Adela, dis-moi, allons, parle donc, balbutia-t-il.

— On m'a apporté un télégramme de Guillaume ce matin, tu étais déjà parti. Catherine est morte, Hugues !

— Morte ! répéta-t-il, hébété. Ce n'est pas possible, non et non. Pas ma fille, pas Catherine !

Il la repoussa avec rudesse pour s'en prendre au premier objet lui tombant sous les mains, en l'occurrence un vase chinois disposé sur une console en marbre au piétement d'acajou. La porcelaine aux motifs bleus éclata sur le carrelage patiné par le temps.

— Montre-moi ce torchon, s'égosilla-t-il. Je le croirai quand je l'aurai lu de mes yeux.

Adela Laroche, livide, passa dans le salon. Elle prit un papier rectangulaire, marqué de plis, rangé sur le piano. Son mari s'en empara, les mâchoires crispées, le regard halluciné. Le texte lui arracha un cri d'horreur, par sa sobriété où il vit de l'indifférence.

— « Catherine décédée en couches sur le bateau. Lettre suit. G. D. », déchiffra-t-il à mi-voix.

— Nous n'avons même pas la date de sa mort, déplora Adela, aucun renseignement sur le lieu où elle a été inhumée. Notre fille, Hugues, notre unique enfant. Nous ne la reverrons jamais.

Elle dut s'asseoir, suffoquée par le chagrin. Hugues Laroche, lui, déambulait de la cheminée au piano, un masque haineux sur ses traits altérés.

— Nous avions pourtant mis Catherine en garde quant aux dangers d'un tel périple, à sept mois de grossesse, enragea-t-il. Mais non, elle aurait suivi son cul-terreux en Chine, s'il le lui avait demandé. Si je le tenais, là, son Guillaume, je l'écraserais comme une bestiole puante. Il a tué notre fille, entends-tu, il l'a tuée !

— Tais-toi, Hugues, si quelqu'un écoutait, gémit Adela.

La femme de chambre, Madeleine, cachée derrière un des battants de la double porte communiquant avec le fumoir, recula prudemment. Vincent patientait dans la cuisine, curieux de savoir ce qui se passait chez leurs patrons. Elle trottina sans bruit jusqu'à l'office pour lui annoncer la tragédie.

— Mme Catherine est morte, chuchota-t-elle à l'oreille du palefrenier, qui était son amant du moment. Le charpentier l'a peut-être assassinée, oui, rien que ça !

— En voilà une sottise, m'sieur Duquesne l'adorait !

— Et alors, la passion mène au crime, rétorqua Madeleine.

— Tu crois me faire peur, murmura-t-il en lui adressant un clin d'œil égrillard. Bah, n'empêche, je ne la connaissais pas bien, Mme Catherine, j'ai été embauché ici après son mariage, mais ça fait de la peine quand même.

— Oui, elle était brave, et simple, hein, pas comme sa mère, soupira la domestique. Dis, j'y retourne, faudrait qu'on sache s'il l'a tuée ou non.

Vincent lui planta un baiser dans le cou qui la fit glousser de plaisir. Nul ne s'aperçut de la présence silencieuse, aussi discrète qu'une ombre, d'un petit garçon blond, tapi derrière la grosse maie[1] en bois de châtaignier. Justin se recroquevilla, le souffle suspendu, puis il contempla un ruban rose niché au creux de sa paume qu'il conservait en souvenir de la jolie fillette qu'il avait consolée, dans la nursery.

« Élisabeth n'a plus de maman, pensait-il, attristé. Peut-être qu'elle va revenir là, au château. »

Adela Laroche se dominait, soucieuse de ne pas se donner en spectacle devant son époux. Elle pleurerait plus tard, seule dans sa chambre, l'unique enfant que Dieu lui avait accordé. Un beau bébé à sa naissance, au duvet clair, mais tout de suite confié à une nourrice pour l'allaitement, ensuite à une nurse anglaise, les meilleures éducatrices.

---

1. Meuble rustique servant à conserver la farine et à pétrir le pain.

Dès ses dix ans, Catherine était devenue pensionnaire dans un établissement religieux.

«Je me suis si peu occupée d'elle, petite fille et même plus tard, je ne lui témoignais guère de tendresse, se reprochait-elle. Elle est morte si loin de moi.»

Le silence qui l'entourait la tira de ses remords. Son mari se tenait près d'une fenêtre, les mains derrière le dos, figé dans une attitude d'intense réflexion. Elle le savait gravement atteint, car il chérissait Catherine de tout son cœur de père.

—J'attendrai la lettre, dit-il soudain. J'ignore dans combien de temps ce courrier parviendra en France, mais je veux avoir tous les détails sur le décès de notre fille. Adela, tu vas faire célébrer une messe pour le repos de son âme, les gens du domaine doivent savoir que notre Catherine n'est plus de ce monde.

— Bien sûr, Hugues, je le ferai.

— Il est hors de question de laisser Élisabeth à Guillaume, il est incapable de veiller à son bien-être. J'irai la chercher. Nous avons le devoir de lui offrir une existence digne et honorable. Je ne veux pas imaginer ma petite-fille en mendiante, dans les bas-fonds new-yorkais.

— Dieu soit loué! s'écria Adela en se relevant. J'espérais que tu prendrais cette décision. Je n'ai pas su protéger Catherine, je serai une mère pour Élisabeth.

Laroche se retourna, défiguré par la douleur. Sa hargne disparut et céda la place à une courte plainte, tandis que ses yeux s'emplissaient de larmes.

— Adela, je souffre... avoua-t-il. C'est un véritable martyre.

— Nous aurions dû la retenir, Hugues, l'empêcher de monter sur ce maudit paquebot.

Il ne répondit pas, mais il étreignit sa femme qui s'abandonna à ses bras d'homme. Le couple demeura un long moment enlacé. La perte de leur enfant les laissait brisés, anéantis.

Madeleine les avait épiés, grâce à une porte entrebâillée. Une fois satisfaite, elle s'était précipitée à l'office. Vincent sirotait un verre de vin.

— Le patron veut récupérer la gamine, Élisabeth, lâcha-t-elle d'un ton exalté. Bon sang de bois, on aura la paix des semaines, mon galant !

— Alors, c'est un assassinat ou un accident ?

— J'n'en sais rien, mais ils pleuraient, M'sieur et Madame, ça, je ne les avais jamais vus dans cet état.

— Pardi, leur fille est morte, Madeleine. Tu n'es pas une mère, tu ne peux pas comprendre.

— Et toi, as-tu un gosse qui traîne quelque part ?

— Fichtre non.

Il lui servit du vin. Toujours caché derrière la maie, Justin devina qu'ils s'embrassaient, en parlant tout bas. Il en profita pour reculer, à quatre pattes, afin d'atteindre un pan de bois peint dissimulant un escalier de service, très raide et très étroit. Il y faisait sombre, froid, l'humidité suintait sur les murs, mais les innombrables marches menaient droit aux chambres du grenier, dévolues aux domestiques depuis des siècles.

L'enfant blond disparut des cuisines, tout content à l'idée du prochain retour d'Élisabeth.

New York, dans le Bronx, dimanche 7 novembre 1886

Guillaume jeta un coup d'œil sur le misérable décor où ils avaient passé une semaine, sa fille et lui.

— Ce soir, nous déménageons, Lisbeth, annonça-t-il à l'enfant d'un ton faussement enjoué. Mon ami Baptiste m'a trouvé un logement sur Orchard Street. Ce sera beaucoup moins mal famé qu'ici, et pour la même somme. Dis-moi, Colette a encore oublié de faire ta toilette.

Malgré tous ses efforts, le jeune veuf ne pouvait pas veiller sur Élisabeth aussi bien que l'aurait fait Catherine. La petite avait les cheveux ternes, emmêlés. Son unique robe était tachée, ses chaussures et ses bas maculés de poussière grisâtre.

— La femme de Baptiste pourra te garder la journée, ajouta-t-il. Elle est très gentille, je t'assure. Tu l'aideras un peu au ménage, car elle a un bébé de six mois.

Élisabeth, assise sur le lit, fit oui de la tête. Elle répugnait à parler, ce qui désespérait son père.

— Elle s'appelle Léa, c'est une Française, comme nous, précisa-t-il. Es-tu contente ?

— Oui, papa.

Guillaume procéda à l'inspection de la chambre, afin de ne rien oublier. Il n'y avait ni l'eau courante ni même l'éclairage au gaz. Les sanitaires étaient situés dans la cour et servaient à tous les locataires. Le réduit se changeait souvent en un infâme cloaque.

Après la première nuit dans une pension de famille, il avait fini par retrouver Colette et Jacques, installés au premier étage de cet immeuble du Bronx. Le couple et ses deux garçons y louaient une grande pièce et l'ancien mineur avait pu lui obtenir cette chambre étroite.

— Je suis soulagé de partir, avoua-t-il tout bas. Je n'étais jamais tranquille à ton sujet, ma chérie. Avec Léa, ce sera différent. Et puis, elle me demandera moins d'argent.

Il bouclait leur gros sac en cuir quand un détail le frappa.

— Où est la médaille de maman, Lisbeth ?

— Je ne l'ai plus depuis hier soir, papa, répondit la fillette.

— Comment ça ? s'emporta-t-il. Tu l'as perdue ! Ma chérie, c'est la médaille de baptême de ta maman, elle m'a dit de te la donner. Je la cache sous ta chemise, par prudence. Quelqu'un y a touché ? Vous jouez sur le trottoir, avec Paul et Léonard, dis-moi si on te l'a prise !

Élisabeth se mit à pleurer, en serrant plus fort sa poupée contre elle. Guillaume se radoucit. Le jouet confectionné en hâte par Catherine ressemblait à un nœud de chiffons.

— Allons, essaie de te rappeler, dit-il. Papa a crié, mais c'était un bijou en or, le seul souvenir qui te restait de maman.

— J'n'sais pas, gémit-elle.

Très contrarié, le charpentier fouilla la chambre de fond en comble. Ce fut une quête rapide et vaine.

— Bon, autant demander à Colette, elle a pu te l'enlever et oublier de te la remettre. Viens, il fera vite nuit et nous avons du chemin à faire.

Guillaume se reprocha d'avoir dormi une partie de la journée, terrassé par la fatigue et le chagrin.

— Sais-tu, ma princesse, c'est difficile, le travail que je fais, expliqua-t-il comme pour s'excuser.

Il revit les poutrelles des échafaudages, à des centaines de mètres du sol, le vide sous lui, l'espace infini, la peur constante de faire une chute mortelle. Privé de Catherine, de sa joie, de son amour, de sa tendresse, il se sentait piégé, prisonnier de cette ville démesurée.

Colette semblait les guetter, dans la pénombre du couloir. Les poings sur les hanches, elle avait l'air de mauvaise humeur.

— Alors, ça y est, m'sieur Duquesne, vous fichez le camp, lança-t-elle de sa voix traînante.

— Eh oui, Colette, je suis désolé, mais je vous remercie encore. J'ai eu de la chance, vous avez gardé ma fille, sans vous j'ignore comment j'aurais pu faire.

Il lui adressa un faible sourire, sachant pertinemment qu'il avait dédommagé leur voisine pour les services rendus. Son pécule diminuait et il envisageait de vendre une des bagues de Catherine.

— Bah, faut s'entraider, pérora Colette. Si vous aviez de quoi me rembourser, rapport aux repas, ça n'serait pas de refus. Mon homme a pu décrocher un « job » sur les quais, mais la paie n'tombera pas avant samedi prochain. Pareil pour moi, j'vais embaucher dans une blanchisserie la semaine de Noël. D'ici là, on doit manger, misère.

— Je croyais que le coût des repas de ma fille était compris dans ce que je vous versais, Colette, se rebiffa-t-il.

— Ben non, mon pauvre m'sieur. Dites, la vie est chère dans ce foutu quartier. J'ne suis point tranquille, moi. On risque sa peau chaque fois qu'on sort, d'après mon mari. Pensez donc, y a de tout dans le coin. Des Irlandais, des Italiens, des familles venues d'Afrique et même des îles. Rien que pour causer, c'est la croix et la bannière !

— Nous étions prévenus, l'Amérique accueille des millions d'immigrants depuis des années, et ils débarquent le plus souvent à New York. Par chance, nous côtoyons aussi des Français. Au fait, Coco, vous n'auriez pas vu la médaille de mon épouse ? Elle est en or, la chaînette également. C'est vraiment dommage si nous l'avons perdue.

— Ah, mon pauvre monsieur, je lui ai pourtant dit de faire attention, à la petite, quand elle joue dans la rue avec mes gamins. La chaîne aura cassé, c'est sûr. Vous n'êtes pas près de pouvoir la récupérer. Pardi, ça grouille de voleurs.

— Seigneur, Catherine tenait à la laisser au cou de notre fille. Je repasserai lundi ou mardi, si jamais vous la retrouvez. Ce soir, je n'ai pas le temps.

Élisabeth se cramponna à la main de son père. Elle voulait sortir et ne plus voir ni entendre Colette. Guillaume, pressé lui aussi, se délesta d'une modeste somme qu'il remit à leur voisine.

— Je ne peux pas faire mieux, décréta-t-il. Au revoir, toutes mes amitiés à Jacques.

— J'y manquerai pas, merci bien, m'sieur Duquesne. J'suis désolée, hein, pour la médaille.

Dès qu'ils furent dans la rue, Colette enfouit les pièces au fond de sa poche. Ses doigts frôlèrent le bijou en or qu'elle avait subtilisé à Élisabeth en la coiffant, le matin précédent.

— Comme si la gosse avait besoin de ça au cou, marmonna-t-elle avec un sourire satisfait. Bon débarras, les

Duquesne. Pardi, j'en pouvais plus de la petite. Jamais un mot, jamais un sourire.

Colette monta l'escalier en soufflant. Elle n'avait aucun remords et se félicitait même de son geste, qui pourrait améliorer leur quotidien, en cas de coup dur.

Guillaume et Élisabeth croisèrent Léonard sur le trottoir, après avoir marché une vingtaine de mètres. Le garçon, du haut de ses dix ans, se fondait déjà dans l'animation constante du Bronx. Effronté, malin, il deviendrait sans peine un Américain avant d'atteindre l'âge adulte.

— Au revoir, m'sieur, claironna-t-il en les saluant. Pardon, ici faut dire *goodbye*!

Il jonglait avec une pomme bien rouge qu'il envoya soudain au charpentier.

— C'est pour Lisbeth, dit-il en s'éloignant à cloche-pied.

— Merci, tu es un brave petit gars, répliqua Guillaume.

La réponse de Léonard, étouffée par le bruit des attelages qui empruntaient la chaussée pavée, lui fut incompréhensible. Le Bronx grouillait d'agitation. Les boutiques s'étaient éclairées, des nuages couleur de plomb obscurcissaient le ciel crépusculaire.

— Je pourrais prendre un fiacre, ma chérie, mais ce serait une dépense inutile. Tu vas bien dîner, ce soir, Léa nous invite.

— Tu connais le chemin de chez tes amis, papa? s'intéressa la fillette.

— Oui, au bout de six jours je ne m'égare plus. C'est la direction de mon chantier, Lisbeth.

Son père abusait de ce diminutif aux sonorités britanniques, mais elle l'appréciait maintenant, s'amusant à imaginer qu'elle était une autre petite fille, et surtout pas celle dont la maman avait été jetée dans l'océan. L'image de Catherine, si gaie et si jolie sur le seuil de leur maison en Charente, pourtant, ne la quittait pas.

— Courage, ma princesse, lui dit Guillaume, c'est encore loin. Je te porterai, tout à l'heure.

Ils longeaient une rue plus étroite, entrecoupée par des ruelles. Un chat tigré détala à leur approche. Un deuxième sauta du rebord d'une fenêtre. Élisabeth s'en attrista, car ils avaient laissé leur chatte blanche à une voisine de Montignac.

— Tiens-moi bien la main, ma chérie, insista le charpentier. Je connais un raccourci, mais il faut se dépêcher.

Quand il suivait seul cet itinéraire, Guillaume devinait parfois des silhouettes tapies dans l'ombre des portes. Un colosse roux, éméché, lui avait cherché querelle, vendredi soir. Il était à peine engagé dans le passage qu'il le regretta. Le même individu sortait d'un immeuble en briques, escorté de trois acolytes.

— On fait demi-tour, ordonna-t-il tout bas à sa fille.

L'un des hommes l'interpella dans un charabia hargneux. Il tenait une barre en fer qu'il feignait de soupeser. Soudain il fonça droit sur Guillaume, suivi par ses complices. L'attaque fut si fulgurante, si violente qu'il reçut un premier coup à l'épaule sans pouvoir se défendre.

— Sauve-toi, Élisabeth, hurla-t-il, insensible à la douleur tant il était effrayé pour elle.

— Papa, non, papa ! s'égosilla-t-elle.

Un des bandits s'était déjà emparé du sac en cuir. Les bijoux de Catherine, l'argent d'Adela Laroche se trouvaient à l'intérieur, dans une poche en satin. Le charpentier, ulcéré, se jeta sur le voleur et lui décocha son poing en plein visage. Le sang gicla du nez, mais aussitôt le colosse roux attrapa sa proie à bras-le-corps et l'envoya rouler sur les pavés.

— Élisabeth, sauve-toi, je t'en prie, fais ce que je te dis ! lui cria Guillaume. Cours, cours, retourne chez Colette !

La fillette avait reculé, terrifiée. Elle vit le géant à la barre de fer abattre son arme de fortune sur la tête de son père, puis lui décocher un coup dans le ventre. Muette d'épouvante, elle se décida à obéir. Un râle affreux lui parvint encore, assorti de quelques mots en français. Elle courut vers la rue qu'ils avaient quittée auparavant, mais la suivit en sens inverse, sans même s'en rendre compte.

Élisabeth bouscula des gens, dans sa course folle, certaine qu'on lui ferait du mal.

« Papa, mon papa, papa, se répétait-elle, hébétée. Maman, papa… »

Sa fragile raison vacillait. Une vieille femme tenta de l'arrêter, surprise par son expression de pure panique, elle lui échappa. La gorge en feu, le cœur cognant à se rompre, Élisabeth dut s'arrêter. Elle se réfugia derrière une charrette rangée contre un mur, les brancards en l'air. Tapie comme un petit animal traqué, elle se pelotonna contre une des roues.

Il faisait nuit à présent. Un vent froid fouettait le visage des innombrables citadins qui déambulaient encore. Personne ne prit garde à l'enfant. Sa veste en laine marron se confondait avec le soubassement en briques.

Élisabeth refusait de penser. Elle avait faim et froid, mais ces sensations lui étaient familières, bien différentes du mal aigu qui ravageait son jeune esprit, si elle évoquait son père, frappé par les hommes dans la ruelle. Elle savait cependant une chose : elle se retrouvait seule, le soir, au sein de l'immense New York.

C'était tellement dur à accepter que la petite fille ferma les yeux et chercha du réconfort parmi ses plus doux souvenirs. Pépé Toine lui apparut, derrière ses paupières closes. Le vieux meunier l'avait assise sur ses genoux et, un rire malicieux au coin des lèvres, il fredonnait sa chanson préférée : « Mariann' s'en va-t'-au moulin… »

Elle riait autant que son grand-père, car il la faisait sautiller au rythme de la musique. Souvent, l'oncle Pierre était là et jouait de l'harmonica. Son épouse, Yvonne, tricotait, toujours silencieuse. Ensuite l'enfant perdue revoyait son jardin, les roses jaunes, les lys aussi blancs que les longs poils de Mina, leur chatte. Et bien sûr, Catherine arrivait, sa robe verte protégée par un tablier blanc, ses cheveux blonds nattés.

— Viens-tu avec moi ramasser des fraises, ma princesse ? lui disait-elle. Et des radis ?

Tremblante, Élisabeth avait l'étrange impression de sentir le parfum suave des fraises, la senteur fraîche de la terre. Mais elle rouvrit les yeux, de crainte de revoir une tendre scène où il y aurait son père, là-bas, en Charente.

— Papa, mon papa, se lamenta-t-elle à mi-voix. Reviens, papa.

Il ne pouvait pas l'abandonner. On racontait à Montignac que Guillaume Duquesne était fort, vaillant, habile à se battre, même. Élisabeth reprit espoir, se persuadant qu'il lui suffisait d'attendre là, sagement.

— Papa va venir me chercher, on ira chez son ami Baptiste. Léa est gentille, je l'aiderai à s'occuper de son bébé.

Ce dernier mot chuchoté lui arracha une plainte. Sa mère aurait dû avoir un bébé, ici, en Amérique, mais il était mort. Elle fondit en larmes, au paroxysme du chagrin.

L'écho de ses sanglots attira un chien errant qui renifla le bout de ses chaussures, puis s'en alla. Élisabeth se calma. Plus le temps passait, plus l'arrivée de son père était proche. Elle se disait qu'il avait pu se relever, se débarrasser des voleurs.

Une heure s'écoula ainsi, pendant laquelle la fillette guetta le moindre bruit de pas. Elle n'avait avalé qu'un bol de soupe à midi et des crampes lui tordaient l'estomac. La pomme que Léonard avait lancée devait être tombée quelque part, sur les pavés de la ruelle.

Deux hommes contournèrent la charrette qui lui servait d'abri. Le plus grand accrocha son gilet à un clou. Il se détacha en criant une phrase en langue étrangère. Il avait simplement poussé un juron en italien, mais Élisabeth, terrifiée, décida de s'enfuir plus loin, toujours plus loin.

Après une centaine de mètres environ, un panneau l'obligea à ralentir. Elle essayait de déchiffrer les lettres :

Bread & Cake Shop[1], tandis qu'une délicieuse odeur de pain tiède attisait sa faim.

La commerçante l'observait. Elle sortit sur le seuil de son magasin et l'interrogea en anglais.

— Je n'ai pas de sous, répondit Élisabeth en français, rassurée par le sourire apitoyé de la femme.

Tête basse, elle poursuivit son chemin, après avoir admiré la devanture illuminée, garnie de brioches et de petits pains ronds.

— *Wait a minute, please*[2] *!* cria-t-on dans son dos.

D'instinct, l'enfant s'arrêta. Une main généreuse lui tendit une brioche dorée, qui embaumait.

— Merci, madame, murmura-t-elle.

— Toi Française ? Toi perdue ? interrogea la boulangère.

Mais Élisabeth se remit à courir. Elle n'avait plus confiance en personne. Ceux qui s'étonnaient de croiser une fillette de son âge à une heure aussi tardive ne prenaient pas la peine de lui poser des questions. Ils se méfiaient, une bande organisée pouvant l'utiliser comme appât pour mieux les dépouiller, s'ils se penchaient sur elle par bonté d'âme. D'autres ne faisaient pas attention, habitués à voir des orphelins vagabonder en quête de nourriture. Il y en avait des centaines et des centaines, dans les rues de New York, abandonnés à leur sort.

Malgré ses pieds endoloris, la faim qui la torturait, Élisabeth avançait au hasard. Elle fit une halte, en bas d'un escalier, pour manger un morceau de la brioche, tout en jetant des regards apeurés autour d'elle.

Enfin, après avoir marché encore longtemps, elle distingua des arbres, au bout de l'avenue, derrière une grille. Rien n'aurait pu l'attirer davantage. Elle n'en avait pas vu ou très peu depuis son départ de Montignac. Fascinée, elle avança vers le portail en fer qui ouvrait sur Central Park.

---

1. « Boulangerie-pâtisserie. »
2. « Attends un peu, je te prie. »

Chez Baptiste et Léa Rambert

Baptiste Rambert jeta pour la troisième fois un coup d'œil dans la cage d'escalier. Le retard de Guillaume commençait à l'inquiéter sérieusement.

— Ton ami a pu s'égarer, suggéra son épouse. Tu aurais dû aller à sa rencontre, Baptiste.

— Mais il est déjà venu ici, protesta ce dernier. Je l'ai même félicité pour son sens de l'orientation.

— Mon gratin de pommes de terre va être froid. Tant pis, je le ferai réchauffer.

Très brune, le teint mat, Léa était une immigrante italienne. Elle vivait à New York depuis une douzaine d'années. Quand Baptiste, juste débarqué de sa Picardie natale, l'avait rencontrée, elle parlait déjà parfaitement français et anglais. Ils s'étaient mariés après quelques mois, afin de légitimer la grossesse de la jeune femme.

— J'étais contente de connaître sa petite fille, Élisabeth, dit-elle d'un air rêveur.

— Ils vont arriver, Léa.

— Mais si Tony se réveille, je devrais le faire téter, déplora-t-elle.

Leur fils se nommait en réalité Antonio, le prénom du père de Léa. Le couple avait tout de suite usé de ce surnom qui sonnait « américain ».

— Moi aussi, j'avais hâte d'accueillir la petite Élisabeth chez nous, soupira son mari. La pauvre gamine se remet mal de la tragédie. Guillaume ne vaut guère mieux, mais il tient bon, pour sa fille. Perdre son épouse dans ces conditions, il n'y a rien de pire. Catherine aurait été une amie pour toi, ma Léa.

— Je les plains de tout mon cœur, renchérit-elle. Baptiste, tu devrais aller aux nouvelles. Ils ont pu avoir un accident.

— Les rues ne sont pas sûres, à cette heure-ci, c'est bien ce qui me tracasse.

— Emporte ta canne-épée !

Le charpentier, rodé au quotidien périlleux de la ville, enfila son manteau. Il embrassa sa femme et armé de sa canne, qui était équipée d'une pointe en fer, il sortit sans plus hésiter.

Léa eut le temps d'allaiter son bébé, de le rendormir, puis de contempler d'un œil navré les quatre couverts disposés sur leur table ronde. Leur logement était petit, mais propre et agréable. Par les fenêtres, on pouvait distinguer, entre les immeubles les plus hauts, les lumières de la presqu'île de Manhattan.

Baptiste rentra la mine grave, le regard soucieux. Il rangea sa canne dans l'encoignure de la porte, ôta manteau et chapeau.

— Alors ? demanda sa femme. Tu as été bien long…

— Il y a eu du grabuge, à un quart d'heure d'ici, dans une ruelle. Un vieux me l'a dit, sans que je lui pose la question. Ils étaient à quatre contre un. J'ai vu des taches de sang sur les pavés, mais pas de corps.

— Tu penses qu'il s'agit de ton ami Guillaume ?

— Je souhaite de toute mon âme que ce ne soit pas lui, Léa. Hélas, j'ai trouvé ça par terre.

Il ouvrit la paume de sa main gauche, pour montrer un bouton en cuivre, gravé d'un compas et d'une initiale, « G ».

— On dirait que ça vient de sa veste en velours, je ne peux guère me tromper.

— Et la petite fille, Baptiste ?

— Le vieux n'a pas fait état d'une enfant.

— *Dio mio, poverina*[1] ! s'écria Léa, tellement bouleversée qu'elle s'exprimait dans sa langue natale.

Elle se signa, les larmes aux yeux. Baptiste fixait le bouton en cuivre d'un air désolé. Tous deux ne se faisaient pas d'illusion sur le sort d'Élisabeth, si elle était devenue la proie d'un des gangs qui écumait le Bronx, à la nuit tombée.

1. « Mon Dieu, pauvrette. »

— Demain, tu iras à l'adresse où ils ont logé, déclara-t-elle en saisissant le poignet de son mari. Ils sont peut-être restés là-bas.

— Demain, je travaille, Léa. Le contremaître me renverra si je n'embauche pas à l'heure.

— Alors, j'irai, moi, rétorqua-t-elle. Et je vais prier pour ton ami Guillaume et son enfant.

Central Park, une heure plus tard

Élisabeth s'installa d'abord sous un buisson de troènes, afin de se reposer un peu. Elle venait de parcourir une allée bordée de grands arbres et de franchir un pont à l'armature de métal, joliment ouvragé.

Prudente, elle évitait les zones faiblement éclairées par un réverbère. Si un bruit l'alertait, elle traversait une pelouse, tapissée de feuilles rousses, qui craquaient sous ses pas.

Son père ne lui avait pas décrit le vaste parc aménagé au cœur de la ville treize années plus tôt, sur l'emplacement de terrains en friche et de marécages[1]. La fillette se demandait pourquoi elle avait atteint aussi rapidement la campagne, mais le contact de l'herbe sous ses pieds, les frondaisons au-dessus de sa tête lui procuraient de l'apaisement. Elle se sentait moins en danger.

Somnolente, elle se releva et trottina jusqu'à un banc en bois, sous la ramure clairsemée d'un érable. Là, assise les yeux mi-clos, l'enfant perdue mangea son reste de brioche, puis elle s'allongea, le col de sa veste remonté pour avoir moins froid. Seule, à la merci de ce Nouveau Monde dont ses parents avaient tant rêvé.

---

1. L'aménagement de Central Park s'est achevé en 1873, après de nombreux travaux paysagers.

6

L'enfant perdue

Central Park, lundi 8 novembre 1886

Des chants d'oiseaux réveillèrent Élisabeth au lever du jour. Elle ouvrit les yeux sur un paysage bucolique qui lui causa une profonde surprise. Le feuillage de l'érable, agité par le vent, était d'un beau rouge mordoré. D'autres arbres, à quelques mètres, ne présentaient plus que des branches nues, hormis les sapins et les buissons d'ornement, encore verts.

— Où je suis ? murmura-t-elle, encore hébétée de sommeil.

La fillette se redressa un peu, engourdie, transie. Elle aperçut une vaste étendue d'eau, où se reflétait le ciel gris. La mémoire lui revint, avec la violence d'une tempête intérieure.

— Papa ! s'écria-t-elle. On a fait du mal à papa.

Horrifiée, elle revit les hommes qui cognaient le corps de son père, la barre en fer, les cris de douleur et les ordres reçus : « Sauve-toi ! Fais ce que je te dis ! Retourne chez Colette ! »

Élisabeth aurait bien été en peine de retrouver l'immeuble où logeaient Colette et sa famille. Elle baissa la tête, comme une enfant fautive.

— Papa, je n'ai pas fait exprès de me tromper de chemin, dit-elle dans un souffle anxieux.

Son petit cœur battait très vite, car son père irait sans aucun doute la chercher chez leur voisine, et elle n'y serait pas. La vue d'un gratte-ciel, entre les ramures rousses des chênes, lui donna une idée. Elle devait parcourir le même itinéraire en sens inverse et forcément elle arriverait dans la bonne rue.

Élisabeth descendit du banc et se mit en route. Plus elle avançait dans l'immense parc, en longeant le bord du lac, plus elle était sensible à la beauté qui l'environnait. Des écureuils, au pelage rayé, se poursuivaient sur l'herbe avec maintes acrobaties. Elle les observa un moment, amusée par leurs cris aigus.

Terriblement meurtrie par la perte de sa mère et la disparition de son père, la fillette, d'instinct, faisait le vide dans son esprit. D'une intelligence précoce, elle pressentait le danger de céder au chagrin, ce matin-là.

— Maman chérie est au Ciel, papa va revenir, se répétait-elle.

L'écho d'un hennissement, assorti d'un bruit de sabots, la précipita derrière un buisson. Un cavalier passa au grand trot. Elle le suivit des yeux, tout étonnée. Peu après, le grognement rauque d'un animal retentit, lointain. Apeurée, Élisabeth se dit qu'il valait mieux s'enfuir encore, mais sans quitter l'abri des arbres.

Elle fut freinée dans son élan par l'apparition d'un homme coiffé d'un large chapeau noir. Il la vit également et poussa un cri de surprise.

— Et alors ? s'exclama-t-il. Qu'est-ce que tu fais là toute seule, petiote ? Tu étais sur le même bateau que moi, hein ?

Alphonse Sutra lui souriait. Élisabeth le reconnut tout de suite.

— Où est ton père ? s'inquiéta-t-il. Dis donc, l'est ben tôt pour se balader dans Central Park.

Son accent rocailleux, qui faisait rouler les *r*, était familier à l'enfant. Elle s'approcha, rassurée. Le montagnard remarqua les joues marbrées de traces de larmes, de crasse, les cheveux en désordre sous le béguin de coton fripé.

— Tu es dans un bel état, pitchoune, commenta-t-il. Boudu[1], qu'est-ce qui t'arrive ?

Il pensait à la mort de sa mère sur *La Champagne*, mais il évita d'en parler.

Élisabeth fuyait son regard, mais il constata qu'elle examinait les alentours d'un air intrigué.

— Toi, tu te demandes ce que j'ai fait de mon ours ! J'ai déjà mes habitudes, j'ai laissé Garro en liberté, à cette heure-ci, il n'y a personne. Oh, ça ne va pas durer, le beau monde va se pointer.

L'homme extirpa un quignon de pain de sa besace et mordit dedans à pleines dents.

— Si je donne un coup de sifflet, Garro me retrouvera. Hé, c'est commode. Et toi, vas-tu me répondre ? Où est ton père ?

— Je n'sais pas, on lui a fait du mal hier soir, avoua la petite d'une voix quasiment inaudible.

— Comment ça ! Et qui donc ?

— Je n'sais pas, gémit Élisabeth.

Perplexe, Alphonse Sutra avala une dernière bouchée de pain, puis il sortit un sifflet en métal de sa poche. Il en tira un son modulé. La fillette sursauta.

— Ne bouge pas, quand ma bête viendra. J'vais la rattacher aussitôt.

L'Ariégeois, une grimace rusée sur ses lèvres minces, fouilla encore une fois dans son sac en toile. Il exhiba la chaîne qui lui servait à tenir l'animal.

— J'vois ben que tu as eu du malheur, petiote, déplora-t-il. Il n'fait pas bon traîner dans les rues de New York la nuit. M'est avis que tu n'reverras pas ton père, pauvrette. Hé, je peux te garder, moi. Quand j'aurai assez de sous, je t'achèterai une jolie robe et tu feras la quête.

— La quête ?

1. Juron du patois ariégeois, issu de « bon Dieu ».

Le mot la plongea dans un proche passé. Ses parents allaient à l'église pour entendre la messe, chaque dimanche. Sa maman lui mettait sa belle robe rose, au col de dentelle.

— Tiens, ma chérie, je te confie la pièce pour la quête.

Élisabeth rangeait soigneusement l'argent au fond de sa petite aumônière en velours brodé. Lorsque l'enfant de chœur tendait une corbeille aux paroissiens, elle s'acquittait de son rôle d'un air grave.

— La quête comme à l'église ? s'enquit-elle.

— Mais non, je te cause des gens qui me jettent des sous, après avoir applaudi les tours de Garro. Tiens, tu pourrais danser à côté de lui. Tu n'mourras pas de faim, avec moi, parole !

L'ours apparut un instant plus tard, en écartant deux minces troncs d'arbousier. La grosse bête trottait sur ses quatre pattes, la gueule ouverte sur des dents redoutables. Élisabeth recula, impressionnée.

— Là, Garro, ordonna son maître. Finie la balade ! On remet la muselière. Hé, tu pourras le caresser comme ça, petiote. Faut que vous deveniez de bons camarades, tous les deux. Ce soir, on ira chez mes cousins, j'habite chez eux. Ils louent une écurie, pour abriter nos ours cet hiver. As-tu faim ?

— Oui, monsieur. Et j'ai soif aussi.

— Boudu, fallait le dire, mignonne. Té, prends la fin de mon quignon et bois un coup.

Garro, muselé de lanières en cuir, s'était assis sur son derrière et guettait l'enfant de ses yeux sombres. Élisabeth aurait aimé le caresser, mais elle n'osait pas demander la permission.

Alphonse Sutra lui tendit le pain, puis un gobelet en fer-blanc dans lequel il avait versé une rasade d'eau rougie.

— Hé, ça te requinquera, affirma-t-il.

— Merci, monsieur, murmura-t-elle.

Malgré sa faconde de montagnard, le montreur d'ours jetait des œillades soucieuses autour d'eux. Il avait quitté son pays où l'existence était très rude pour « faire fortune », fasciné par le rêve américain comme des millions d'immigrants avant lui. La fillette l'y aiderait, capable d'attendrir son public et d'augmenter ses gains.

— Faut se méfier des agents de police, marmonna-t-il encore. S'ils te posent des questions, je dirai que tu es ma nièce. Té, ma nièce Marie. On cause français, y goberont mon boniment.

— C'est un mensonge, s'effara Élisabeth, gênée.

— Tu préfères qu'ils te prennent pour te mettre à l'orphelinat ?

— Qu'est-ce que c'est, monsieur, un orphelinat ?

— Un endroit pour les gamins qui n'ont plus de famille. Tu seras enfermée, il faudra filer doux. Alors tu ferais mieux de m'obéir. Té, en voilà deux, là-bas. Boudu, viens, on décampe.

Un raisonnement très simple se fit dans l'esprit d'Élisabeth. Le montagnard lui faisait peur, et elle n'avait aucune envie d'être enfermée dans un orphelinat. Surtout elle pensa à son père qui devait la chercher.

— Hé, veux-tu rester, ronchonna Alphonse Sutra quand elle détala de toute la vélocité de ses petites jambes.

Le vin coupé d'eau du montreur d'ours lui tournait un peu la tête. Elle tenait encore à la main droite le morceau de pain, mais jamais elle n'avait couru aussi vite.

Bientôt elle aperçut un château digne d'un conte de fées, bâti sur une éminence[1]. Il était très différent de celui de Guerville, cependant Élisabeth eut l'idée de s'y cacher, si elle parvenait à l'atteindre. Elle traversa une allée pour couper par une vaste pelouse.

Une calèche, tirée par un cheval noir lancé au grand trot, déboula d'un pont tout proche. L'animal, équipé d'œillères, ne vit pas l'enfant qu'il heurta de plein fouet.

---

1. Il s'agit de Belvedere Castel, « château du Belvédère », construit sur Vista Rock, le deuxième point le plus élevé du parc. De style néo-gothique, le monument était inspiré des châteaux écossais.

Une femme poussa une clameur stridente. C'était trop tard, une des roues venait de passer sur le corps d'Élisabeth.

Dakota Building, une heure plus tard

Edward Woolworth faisait les cent pas dans le salon du luxueux appartement qu'il occupait avec son épouse depuis un an, au troisième étage du Dakota Building.

Comme le lui avait dit son défunt père, riche banquier new-yorkais, loger dans ce magnifique immeuble flambant neuf[1], aux élégantes allures de manoir gothique et de château Renaissance, influencerait indubitablement ses clients. Son épouse, Maybel, était ravie de leur installation, d'autant plus qu'ils avaient eu pour voisin épisodique l'illustre compositeur russe Tchaïkovski[2].

Négociant en céréales et en coton, Edward, à trente-huit ans, spéculait aussi en Bourse. Il alluma un cigare, qu'il posa aussitôt au bord d'un cendrier en cristal, car le médecin venait d'entrer dans la pièce.

— Est-ce grave, docteur ? demanda-t-il. Je voulais transporter cette petite à l'hôpital, Maybel a préféré la ramener chez nous. Mais je ferai ce que vous me conseillez.

— L'enfant vivra, soyez rassuré, cher Edward. J'ai réduit la fracture de la jambe gauche, et à cet âge l'os sera vite consolidé. Elle a quelques contusions légères. Seul le choc à la tête pourrait entraîner des complications. Je lui ai fait avaler une cuillerée de laudanum, elle souffrira moins. Mais si elle errait dans Central Park de si bonne heure, dans un tel état de crasse, je pense que c'est une orpheline. Seigneur, il y en a tant dans les rues ! Leur

---

1. Le Dakota Building a été achevé en octobre 1884, et a abrité de nombreuses personnalités jusqu'à nos jours.

2. Tchaïkovski a été un des premiers résidents de l'immeuble, dès 1881, alors que les travaux n'étaient pas achevés.

nombre augmente sans cesse, à cause du flot constant d'immigrés.

— C'est fort possible, je vous l'accorde. Je serai tenu de faire des recherches, cependant. Dès qu'elle pourra nous parler, nous agirons au mieux de son intérêt. Pour l'instant, vous devinez pourquoi, Maybel aimerait la garder ici, en sécurité et au chaud.

— Je comprends, Edward. Dans ce cas, je peux lui dispenser les soins nécessaires les jours à venir. Déjà, je reviendrai ce soir pour l'ausculter à nouveau.

— Puis-je solliciter votre totale discrétion sur ce regrettable accident, John ?

— Bien sûr, mais cette petite a eu beaucoup de chance, elle aurait pu être tuée sur le coup. Je vous le dis en ami, Edward.

L'insistance du médecin embarrassa le négociant. Il approuva d'un air contrit en lui serrant la main.

Élisabeth, si elle avait été consciente, n'aurait rien compris à la conversation qui se déroulait en anglais, fortement entachée de déviances grammaticales qui formeraient au fil du temps la particularité de la langue américaine. La femme penchée sur son lit lui prodiguait aussi de tendres mots, qui demeuraient vains.

— Pauvre petite, tu as mal, par notre faute. Ne crains rien, tu seras bien soignée.

Maybel Woolworth effleura le front de la fillette d'une main caressante. Elle n'avait pas encore entrepris la toilette de l'enfant des rues, en dépit du léger dégoût que lui procuraient ses doigts et ses ongles sales, ses cheveux réduits à des brins d'étoupe. Ses jupons ne sentaient pas très bon, ni ses pieds.

— Tu es pourtant très jolie, dit-elle encore. Edward prétend que tu as les yeux bleus, très bleus. Il les a vus un peu ouverts, quand il t'a ramassée par terre.

Un soupir mélancolique souleva la poitrine menue de Maybel ; à trente ans, elle avait fait quatre fausses couches. Enfin une fille était née, un mois avant son terme. Le bébé avait succombé au bout de quelques heures. Son cœur de mère vibrait devant la ravissante enfant que le destin avait placée sur son chemin.

— John a promis d'être discret, lui dit Edward en la rejoignant dans la chambre qui était réservée à leurs invités et où ils avaient couché l'enfant. Mon Dieu, si elle était morte par ma faute, je me le serais reproché toute ma vie. Nous avons eu de la chance, elle aussi.

— De la chance, oui, murmura son épouse. Edward, si…

— Je t'en prie, pas un mot de plus, Maybel. Je sais à quoi tu penses, mais je ne garderai pas cette petite fille. Occupe-toi d'elle jusqu'à ce qu'elle soit rétablie, ensuite nous la conduirons à l'institution protestante d'aide à l'enfance[1], si toutefois elle n'a pas de famille.

— Et on l'enverra vers l'Ouest, dans le Train des orphelins, avec tous ces innocents privés de soutien par la cruauté du sort. Comment savoir ce qu'elle deviendra, si elle sera bien traitée ?

— Maybel, nous ignorons tout d'elle. Qui nous dit qu'elle ne mendiait pas dans Central Park ? Ou bien elle a des parents et ils vont s'inquiéter d'elle.

La jeune femme approuva d'un air résigné. Edward, attendri, prit place à ses côtés et la cajola. Il l'aimait profondément.

— C'est vrai qu'elle est très jolie, admit-il. Elle doit avoir cinq ou six ans.

— As-tu remarqué comme elle est maigre ? Le bas de sa robe est raide de poussière et de boue. Si la petite a encore sa mère, celle-ci n'en prend pas soin.

Le couple contempla longuement Élisabeth. Un bandage blanc entourait son front, un second, plus conséquent, immobilisait sa jambe gauche du genou à la cheville.

---

1. The Children's Aid Society, qui gérait le mouvement nommé « Orphan Train Movement », littéralement le « Mouvement du train des orphelins ».

— Je voudrais tant qu'elle se réveille. J'ai demandé à Bonnie de préparer un bouillon de légumes et du jambon cuit.

Edward esquissa un sourire apitoyé. Maybel lui adressa un regard suppliant, avant de l'embrasser sur les lèvres.

Lundi 8 novembre 1886, le soir, chez Baptiste et Léa Rambert

Baptiste tournait entre ses doigts le bouton en cuivre qu'il avait trouvé dans la ruelle. Accablé, il le posa enfin sur la table.

— Guillaume ne s'est pas présenté au contremaître, ce matin, déplora-t-il. J'espérais le voir, mais non. Un autre a pris sa place, beaucoup moins compétent.

Léa, son bébé dans les bras, considéra son mari d'un œil navré. Elle l'avait rarement vu aussi abattu.

— C'est mauvais signe, oui, dit-elle. Tu l'avais prévenu, il n'était pas assez méfiant. Je vais coucher Tony, après je te sers à manger.

— Je n'ai pas faim, je me ronge les sangs pour sa petite. S'il est mort, qu'est-ce qui a pu lui arriver, à elle ?

— Moi, je suis allée à leur ancienne adresse. J'avais confié Tony à ma mère, puisque c'était sur mon trajet. J'ai pu discuter avec une voisine, une Française. Elle tricotait, assise sur les marches du perron.

— Guillaume m'a parlé d'une Colette. Des gens du Nord, qui ont deux fils, hasarda Baptiste.

— Cette femme ne m'inspirait pas confiance ! lui cria Léa de la chambre. Elle ne m'a pas dit son nom, mais si on l'écoutait, Guillaume et sa fille seraient partis depuis deux jours, pour prendre une chambre d'hôtel.

— Ce n'est pas impossible, répliqua-t-il en se servant un verre de bière. Nous n'avions pas le temps de bavarder sur le chantier, et puis Guillaume n'était plus celui que j'avais connu en France. Je le sentais désespéré. Mon

Dieu, au fond je suis responsable de ce gâchis. Si je ne lui avais pas proposé de me rejoindre à New York, il vivrait tranquillement dans son village, avec sa femme et leur petite Élisabeth.

Léa avait noué un tablier autour de sa taille. Elle n'était pas du genre à se lamenter.

— Ne te rends pas malade, Baptiste. Personne n'y peut rien. Dieu donne, Dieu reprend. Si ça te réconforte, je ferai un tour chez les Sœurs de la Charité, demain. Les enfants des rues sont souvent conduits là-bas. Nous retrouverons peut-être Élisabeth. Elle sait son nom, j'interrogerai les religieuses. Mange donc.

Baptiste Rambert rejeta d'une main lasse sa casquette. Il avait les cheveux très courts, d'un châtain doré. Il se représentait sans peine l'agression de Guillaume.

— J'ai fait mon tour de France des Compagnons du Devoir avec lui, ajouta-t-il. Nous avons restauré la charpente d'une église, dans le Limousin. C'était un bon compagnon, dans tous les sens du terme. Il aurait été en sécurité, logé près d'ici. Sa fille aussi. Quand je pense qu'on a dû le dépouiller des derniers biens qu'il possédait. Il me l'avait expliqué, il lui restait les bijoux de son épouse, de l'argent français. Catherine n'était pas de son milieu, ses parents avaient un château, une solide fortune.

Léa hocha la tête. La sauce du ragoût se figeait au creux de l'assiette de son mari.

— Je leur écrirai, trancha-t-elle. Si tu te souviens de leur nom et de l'endroit où ils vivent.

— Les Laroche, le domaine de Guerville, en Charente. Tu as raison, Léa, on écrira là-bas.

Dakota Building, même soir, même heure

Le docteur John Foster venait de s'en aller, après sa visite du soir. Un des nombreux liftiers de la résidence l'escorta jusqu'à l'ascenseur hydraulique le plus proche.

Le Dakota Building en comptait quatre, situés aux angles du somptueux édifice.

La fillette avait beaucoup de fièvre, si bien qu'il avait prescrit de la quinine et du laudanum.

— Si son état ne s'est pas amélioré demain, il faudra envisager de l'hospitaliser, avait-il préconisé en partant.

Maybel et Edward Woolworth échangèrent un coup d'œil anxieux.

— Pauvre petite, elle n'a rien pu manger, encore, se désola la jeune femme. La voir ainsi me brise le cœur.

— Ne désespère pas, chérie. Nous savons au moins une chose, elle est française. Elle appelait sa mère, dans son délire.

— Oui, elle répétait « maman », la pauvre. Et j'ai cru entendre « papa », aussi.

— Je me renseignerai demain. Jack, mon secrétaire, suit de près l'arrivée des paquebots. J'ai confiance en John, c'est un excellent médecin. Pour ma part, j'estime que cette enfant est mieux chez nous qu'à l'hôpital.

Tremblante d'espoir, Maybel noua ses bras autour du cou de son mari. Elle lui dédia un regard amoureux.

— Edward, si c'est une orpheline, nous pourrions l'adopter. Tu me refuses cette joie, parce que tu rêves d'un bébé de ta chair, de ton sang. Je n'en aurai pas, tu le sais. Les docteurs que j'ai consultés à ce sujet sont formels.

— Je réfléchirai. Si nous adoptons, pourquoi ne pas avoir recours aux Sœurs de la Charité, qui s'occupent des tout-petits. On leur dépose des nouveau-nés chaque jour, Maybel. Viens dîner, nous en reparlerons demain. J'ai chargé Bonnie de veiller sur l'enfant.

Maybel suivit docilement son époux. Elle éprouvait un coup de cœur inexplicable pour la fillette qu'ils avaient renversée et qui pourrait en être morte. La nuit serait complice de son projet. Edward était plus conciliant une fois son exigeante sensualité apaisée.

Deux heures plus tard, le couple gisait enlacé sur le grand lit de leur chambre, dont les montants se composaient de panneaux drapés de satin. Une salle de bains jouxtait la pièce, équipée d'une baignoire en marbre noir.

Le Dakota Building offrait un confort rare à l'époque : l'eau chaude, l'électricité et le chauffage central à chaque étage, de nombreux couloirs au sein des appartements, afin de ne pas être dérangé par les domestiques.

Les lèvres pincées sur le mamelon rose du sein qu'il tenait au creux de sa main, Edward geignait sourdement de plaisir, Maybel faisant jouer ses doigts fins autour de son membre viril. Elle se montrait moins audacieuse, d'ordinaire, et il ne fut pas dupe. Il se redressa pour s'allonger sur elle.

— Chérie, susurra-t-il à son oreille, continue, j'aime ça, tu le sais. Mon Dieu, tu es toute chaude, toute douce.

Il écarta ses cuisses d'un genou, sans brusquerie mais avec fébrilité. Elle se cambra, le souffle saccadé.

— Fais ce que tu veux de moi, murmura-t-elle. Je suis ta petite femme chérie.

Un grondement rauque échappa au riche négociant, accoutumé à la même soumission de la part des prostituées qu'il fréquentait parfois. Maybel savait précisément comment le combler.

Ils se livraient à une étreinte passionnée, tous deux haletants sous l'effet de la jouissance, lorsqu'un hurlement aigu les figea en pleine action. Ils perçurent des pas rapides, la voix de leur employée, Bonnie, derrière la porte :

— Madame, la petite fille pleure beaucoup. Je ne sais pas quoi faire !

Maybel se dégagea des bras d'Edward. Affolée, elle enfila un peignoir en soie rouge pour se précipiter au chevet de l'enfant. Une lampe à abat-jour de tissu jaune éclairait un triste tableau. Leur protégée se débattait contre un ennemi invisible, au milieu d'un fouillis de draps.

— Au secours, maman ! criait-elle les bras levés. Papa, on tue papa ! Maman !

— Seigneur, a-t-elle encore de la fièvre ? interrogea Maybel en touchant le front d'Élisabeth.

— Non, Madame, son front est tiède.

— Bonnie, que disait-elle ? J'ai compris les mots « maman » et « papa », mais le reste ? Votre mère était originaire de Normandie, il me semble. Vous vous vantez souvent de comprendre un peu de français.

— Elle appelait au secours, Madame, précisa la domestique. Je suis sûre de ça, de rien d'autre.

La fillette sanglotait à présent, en observant le décor qui l'entourait d'un air hagard. Maybel fut saisie d'admiration devant le bleu limpide de ses yeux, aux cils sombres.

— Ma poupée, j'ai perdu ma poupée, ma Cathy, se plaignit la petite, suffoquée par le chagrin.

— Bonnie, faites un effort, que dit-elle ?

Edward entrait à son tour. Il toisa la malheureuse Bonnie d'un air si menaçant qu'elle tenta de retrouver des bribes de sa langue maternelle, oubliée depuis longtemps.

— Elle réclame sa poupée, sa poupée Cathy, dit-elle très vite.

— Eh bien, courez chercher celle que j'ai achetée pour ma nièce. Elle est dans un paquet, en bas de l'armoire à linge.

— Maybel, j'ai payé cher ce jouet, destiné à Pearl, la fille de mon frère, protesta son mari. Il vient de Londres. La tête et les bras sont en porcelaine de Saxe, la toilette en soie et en brocart.

— Je veux lui montrer, elle se calmera.

Mais Élisabeth errait aux confins du rêve et de l'éveil. Une douleur lancinante irradiait une de ses jambes, son front la faisait souffrir également. Le pire, c'étaient les scènes affreuses qu'elle avait revues, le corps de sa mère jeté dans l'océan, son père frappé à mort. Elle avait entendu à nouveau le râle atroce qu'il avait poussé.

— Papa, mon papa ! clama-t-elle, la bouche grande ouverte. Ils lui ont fait du mal, il est mort.

Bonnie, qui rapportait le carton rose contenant la poupée, surprit ces derniers mots. Elle se signa, soudain toute pâle.

— Là, j'ai bien compris, Madame. La petite fille dit que son père est mort.

— Seigneur, quel monde de violence, déplora Maybel. On a pu tuer cet homme devant elle. Montrez-lui le jouet, Bonnie, vite.

Bizarrement, l'apparition d'une extraordinaire poupée dans son champ de vision eut l'effet espéré. Sidérée, Élisabeth devina à travers ses larmes un visage aux prunelles brillantes, une nuée de boucles blondes, l'éclat turquoise d'un habit. Enfin, elle vit trois silhouettes penchées sur son lit.

En identifiant deux jeunes femmes, elle émit un frêle soupir. Néanmoins, elle pensait rêver encore, car dans son souvenir, il était très tôt et le montreur d'ours voulait la garder avec lui. Puis elle se remémora sa folle course, le cheval noir et le choc. Elle n'avait pas eu le temps d'avoir peur.

— Où je suis ? demanda-t-elle tout bas.

Maybel s'approcha et l'étudia en souriant. Élisabeth scruta ses traits pleins de douceur, ses yeux ambrés, sa bouche très rouge. La jolie inconnue avait une chevelure ondulée, châtain clair, répandue sur ses épaules. La petite ressentit soudain un manque intolérable. Elle voulait revoir sa maman, se réfugier contre elle.

— Maman, gémit-elle, je veux maman.

Edward se frotta le menton d'un geste ennuyé. Il décida de sortir et de se servir un verre de brandy. Bonnie crut utile de traduire.

— Elle réclame sa maman, Madame.

— Je m'en doutais. Essayez de lui parler en français, je vous en prie. Son prénom, demandez son prénom.

Demain, nous ferons venir votre mère, qu'elle serve d'interprète.

— Ma mère est décédée l'hiver dernier, Madame, murmura Bonnie. Vous m'aviez accordé un congé.

— Mon Dieu, oui, j'avais oublié. Eh bien, je vous en prie, faites un effort. Je vous récompenserai.

— Dis ton nom, ânonna la domestique. Ton nom ?

Élisabeth frémit, soulagée de comprendre la question. Jusqu'à présent, les paroles qu'on échangeait à son chevet ne signifiaient rien. Durant la semaine passée dans le Bronx, elle s'était habituée à diverses sonorités étrangères, où l'anglais dominait, mais elle n'avait retenu aucun mot précis.

— Lisbeth, chuchota-t-elle timidement.

— Pas français, ton nom. Tu es de France ? insista Bonnie.

— Oui. Maman est morte sur le bateau. Papa, j'n'sais pas, des hommes l'ont battu très fort hier soir.

— Dis ton nom, encore ?

— Élisabeth, mais papa m'appelle Lisbeth.

Maybel joignit les mains, charmée par la voix flûtée de l'enfant.

— Madame, elle n'a plus ses parents, j'en suis sûre.

— Merci, Bonnie. Vous me serez utile. Je vais vous procurer un dictionnaire de français.

Forte de son statut social d'Américaine fortunée, Maybel se promit de garder à n'importe quel prix l'adorable petite fille que la providence lui envoyait. Elle brûlait d'envie de plonger l'orpheline dans un bain tiède, de laver ses cheveux, de lui offrir des robes et des bottines de cuir blanc.

— Vous savez toute l'histoire, Bonnie, déclara-t-elle d'un ton rapide. Cette pauvre enfant perdue s'est jetée sous les roues de la calèche, pendant notre promenade matinale à Central Park. Soyez discrète, personne n'a besoin d'être au courant.

La jeune domestique acquiesça avec ferveur. Elle avait vingt-deux ans, une frange rousse dépassait d'une petite coiffe blanche. Son visage rond, aux joues tavelées de son, respirait la gentillesse, comme son regard brun.

Élisabeth, de plus en plus lucide, étudiait le cadre enchanteur où elle était couchée, dans un lit très douillet, moelleux, mais très grand. Elle redoutait par-dessus tout d'être renvoyée dans les rues.

— Donnez-lui un bol de potage, Bonnie, ordonna Maybel. Et installez la poupée sur l'autre oreiller. Demain, nous ferons sa toilette. Vous jetterez ses vêtements, j'irai très tôt sur Broadway[1] lui en acheter des neufs.

Lorsque son épouse le rejoignit dans le salon, Edward eut une grimace amusée. Maybel s'assit sur l'accoudoir de son fauteuil. Elle était nue sous son peignoir et son sein droit pointait à l'air libre.

— Tu as gagné la partie, chérie, dit-il très bas.

Château de Guerville, mardi 16 novembre 1886

La lettre était arrivée ce matin grisâtre, sous un ciel lourd de nuages. Adela et Hugues Laroche l'avaient lue et relue plusieurs fois, tour à tour accablés, indignés, révoltés, désespérés. Ils n'acceptaient pas le principe de la « sépulture marine » évoqué par leur gendre, même si celui précisait qu'il avait respecté les dernières volontés de leur fille.

— Je ne pourrai jamais fleurir sa tombe, déplora Adela. Seigneur, ces gens de mer sont des barbares ! Jeter le corps de Catherine par-dessus bord, comme un objet encombrant.

— Si Guillaume dit la vérité, le bateau avait effectué la moitié de la traversée, commenta froidement son mari. Je suppose qu'on ne peut pas garder un cadavre plusieurs jours en cale.

1. Artère la plus commerçante à cette époque.

— Hugues, tu parles de notre enfant! « Un cadavre », quel mot horrible. Enfin, il y a eu une cérémonie religieuse, c'est déjà appréciable. Mon Dieu, ma chère Catherine! Je n'ose imaginer les conditions de son décès, le bébé mort-né, le flux de sang qui lui a été fatal. Si seulement elle nous avait écoutés. Elle pourrait être encore là, près de nous, ou dans sa maison de Montignac. Je regrette à présent de ne pas lui avoir rendu visite plus souvent. Tu t'y opposais, sous prétexte que cela flatterait les Duquesne.

— Et j'avais raison, le vieil Antoine aurait été trop content, après quelques familiarités, de venir traîner au château.

— Quand même, j'ai manqué de nombreuses occasions de passer de bons moments avec notre fille, par vanité, ta vanité.

Laroche haussa les épaules, la mine sombre. Il reprit la lettre et résista à l'envie forcenée de la froisser, de la faire brûler.

— Tout est ma faute, évidemment, maugréa-t-il. Tu étais la plus méprisante envers notre gendre, ne le nie pas, Adela. Et puis à quoi bon se torturer? Notre fille unique a disparu. Rien ne la ressuscitera. Je ferai poser une stèle en sa mémoire, au cimetière. Tu sauras où aller prier pour la paix de son âme.

Sur ces mots, il s'empara de la cravache qu'il avait lancée négligemment sur le marbre d'une commode.

— Où vas-tu, Hugues? Je t'en supplie, ne me laisse pas, j'ai si mal au cœur.

— Je me rends à Rouillac, pour envoyer un télégramme à Guillaume. Nous avons son adresse à New York, j'ai l'intention de lui signifier que je viendrai chercher Élisabeth par le prochain bateau. Ce paysan a cru gagner des galons en étant compagnon charpentier, je lui prouverai que sa sottise, son entêtement ont causé la mort de Catherine et de mon petit-fils. Admets que l'enfant, né à terme ici, en France, était promis à un bel avenir, car je lui aurais légué le domaine.

Hugues Laroche se tut, le souffle court. La haine et la douleur le faisaient suffoquer.

— Je me demande par quel prodige ces messages peuvent aller si vite d'un point à l'autre du globe, fit remarquer Adela, le regard un peu absent.

— L'humain est ingénieux et je m'interroge sur les progrès que nous réserve l'avenir. Des câbles sous-marins relient l'Europe à l'Amérique, par lesquels transitent des sons décodés ensuite. Mais je n'ai pas de temps à perdre en explications.

Distraite un instant de son tourment, son épouse ne put retenir ses larmes.

— J'aurais voulu être auprès de Catherine, pouvoir lui dire adieu, l'embrasser, gémit-elle. Hugues, crois-tu vraiment que Guillaume nous confiera Élisabeth ?

— Il se pliera à ma volonté, Adela, gronda-t-il en brandissant la cravache.

Excédé, Laroche leva les bras au ciel et sortit.

Madeleine avait entendu claquer la porte du hall. Elle entra d'un pas léger dans le salon.

— Madame, j'ai préparé du thé. Une tasse vous ferait du bien.

— Volontiers, Madeleine. Je vous remercie, vous êtes aux petits soins pour moi depuis que je pleure ma fille. Hélas, Monsieur et moi en savons davantage. Notre gendre a écrit. Le corps de Catherine gît au fond de l'océan. Elle l'aurait souhaité, ce dont je doute fort. Le bébé qu'elle attendait, c'était un garçon.

Adela s'épancha, prenant la domestique à témoin de toutes les ignominies liées au décès de sa fille.

— J'ai été une mère stricte, peu affectueuse, conclut-elle d'un ton amer. Je donnerai beaucoup plus d'amour et de tendresse à la petite Élisabeth, si mon époux parvient à la ramener ici. La présence d'une enfant égaierait le château. Nous devons prier pour que cette bénédiction nous soit accordée, ma brave Madeleine.

— Oh, je prierai, Madame, matin et soir, affirma celle-ci. Vous êtes toute pâle. Je vous apporte le thé.

— Servez-moi un verre de cognac, aussi, je suis dans une telle affliction, cela me réconfortera.

— Bien sûr, Madame.

Madeleine veilla sur le bien-être d'Adela avec une dévotion affectée, mais de retour à l'office, elle changea de visage. Les poings sur les hanches, le regard dur, elle lança des coups d'œil furieux autour d'elle.

— Prier pour que cette petite pimbêche revienne, et puis quoi encore ! Je t'en ficherai des prières, moi. On n'a pas besoin de la gamine dans nos pattes, ça non. J'ai bien assez de travail.

Furibonde, elle résista à l'envie de casser un bol en faïence, resté au bord de la table. Vincent, qui l'observait à travers la porte vitrée communiquant avec l'arrière du château, tapota au carreau.

— En voilà des façons, entre donc ! lui cria-t-elle, excédée.

— Hé, j'suis prudent et je t'connais, ma caille ! Quand tu es en rogne, t'es capable de me réduire en charpie, plaisanta-t-il dès qu'il la rejoignit. Dis, le patron m'a fait seller Talion, son maudit hongre blanc. Il partait pour Rouillac. Sais-tu ce qui se passe ?

— Ils ont reçu une lettre de New York. Paraît que Mlle Catherine a été jetée dans la flotte, en plein océan. Son mari ne l'a pas tuée, enfin si on veut, puisqu'elle est morte de ses couches. Bien sûr, le patron veut récupérer la petite.

— Ouais, rien de très nouveau ! ronchonna-t-il en l'embrassant au creux du cou. J'ne peux pas dire pareil pour ton neveu. Il s'est faufilé dehors, je l'ai vu qui cavalait au fond du parc.

— Bon sang, attends un peu que je l'attrape, il aura ce qu'il mérite. Parole qu'il n'recommencera pas. Si Madame le voyait…

Le palefrenier la fit taire d'un baiser avide. Elle le suivit sans protester au fond du cellier. Secoué d'un rire silencieux, il poussa la targette.

New York, Dakota Building, samedi 20 novembre 1886

Maybel brossait les beaux cheveux bruns d'Élisabeth, qu'elle venait de laver pour la troisième fois en cinq jours, avec l'aide de Bonnie. La fillette n'avait pas pu prendre de bain, à cause du plâtre qui enveloppait sa jambe gauche, mais elle avait eu droit à une grande toilette complète, grâce à plusieurs bassines d'eau chaude.

Le dos calé sur de gros oreillers, l'enfant respirait en souriant le parfum du savon, celui du talc. Elle avait découvert la douceur des serviettes-éponges, le soyeux de la lingerie fine qu'on lui avait enfilée.

— Tu as des anglaises, Lisbeth ! s'écria Maybel. Traduisez, Bonnie.

— « Anglaises » ! Maman disait ça, elle aussi, répliqua la petite.

— Elle connaît le mot, Madame, se réjouit la domestique. Si vous la gardez, il vaudrait mieux qu'elle apprenne votre langue.

— Si nous la gardons ! Il n'y a plus de doute, Edward est conquis par notre protégée. Nous serions incapables de nous en séparer.

Élisabeth écoutait chaque discussion attentivement. Elle avait appris les prénoms de ces gens extraordinaires à ses yeux, qui s'occupaient d'elle comme s'ils l'aimaient et lui semblaient très riches, bien plus encore que ses grands-parents de Guerville.

— Le docteur est content, dit Maybel en choisissant des rubans bleus parmi un monceau de fanfreluches étalées sur le couvre-lit. Lisbeth pourra marcher dans deux semaines.

— Elle a déjà repris des couleurs et des joues, renchérit Bonnie. Dieu l'a placée sur votre route, Madame.

— Peut-être, mais elle aurait pu en mourir, soupira Maybel. Nous avons une dette envers elle. Edward s'en acquittera. Bien, je vous la confie, Bonnie. Et surtout, faites ce que je vous ai recommandé.

— Oui, Madame.

Maybel sortit de sa démarche élégante. Sa longue robe en velours rouge ondulait au rythme de ses pas. Un chignon haut dégageait ses épaules rondes. Élisabeth retint un soupir quand elle disparut dans le couloir.

— Tu veux bien parler avec moi ? interrogea alors Bonnie.

En moins d'une semaine, l'employée des Woolworth avait fait de gros efforts pour retrouver la pratique de la langue natale de sa mère. Il lui restait un oncle, dans le Queens, à qui elle s'était empressée de rendre visite. Maybel se montrait généreuse, la jeune domestique s'était déplacée en fiacre et avait reçu des gages supplémentaires. Elle s'étonnait de la rapidité avec laquelle des mots, des expressions lui revenaient en mémoire. La lecture assidue d'un dictionnaire bilingue l'aidait également beaucoup.

— Mme Maybel aimerait savoir si tu es contente, ici, dit-elle à l'enfant en articulant bien.

— Maybel, répéta Élisabeth. Toi, c'est Bonnie.

— Oui, Bonnie, je travaille pour Maybel et son mari.

— Je suis contente, mais je suis triste, précisa la fillette. Où sont mes habits, ceux que maman avait faits à Montignac ?

— Montignac ? Tu vivais là-bas. Madame m'a ordonné de jeter tes vêtements.

Élisabeth roula des yeux affolés. Elle était prête à pleurer, mais Bonnie eut une idée.

— J'ai trouvé ça dans une de tes poches, alors je l'ai mis de côté pour te le redonner.

Elle lui tendait le soldat de plomb. Élisabeth s'en empara d'un geste vif. Le minuscule jouet était le dernier lien avec la France, le château de Guerville, et avec ses parents.

— Je le cache sous mon oreiller, murmura-t-elle. C'est un gentil petit garçon qui me l'a offert.

— Mme Maybel t'achètera bientôt d'autres jouets, de beaux jouets, Lisbeth.

— Je voudrais bien rester ici, mais si papa me cherche, il ne saura pas où je suis.

— Tu disais qu'on avait tué ton papa !

— Oui, je pense qu'il est mort, comme maman, parce que j'avais fait un cauchemar, et c'était pareil, encore. Pareil que pour maman, balbutia Élisabeth, terrifiée.

Bonnie ne comprit pas tout, car la fillette parlait très bas et très vite. Elle préféra mettre un terme à la conversation.

— Il faut te reposer, Lisbeth, décréta-t-elle. Ne t'inquiète pas, je reviens à midi t'apporter ton déjeuner.

Edward Woolworth rentra tard, ce soir-là. Maybel l'attendait impatiemment dans le salon, occupée à feuilleter une revue de mode illustrée.

— Chéri, enfin ! s'écria-t-elle. Alors, ton enquête ?

Le négociant confia son manteau et son chapeau à Bonnie, puis il alla s'asseoir près de sa femme. Elle l'embrassa, mais sans lui accorder le sourire enjôleur qu'il appréciait.

— J'ai appris par mon secrétaire qu'on avait repêché le corps d'un homme d'une trentaine d'années dans l'Hudson. Il était très abîmé, méconnaissable, sans rien qui puisse l'identifier. Mais tu sais aussi bien que moi le nombre d'individus finissant ainsi. La ville est de plus en plus dangereuse, notamment dans le Bronx. Règlements de comptes, crimes crapuleux, viols, sans oublier le sort misérable des orphelins, qui sont des centaines à errer dans les rues. Alors comment savoir si ce noyé, dont le crâne était fracassé, est le père de Lisbeth ? Rien ne le prouve de façon catégorique. Les boutons de sa veste ont intrigué les policiers, il en manquait un et c'était du cuivre, gravé d'un compas.

Maybel fronça les sourcils d'un air incrédule. Elle supposait à juste titre qu'il existait à New York des milliers de boutons, tous différents.

— Et qu'en pense Jack? demanda-t-elle. Tu dis toujours que ton secrétaire a réponse à tout.

— Jack se couperait surtout en quatre pour me satisfaire. Et tu as deviné, il avait son idée. Selon lui, ces boutons indiqueraient qu'il s'agissait d'un Compagnon du Devoir, une société très ancienne d'artisans français.

— Mon Dieu, c'est peut-être bien le père de la petite. Edward, ne cherchons pas plus loin. Elle est orpheline. Je ne veux pas la perdre. Je l'aime tant, je suis si heureuse. Je n'ai pas eu la joie d'être mère, moi qui le désirais tant.

— Maybel, je serais comblé de la garder et de l'adopter, si je le peux. Mais il s'agit d'une enfant d'immigrants, qui a sûrement de la famille en France. Et donc un nom de famille. Dès qu'elle nous donnera plus de détails, il suffirait d'étudier les registres du centre d'accueil, au fort de Castle Clinton et…

— Non, coupa-t-elle en posant son index sur les lèvres de son époux. Ne dis rien d'autre, je t'en prie. La France est de l'autre côté de l'océan. Ce sont les pauvres gens qui abandonnent leur patrie pour chercher fortune ici, en Amérique. Nous pouvons lui offrir une existence merveilleuse. Edward, il faut l'adopter le plus vite possible.

— J'y réfléchis, Maybel. Je ferai n'importe quoi pour te voir aussi gaie, aussi jolie chaque jour. Je te le promets, personne ne te prendra Lisbeth.

Le couple échangea un tendre baiser. Tous deux se sentaient invincibles, et leur amour s'exaltait à la perspective d'avoir enfin une enfant à choyer.

Chez Baptiste et Léa Rambert, samedi 27 novembre 1886

Il neigeait sur New York, des flocons légers qui ravissaient Léa, postée à la fenêtre, son bébé dans les bras.

— Bientôt la ville sera toute blanche, mon Tony, chantonna-t-elle. Maman ne pourra plus t'emmener en promenade.

Baptiste les contemplait. Il avait quitté le chantier à midi et s'apprêtait à profiter de sa petite famille jusqu'à lundi. Demain, ils iraient à la messe, si les trottoirs ne glissaient pas trop. Quand on frappa à leur porte, il grimaça de contrariété.

— Pas moyen d'être tranquille ! bougonna-t-il, ce qui fit rire sa femme.

Il entrouvrit le battant, stupéfait de découvrir un homme de haute taille, aux tempes grisonnantes, très élégant dans un long manteau cintré en drap de laine noire, coiffé d'un haut-de-forme.

— Monsieur, vous devez faire erreur ! dit-il aussitôt.

Les gens de la haute société ne se hasardaient jamais dans son immeuble, il était stupéfait.

— Vous êtes bien Baptiste Rambert ? J'ai eu votre adresse par l'entreprise qui vous emploie.

L'inconnu s'exprimait dans un français impeccable. Ses traits émaciés, son regard froid déplurent au compagnon charpentier.

— Oui, entrez monsieur, il fait froid sur le palier.

— Je vous remercie. Hugues Laroche. Je suis le beau-père de Guillaume Duquesne.

— Seigneur, murmura Baptiste.

Léa s'empressa de coucher leur fils. Elle lui donna le hochet bon marché qui le distrayait.

— Asseyez-vous, monsieur, ajouta-t-elle.

Laroche inspecta la pièce d'un œil morne. Le petit logement était propre et ordonné, mais il nota son exiguïté, de menus détails trahissant la pauvreté du couple.

— C'est agréable de s'entretenir avec des compatriotes, dit-il cependant, soucieux d'être aimable. J'ai débarqué avant-hier, après une traversée pénible à bord de *La Bretagne*, un paquebot mis en service cette année, comme *La Champagne*, ce maudit bateau dont le seul nom m'est difficile à prononcer. Mon gendre Guillaume Duquesne, ma fille Catherine et leur enfant, Élisabeth, l'ont pris en octobre, pour mon malheur.

Baptiste approuva d'un signe de tête. Léa présenta une chaise au visiteur qui leur dit d'un ton affligé :

— Vous devez soupçonner la raison de mon voyage ?

— Je peux comprendre pourquoi vous êtes venu jusqu'à New York, mais chez nous, pas vraiment, insinua Baptiste.

— C'est pourtant simple, j'ai envoyé deux télégrammes à mon gendre, il y a trois semaines, sans obtenir de réponse. Je sais que l'envoi d'un message est onéreux, néanmoins mon épouse ayant remis, à mon insu, une certaine somme d'argent à ma fille, la veille de son départ, Guillaume aurait pu prendre la peine de me donner des nouvelles. Nous avons été cruellement frappés, ma femme et moi, par le décès de Catherine, et nous nous inquiétons pour notre petite-fille Élisabeth. Puis-je avoir un verre d'eau, je vous prie. L'émotion, n'est-ce pas…

Léa, touchée par la retenue de ce père éprouvé, lui versa à boire. Elle prit la parole, moins réservée que son mari et ayant plus de choses à dire.

— Monsieur, je suis désolée. Votre gendre et son enfant ont disparu le soir du dimanche 7 novembre, alors qu'ils venaient ici. Nous les avions invités à dîner, et Baptiste leur avait trouvé un logement dans notre rue. Nous avons au moins l'eau courante, dans ce secteur, ce n'était pas le cas là où ils logeaient.

Hugues Laroche baissa les yeux, tout en serrant les poings. Le couple respecta son silence.

« Le calme avant la tempête », songea Baptiste, conscient de l'agitation intérieure qui ravageait Laroche. Il ne se trompait pas.

— Vous êtes désolée, madame ? s'exclama-t-il. Seigneur, vous m'annoncez la disparition de Guillaume et d'Élisabeth comme si c'était un fait banal ! Que s'est-il passé ? Avez-vous prévenu la police ?

— Je vous interdis de vous en prendre à mon épouse, monsieur, qui s'est démenée dans l'espoir de retrouver votre petite-fille. Nous avons été très affectés par ce drame, car c'en est un, j'en suis persuadé. Vous ne nous laissez même pas le temps de nous expliquer.

— Pardonnez-moi, monsieur Rambert. Depuis la mort de ma fille Catherine, je vis un calvaire, plaida Laroche. Je vous écoute.

Baptiste raconta avec véhémence ce qu'il savait et il lui montra sa déposition au poste de police, avant de sortir le bouton en cuivre du tiroir de la table.

— Chaque nuit, et même la journée, des hommes sont tués, leurs corps gisent sur le trottoir, au fond d'une impasse ou bien ils sont jetés dans l'Hudson. J'ai la conviction que mon ami est mort. Quant à votre petite-fille, Élisabeth, Léa a vainement tenté de la retrouver. Nous étions prêts à la garder, à la protéger.

Léa prit place en face de leur visiteur. Survoltée, elle livra le récit de ses démarches, dans un français pimenté par son accent italien.

— J'ai un nourrisson de sept mois, commença-t-elle. Ma mère s'en est occupée pendant que je cherchais la pauvre petite. Je suis allée chez les Sœurs de la Charité, mais ces saintes dames sont surtout chargées des tout petits enfants, des bébés. On ne leur avait pas confié une fillette de six ans, de nationalité française. Elles m'ont envoyée à l'institution protestante *Children's Aid Society*, fondée par Charles Loring Brace, un homme de cœur. Depuis trente ans, M. Laroche, grâce à son organisation, des milliers d'orphelins, d'enfants abandonnés, ont une chance de mener une meilleure existence, dans les États de l'Ouest. Là, non plus, aucune petite fille ne correspondait à Élisabeth, et pourtant elles étaient nombreuses, les malheureuses.

— Aviez-vous déjà vu Élisabeth ? s'enquit Laroche.

— Non.

— Comment pouviez-vous la reconnaître, dans ce cas ?

— J'avais son prénom et son nom de famille, à six ans, si je parlais en français, sa langue natale, elle aurait réagi, précisa Léa. Un Train des orphelins se mettait en route pour l'Indiana la semaine dernière, j'ai pu assister au départ des enfants. Mon Dieu, ils étaient si contents de quitter la ville, de découvrir la campagne. Il fallait les voir, tout bien habillés, propres, rêvant d'être adoptés au bout de leur long voyage.

La voix de Léa tremblait. Baptiste lui succéda :

— Ma femme scrutait les visages de chaque fillette. Il y avait six « Élisabeth ». L'une d'elles était française, mais âgée de douze ans. Les autres ne comprenaient pas les questions de Léa, et aucune n'était brune avec des yeux très bleus et de longues boucles, comme Guillaume avait dépeint son enfant. Pour être sincère, monsieur, je crains le pire. Ceux qui ont battu mon ami à mort ont dû se débarrasser aussi de la petite.

— Non, c'est impossible, s'indigna Hugues Laroche. Je refuse de l'imaginer. Pourquoi faire du mal à une innocente, si ces bandits avaient dépouillé mon gendre ?

Il dénoua son col de chemise, le teint soudain cramoisi. Léa s'aperçut qu'il peinait à respirer. Apitoyée, elle sacrifia un fond de whisky, qu'elle réservait pour les grandes occasions.

— Tenez, ça vous fera du bien.

Hagard, Laroche avala l'alcool d'un trait. Selon une de ses manies, il cogna ensuite du poing sur la table.

— Ma petite-fille est vivante, j'en suis sûr, mon cœur me le dit. Je vais remuer ciel et terre, s'il le faut, et je la retrouverai. Hier, je me suis rendu à l'adresse que m'avait donnée Guillaume dans une lettre. Personne n'a pas pu me renseigner. Je parviens à aligner quelques mots d'anglais, un voisin m'a dit qu'il y avait eu des Français, dans cet immeuble crasseux, mais ils étaient partis. Un couple avec deux garçons.

— J'ai rencontré la femme, intervint Léa. Le lendemain de la disparition de Guillaume et d'Élisabeth. Elle n'était pas du tout aimable. Ces gens ont dû déménager, ou être expulsés.

— Il reste une solution, soupira Laroche. Les journaux ! Je vais faire publier une annonce, en promettant une récompense. Si quelqu'un a recueilli ma petite-fille, il se manifestera à mon hôtel.

— Mettez notre adresse aussi, conseilla Baptiste, enthousiasmé par l'idée.

L'atmosphère se détendit, malgré les différences sociales et l'anxiété qui rongeait le visiteur. Ils discutèrent encore une heure, animés d'un fragile espoir.

Mais Hugues Laroche dut rentrer en France avant Noël, à bord du paquebot *La Gascogne*. Personne ne s'était manifesté. Au milieu de la traversée, il erra sur le pont, un bouquet de luxueuses fleurs blanches artificielles, acheté sur l'avenue de Broadway. Il le lança dans l'océan houleux, en criant son amour à sa fille Catherine.

Dakota Building, samedi 18 décembre 1886

L'appartement somptueux des Woolworth, doté du chauffage central, possédait cependant une cheminée ornementale en marbre blanc, l'une des pièces maîtresses du salon où Maybel décorait un sapin en prévision de la fête de Noël. La jeune femme aimait faire allumer un feu, durant l'hiver, pour le plaisir de se prélasser en admirant la danse des flammes.

Il neigeait. Élisabeth, qui marchait depuis une semaine sans l'aide de béquilles, demeurait le nez à l'une des fenêtres, fascinée par le ruissellement des flocons duveteux.

— *It's beautiful*[1], s'extasia-t-elle en anglais.

Maybel courut vers l'enfant et l'embrassa, folle de joie. Les leçons qu'elle lui donnait portaient leurs fruits. Sa Lisbeth pourrait bientôt parler avec Edward et elle. Rieuse, elle agita à son oreille des grelots dorés, liés par un ruban rouge.

---

1. « C'est beau. »

— *You are my pretty doll, darling*[1], fredonna-t-elle.

Élisabeth se laissa cajoler. Elle ignorerait longtemps que sa bienfaitrice venait de brûler, alarmée, un journal où figurait une annonce, assortie d'une promesse de récompense, à ceux qui auraient des renseignements sur Élisabeth Duquesne, disparue dans la nuit du dimanche 7 novembre au lundi 8 novembre de cette année 1886.

Maybel en avait jeté plusieurs au feu, mais son mari en avait conservé un, dans son coffre-fort, en grand secret.

1. « Tu es ma jolie poupée, chérie. »

7
Lisbeth Woolworth

Dakota Building, mardi 22 décembre 1896, 9 heures du matin

Lisbeth achevait de décorer le sapin aux senteurs grisantes qu'on avait livré la veille. Cette année, la neige tardait à embellir les rues de New York. La cité tentaculaire ne cessait de croître et de nouveaux immeubles se dessinaient sur le ciel gris. Une boule en verre ornée de givre artificiel à la main, la jeune fille semblait songeuse.

Elle tentait de se souvenir du premier Noël chez Maybel et Edward Woolworth, dix ans auparavant, mais aucune image ne lui revenait en mémoire, seulement des sensations très vagues, comme le parfum du savon, l'eau chaude sur sa peau, et des sourires bienveillants.

— Bonnie, appela-t-elle. Bonnie !

La domestique accourut de la cuisine, les joues rouges, un large tablier noué à sa taille. Elle avait maintenant trente-deux ans, un début d'embonpoint, et elle demeurait célibataire, afin de ne pas perdre sa place. Ses gages avaient augmenté, depuis qu'elle était devenue gouvernante.

— Oui, mademoiselle ! Vous avez besoin de moi ? demanda-t-elle en arrangeant une mèche rousse échappée de son chignon.

Il n'était plus question de parler français. Lisbeth s'exprimait en anglais depuis longtemps. Bonnie l'admira sans retenue, car la fille adoptive de ses patrons étrennait une robe en velours bleu, au décolleté audacieux.

L'enfant perdue de Central Park était devenue une ravissante Américaine de la haute société, dont les yeux d'azur, la chevelure brune aux souples ondulations, le visage de madone comblaient de fierté Maybel et Edward.

— Je vous écoute, mademoiselle. Vous êtes très jolie ce matin.

— Nous recevons ce soir, *mom*[1] voulait que je sois à mon avantage, alors j'ai essayé cette nouvelle toilette. *Dad*[2] invite à dîner une de ses relations mondaines. Un avocat, Peter Ford.

— Ce nom-là ne m'dit rien. Et si vous aviez besoin de mon avis, soyez rassurée, vous êtes éblouissante.

— *Mom* m'a parlé de lui, la semaine dernière, je crois. Bonnie, je ne sais pas pourquoi, mais je songeais au premier hiver que j'ai passé ici. Je n'ai presque pas de souvenirs de cette époque mais, toi, tu étais déjà là. Si tu me racontais ?

— Pourquoi aujourd'hui, mademoiselle ?

— Pourquoi pas ? Je te l'ai dit, c'était plus fort que moi, je me posais des questions.

— Madame ne serait pas contente. Elle s'inquiète tant quand vous faites des mauvais rêves et que vous pleurez ensuite. Ce n'est pas bon de remuer le passé.

— Je t'en prie, Bonnie, juste quelques détails, implora Lisbeth en lui souriant de façon adorable.

— Alors venez dans la cuisine, sinon mes gâteaux seront trop cuits et je n'aurai rien à servir pour le thé et Madame sera déçue.

Elles s'installèrent autour du plan de travail, en bois clair, surmonté d'une plaque en zinc, encore parsemée de farine.

---

1. « Maman. »
2. « Papa. »

— Des détails, lesquels ? soupira la domestique. Je vous ai dit plusieurs fois, pourtant, que Monsieur et Madame vous avaient renversée, ramenée chez eux.

— Et j'avais la jambe gauche cassée, un choc à la tête, oui, ça, je le sais par cœur, mais qui étaient mes vrais parents ? Est-ce que je parlais d'eux, au début ? Bonnie, je vois des choses si étranges en rêve, certaines nuits.

— Vous étiez effrayée, très malheureuse, et vous avez dit que vos parents étaient morts tous les deux. N'y pensez plus. Vous avez vite aimé Madame et Monsieur.

— C'est normal, ils ont été si gentils, si tendres avec moi. Je me souviens d'une très belle poupée, blonde, bien habillée.

Bonnie se leva et prépara du café, son régal. Elle eut un léger rire mélancolique.

— Ah, la poupée, c'était le premier soir ici ! s'esclaffa-t-elle. Dès que je vous l'ai montrée, vous vous êtes calmée. Monsieur l'avait achetée pour votre cousine Pearl, et il lui a offerte en temps voulu. Bien sûr, Madame vous en a donné une plus belle encore.

Lisbeth traça la lettre P du bout des doigts, sur la farine qui jonchait le zinc. Elle éprouvait un malaise indéfinissable.

— Je suis désolée, Bonnie, je ne me sens pas bien, subitement. Je vais m'allonger un peu.

— Une preuve que j'avais raison, mademoiselle, ce n'est pas bon de regarder en arrière ! Vous êtes blanche à faire peur.

La jeune fille sortit de la pièce d'un pas hésitant. Elle se reprochait d'avoir interrogé la domestique, qu'elle chérissait et qui veillait sur son bien-être nuit et jour.

— Qu'est-ce que j'ai ? se demanda-t-elle tout bas.

Maybel et Edward Woolworth avaient souvent insisté sur un point : son histoire n'avait rien d'extraordinaire. Dieu leur refusait un enfant, ils s'étaient souciés du sort d'une orpheline qui errait, maigre et sale, dans Central

Park et qu'ils auraient pu tuer, en la percutant de plein fouet en calèche.

« Il n'y avait rien sur moi qui pouvait révéler mon identité, et sans eux, je serais partie dans l'Ouest, entassée dans un wagon de train parmi d'autres orphelins, se disait-elle, soulagée de s'enfermer dans sa chambre. J'ai eu tant de chance. »

Elle se jeta en travers de son lit, réconfortée par le cadre délicat choisi par Maybel. Les tissus fleuris, du chintz importé de Londres, composait l'essentiel du décor, des doubles rideaux à la tapisserie des sièges. Les murs, couverts d'un papier gaufré rose, s'accordaient aux boiseries peintes en beige. Des petits coussins ornés de volants, de dentelles et de galons jonchaient la courtepointe soyeuse. Sa cousine Pearl l'enviait, en serinant que son oncle Edward la gâtait beaucoup trop.

« Pearl se moque de moi, elle me surnomme la princesse du Dakota Building ! Poupée… princesse, le P encore. »

Le cœur serré, Lisbeth ferma les yeux. Le mot « princesse », qui était le même en anglais et en français, vrillait son esprit. Elle le connaissait depuis toujours. Soudain une voix oubliée résonna en elle, lui disant « ma princesse ».

— J'en ai assez, cria-t-elle, prête à sangloter.

Bonnie frappa peu après à sa porte et entra aussitôt. La domestique gérait à sa manière les crises nerveuses dont souffrait sa chère demoiselle. Elle en cachait même une bonne partie à Maybel Woolworth, pour éviter une énième visite du docteur John Foster, toujours un fidèle ami du négociant, et qui prônait l'utilisation du laudanum comme s'il s'agissait d'un remède universel.

— Là, là, calmez-vous, dit-elle en entrant sans hésiter. Vous étiez de joyeuse humeur, tout à l'heure, dans le salon.

Lisbeth se laissa caresser les cheveux, la joue. Bonnie sécha ses larmes du coin de son tablier.

— Pardonne-moi, murmura la jeune fille. Je manque d'air, je voudrais tellement aller patiner à Central Park, ou conduire la calèche et me promener jusqu'à la nuit.

— Mon Dieu, seule, ce serait inconvenant ! Monsieur vous accompagnera demain, lorsque votre cousine Pearl viendra.

— Je pourrais faire un tour dehors, Bonnie. Mes parents ne sont pas là pour déjeuner. Ils ne le sauront pas. On me répète que la ville est pleine de dangers, et Central Park serait un coupe-gorge, pourtant Pearl y va patiner avec ses amis. Je ne suis jamais allée dehors sans *mom* ou *dad*, gémit-elle. Sous prétexte que ma santé est fragile, j'ai eu des professeurs à domicile, sans pouvoir intégrer un lycée.

— Et vous ne vous en êtes jamais plainte, jusqu'à aujourd'hui. Quelle mouche vous pique, ma petite demoiselle ?

L'attitude de ses patrons avait intrigué Bonnie, les premières années suivant l'irruption de l'orpheline dans leur existence bien ordonnée. L'enfant était confinée à l'intérieur de l'appartement, alitée au moindre rhume ou si elle semblait fatiguée.

On lui avait fait prendre des leçons d'anglais et, plus tard, des enseignants qualifiés lui avaient donné des cours d'histoire, de sciences, de mathématiques et de littérature. Lisbeth jouait du piano, récitait des poésies avec talent, mais la domestique l'avait souvent comparée à une fleur de serre, d'une rare joliesse, privée cependant d'espace et de liberté.

— Vous pouvez me faire des confidences, je vous trahirai pas, insista-t-elle. Ce sont vos méchants rêves ?

— J'en fais moins qu'avant, Bonnie, mais il y en a un qui revient toujours. Je vois l'océan, l'eau est verte, ou grise, les vagues sont énormes, et j'ai peur, si peur. Je suis minuscule, et sûre que je vais couler et mourir noyée.

Bonnie sursauta, gênée. Lisbeth s'était exprimée en français.

— Oh, mademoiselle, on s'était promis d'arrêter, car Mme Maybel avait failli nous surprendre, l'été dernier.

— Il n'y a pas de risque, nous sommes seules. C'est ta faute, aussi, tu as continué à me parler dans ma langue natale, celle de ta maman, parce que cela te faisait plaisir.

— Mais si Monsieur découvrait notre secret, il me renverrait.

— Je l'en empêcherais, ma Bonnie. Je ne veux pas que tu partes.

— Vous êtes une très gentille fille, je me mettrai à votre service quand vous vous marierez.

Elles échangèrent un clin d'œil complice. Lisbeth, égayée, se leva brusquement. En un tour de main, elle se débarrassa de sa toilette neuve, dont le tissu crissait sous ses doigts. Effarée, la domestique la vit enfiler une jupe-culotte, des bottines et deux gilets de laine.

— Bonnie, prends ton manteau et tes chaussures. On va se promener, juste un petit tour. Nous avons le temps. Ce sera mon vrai cadeau de Noël.

Les beaux yeux bleus de Lisbeth étincelaient de joie anticipée. Un sourire malicieux éclairait son visage harmonieux, à l'ovale parfait.

— Juste un petit tour, alors. Et pas un mot à Madame.

— Bien sûr, jubila la jeune fille. Vite, vite, allons-y.

Maybel et Edward Woolworth ignoraient tout de ces courtes escapades qu'elles s'accordaient, comme de leurs conversations en français. Le couple aurait été très mécontent et Bonnie avait raison, elle serait sans nul doute congédiée. Mais jusqu'à présent, ils ne s'étaient aperçus de rien.

Château de Guerville, même jour, 3 heures de l'après-midi

Hugues Laroche, en dix ans, avait grisonné et pris du poids. Il accusait le chagrin et la colère sourde qui le rongeaient encore, en accablant son entourage d'une hargne tenace. Son épouse ne prêtait plus attention à ses vociférations. Plus jeune et le cœur plus tendre que lui, Adela se consacrait à des bonnes œuvres, afin d'expier ses torts envers Catherine.

Mes torts et les tiens, Hugues, ressassait-elle quand ils déjeunaient face à face, dans la grande salle à manger silencieuse. Je l'ai compris, grâce au soutien de notre curé, nous avons provoqué le départ de notre fille et de Guillaume, par notre dédain, notre intransigeance.

Laroche levait les yeux au ciel, la bouche pincée. Adela ne lâchait pas prise.

— La proposition mirobolante que tu as faite à notre gendre, le soir où ils dînaient chez nous, est arrivée trop tard. Il fallait y penser dès leur mariage.

Combien de fois Hugues Laroche avait-il entendu ces paroles au fil du temps, il n'aurait su le dire. Il rétorquait à chaque fois :

— Cesse de te torturer avec des « si » et des remords. Guillaume se rêvait aventurier, un conquérant du Nouveau Monde, il en a payé le prix fort. Assassiné au fond d'une ruelle quelques jours après le décès de Catherine.

— Peut-être que notre fille l'appelait de son paradis ! s'était écriée Adela. Ils s'aimaient tant, un sort cruel les a réunis.

— Foutaises ! avait hurlé son mari.

Pourtant, en cet hiver 1896, les tensions s'apaisaient sous les toitures séculaires du vieux château. Laroche avait acquis de nouvelles terres et les revenus que lui procuraient ses vignes et ses eaux-de-vie augmentaient de façon satisfaisante. Il montait à cheval chaque jour, un étalon gris très robuste, Galant, qu'il avait dressé lui-même.

— J'ai l'intention de me rendre à Rouillac, annonça-t-il ce jour-là, attablé devant les vestiges d'un copieux déjeuner. J'avais prévenu Justin ce matin, à l'office, il a déjà dû seller Galant. Ce garçon est vraiment un excellent palefrenier. Je ne remercierai jamais assez Madeleine de me l'avoir recommandé.

— Un jeune individu taciturne, arrivé d'on ne sait où, lui répliqua Adela. Et toi, mon pauvre ami, tu le prends sous ton aile, sans te méfier.

— Justin aime les chevaux, il sait les manier et les soigner, ce qui n'était pas le cas de Vincent, un jean-foutre.

— Je t'en prie, ne dis pas de mal d'un mort ! Notamment quand les gendarmes n'ont pas établi les circonstances de son décès.

— On ne devient pas meilleur quand on gît six pieds sous terre, ma chère femme, ironisa le châtelain. Vincent était une crapule, il a sûrement eu ce qu'il méritait.

Elle haussa les épaules, lasse de combattre la froideur de son époux. Mais il allait si souvent à Rouillac, le chef-lieu du canton, qu'elle commençait à le soupçonner d'être infidèle.

— Hugues, aurais-tu succombé aux charmes d'une jouvencelle, moyennant rétribution, évidemment ? lui assena-t-elle en le fixant d'un regard hautain. Je ne tiens pas à être la risée du pays. Sois honnête, tu t'absentes plusieurs fois par semaine.

Il faillit lâcher la tasse qu'il portait à ses lèvres. Puis il éclata d'un rire forcé, amer. Elle le toisa, irritée par la jalousie dont elle souffrait, plus par orgueil que par amour.

— Tu te fais des idées, trancha-t-il. Dieu m'est témoin, j'ai été un homme plus loyal que beaucoup d'autres. Il m'est arrivé de céder à certaines fantaisies, il y a fort longtemps, mais à mon âge, le démon de la chair ne me tourmente plus. Il faut me croire, Adela. La perte de notre fille m'a blessé si profondément que j'en suis hanté, comprends-tu, hanté !

Sa femme acquiesça d'un battement de paupières, puisqu'elle subissait la même torture, en dépit des années écoulées.

— Alors, que vas-tu faire à Rouillac, Hugues ?

— Je te l'ai caché pour ne pas raviver ta peine, ni te donner de faux espoirs. Il est grand temps que tu saches la vérité. En fait, je n'ai jamais abandonné mes recherches.

— Quelles recherches ? s'étonna-t-elle.

Laroche se voûta, une expression de pure détresse atténuant la dureté de ses traits.

— J'ai engagé un détective, pendant mon séjour à New York, pour retrouver Élisabeth.

— Un détective ? Comme le célèbre Vidocq[1] ?

— Exactement. Je refusais d'admettre la disparition de notre petite-fille. L'homme que j'ai contacté là-bas me promettait des résultats rapides. Il a déclaré forfait au bout de trois ans. Mais je ne pouvais pas renoncer, aussi je me suis adressé à un autre enquêteur, par le biais d'un ami parisien qui se rendait deux fois par an en Amérique. Élisabeth a pu survivre, Adela. Et si c'est le cas, je la ramènerai chez nous.

— Seigneur, si je me doutais, dit-elle dans un souffle. Hugues, je suis désolée, moi qui t'accusais.

Un bruit de pas dans le hall fit taire le couple. Justin, en bottes d'équitation, se tenait sur le seuil de la pièce. Vêtu d'un costume en velours brun, une casquette en tweed sur ses cheveux blonds, le jeune palefrenier salua respectueusement.

— Excusez-moi de vous déranger, s'écria-t-il d'une voix grave et douce, Galant s'impatiente, Monsieur. Si vous n'êtes pas prêt, je peux le monter un quart d'heure dans le parc, il sera échauffé.

— Faites, mon garçon, avant de vous engager, je négligeais votre fameux échauffement, susceptible de préparer les muscles du cheval à l'effort.

Hugues Laroche esquissa un de ses rares sourires. Justin, un éclat joyeux au fond de ses prunelles noires, s'inclina à nouveau et s'empressa de regagner les écuries.

---

1. Eugène-François Vidocq, ancien bagnard, illustre personnage du XIXe siècle, à l'origine des agences privées de « renseignement universel ».

Madeleine l'observa, de la fenêtre de l'office. Débarrassée de l'encombrant Vincent, la domestique, promue gouvernante, tissait sa toile.

Montignac-sur-Charente, même jour, 4 heures de l'après-midi

Dès le départ de son mari, Adela Laroche avait fait atteler son tilbury[1], tiré par une jument docile qu'elle menait elle-même. Emmitouflée d'une lourde cape en peau de renard, coiffée d'une toque à voilette qui dissimulait ses traits, elle se rendait à Montignac, profitant de l'absence de son mari.

Le froid était vif, une pluie fine noyait le paysage aux couleurs hivernales, où dominaient le gris des pierres, le brun des arbres dénudés, l'argent terne du fleuve qu'elle longeait.

« Tant pis si Hugues me reproche encore une fois d'être sortie sans l'avertir, songeait-elle. Si je l'écoutais, ce pauvre Antoine n'aurait jamais appris les circonstances du décès de son fils. »

Elle s'arrêta dans la grande cour d'un moulin. Les roues à aubes brassaient en grondant l'eau rapide d'un bras de la Charente. Tout de suite, un homme apparut sur le seuil d'un des bâtiments. C'était Jean Duquesne, un des frères de Guillaume. Il accourut, pour aider la visiteuse à descendre de la voiture.

— Je m'occupe de votre cheval, madame Adela, dit-il avec un bon sourire. Père se repose au coin du feu, il sera content de vous voir.

— Je vous remercie, Jean. Je ne resterai pas longtemps, la nuit tombe vite à cette période de l'année.

— S'il le faut, j'allumerai vos lanternes.

Adela s'éloigna en évitant les flaques qui jonchaient le sol. Elle avait patienté plusieurs semaines avant de se

1. Voiture hippomobile légère, à deux roues, qui porte le nom de son inventeur, Jaures Tilbury.

décider, après l'annonce du décès de Catherine, mais un matin, elle s'était rendue en secret chez le père de Guillaume, au moulin Duquesne.

Malade de regrets et de remords, elle souhaitait connaître la belle-famille de sa fille disparue, et pouvoir visiter la maison où elle vivait, dans le bourg de Montignac.

Le meunier l'avait reçue avec cordialité et s'était montré plein de compassion.

— Nous avons perdu nos enfants, madame, avait-il dit en lui étreignant la main sans se soucier d'une quelconque bienséance. Ce double deuil est cruel, il faut pourtant l'accepter comme la volonté divine et chérir le souvenir de ces jeunes êtres admirables que nous aimions tant.

Les frères de son gendre, Jean, le cadet, Pierre l'aîné, avaient été eux aussi aimables et chaleureux. Adela, avide de bonté, lasse des propos vengeurs de son époux, avait découvert un autre univers, tissé de tendresse et de foi.

Sans l'avouer à Hugues les premiers temps, elle avait pris la douce habitude de faire le trajet jusqu'à Montignac. Au fil de ses visites, de plus en plus nombreuses, la vraie personnalité de Catherine lui apparaissait.

— Votre fille était une beauté, disait le vieil Antoine, mais elle avait surtout une belle âme. Toujours simple, rieuse. Sa joie était de nous inviter tous les dimanches et de préparer un bon repas.

— Cathy venait souvent aider quand il y avait une grosse quantité de grain à moudre, racontait Pierre, le fils aîné, marié à Yvonne, une femme douce et discrète.

— Une fois, j'étais tombé du cerisier, parce que je lui cueillais les plus beaux fruits. Catherine m'a soigné, mais auparavant elle m'avait ramené chez elle sur son dos. Elle était courageuse, vaillante et d'une rare gentillesse.

Ces confidences ravivaient le chagrin d'Adela, tout en versant du baume sur les plaies de son cœur.

« Je comprends pourquoi ma fille était heureuse auprès des Duquesne, pensait-elle souvent sur le chemin du retour. Ces gens respirent la bonté, la sagesse. Seigneur, pardonnez-moi, j'ai été stupide et vaniteuse. »

Lorsque le châtelain avait su, renseigné par Madeleine, que son épouse allait régulièrement à Montignac, il avait tempêté, crié, se prétendant berné et trahi dans ses opinions.

— Tu t'acoquines avec ces paysans, Adela, eux qui nous ont volé notre fille ! Bon sang, que fabriques-tu là-bas ?

Adela avait fait la sourde oreille. Rien n'aurait pu la faire renoncer à l'amitié du meunier et de ses deux fils.

Là encore, elle éprouva un timide bonheur en se retrouvant dans la cuisine du corps de logis, une vaste pièce au plafond bas, noir de fumée, mais où se dressait une cheminée monumentale, en pierre du pays. Des tresses d'ail et d'oignon ornaient les poutres, une délicieuse odeur de pain chaud s'élevait d'un bahut sur lequel s'alignaient trois couronnes[1] à la croûte craquelée.

Antoine Duquesne fumait sa pipe, assis près de l'âtre dans un fauteuil paillé, en bois sombre.

— Madame Adela, quelle bonne surprise ! s'étonna-t-il. Vous ne venez jamais si tard.

— Je n'ai pas pu résister, j'aime le froid et la pluie, depuis que je me promène seule, grâce à mon tilbury, acquis sur mes propres deniers. Vous n'êtes pas malade, au moins. Jean m'a inquiétée, en me disant que vous vous reposiez.

— Non, mes rhumatismes me tracassent à cause de l'humidité. S'il se met à geler, je souffrirai moins.

— Je vous ai apporté des pots de miel et des gommes à l'anis, vous partagerez avec vos enfants et petits-enfants, répondit-elle en souriant. C'est dans la malle de

1. Gros pain rond en couronne, troué en son milieu pour pouvoir éventuellement les transporter sur un bâton, une spécialité charentaise.

la voiture, Jean les prendra quand je m'en irai. Antoine, mon ami, j'ai appris quelque chose aujourd'hui et je tenais à vous le dire.

Le sympathique visage du meunier s'éclaira un instant. Très croyant, il espérait que sa petite-fille Élisabeth était en vie, à l'instar de l'austère et riche Hugues Laroche.

— Hélas, non ! Je n'ai pas de grande nouvelle à vous annoncer, cependant je viens d'apprendre un fait troublant. Mon époux n'a pas renoncé à retrouver Élisabeth, il demeure en contact, par le biais du télégramme, avec un détective de New York.

— Un détective, rien que ça ! Mazette, depuis dix ans, votre mari a dû se ruiner, fit remarquer le meunier.

Il hocha la tête, soudain rêveur. Ses yeux très bleus, qu'il avait légués à Élisabcth, Adcla n'en doutait plus, contemplèrent un point invisible de l'espace.

— Notre jolie petiote, murmura-t-il. Ce serait déjà un miracle de la savoir saine et sauve. Bah, elle a dû nous oublier, si par chance de braves personnes l'ont recueillie.

— Certainement, déplora la visiteuse.

— J'en ai perdu le sommeil, à l'époque, de l'imaginer toute seule dans une grande ville étrangère, abandonnée à son sort. Seigneur, elle était si mignonne. Dès qu'elle a su parler, elle m'appelait « pépé Toine ». Je n'ai pas cessé de prier pour son salut.

— Elle devait se plaire ici, alors qu'au château, elle n'osait pas dirc dcux mots, confessa Adela. Puisse Dieu vous avoir entendu et exauce vos prières un jour ! Elle aurait eu seize ans au mois d'avril, et ma Catherine trente-neuf ans ce soir, à 19 heures. J'allume une bougie devant son portrait, à cette date. Mais où sont les garçons ? Je pensais pouvoir embrasser vos petits-fils, l'école est fermée pour les fêtes.

— Yvonne a passé une partie de l'après-midi au moulin, il fallait broyer du seigle. Elle a envoyé Gilles et Laurent chez leur grand-mère, qui loge sur la route de Vouharte.

Pierre entra au même instant. Il ressemblait tant à Guillaume qu'Adela eut un pincement au cœur. La même stature, les cheveux noirs, le teint hâlé, le regard clair, gris et or.

— Bonsoir, madame, dit-il en s'inclinant. Père, je vais livrer les pains à l'épicerie. As-tu besoin de tabac ?

— Non, mon garçon, j'ai ce qu'il me faut. Rejoins vite ta femme.

L'aîné des Duquesne emballa les couronnes dans un sac en toile de jute. Il mit une pèlerine à capuche et prit congé.

— Je dois partir bientôt, déplora Adela. Antoine, croyez-vous vraiment possible de retrouver Élisabeth ? Je m'accroche à cette idée, à cette espérance, pourtant certains jours, je préfère me résigner et la pleurer, car elle a pu mourir, n'est-ce pas ?

Elle pleurait. Le meunier quitta son fauteuil et s'approcha du banc où elle s'était assise.

— Ma chère dame, ne vous tourmentez pas outre mesure. Moi, j'ai enduré l'épreuve en me répétant que notre destin est écrit. J'étais malheureux, quand j'ai dit adieu à Guillaume, à sa Cathy et à ma petite-fille, mais je respectais leur choix, leur beau rêve. Moi aussi, je les ai beaucoup pleurés, et il m'arrive de les pleurer encore. Si Élisabeth a été épargnée, si nous en avons un jour la certitude, je me contenterai de ce cadeau du Ciel.

Adela leva la tête et adressa un sourire pathétique à cet homme de soixante-treize ans, aux traits paisibles, aux boucles couleur de neige, dont la bonté lui donnait envie d'être bonne également.

— Rentrez au château, dit-il d'un ton aimable, sinon je serai inquiet de vous savoir sur les chemins, à la nuit tombée.

— Vous avez raison, et j'aurai droit aux foudres de mon mari, comme à chaque fois qu'il me soupçonne d'être ici. Au revoir, mon ami.

Cinq minutes plus tard, avec comme viatique les signes de la main du vieil Antoine et de son cadet, Jean, toujours célibataire, Adela Laroche reprenait la direction du domaine de Guerville, en regrettant de tourner le dos au moulin, l'unique endroit où elle se sentait délivrée de toute amertume, de toute colère.

New York, Dakota Building, même jour, le soir

Maybel Woolworth, penchée sur Lisbeth, ne se lassait pas de toucher sa chevelure soyeuse, d'un brun brillant, dont les longues boucles naturelles la fascinaient. Assise devant sa coiffeuse en marqueterie, dotée de trois miroirs, la jeune fille fixait son propre reflet sans le voir vraiment. Elle se désintéressait, ce soir-là, de son nez fin, de sa bouche aux lèvres pleines, d'un rose intense, de ses pommettes hautes, et même de ses yeux d'un bleu très clair, au charme indéniable.

— Tu dois être très belle, ce soir, chuchota Maybel à son oreille.

— Pourquoi ai-je besoin d'être belle, *mom*? Qu'est-ce que vous complotez, *dad* et toi ?

— Rien, chérie ! Tu as trop d'imagination. Peter Ford nous a aidés dans une démarche très importante, puisqu'il est avocat, un excellent juriste. Edward est fier de te présenter, tu dois nous faire honneur.

— J'ai l'impression d'être un objet que l'on expose !

— Ne dis pas de sottises, une femme se doit d'être élégante et séduisante.

— Tu pourrais ajouter intelligente, *mom*! Une belle personne sans esprit ni instruction n'est pas forcément attrayante.

— Quel caractère ! Ne te plains pas, Lisbeth, tu réunis toutes ces qualités. Bon, finis de te préparer, je retourne au salon.

— Attends un peu, *mom*, je voudrais te poser une question.

— Je t'écoute, Lisbeth.

— Il ne s'est rien passé de particulier, le premier Noël ici ?

Perplexe, Maybel prit place au bord du lit. Elle semblait surprise.

— C'est étrange que tu me demandes ça, car j'y pensais ce matin, en me réveillant. Il y a dix ans environ, à la même époque, je décorais le sapin et toi tu étais éblouie par les guirlandes, les décorations. Mais le soir, tu as eu une forte fièvre, comme après l'accident. J'étais effrayée. Mon Dieu, tu es tombée malade et nous avons cru te perdre, Edward et moi.

— Qu'est-ce que j'avais ?

— Une méningite, d'après notre docteur. Il t'estimait en danger de mort. Je ne t'ai pas quittée, j'ai dormi près de toi pendant une semaine. Je n'ai jamais autant prié de ma vie. Tu as guéri et le matin où tu as repris conscience, tu m'as regardée et…

Elle se tut, bouleversée, les larmes aux yeux, puis reprit :

— Tu t'es blottie dans mes bras en m'appelant « maman », oui, maman, en français. C'était le plus beau jour de ma vie. Ensuite, nous avons été très heureux, avec Edward, tu étais notre merveilleuse petite fille.

— *Mom*, tu aurais dû me le raconter bien avant ce soir, lui reprocha Élisabeth en embrassant Maybel qui s'était levée pour l'étreindre de toutes ses forces.

— Je craignais de te perturber. Le médecin m'avait conseillé de ne plus parler de ton passé.

— Mais aujourd'hui, j'y ai songé, *mom*. J'ai même interrogé Bonnie, comme si je devais absolument retrouver des souvenirs de mon enfance, avant d'être là, chez vous, à New York.

Cet aveu murmuré ébranla l'allégresse de Maybel. Elle pâlit et se mordilla la lèvre inférieure.

— Je suppose qu'on ne peut pas lutter contre ce genre de choses. Edward le dit souvent, l'esprit humain est une machine extraordinaire, mais pleine de mystères. Nous en discuterons avec ton père. Ah, surtout mets ton collier de saphir, il te va à ravir.

— D'accord, *mom.* Je vous rejoins bientôt.

Une fois seule, la jeune fille ouvrit son coffret à bijoux. La perspective d'un interminable repas, en présence d'un parfait étranger, atténuait la délicieuse impression que lui avait laissée son escapade du matin.

— En quoi cet homme aurait-il aidé mes parents, se demanda-t-elle à mi-voix, intriguée.

Elle souleva du bout des doigts le collier de saphir, reçu en cadeau l'année précédente. Au moment d'ouvrir le fermoir en argent, elle aperçut le soldat de plomb, à moitié dissimulé sous un tour de cou en velours noir, orné d'un camée.

La vue de la figurine, aux couleurs en partie effacées, lui noua la gorge. Élisabeth la prit et l'observa.

— Un joueur de tambour, murmura-t-elle. Bonnie prétend que petite, je gardais ce jouet sous mon oreiller. J'y tenais beaucoup. D'où vient-il ?

Songeuse, elle chercha à se souvenir, mais ce fut en vain.

— Tant pis, se dit-elle à mi-voix.

Élisabeth esquissa un sourire, en évoquant sa promenade au bras de Bonnie. Elles étaient allées jusqu'à Central Park. L'herbe, les arbustes se paraient d'une fine couche de givre, le vent glacé avait un parfum de neige.

« Nous avons acheté des beignets, près du carrousel, et j'ai fait un tour sur les chevaux de bois, je riais de plaisir. »

Une onde de chaleur monta à ses joues, en songeant à un inconnu qui l'avait dévisagée d'un air ébloui, lorsqu'elle était descendue du grand manège. Un jeune homme d'une vingtaine d'années, à son idée, en costume gris et manteau d'astrakan noir, un chapeau sur ses cheveux d'ébène.

« Et il m'a saluée d'un signe de tête, son regard m'a donné des frissons, un regard brun doré, oui. »

Son cœur tout neuf avait battu d'une émotion insolite, dont elle ignorait la source. Mais à cause de son trouble, sans aucun doute évident, Bonnie avait décidé de rentrer immédiatement.

— Vous êtes trop innocente, mademoiselle, avait ronchonné la domestique. Vous seriez une proie facile pour un coureur de dot.

Les yeux fermés, elle laissa échapper un gros soupir de confusion, en serrant le soldat de plomb au creux de sa main, tant elle était nerveuse. Soudain un voile se déchira.

Des images lui revinrent, par fragments successifs. D'abord des rideaux blancs, puis une pièce sombre, une armoire colossale, dont les battants sculptés s'ouvraient et se refermaient. Le souffle court, elle se remémora une sensation de peur atroce, mais quelqu'un était venu la rassurer, d'une voix basse, très douce : « Tiens, un soldat de plomb, mon préféré, il joue du tambour. Il te protégera pendant le voyage, et si tu as encore peur, tu lui diras de m'appeler. Je viendrai te sauver. »

Tremblante, Élisabeth rouvrit les yeux, presque étonnée d'être dans sa belle chambre du Dakota Building. Elle avait eu la vision fugace d'un petit garçon blond, qui lui caressait la main à travers les barreaux d'un lit.

— Justin, il s'appelait Justin, maintenant je m'en souviens. Non, c'est impossible, peut-être que je me souviens juste d'un rêve. Oh, moi et mes rêves, mes cauchemars… J'en ai causé, du souci, à *mom* et *dad*.

Elle avait mal au cœur, éperdue d'incrédulité, de crainte aussi, confrontée à ce souvenir resurgi brusquement. Elle rangea le soldat de plomb dans le coffret, parmi les parures en or, en perle, en strass.

— Je ne veux plus rien savoir d'autre, gémit-elle comme si une menace invisible rôdait dans la pièce. Je suis une Woolworth, Lisbeth Woolworth.

Le visage durci, elle mit le collier de saphir et se précipita dans le couloir, afin d'aller jouer son rôle de jeune fille modèle auprès de l'avocat Peter Ford.

Le dîner s'achevait dans une bonne humeur de convenance. Edward avait abondamment parlé de ses spéculations en Bourse, Maybel s'était répandue en détails sur la fête qu'elle donnait pour le Nouvel An. On n'avait guère entendu Lisbeth Woolworth, qui s'était montrée distraite, approuvant d'un sourire les propos des uns et des autres.

— Vous avez été très silencieuse, mademoiselle, lui dit Peter Ford pendant qu'ils attendaient le dessert. C'est dommage.

— Je préfère me taire et écouter, monsieur, rétorqua Élisabeth, même quand les conversations ne sont guère intéressantes.

Edward, un peu ivre, éclata de rire, en prenant son épouse à témoin.

— Tu as entendu notre fille, Maybel ? Elle suggère habilement qu'elle s'est ennuyée ! Excuse-nous, Lisbeth, d'être aussi sérieux. Tu t'amuseras davantage lors du réveillon du Nouvel An, avec Pearl et ses cousins. Vous viendrez, n'est-ce pas, Peter ? Mon épouse donne une réception, nous serions ravis de vous compter parmi nos invités.

— Ce sera un plaisir, Edward. Je suppose que vous fêtez ce soir-là l'adoption officielle de mademoiselle ! hasarda celui-ci, égayé par l'excellent vin de Californie dont ils avaient abusé.

Un silence pesant suivit. Maybel lança un coup d'œil alarmé à son mari, qui foudroya du regard l'avocat.

— Oh, je suis navré, j'ai commis une erreur, se défendit-il. Veuillez me pardonner, Edward.

— Qu'est-ce que ça signifie ? interrogea Élisabeth, prise de panique. *Dad*, explique-moi.

— Demain, chérie, pas ce soir.

— Le jour de Noël, sois patiente, renchérit Maybel.

— J'ai bien entendu ce que disait M. Ford ! Vous ne m'avez pas adoptée, pas encore, c'est ça ! s'écria la jeune fille. Je n'ai pas envie de patienter pour comprendre. Si vous m'avez menti pendant des années, je préfère le savoir.

Terriblement embarrassé, Peter Ford lissa sa fine moustache déjà grisonnante.

— Il serait plus sage que je vous laisse en famille, déclara-t-il en se levant. Je suis vraiment désolé.

Bonnie approchait, portant d'un air orgueilleux un superbe pudding arrosé de rhum brûlant. Personne ne la félicita ni ne s'extasia devant son dessert. Elle le déposa au milieu de la table ronde, et attendit un peu.

— Reconduisez monsieur, Bonnie, ordonna Maybel.

— Oui, Madame.

Élisabeth fixait le gâteau sans le voir. Le couple, mortifié, restait muet, sans oser la regarder. Lorsqu'elle perçut le bruit de la porte principale qui se refermait, la jeune fille n'hésita plus :

— Nous sommes seuls, maintenant. Dites-moi la vérité. Vous ne m'avez pas adoptée, je ne m'appelle pas Woolworth ?

— Quelle importance, chérie, protesta faiblement Maybel. Ce ne sont que des paperasses. Nous t'aimons, tu es notre fille par le cœur.

— Tu portes mon nom, je tiens à toi comme si tu étais née de ma chair, Lisbeth, ajouta Edward d'un ton fervent. Tu dois me croire, nous allions te parler à Noël, avant de signer tous les trois ton acte officiel d'adoption, un cadeau que j'avais hâte de te faire.

— Vraiment ? Tu avais hâte, *dad* ! J'en doute, tu as mis dix ans à te décider.

— Je t'en prie, ne te fâche pas, chérie.

— Si, je suis furieuse et déçue, lui assena Élisabeth. Je me sens trahie, comprenez-vous ? Je croyais être une enfant légitimée, mais non, je ne suis rien. Je n'ai même pas de nom !

Submergée par le chagrin et la colère, elle quitta la table brusquement, en jetant sa serviette par terre d'un geste vif.

— Lisbeth, reviens ! ordonna Edward.

— Non, laisse-moi tranquille !

Élisabeth s'enferma à clef dans sa chambre. Le sang battait à ses tempes, elle avait la bouche sèche. Son petit monde bien ordonné s'écroulait. Suffisamment renseignée sur la fortune des Woolworth et ayant souvent entendu évoquer le sort cruel des orphelins de New York, elle tenta de se raisonner.

— Pourquoi m'ont-ils fait croire qu'ils m'avaient adoptée ? se demanda-t-elle tout bas. Au fond, je leur ai servi d'enfant, mais ils ne me considéraient pas comme leur fille.

Elle étouffa un sanglot. Au même instant, des sifflements s'élevèrent dehors, derrière sa fenêtre. Le vent du nord déferlait sur la ville. Les vitres tremblèrent. On aurait dit le somptueux édifice aux prises avec des monstres hurlant de rage.

« Une tempête, songea-t-elle. La première de l'hiver, il neigera cette nuit. »

La fureur des éléments troublait Élisabeth. Elle ne parvenait plus à réfléchir. Tout se mêlait dans son esprit survolté. Les hurlements du blizzard éveillèrent un écho en elle, d'un autre soir de tempête, longtemps auparavant.

— J'avais peur, tellement peur, mais… mais maman m'a consolée. Maman, Catherine, pas Maybel.

Une main sur son front, très pâle, elle s'abandonna à la folle ronde des images et des noms qui vrillaient subitement sa mémoire.

Une scène lui revint, fulgurante. Un homme au faciès sévère tapait sur une table, au milieu d'une pièce au décor suranné, composé de lambris en chêne sombre, de grands rideaux en velours, d'argenterie et de verres en cristal. Il hurlait et vociférait, comme le vent venu des terres gelées du Grand Nord.

— J'étais terrorisée, c'était mon grand-père, Hugues Laroche, prononça-t-elle tout bas. Il y avait un orage très violent.

Abasourdie, Élisabeth sentit ses jambes trembler. Son cœur cognait à grands coups dans sa poitrine. Elle s'allongea, les yeux fermés, à la fois avide et effrayée d'ouvrir les digues de son passé.

— Je me souviens, s'étonna-t-elle. Oui, et je les revois enfin, maman, papa, pépé Toine, oncle Pierre, tante Yvonne.

Des visions fugaces défilaient à l'abri de ses paupières closes : le château, les trophées de chasse sur les murs en pierre du grand hall, le moulin au bord du fleuve, le petit jardin de ses parents, les rosiers, les lilas.

— Maman, ses mains étaient si douces, mais elle est morte, papa est malheureux. Je l'entends pleurer la nuit. J'ai peur, j'ai mal, lui aussi il a eu mal. Oh, ces hommes qui le frappent. Ils l'ont tué. »

Un cri angoissé la ramena à la réalité. Elle reconnut la voix de Maybel qui l'appelait. Edward frappait à la porte en tournant vainement la poignée.

— Lisbeth, je dois t'expliquer ce qui s'est passé, disait-il. Nous n'avons pas osé t'adopter, par peur de te perdre. Quelqu'un te recherchait, Lisbeth, quelqu'un de ta véritable famille…

8
Résurgences

Dakota Building, mardi 22 décembre 1896, même soir

— Quelqu'un me cherchait, murmura Élisabeth, sidérée.

Elle se redressa pour crier :

— Qui ? Dites-moi son nom ?

— Laisse-nous entrer, d'abord, implora Maybel. Nous sommes très inquiets, chérie !

La jeune fille eut envie de se boucher les oreilles. Le terme affectueux de « chérie » l'exaspérait, et elle pensait ne plus jamais pouvoir appeler ses prétendus parents *dad* et *mom.*

Par défi, elle leur répondit en français :

— Je n'ai plus confiance en vous !

Il y eut un temps de silence, de l'autre côté de la porte, suivi de chuchotements. Élisabeth en profita pour se griser de tous les souvenirs qui lui revenaient.

— Aie pitié, insista Maybel. Pardonne-nous. Pourquoi as-tu parlé en français, Lisbeth ?

Edward perdit le contrôle de ses nerfs. Il donna des coups d'épaule contre le battant, mais il ne fit que l'ébranler.

— Aie au moins la politesse de nous écouter, ensuite tu feras à ton idée ! hurla-t-il.

La jeune fille céda à la curiosité et alla ouvrir. Forte des plus précieux éléments de son enfance passée, elle affronta d'un air digne, un peu hautain, les regards désespérés du couple.

— Alors, qui me cherchait? interrogea-t-elle froidement.

— Chérie, ne nous traite pas en coupables, nous n'avons rien fait de mal, s'insurgea Maybel. Viens dans le salon, près du feu. Ce serait idiot de discuter dans le couloir. Bonnie pourrait nous entendre, elle n'a pas besoin d'être au courant.

Le teint cramoisi, Edward dénoua son col de chemise. Il scrutait les traits ravissants d'Élisabeth d'un air soupçonneux, comme s'il hésitait à la reconnaître.

« Une inconnue, tout à coup, s'effraya-t-il. Seigneur, ça ne peut pas se terminer ainsi. »

Jamais il n'avait vu les yeux bleus de leur protégée aussi limpides, mais d'une transparence de glacier. Sa bouche rose esquissait une moue méprisante, les ailes de nacre de son petit nez frémissaient.

Elle les suivit sans desserrer les lèvres jusqu'au salon. Ils s'installèrent sur le sofa, Maybel et lui, mais Élisabeth prit place en face d'eux. Le sapin de Noël resplendissait, le jeu des flammes allumant des reflets dorés sur les guirlandes scintillantes, sur les boules de verre coloré.

— Tu es très en colère, Lisbeth, commença le négociant, je le conçois et je ne t'en veux pas. Mais je suis sincère, nous avons pensé agir dans ton intérêt, Maybel et moi.

Il se tut un instant, gêné. Pourtant il ne pouvait plus reculer, après des années à duper toutes leurs relations et leurs proches.

— Tu tiens à savoir qui te recherchait, c'était un homme, un Français, Hugues Laroche. Il avait fait paraître une annonce dans plusieurs journaux new-yorkais. Il promettait une importante récompense à qui lui fournirait des renseignements sur sa petite-fille Élisabeth Duquesne. Il était écrit que l'enfant avait disparu le soir du dimanche 7 novembre, après l'agression de son père, Guillaume

Duquesne, compagnon charpentier. Une enfant de six ans, brune aux yeux bleus.

— Duquesne, oui, bien sûr, articula péniblement Élisabeth, la gorge nouée.

C'était le nom de son vrai père, une des pièces du puzzle qui lui manquait. Elle respira plus vite, bouleversée par les mots « compagnon charpentier ».

— Tout correspondait, ajouta Maybel, des sanglots dans la voix. Quand tu as pu parler à Bonnie, le lendemain de l'accident, tu lui as dit qu'on avait fait du mal à ton papa. Alors j'ai pris peur. Tu avais été très malade, cet hiver-là, je te l'ai raconté tout à l'heure. J'ai supplié Edward de ne pas rencontrer cet homme.

— Et je lui ai cédé, Lisbeth, après bien des querelles, car je n'avais pas la conscience tranquille.

Le négociant s'accorda une courte pause. Il reprit, en fixant le feu :

— Je t'aimais tant, déjà, moi aussi.

— Ne nous en veux pas, chérie, insista Maybel. J'étais affolée, tu commençais à t'habituer à nous, tu souriais, tu jouais, tu apprenais notre langue. Autant te l'avouer, j'ai brûlé ces maudits journaux les uns après les autres.

Edward Woolworth approuva d'un signe de tête, mais à la surprise de son épouse, il précisa :

— J'en ai gardé un dans mon coffre-fort, un exemplaire du *New York Times.* Si tu désires le voir, Lisbeth, je peux te le montrer.

— Pas maintenant, ça ne servirait à rien, rétorqua-t-elle. Je me souviens de mon grand-père, du côté de maman, Hugues Laroche. Je devrais remercier Peter Ford : grâce à sa bévue, j'ai retrouvé la mémoire, sûrement sous l'effet du choc reçu ! Mais comment avez-vous osé faire une chose pareille ? Mon grand-père avait fait le voyage depuis la France pour me rechercher, et il a dû repartir, me croyant morte !

Maybel avala une gorgée du verre de whisky qu'elle s'était servi. Elle tremblait nerveusement.

— Et si lui, Hugues Laroche, savait ce qui était arrivé à papa ? Peut-être venait-il à New York pour l'aider ? J'étais si petite quand j'ai vu cette scène épouvantable ! J'ai dû m'enfuir, mais mon père a pu survivre et me chercher lui aussi !

— Pitié, calme-toi, chérie, déplora Edward. Je suis allé à l'hôtel *Chelsea*, dans Manhattan, où séjournait ton grand-père. Il avait donné cette adresse pour le contacter. C'était deux jours après les premières parutions de l'annonce. Je souhaitais observer cet étranger, sans me présenter. Un groom me l'a désigné. L'aspect de Laroche m'a déplu, il avait des traits durs, des yeux sournois. Je ne pouvais pas me résoudre à te confier à lui, toi si douce, si innocente. J'ai tourné les talons, ma décision était prise.

Woolworth se tut. Il se tordait les mains, la mine coupable. Maybel le considéra avec tendresse.

— Lisbeth, je suis la plus fautive, confessa-t-elle. J'ai lutté contre Edward durant des semaines. Il avait choisi de te garder ici, mais des remords l'accablaient. Il pensait avoir mal agi, très mal agi même, je le rassurais en affirmant que tu étais heureuse chez nous, et que tu nous rendais heureux. Mais nous vivions dans la peur de ce Français lancé sur tes traces. Il avait pu rester à New York ! Nous sortions en calèche, uniquement, et j'avais soin de dissimuler tes cheveux sous une capuche l'hiver et un chapeau de paille l'été. Les années se sont écoulées ainsi, chérie.

Élisabeth comprit enfin pourquoi on la confinait le plus souvent à l'intérieur du Dakota Building. Les excuses avancées par Maybel ne faisaient que l'indigner davantage et aiguiser sa colère.

— Vous n'aviez pas le droit de vous conduire ainsi, s'insurgea-t-elle. Il fallait rencontrer mon grand-père, lui dire que j'étais vivante. Peut-être qu'il m'intimidait, quand j'étais enfant, mais il m'aurait ramenée en France ! Là-bas, j'avais un autre grand-père, mon « pépé Toine » que j'adorais. J'ai revu son visage, son regard si doux, et ma maison au bord du fleuve. Je ne vous pardonnerai jamais, jamais ! Le pire, pour moi, ce serait d'apprendre un jour ou l'autre que papa avait été hospitalisé, après son agression, et qu'il espérait me retrouver. Est-ce que vous pouvez imaginer sa douleur, son chagrin ? Il n'avait plus que moi !

— Ne te monte pas la tête, Lisbeth, protesta Edward. Je me suis renseigné, à l'époque. Le corps de ton père aurait été repêché dans l'Hudson.

Élisabeth poussa une courte plainte horrifiée. Elle se sentait plus proche désormais de sa véritable famille, les dix ans vécus chez les Woolworth lui semblant une triste mascarade.

— Comment serais-je sûre que c'était bien lui? s'exclama-t-elle d'un ton amer. Vous vouliez absolument me garder, ça devait vous arranger de croire que mon père était mort. Je souffre le martyre, ce soir, à cause de vous, oui, vous qui m'avez quasiment volée, cachée, enfermée.

Elle se tut un instant avant d'ajouter dans un souffle :

— J'étais un jouet, rien d'autre.

L'accusation frappa de stupeur le couple, durement éprouvé par la fureur véhémente d'Élisabeth.

— Non, non, tu exagères, sanglota Maybel. Nous avons eu tort, mais tu étais notre petite fille, pas un jouet !

— Tu es très dure envers nous, soupira Edward en étreignant la main de son épouse pour la réconforter. Tu as raison, Lisbeth, nous t'avons en quelque sorte enlevée aux tiens, au mépris des lois. Cependant, réfléchis un peu, aurais-tu été aussi heureuse en France, privée de tes parents? Nous t'avons choyée, protégée, et par amour, entends-tu, par amour ! Tu juges notre conduite sévèrement, car tu es apte à le faire, au seuil de l'âge adulte, mais à six ans, aurais-tu réagi de la même manière ?

L'argument porta. Élisabeth eut la loyauté d'envisager avec lucidité sa situation de jadis.

« Est-ce que je me serais jetée au cou de mon grand-père, j'en doute. J'étais une enfant, et Maybel m'offrait tant d'affection, de tendresse, j'aurais été très triste de la quitter. »

Malgré sa rancœur, elle dut admettre qu'Edward avait visé juste. Il la sentit fléchir et ajouta :

— Nous avions décidé de tout te dire, le jour de Noël. Peter Ford devait me confier des documents officiels, après le dîner de ce soir. J'étais loin d'imaginer une réaction aussi violente de ta part. Tu nous lances des regards méprisants, comme si tu ne nous avais jamais aimés, ni appelé *mom* et *dad* ! Je ne sais plus quoi penser.

— Moi non plus, répliqua Élisabeth, en apparence très calme. Mais j'ai l'intention d'écrire à mes grands-parents, en France, au château de Guerville, ce nom m'est revenu aussi, comme tant d'autres choses. Ma famille a le droit de savoir que je suis en vie, et me donner des nouvelles de tous ceux que j'aimais, petite fille.

Ces derniers mots lui poignèrent le cœur. Elle songea au vieux meunier, son pépé Toine, à ses cheveux de neige, à sa démarche claudicante, les jours de pluie. Il avait pu mourir, lui aussi.

— Le château de Guerville, s'étonna Maybel en reniflant, un mouchoir blanc sur son nez. Hugues Laroche était donc riche ?

— De toute évidence, chérie, trancha Edward. Il logeait à l'hôtel *Chelsea*, un des plus luxueux de Manhattan.

— Oui, bien sûr, et il promettait une forte somme, je suis sotte, j'avais oublié, se reprocha sa femme. Lisbeth, je t'en prie, fais-moi un sourire, ou dis que tu me pardonnes. Je suis bien plus coupable que ton père. J'étais désespérée à la seule idée de te perdre, il faut me croire.

— Je te crois, mais je suis incapable de vous pardonner. Il me faudra du temps, si je reste ici.

Élisabeth les quitta sur ces mots lourds d'une intolérable menace. Ils la virent sortir du salon la tête haute, superbe dans sa robe de velours bleu, ses longs cheveux d'un brun soyeux ornant ses épaules rondes.

— Nous l'avons perdue, se lamenta Maybel.

Bonnie avait le sommeil léger. Un bruit de pas dans le couloir la réveilla en sursaut. Elle alluma sa lampe de chevet et regarda la pendulette qui trônait sur sa commode en acajou. Il était 3 heures du matin.

« C'est Mlle Lisbeth, j'en suis sûre », se dit-elle.

La domestique enfila ses chaussons. Vêtue d'une longue et large chemise de nuit, un bonnet en calicot blanc ourlé d'une fine dentelle sur la tête, elle s'aventura hors de sa chambre. Tout de suite, elle perçut un murmure plaintif, en provenance de la cuisine.

Elle ne se trompait pas. Élisabeth était assise sur un tabouret, un verre d'eau entre les doigts. Des frissons l'agitaient.

— Vous avez pleuré, mademoiselle. Encore un cauchemar ?

— Non, ce n'est pas ça. Je suis désolée si je t'ai réveillée. Je ne pouvais pas dormir, j'étais trop agitée. La mémoire m'est revenue ce soir, Bonnie, après le départ de Peter Ford.

— Il y a eu du remue-ménage, n'est-ce pas, je t'ai entendue crier, comme jamais tu n'avais crié.

— J'étais furieuse ! Veux-tu savoir pourquoi, ma Bonnie ? *Mom* prétendait que tu n'avais pas besoin d'être au courant, je pense le contraire. Alors, écoute…

Élisabeth libéra le flot de rancœur et d'incrédulité qui la tenait dans un état d'exaspération, de rage impuissante, et ce depuis des heures. En découvrant les manigances de ses patrons, Bonnie fut indignée.

— Seigneur, ce ne sont pas des manières de faire, ronchonna-t-elle. Je me posais des questions, les premiers mois de votre arrivée chez Monsieur et Madame. Tenez, je vous donne un exemple. Je tiquais, moi, quand ils racontaient à leur famille que vous étiez une lointaine petite-cousine qu'ils prenaient en charge, du côté de Madame, bien sûr, car personne ne pouvait vérifier.

— Pourquoi ?

— Mme Maybel a perdu ses parents très jeunes, un de ses oncles s'était établi en Arizona, vous seriez venue de là-bas.

— Ah oui, ça, je le savais, Bonnie. Ils m'avaient dit que c'était mieux d'expliquer ma présence chez eux de cette façon. Je devais avoir sept ans et je parlais déjà anglais. Je m'en moquais, je me sentais en sécurité près d'eux, comme un oiseau dans un beau nid bien confortable. Mais c'était plutôt une cage joliment dorée.

La domestique poussa un gros soupir irrité. Elle se leva et prépara du chocolat chaud.

— On a besoin de réconfort, mademoiselle. J'en ai gros sur le cœur, maintenant. Si j'avais su que votre grand-père avait passé une annonce, il y a dix ans, je serais allée le voir, moi, parce qu'un enfant, on n'a pas le droit de le séparer de sa famille, quand il en a une disposée à l'élever, à l'aimer. Voulez-vous mon idée ? Ce M. Laroche, votre grand-père, peut-être qu'il vous a fait peur, le soir de l'orage, au château, mais il vous aurait choyée et adorée autant que mes patrons. Il avait perdu sa fille unique, vous auriez été sa consolation.

— Peut-être, peut-être pas, répondit Élisabeth. Ma grand-mère Adela Laroche était très sévère.

Elle était épuisée par une tension nerveuse anormale. Bonnie lui servit un bol fumant d'où s'élevait une suave odeur de lait et de cacao sucré.

— Tu es la seule en qui j'aie confiance, ma Bonnie, avoua la jeune fille. Je voudrais que tu aies vu mes vrais parents comme ils me sont apparus, en esprit, jeunes et beaux. Papa avait les cheveux noirs, les yeux gris et or, maman, qu'il surnommait Cathy, était blonde, avec un teint de pêche, un regard bleu-vert, comme les turquoises, un sourire merveilleux. Je me suis rappelé aussi comment elle est morte pendant le voyage. Maman a eu son bébé avant le terme, elle avait perdu beaucoup de sang. Je l'ai appris en écoutant Colette, notre voisine dans le dortoir du bateau, qui croyait que je dormais, mais non, je faisais semblant. Ils ont jeté son corps dans l'océan, celui du bébé aussi.

— Vous ne m'avez jamais parlé de Colette, mademoiselle.

— J'avais oublié, mais je te répète, je me souviens de tout. Je ne l'aimais pas, cette femme, elle a volé mon collier, la médaille de baptême de maman. Papa m'a grondé, il croyait que je l'avais perdue. Si tu savais à quel point tout ce que je revois est précis, j'ai l'impression de voyager dans le temps.

Elle retenait avec peine des larmes d'exaspération, confrontée à un terrible dilemme.

— Allons, ne pleurez plus. Demain, vous ferez une belle lettre à votre famille française, et si vous décidez de partir, je vous suivrai, même sans gages. J'ai des économies.

— Merci, Bonnie, tu es un ange ! Mais j'ignore ce que je veux vraiment. J'ai grandi ici, à New York, je m'y sens bien. Ce matin, quand nous nous sommes promenées, j'étais folle de joie, je voudrais recommencer, visiter tout Central Park avec toi. Et pour être franche, j'aime toujours *dad* et *mom*, même si je ne parviens plus à les appeler ainsi.

La domestique attira Élisabeth sur sa poitrine dodue, en lui tapotant le dos. La jeune fille finit par s'apaiser, nichée contre ce brave cœur qui lui était acquis à jamais.

Dakota Building, le lendemain matin

Maybel et Edward Woolworth prenaient leur petit déjeuner dans le salon, sur un guéridon, sans accorder un regard au grand sapin décoré, ni au feu dans la cheminée. Ils n'appréciaient plus rien de leur quotidien, d'habitude si agréable. Il avait neigé pendant la nuit, ce qui les aurait naguère enchantés. Des fenêtres, ils se seraient extasiés avec leur Lisbeth sur les arbres de Central Park, nappés de blanc, tout en suivant un court moment les évolutions des patineurs sur le lac gelé.

— Quel gâchis ! déplora Maybel. Nous devrions être tous les trois, ce matin, en train de choisir le menu du réveillon, après la messe de minuit.

— Nous n'irons pas suivre l'office à la cathédrale Saint-Patrick[1] cette année, je le crains, chérie.

Les Woolworth étaient de confession catholique et se disaient bons chrétiens, cependant ils avaient tenu Élisabeth éloignée des services religieux, sauf la veille de Noël, où ils se sentaient à l'abri au milieu de la foule des croyants.

— Que fait Lisbeth, va-t-elle rester enfermée dans sa chambre toute la journée ? se plaignit encore Maybel.

— Laisse-lui du temps, recommanda son mari. Elle a besoin de réfléchir. Nous l'avons déçue, elle ne décolérera pas si vite. Je suis moins anxieux que toi, j'ai la conviction qu'elle nous aime et se raisonnera. Nous avons des torts, certes, mais ces dix années de bonheur partagé pèseront sur la balance. Ah ! La voilà…

Ils se raidirent, comme des accusés à l'entrée du juge. Les pas d'Élisabeth leur semblèrent néanmoins légers, et ils reprirent espoir. Le couple fut dépité en comprenant qu'elle allait tout droit à la cuisine.

— Je sonne Bonnie, s'enflamma Maybel. Il est hors de question que notre fille préfère la compagnie de notre domestique.

— Ne fais rien, sinon tu achèveras de la dégoûter de nous, répliqua tout bas Edward.

— Je voudrais que tout redevienne comme avant, gémit-elle. C'est l'heure si douce où je l'accueille avec des baisers, des câlins et où nous bavardons. Je maudis ton avocat, et je t'interdis de lui verser ses honoraires, il a commis une erreur intolérable.

— Lisbeth aurait sans doute réagi de la même façon demain, Maybel, et à quoi bon te tourmenter, le mal est fait.

— Non, cela aurait été différent, car nous lui aurions parlé les premiers, en la ménageant. Oh, je suis si triste…

---

1. L'édifice de style néogothique a été construit entre 1853 et 1878, à Manhattan. C'est la principale église de l'archidiocèse de New York.

Elle se tut, aux aguets. Élisabeth entrait dans le salon, une feuille de papier à la main.

— Bonjour, chérie, s'écria Edward.

— Bonjour, dit-elle, ayant retenu in extremis le *dad* familier qui lui venait naturellement aux lèvres.

— Lisbeth, appela Maybel, hors d'elle. Tu peux nous haïr, mais ne sois pas aussi froide. Accorde-nous un sourire.

L'état lamentable de celle qui lui avait servi de mère ébranla la détermination d'Élisabeth. Elle évita son regard affolé afin de ne pas fléchir.

— J'ai écrit à mon grand-père Hugues, leur annonça-t-elle. Je tenais à avoir l'avis de Bonnie avant le vôtre.

— Et pourquoi ? hurla Maybel.

— Je lui fais confiance et elle sait la vérité, décréta la jeune fille. Bonnie croyait que vous m'aviez adoptée depuis longtemps et elle vous désapprouve. Si je m'en vais, elle me suivra.

Edward, à bout de patience, s'emporta, outré par l'air insolent d'Élisabeth.

— Si tu t'en vas, ironisa-t-il. Et avec quel argent ? Me penses-tu assez inconséquent pour te permettre de prendre le premier bateau en partance vers la France ? Adoptée ou non, tu es ma fille, disons que je te considère comme telle. Donne-moi cette lettre, tu ne l'enverras pas tant que je ne l'aurai pas lue.

— Je l'ai écrite en français, tu n'y comprendras rien !

— En français ! s'égosilla Maybel. Tu prétendais avoir oublié ta langue natale !

— C'était faux, rétorqua Élisabeth. Vous m'avez menti pendant des années, eh bien, moi aussi. Je m'en félicite aujourd'hui.

D'un geste vif, elle replia la feuille en quatre et la plaqua contre elle. Edward Woolworth n'osa pas insister, devant son expression farouche.

— Seigneur, comment en sommes-nous arrivés là, maugréa-t-il. Agis à ton idée, Lisbeth, mais je tiens à te protéger encore. Si tu désires retourner dans ta famille, je t'aiderai. Nous aviserons quand tu auras reçu une réponse. Promets-moi de ne pas faire de folie en attendant.

— Je n'en ferai pas, tu as ma parole, seulement je refuse d'être enfermée ici, je veux sortir, escortée par Bonnie, me promener dans Central Park, patiner, m'amuser.

— Mais oui, tu es libre désormais, si tu te montres prudente, concéda-t-il.

Élisabeth lui tourna le dos, émue malgré elle par les sanglots convulsifs de Maybel. Elle résista à l'envie de la consoler, car en dépit de sa colère, elle demeurait tendre et charitable.

« Ma lettre arrivera au château de Guerville dans deux ou trois semaines, songea-t-elle. J'aurai une réponse à la mi-février. Mon Dieu, comme c'est long. »

Son imagination s'emballait. On lui apprendrait peut-être que son père avait survécu et qu'il était rentré à Montignac. Fébrile, elle courut jusqu'à sa chambre. Là, elle s'empara du soldat de plomb niché parmi ses bijoux et le serra de toutes ses forces.

— Et Justin, vit-il encore au château ? s'interrogea-t-elle à mi-voix. J'irai en France, même si j'ai appris de tristes nouvelles. C'est mon pays, il y aura bien quelqu'un pour m'accueillir.

Elle rêva plus d'une heure d'un voyage au bras de Bonnie, d'un retour idyllique. Enfin, revenue à la réalité, elle s'habilla en prévision d'une longue balade dans les allées de Central Park.

Central Park, même jour, fin de matinée

L'immense parc, blanc de neige, était un enchantement pour le regard azur d'Élisabeth, chaussée des patins à glace qu'elle avait loués. Assise sur un banc au bord du lac gelé, elle respirait avec délice l'air froid.

— Soyez prudente, mademoiselle, vous êtes une novice, lui dit Bonnie d'un air soucieux. Et encore, vous n'avez jamais patiné.

— Il faut un début à tout, ça ne semble pas très difficile, répliqua la jeune fille, exaltée. Et tu fais erreur, j'ai déjà essayé, chaque hiver où *dad* nous emmenait à la montagne.

Elle esquissa une grimace de perplexité, parce que le terme affectueux, le « papa » en anglais, lui avait échappé.

— Vous vous tracassez pour un détail, mademoiselle, fit remarquer Bonnie. Tant que vous habitez avec M. et Mme Woolworth, vous pouvez continuer à les appeler comme ça. Ils vous ont servi de parents. Je ne les excuse pas pour leurs mensonges, mais ils vous aiment sincèrement.

— Je le sais bien, hélas !

Sur ces mots, Élisabeth tapota du bout des doigts la jupe-culotte en tweed qui dévoilait ses chevilles gainées de bas de laine. Maybel lui avait acheté la tenue adéquate au début de l'automne, en prévision d'un éventuel séjour dans leur chalet des Rocheuses, où ils se rendaient en train.

— J'y vais, Bonnie, n'aie pas peur, je suis tellement contente d'être là, avec toi. J'ai cru apercevoir ma cousine Pearl, elle m'aidera à progresser.

— Pearl ? Je ne la vois pas du tout, mademoiselle !

Élisabeth, sans lui répondre, emprunta le passage, bordé de barrières en bois, qui donnait accès à la patinoire. Elle avait hâte de s'élancer, de glisser le plus vite possible, en se grisant de la beauté des arbres sous leur parure immaculée, du ciel d'un gris perle. Des cris et des éclats de rire retentissaient d'un bout à l'autre du lac, comme un hymne à la jeunesse, à la liberté.

— Faites attention, lui recommanda encore Bonnie, vraiment soucieuse.

La gouvernante pensait à la mine défaite de sa patronne, quand Élisabeth avait longé le couloir du vaste appartement, habillée chaudement, une toque de fourrure sur sa chevelure réunie en une seule natte, sa taille fine marquée par une veste cintrée, en velours côtelé. Un bref et pénible dialogue avait eu lieu, dont le souvenir gênait Bonnie.

— Chérie, si tu croises ta cousine Pearl, je t'en supplie, ne lui dis rien, avait imploré Maybel. Tu seras là pour le déjeuner ?

— Sois sans crainte, je ne tiens pas à crier sur tous les toits que j'ai été dupée, humiliée, avait répondu durement Élisabeth. Et nous mangerons sur place, Bonnie et moi, il y a un chalet où l'on vend des frites et des sandwiches, Pearl m'en a souvent parlé.

Maybel s'était retirée dans sa chambre, un masque tragique sur le visage. En employée consciencieuse, Bonnie s'inquiétait à présent du sort de sa patronne.

« Monsieur est parti à ses bureaux, Madame sera toute seule, et je n'ai rien préparé, se disait-elle. Quelle histoire... »

Élisabeth, désireuse d'oublier un peu l'histoire en question, avançait doucement sur la glace, les bras écartés pour garder son équilibre. De jeunes experts en glissade la dépassaient, dans un crissement ténu, d'autres l'évitaient au dernier moment, en la saluant d'un sourire.

Elle commença à prendre de la vitesse, les joues rosies par la morsure du vent. Au premier virage qu'elle tenta d'effectuer, ce fut la chute. Sur la berge, Bonnie étouffa une exclamation, mais elle reconnut Pearl Woolworth qui arrivait vers sa cousine avec une aisance extraordinaire.

La nièce d'Edward, âgée de dix-huit ans, arborait des boucles cuivrées sous un béret en velours vert, assorti à un ensemble très élégant, une ample jupe froncée et une redingote.

— Lisbeth, c'est bien toi ! Je n'en croyais pas mes yeux ! s'écria-t-elle en l'aidant à se relever. Tu as pu échapper à mon oncle et à tante Maybel ? Non, je suis sûre qu'ils ne sont pas loin, pour veiller sur leur princesse.

— Ne m'appelle pas ainsi, Pearl, ça m'agace ! Je sortirai autant que je le désire, désormais.

— Enfin, il était temps ! Sous la garde de Bonnie, n'est-ce pas ? Moi aussi notre gouvernante m'accompagne partout, mais pas sur la patinoire. Viens, donne-moi la main.

Pearl Woolworth était vive, mince et gracieuse, cependant beaucoup moins jolie que Lisbeth. Elle palliait cette injustice de la nature par une audace pleine de charme, un sourire éblouissant qui faisaient rapidement oublier son nez aquilin, son petit front et des mâchoires trop carrées.

— Nous allons trop vite, s'effara Élisabeth, entraînée au milieu du lac à la suite de Pearl, qui lui broyait les doigts pour mieux la guider.

— Tu es tombée parce que tu hésitais à accélérer, rétorqua-t-elle. Attention, on tourne et je te lâche.

— Non, non !

Pearl éclata de rire et mit sa menace à exécution. Élisabeth fonça droit devant elle, en riant aussi, malgré son appréhension. Soudain un patineur lui barra le passage, après avoir effectué une pirouette. Elle le heurta de plein fouet, mais il l'attrapa par la taille d'un bras ferme, l'empêchant de tomber à nouveau.

— Pardon, mademoiselle, je suis désolé, dit-il aussitôt d'une voix grave, comme veloutée.

— Je suis la seule fautive, monsieur, je débute ! Si vous pouviez me lâcher, maintenant. Je devrais réussir à tenir debout.

Il obtempéra en la dévisageant. Élisabeth le regarda mieux. Son cœur s'affola. C'était le jeune homme qu'elle avait déjà croisé la veille, après son tour de carrousel.

— Si vous me le permettez, ajouta-t-il, je peux vous guider et vous donner quelques conseils, mais je ne vous abandonnerai pas comme vient de le faire Mlle Pearl Woolworth.

— Oh, vous la connaissez ? s'étonna-t-elle. C'est ma cousine, du côté de mon père.

— Vraiment ? Dans ce cas, pourquoi ne vous ai-je jamais vue ici, excepté hier matin ? Mais je ne me suis pas présenté, Richard Stenton, et très heureux de vous rencontrer à nouveau, par le plus grand des hasards.

Il tendit la main à Élisabeth, subjuguée. Richard la fixait de ses yeux couleur d'ambre. Elle le trouva d'une beauté unique, avec ses courts cheveux noirs, ses traits harmonieux, et ses dents éclatantes de blancheur. La veille encore, elle aurait songé que c'était inconvenant de suivre un inconnu sur le lac gelé. Tout avait changé. Elle n'était plus une Woolworth, même si elle venait de le prétendre, mais une Duquesne, née en France.

— Tant pis si ce n'est pas convenable, déclara-t-elle en souriant malicieusement. J'ai l'intention de patiner chaque jour, autant me perfectionner.

— Alors, en piste, plaisanta Richard Stenton. Ayez confiance.

Élisabeth frémit, ramenée aux pensées amères qui la hantaient depuis qu'elle se remémorait l'époque de ses six ans avec une précision presque anormale. On l'avait trahie, aussi le terme « confiance » résonnait douloureusement en elle.

Son proche avenir lui semblait promis à d'autres chagrins, car son cœur serait forcément brisé, elle le savait, quand elle devrait choisir entre les Woolworth et sa famille française. Il lui serait difficile de rester sur sa position belliqueuse, envers Maybel et Edward, leur évidente détresse l'apitoyant déjà.

— Vous êtes distraite, mademoiselle, lui reprocha gentiment le patineur. Le sport nécessite de la concentration. Auriez-vous des soucis ? Je ne peux pas le croire, vous êtes si jeune, si charmante, et sûrement à l'abri du besoin, étant une proche parente de Pearl Woolworth.

— Il y a des soucis sans rapport avec l'âge, l'apparence ou la fortune, monsieur ! répliqua-t-elle. Seriez-vous un ami de ma cousine ?

— Une simple relation mondaine, dit-il en lui serrant un peu plus les doigts.

Une émotion insolite fit tressaillir Élisabeth, comme si elle s'aventurait sur le seuil d'un univers plein de promesses.

Bonnie observait les évolutions de sa protégée, en déambulant le long de la berge du lac pour se réchauffer. Il gelait dur et le vent lui glaçait les joues et le nez.

« Qui est cet individu ? se demandait la domestique. Bon, Mlle Pearl les rejoint, ça doit être un de ses amis. Il patine bien. Ma petite demoiselle s'amuse, au moins ! »

Elle s'entêtait à suivre des yeux la silhouette d'Élisabeth, qui filait à toute vitesse, main dans la main avec l'inconnu. Tous deux se mêlèrent soudain à un groupe d'enfants, puis ils le dépassèrent et entreprirent un autre tour du lac. Pearl choisit ce moment pour venir droit sur Bonnie, ses chevilles jointes, les bras le long du corps, l'air triomphant.

— *Hello*, Bonnie, cria-t-elle. Puis-je inviter Lisbeth à déjeuner avec mes amies et moi ? Nous la ramènerons ensuite, il y a des frites et des beignets, là-bas, dans cette adorable baraque en bois !

— Si vous me dites le nom de ce monsieur qui se montre un peu trop familier avec elle, pourquoi pas ?

— Un certain Stenton ! Je l'ai vu une fois ou deux sortir de chez mon père. Lisbeth a fait sa conquête, de toute évidence, mais je vais nous débarrasser de lui. Sans cet importun, me donnez-vous la permission de distraire un peu « la princesse Woolworth » ? se moqua Pearl.

— Je ne serais pas fâchée de rentrer au chaud, hasarda Bonnie, en proie à quelques scrupules cependant. Dites à Mlle Lisbeth de venir me parler, je vous prie.

Trois minutes plus tard environ, Élisabeth, le regard brillant d'une joie mystérieuse, se tenait cramponnée à la barrière, ayant laissé à bonne distance Richard Stenton

— J'ai déjà fait des progrès, Bonnie ! se vanta-t-elle. Je viendrai tous les matins. Tu es d'accord, n'est-ce pas, je peux déjeuner avec Pearl ? Je ne cours aucun risque, sois tranquille.

— Hum, hum, grommela-t-elle, ça je n'en suis pas sûre. Ce jeune homme vous serrait de près.

— Pour m'éviter de tomber ! Bonnie, je suis tellement contente, ne me demande pas de rentrer tout de suite.

— Après tout, vous êtes en compagnie de Mlle Pearl, je l'expliquerai à Madame. Ne tardez pas, cet après-midi.

— Je te le promets, répondit Élisabeth en repartant aussitôt, à coups réguliers de glissade plus aisée.

Bonnie haussa les épaules et s'en alla.

— Votre gouvernante, sans doute, interrogea Richard Stenton dès qu'Élisabeth essaya de s'arrêter près de lui, tout de suite déséquilibrée.

Une fois encore, il la rattrapa mais il garda sa main dans la sienne et l'étreignit. Elle portait des moufles en fin lainage, lui des gants en cuir, pourtant elle se troubla sous ce contact.

— Oui, c'est la gouvernante de mes… parents, admit-elle d'une voix hésitante. Elle s'inquiétait.

— Pourquoi ? Je devine, c'est à cause de moi. Vous êtes une jeune demoiselle très surveillée. Si vous étiez ma sœur ou ma fille, j'agirais de même.

Élisabeth, gênée, fut soulagée de l'irruption de Pearl, qui, accoutumée à évoluer dans le monde, congédia aimablement Stenton.

— Je suis navrée, monsieur Stenton, mais Lisbeth et moi nous allons déjeuner. Notre amie Véra nous attend.

— Je comprends. J'ai été enchanté de faire votre connaissance, Lisbeth. J'espère vous revoir très vite.

Il avait insisté sur le prénom, ce qui irrita Pearl. Elle virevolta en emmenant Élisabeth, dont elle avait saisi le poignet.

— Tu lui plais, ça saute aux yeux ! insinua-t-elle d'un ton sec. Moi, il m'ignore, alors que je le trouve très séduisant. Pour ta première matinée de patinage, tu frappes fort, chère Lisbeth. Sois sur tes gardes, tu lui lançais des regards extasiés ! Quel manque de retenue !

— Pas du tout, Pearl ! Tu te trompes. J'étais moi-même, je ne battais pas des cils comme tu le faisais cet été, quand le frère de Véra te complimentait sur tes prouesses en natation. *Mom* disait que tu jouais les coquettes.

— Tante Maybel ne perd pas une occasion de me critiquer, elle ne voit que par toi, rétorqua sa cousine. Je préfère passer pour une coquette, et non pour une oie blanche !

Elles arrivaient sur la partie de la berge où se dressait la cabane aux allures de chalet qui abritait un restaurant. La cheminée fumait, une bonne odeur de graisse chaude l'environnait.

— C'est moi que tu traites d'oie blanche ? s'exaspéra Élisabeth.

— Oui, tu te pâmes devant un bellâtre dès qu'on t'accorde un peu de liberté, tes parents ont raison de te garder sous cloche.

Véra, une grande fille blonde, leur fit signe. Elle était assise à une petite table sous l'auvent à festons du petit chalet.

— Lâche-moi, Pearl, je n'ai plus envie de passer du temps avec toi, je vais rentrer à la maison, annonça Élisabeth, profondément vexée, au bord des larmes.

— Lisbeth, je te parle ainsi pour ton bien. Richard Stenton s'intéresse peut-être à la fortune que tu représentes. Il a dû se renseigner. Tu es l'unique héritière d'oncle Edward.

— Avoue plutôt que tu es jalouse, rétorqua la jeune fille. Tu l'as toujours été. Au revoir.

Une demi-heure plus tard, affamée et bouleversée, Élisabeth s'enfermait dans sa chambre. Bonnie, surprise de la voir rentrer si vite, alla toquer deux petits coups à sa porte.

— Je vous prépare un repas, mademoiselle, finalement Madame est sortie. Monsieur a téléphoné et lui a proposé de déjeuner au *Delmonico*[1].

— Très bien, je me change, Bonnie.

La longue jupe-culotte tomba sur le tapis d'Orient, le corsage en soie et le gilet en laine également. Élisabeth ôta ensuite ses bas. Elle observa son reflet dans le miroir de sa coiffeuse et fut étonnée par l'expression passionnée qui sublimait ses traits délicats.

De la main droite, elle effleura l'arrondi satiné de son épaule gauche, à la peau nacrée, puis la naissance de ses seins encore menus, mais ronds et fermes. La vision de sa beauté éveillait un trouble insidieux dans son corps vierge. Ses pensées volèrent alors vers Richard Stenton, dont elle imagina le regard doré posé sur elle, ainsi dévêtue. D'un doigt timide, Élisabeth caressa sa bouche au rose avivé par le froid.

« Qui me donnera mon premier baiser ? » se demanda-t-elle.

Maybel et Edward Woolworth furent de retour au milieu de l'après-midi. Bonnie leur servit tout de suite le thé dans le salon.

— Mlle Lisbeth s'est bien amusée, elle n'a fait que patiner sur le lac, en compagnie de sa cousine Pearl.

— Et elles ont déjeuné là-bas aussi, comme tu me l'avais dit ? hasarda Maybel.

— Non, Madame, mademoiselle est revenue peu de temps après votre départ pour le *Delmonico*. Votre nièce se serait moquée d'elle, si j'ai bien compris.

1. Fondé en 1837, un des plus vieux restaurants de New York, très réputé.

— Pearl est une peste, n'est-ce pas, Edward ?

— Disons qu'elle pratique l'ironie et qu'elle tient de mon frère son sens de la repartie, souvent blessante, je te l'accorde.

Bonnie se retira, sans révéler l'existence du séduisant Richard Stenton, très empressé auprès de Lisbeth.

« Ils n'ont qu'à accompagner la petite à Central Park et se faire une idée eux-mêmes de ce personnage, se dit-elle. Il ne me plaît pas, à moi... »

À leur grande surprise, Élisabeth les rejoignit et s'assit à sa place habituelle autour du guéridon en marqueterie, nappé d'un tissu brodé. Elle grignota un biscuit, agacée et attendrie à la fois par leur silence anxieux. Maybel lui versa du thé en murmurant :

— Si tu aimes patiner, chérie, nous t'achèterons des patins, ceux de location ne sont pas forcément adaptés à ton pied.

— Non, ne faites plus de frais pour moi, répliqua-t-elle.

— Lisbeth, ne remets pas tout en question, s'écria le négociant. Tant que tu vis avec nous, je tiens à ne rien changer. Nous te considérons comme notre fille et nous t'aimons. Même s'il faut renoncer à une adoption officielle, en raison de ce que nous t'avons appris, mais c'est peut-être provisoire. Nous en avons beaucoup discuté à midi, Maybel et moi. Il se pourrait que tu n'aies plus de famille en France, dans ce cas, pourquoi ne pas continuer à vivre ici, de façon légitime, je te le promets.

La jeune fille sirota son thé au lait, au parfum de bergamote. Elle finit par répondre à mi-voix :

— Comment choisir ? Je suis si peu sortie dans New York, je n'ai jamais visité les musées, ni le zoo de Central Park. La ville m'est presque étrangère. Pendant nos promenades en calèche, j'entrevoyais des façades, des vitrines, des fiacres, des gens sur les trottoirs, mais vous ne m'avez jamais emmenée dans un restaurant ou un magasin. Ce matin, le seul fait de patiner sur le lac de Central Park était extraordinaire pour moi.

— Nous pouvons rattraper le temps perdu, Lisbeth, insista Edward. Du moins jusqu'à ton départ pour la France, s'il y a départ. As-tu posté ta lettre ?

— Non, je voudrais rajouter quelques lignes, et une carte de vœux, puisqu'elle arrivera au début de l'année prochaine.

Maybel et son mari notèrent le ton neutre d'Élisabeth, sans aucune nuance d'affection, mais dénué d'animosité. C'était déjà un progrès, à leur avis, et d'un commun accord, ils tenaient à lui prouver leur bonne volonté, à ne pas la contrarier.

— Et tu peux quand même nous appeler *mom* et *dad*, en te disant que c'est notre surnom, ajouta gentiment le négociant.

— Oui, bien sûr, j'ai du mal à ne pas le faire, concéda-t-elle. Mais je tiens à vous dire ce que je ressens. Je ne peux pas encore vous pardonner. J'en serai peut-être capable si j'ai la certitude que mon vrai père, Guillaume, est mort.

— Nous comprenons, Lisbeth, affirma Maybel. En guise de modeste dédommagement pour le chagrin que nous t'avons infligé, voudrais-tu dîner en ville ce soir, sur Broadway ? Avant, nous irons acheter des patins neufs.

Élisabeth eut du mal à refuser. Son orgueil lui dicta de ne pas céder.

— Non, je n'ai pas le cœur à ça, dit-elle fermement. Je vais lire dans ma chambre et je me contenterai d'un plateau. Bonnie me l'apportera. Ne vous souciez pas de moi.

Le couple demeura muet, confronté à la volonté de celle qu'ils avaient élevée et choyée comme une enfant née de leur chair.

— Noël sera bien triste, soupira Maybel.

9
La spirale du temps

Dakota Building, samedi 26 décembre 1896, 9 heures du matin

Élisabeth referma le solide sac en cuir, muni de bandoulières, qui contenait ses patins à glace. Maybel les lui avait offerts le matin de Noël, ainsi qu'une veste en velours à col de fourrure. La jeune fille n'avait pas pu s'empêcher de la remercier d'un baiser sur la joue, sous l'œil attendri d'Edward.

La journée s'était déroulée calmement, sans heurts ni querelles, chacun ayant fait de louables efforts pour afficher une gaieté de circonstance, dès le retour de la messe de minuit.

— Pourquoi ne pas y aller? s'était étonnée Élisabeth quand Edward avait annoncé qu'ils renonçaient à suivre l'office religieux. J'aime beaucoup l'atmosphère de la cathédrale Saint-Patrick, je m'y sens bien.

Le couple avait aussitôt changé d'avis et ils étaient partis tous les trois le long des rues enneigées de Manhattan. La beauté du sanctuaire, celle des chants de Noël entonnés par une chorale, la clarté dorée des cierges les avaient sans doute apaisés.

Fine mouche, Maybel avait convié Bonnie à réveillonner avec eux, un fait si exceptionnel pour leur gouvernante qu'elle avait mangé du bout des lèvres, l'appétit coupé.

Maintenant le quotidien reprenait ses droits, jusqu'à la soirée du 31 décembre, où les Woolworth inviteraient leurs amis et des membres de la famille.

— Eh bien, je suis prête, dit tout bas Élisabeth. Je me demande si je reverrai Richard Stenton…

Elle avait souvent pensé à lui, durant ces deux jours, et si elle n'était pas retournée à Central Park la veille, c'était surtout pour éviter de croiser Pearl.

Bonnie l'attendait impatiemment dans le couloir, tellement emmitouflée qu'elle suffoquait, l'appartement étant très bien chauffé.

— Dépêchons-nous, mademoiselle, je cuis, là !

— Oui, tu as les joues rouge vif, remarqua Élisabeth. Mais ça te va bien, on dirait une poupée avec tes taches de rousseur.

— Moquez-vous !

Elles jubilaient en secret de leur escapade. Dehors, l'air glacé leur coupa le souffle, mais elles échangèrent un sourire.

— Cette fois, tu t'abriteras dans le chalet, il y a sûrement des tables à l'intérieur, recommanda la jeune fille. D'abord je dois poster ma lettre. J'ignore dans combien de jours elle arrivera en France. Tu te rends compte, elle va voyager sur l'océan, comme nous l'avons fait, mes parents et moi.

— Oui, en sens inverse !

La domestique faillit dire le fond de sa pensée. Il aurait été plus rapide d'envoyer un télégramme à Hugues Laroche. Elle s'était autorisée à le suggérer à sa patronne, qui avait protesté tout bas, d'un ton désespéré.

— N'en parle pas à Lisbeth, nous pourrons réparer nos torts, en la gardant près de nous jusqu'en février. Je t'en prie, Bonnie.

Elle avait capitulé devant les yeux larmoyants de Maybel, mais elle s'estimait coupable envers sa protégée. L'idée lui vint de lui ouvrir son cœur.

— Ne marchez pas si vite, mademoiselle, le parc est juste en face, se plaignit-elle. Je voudrais en profiter, aussi, pour vous confier quelque chose.

— Quoi donc, Bonnie, répliqua distraitement Élisabeth.

— Je suis célibataire et je le resterai. Pourtant, à votre âge, je rêvais d'avoir des enfants. Alors, quand vous êtes entrée dans ma vie, je vous ai tout de suite aimée, comme si vous étiez ma fille. Je ne vous ferai jamais de mal, vous devez le savoir.

— Mais je le sais, Bonnie ! Tu es même prête à me suivre en France.

— Je vous ai donné ma parole, je la tiendrai. Qu'est-ce que je deviendrais sans vous, mademoiselle ?

— J'ai une idée, si tu rendais visite à ta sœur aînée, ce matin, proposa Élisabeth. En train[1], tu serais rapidement à Greenwich Street. On se retrouverait à la station, en début d'après-midi. J'ai la permission de déjeuner en ville.

— Si je vous accompagne, mademoiselle ! Non, je ne peux pas vous laisser seule plusieurs heures, Monsieur et Madame seraient en colère et…

— Et ils ne le sauront pas, Bonnie ! Tu ne prends aucun jour de congé. Hier soir, tu te désolais de ne pas avoir vu ta sœur depuis deux mois.

Tentée, la domestique scruta les yeux si bleus de la jeune fille. Elle résista encore un peu, par principe.

— Je ne suis pas dupe, Lisbeth, vous avez surtout envie de m'expédier à bonne distance, au cas où M. Stenton serait à la patinoire !

— Tu connais son nom ?

— Je me suis renseignée auprès de votre cousine Pearl.

— Qui n'est pas du tout ma cousine, en fait. Et toi, ma Bonnie, tu m'as appelée par mon prénom, c'est un

1. Le métro new-yorkais a été mis en service vers 1904. Auparavant, des lignes de chemin de fer aériennes reliaient certains quartiers entre eux.

événement. Je t'en prie, si tu m'aimes, accorde-moi cette faveur. J'ai besoin d'être libre, d'agir à ma guise sans être surveillée.

Bonnie se remémora ses seize ans. Née dans un milieu pauvre, elle parcourait la ville pour aller travailler, et sa grande sœur ne pouvait pas l'escorter dans ses pérégrinations.

— Si vous n'étiez pas une demoiselle de la haute société, je n'y verrais pas d'inconvénient, déplora-t-elle. Il y a des milliers de filles de votre âge qui n'ont pas de chaperon, mais vous, c'est différent. Et vous ne connaissez rien à la vie.

Déçue, Élisabeth songea à la pique venimeuse de Pearl, qui l'avait traitée d'oie blanche.

— Je n'apprendrai rien non plus, si on me promène comme un petit chien, en laisse, s'indigna-t-elle. Je te promets d'être très prudente et si je rencontre M. Richard Stenton, je me conduirai sagement.

— Seigneur, je l'espère ! s'affola Bonnie. Très bien, ne soyez pas en retard à la station de train, sinon j'alerte la police.

Élisabeth éclata de rire, car la domestique ponctuait sa menace d'un clin d'œil. Elles se séparèrent devant les hautes grilles de Central Park.

Central Park, même jour, une demi-heure plus tard

Richard Stenton soupira d'aise quand il identifia enfin Lisbeth Woolworth parmi les nombreux patineurs. Assis à la terrasse couverte du chalet, il sirotait un verre de bière en étudiant depuis un bon moment les silhouettes féminines qui évoluaient sur le lac.

Il l'observa un instant avec intérêt, avant de s'élancer à son tour sur la glace. La jeune fille glissait à une vitesse régulière, mal assurée encore, il le devinait à son expression tendue.

— Par chance, la cousine Pearl n'est pas là, dit-il entre ses dents.

Élisabeth l'aperçut tout de suite, mais elle feignit de ne pas l'avoir vu, l'air concentré sur la courbe qu'elle amorçait. Dès qu'il l'aborda, son cœur tout neuf battit à grands coups sourds.

— Bonjour, Lisbeth, s'écria-t-il. Je vous ai attendue en vain, hier.

— C'était un jour de fête, monsieur, répondit-elle, faussement indifférente.

— En effet, mais je suis venu quand même ici, dans l'espoir de vous croiser à nouveau. Avez-vous passé un agréable Noël ?

— Très ordinaire, je suis restée dans ma chambre et j'ai lu le roman qu'on m'avait offert, *Washington Square*, de Henry James.

— Mon Dieu, c'est une triste histoire, commenta Stenton.

— Vous l'avez lu aussi ?

— Bien sûr, et à votre âge.

— Vous ignorez mon âge, hasarda-t-elle, rieuse.

— Je vous donnerais vingt ans, non, dix-huit.

— Vous faites erreur, je pense avoir bientôt dix-sept ans.

La réponse intrigua Stenton. Amusé, il fronça les sourcils. D'un geste assez autoritaire, il saisit la main droite d'Élisabeth.

— N'ayez pas peur, je vous emmène de l'autre côté du lac. Vous devez vous perfectionner, en l'honneur de vos superbes patins.

— Je les ai reçus à Noël, avoua-t-elle. Je vous en prie, n'allez pas trop vite, le vent est froid, j'ai du mal à respirer.

Richard Stenton lui obéit immédiatement. Il paraissait être né pour ce sport, tant il se déplaçait facilement, malgré sa haute taille.

— Si vous cessiez de tricher, Lisbeth, déclara-t-il. Pourquoi me cacher la date de votre anniversaire ?

— *Mom* prétend qu'une femme ne doit jamais révéler son âge, et je vous trouve trop curieux. Qu'importe mon anniversaire, je suis gâtée toute l'année !

Élisabeth jouait un rôle, bien à regret. Elle aurait volontiers confié la vérité au jeune homme sur son enfance brisée, mais son orgueil l'en empêchait. Elle préférait représenter à ses yeux une riche héritière, et non une orpheline recueillie par un couple fortuné qui, de surcroît, l'avait gardée près d'eux au mépris de toute morale.

— Vous avez raison, j'ai ce défaut de vouloir tout savoir sur les personnes qui me fascinent, admit-il. Mais le mystère vous rend encore plus jolie.

Elle vibra de joie et d'émotion. Ils firent en silence un tour complet du lac gelé. De légers flocons voltigeaient dans l'air, des enfants criaient d'excitation autour d'eux.

— Puis-je vous offrir un chocolat chaud, s'enquit Stenton en désignant le chalet dont les petites fenêtres étaient éclairées. J'ai l'impression que votre gouvernante n'est pas en faction sur la berge, aujourd'hui !

— Je lui ai suggéré de rendre visite à sa sœur, confessa Élisabeth en souriant. Mes parents ne sont pas au courant.

— Quelle audace ! Je pressens une âme rebelle en vous.

Elle devint songeuse, de nouveau entraînée par la spirale du temps. L'image de Catherine, sa chère maman, s'imposa à elle, le soir où ils dînaient au château. Le détail des discussions animées, virulentes, lui échappait, cependant elle se souvenait très bien de l'attitude frondeuse de la belle jeune femme blonde, défiant Hugues et Adela Laroche.

— *Dad* affirme que j'ai du caractère, dit-elle à mi-voix. Si nous parlions de vous !

Richard Stenton se raidit. Il l'aidait à s'installer à une table extérieure et elle perçut sa réaction, car il lui étreignit plus fort les doigts.

— Disons simplement que je me fonds dans un milieu qui n'est pas le mien, marmonna-t-il.

— Pardon ? Que voulez-vous dire ?

— Je fréquente les amis de votre cousine Pearl, ceux de Véra, sa fidèle acolyte, mais je demeure une énigme pour ces jeunes gens. S'ils savaient d'où je viens, ils me tourneraient le dos.

Élisabeth faillit répliquer qu'elle pourrait se retrouver dans la même situation. Maybel et Edward Woolworth l'ayant suppliée d'être discrète, elle ne fit aucun commentaire.

— Me méprisez-vous ? Accepterez-vous de me revoir ? s'alarma-t-il.

— Mais oui, je n'ai pas la mentalité de Pearl et des autres.

— Vous êtes adorable, Lisbeth, soupira-t-il.

Ils savourèrent leur tasse de chocolat chaud, servi avec des biscuits. Élisabeth, troublée par le regard ardent dont la couvait Stenton, admirait soit le paysage, soit les pirouettes d'un garçon d'une dizaine d'années, vêtu modestement.

— Un habile patineur, fit-elle remarquer.

— Par bonheur, Central Park est ouvert à toutes les classes sociales, professa Richard sur un ton grave. Savez-vous qu'à l'origine, ce bel endroit doté de tant d'attraits était une vaste étendue de marécages, de friches, parsemée de gros rochers, où survivaient des miséreux, élevant chèvres et cochons ?

— Non, je l'ignorais.

— On a chassé ces pauvres gens, on a rasé leurs taudis et les travaux ont commencé. Ils ont duré douze ans et ont coûté des millions de dollars. Le résultat est là, un magnifique parc, planté de plusieurs espèces d'arbres, sans oublier le musée, le zoo, le belvédère, le carrousel.

— J'aimerais visiter le zoo, mes parents ont toujours refusé.

— Je vous y emmène demain, Lisbeth. Hélas, en cette saison, certains animaux dorment du matin au soir, surtout les ours.

Élisabeth approuva d'un signe de tête, soudain très pâle. Une scène lui revenait, colorée, nette, et elle avait eu lieu ici, dans Central Park.

« Le montreur d'ours, son chapeau noir à larges bords, son accent rocailleux, et sa bête aux yeux tristes, qui surgissait d'un buisson, se disait-elle, survoltée. Comment se nommait son ours ? Ils étaient sur le bateau, eux aussi, je leur avais donné une pièce, que papa avait glissée dans ma main. Garro, l'ours Garro ! L'homme venait des montagnes, il voulait me garder, pour que je danse avec Garro. Et je me suis enfuie... »

— Lisbeth ? Je vous en prie, Lisbeth, qu'avez-vous ? demandait Richard Stenton, surpris par ses traits tendus, son expression absente.

La jeune fille le dévisagea sans le voir vraiment. Elle revivait sa course folle à travers les pelouses du parc, afin d'échapper au montagnard.

« Je ne faisais pas attention, j'étais terrorisée, comme la veille, quand papa me criait de m'enfuir. Et Edward n'a pas pu m'éviter, Maybel a hurlé. »

Élisabeth porta une main à son cou, tant elle était oppressée par ce brusque retour en arrière. Stenton l'interrogeait, mais elle entendait à peine sa voix.

— Ce n'est rien, balbutia-t-elle néanmoins.

— Un malaise ? Vous en êtes coutumière ? s'enquit-il.

— Oui, le docteur de notre famille les attribue à mes nerfs. Je préférerais m'en aller, monsieur.

— Je vous raccompagne une partie du chemin, sinon je ne serai pas tranquille à votre sujet.

— Je veux bien, mais j'ai rendez-vous avec Bonnie en début d'après-midi, et si je rentre sans elle chez mes parents, ils sauront que j'ai mis au point ce stratagème, pour être seule.

— Et nous n'irons pas au zoo demain, c'est ça ?

— Tout à fait.

— Nous sommes donc condamnés à poursuivre les leçons de patinage et à déjeuner ici, de frites et de bacon grillé. Si vous vous en sentez la force.

— Je n'ai pas le choix.

Ils se sourirent, étonnés et ravis d'être aussi complices.

Mercredi 30 décembre 1896, patinoire de Central Park

Élisabeth avait vécu des heures délicieuses en compagnie de Richard Stenton. Ils se retrouvaient au bord de la patinoire le matin, à 10 heures, et déjeunaient ensemble sous l'auvent du chalet. Edward et Maybel étaient au courant de ces rendez-vous auxquels ils avaient eu soin de ne pas s'opposer.

Quant à Bonnie, elle avait été dispensée d'accompagner leur protégée, d'autant plus qu'il fallait préparer le domicile de ses patrons pour la réception du 31 décembre.

Sa liberté nouvelle, si facilement gagnée, étonnait et grisait Élisabeth. Elle attribuait la soudaine largesse d'esprit des Woolworth au sentiment de culpabilité dont ils souffraient et elle voyait juste. Stenton, qu'elle appelait désormais Richard, s'en disait surpris, lui aussi.

Il lui en fit part encore une fois ce matin-là, pendant qu'ils glissaient au milieu du lac, se tenant par la main.

— Vraiment, vos parents vous permettent de sortir seule, et de me rencontrer? Il est tellement rare qu'une demoiselle de la haute société, aussi jeune que vous, puisse agir à sa guise!

— Qu'est-ce qui vous dérange, Richard? Avez-vous peur d'avoir des ennuis à cause de moi? Je n'aurais aucun intérêt à vous mentir. Et j'ai même une invitation à vous transmettre pour demain soir, ma mère souhaite faire votre connaissance et vous recevra avec plaisir. Pearl sera là, avec ses parents et son amie Véra. Ma cousine a pris froid, paraît-il, mais elle est rétablie. Enfin, il y aura beaucoup de monde.

Richard Stenton la conduisit jusqu'à une barrière où il s'arrêta, la mine songeuse.

— Je crains de ne pas pouvoir venir, Lisbeth, dit-il tout bas. Je suis déjà pris.

— C'est dommage, essayez de passer un quart d'heure au moins, en tout début de soirée !

Elle le suppliait de ses yeux de saphir, la bouche entrouverte. Il se détourna, gêné, navré de lui refuser cette joie.

— Je ne peux pas, Lisbeth. Et aujourd'hui je dois vous quitter plus tôt. Nous ne déjeunerons pas ensemble. J'ai négligé mon travail, or j'ai des comptes à rendre. Ne m'en veuillez pas.

Terriblement déçue, Élisabeth se domina pour paraître gaie. En quête de réconfort, elle évoqua en silence tous les moments merveilleux qu'ils avaient partagés : la visite du zoo, le dimanche précédent, leur excursion jusqu'à Vista Rock, lundi, où elle avait découvert une vue panoramique sur le parc, depuis Belvedere Castel.

Le jeune homme s'était montré un guide charmant et efficace, dont l'érudition l'avait fascinée. Mais elle avait préféré leurs séances de patinage sur le lac, car Richard serrait fort sa main, un geste qu'il ne s'autorisait jamais pendant leurs promenades.

— Je vous reverrai seulement l'année prochaine, alors, déclara-t-elle sur le ton de la plaisanterie.

— Je l'espère de tout cœur, affirma-t-il d'un air empreint d'une inexplicable tristesse.

— Mais qu'avez-vous, Richard ?

— Je serais soulagé si j'en savais davantage sur vous, avoua-t-il d'un trait. Nous nous sommes vus chaque jour depuis vendredi, mais j'ignore tant de choses à votre sujet. Vous avez encore eu un malaise, au zoo, devant les ours, sans raison évidente. Je crains pour votre santé, et j'ai l'impression singulière que vous me cachez un point essentiel.

Troublée, Élisabeth songea qu'il était doté d'une certaine intuition ou bien qu'elle-même, en ne répondant pas à ses questions, avait créé des zones d'ombre, volontairement.

— Si vous étiez aussi intrigué par moi, vous viendriez à la réception que donne ma mère, rétorqua-t-elle avec malice.

— Plus tard, peut-être, je rencontrerai vos parents, Lisbeth. Je suis désolé, je dois prendre congé.

Il la salua d'un mouvement gracieux, mais avant de s'éloigner, il lui caressa la joue, en lui adressant un sourire qui la combla de bonheur et d'espérance.

Un peu désœuvrée, dépitée par le brusque départ de Richard, Élisabeth tenta quelques pirouettes, tout près de la berge pour se rattraper éventuellement à la barrière. Elle s'effondra sur la glace à la troisième. Un rire en grelot fit écho à sa chute. Vexée, elle chercha qui se moquait ainsi.

Un garnement d'une dizaine d'années tournait à proximité, en enchaînant des sauts remarquables.

— C'est vilain de rire de la demoiselle, le sermonna une petite personne très brune, assise sur un banc.

La femme avait parlé en français, ce qui frappa Élisabeth. Le garçon, rieur, vint l'aider à se relever.

— Vous n'vous êtes pas fait trop mal, m'selle? demanda-t-il, toujours en français.

La jeune fille reconnut le très jeune patineur que Richard et elle avaient souvent admiré. Elle voulut le remercier, mais au même instant, son rêve de la nuit lui revint en mémoire.

«J'ai déjà vécu cette scène, j'étais seule, je tombais, et ce garçon venait vers moi, à toute vitesse. Et il y avait cette femme sur un banc, avec sa petite fille… Tout était exactement pareil.»

— Avez-vous mal, insista l'enfant, mais en anglais cette fois. Je n'ai pas pu m'empêcher de rire, pardon, mademoiselle.

— Je comprends le français, répondit-elle, en proie à une légère sensation d'irréalité.

— Ah, vous l'avez appris à l'école ? Moi, mon père est né en France. Je parle anglais, français et un peu l'italien.

— Tony, n'ennuie pas cette demoiselle, s'écria la femme en se levant du banc.

— Il ne m'ennuie pas, madame ! C'est votre fils ? Il est plus doué que moi sur la glace.

Élisabeth s'était exprimée spontanément dans sa langue natale, si bien que son interlocutrice lui répondit en français, où pointait une note chantante.

— Oui, c'est mon garçon, je l'amène ici depuis deux ans, dès que le lac est gelé. Il a appris tout seul. Un voisin lui prête des patins.

Le dénommé Tony était déjà reparti en glissant avec élégance, les mains nouées derrière le dos. Élisabeth regagna la berge, sous le regard craintif de la fillette, aux cheveux noirs et aux yeux gris-vert.

— Est-ce que tu aimerais patiner, toi aussi, quand tu seras un peu plus grande ? lui demanda-t-elle.

L'enfant se cacha aussitôt dans les jupes de sa mère, qui lança gaiement :

— Oh non, Miranda est trop douillette !

— Quel âge a-t-elle, madame ?

— Cinq ans, et timide, vous ne pouvez pas imaginer ! Elle voudrait rester à la maison, par ce froid, mais je ne veux pas laisser Tony faire le chemin tout seul. Mon mari travaille sur un chantier, et je n'ai plus personne pour la garder. Ma mère est décédée cet automne.

Les explications débitées vivement par la petite femme eurent le don d'accentuer le malaise d'Élisabeth, obsédée par le rêve qu'elle avait fait, et qui avait resurgi dans son esprit, impérieux.

— Je suis désolée pour vous, madame, dit-elle, prête à s'en aller.

— Seriez-vous française, mademoiselle, s'enquit celle-ci d'un air aimable. Je suis curieuse, excusez-moi, mais Tony vous l'a dit, son père est originaire de Picardie, en France.

— Eh bien, oui, murmura Élisabeth dont le cœur battait plus vite, sous le coup d'une violente émotion.

Un détail venait de la bouleverser. La petite Miranda portait une médaille en or sur son épais gilet de laine, que dévoilait l'échancrure de son manteau. Il n'y avait là rien d'extraordinaire, pourtant la forme du bijou, sa finesse, le motif en relief, lui étaient étrangement familiers. Élisabeth en avait la bouche sèche.

« On dirait la médaille de baptême de maman, la Vierge Marie de profil, sous un voile plissé, et des rayons derrière elle, Jésus dans ses bras. Je suis folle, ce doit être un modèle fréquent. »

La mère de l'enfant l'observait sans comprendre son attitude, ni son expression hébétée.

— Vous regardez sa médaille ? hasarda-t-elle enfin.

— Oui, elle est tellement jolie ! Pardonnez-moi, j'en ai perdu une presque semblable.

— Nous ne l'avons pas trouvée, ni volée, mademoiselle, se défendit la femme avec véhémence, un pli soucieux lui barrant le front.

— Je ne vous accuse de rien, madame, balbutia Élisabeth. Je ferais mieux de partir.

Mais elle en était incapable. Ses jambes tremblaient, des larmes lui piquaient les yeux. D'un pas hésitant, malhabile sur ses patins dans la fine couche de neige tapissant le sol, elle parvint à s'asseoir sur le banc.

— Est-ce que ça va, mademoiselle ? s'inquiéta l'étrangère.

— Je ne me sens pas très bien, dit-elle dans un souffle. Maman avait la même médaille, alors ça me fait mal au cœur.

Un profond silence suivit son aveu. Miranda se mit à pleurer, ce qui obligea Élisabeth à relever la tête. Sa mère lui avait ôté le collier et le tenait au creux de sa main.

— Ma fille veut toujours mettre ce bijou, trop précieux pour elle. Mon mari et moi, nous y tenons beaucoup. Baptiste a peur qu'elle casse la chaînette, précisa-t-elle. Mais je crois que j'ai bien fait de lui céder, ce matin. Mademoiselle, comment s'appelait votre maman ?

— Catherine Duquesne, pourquoi ?

— Dieu soit loué, s'écria la femme. Tenez !

Élisabeth reçut la médaille au creux de sa paume gantée de fin lainage, mais présentée à l'envers. L'inscription minutieusement gravée lui arracha un cri de surprise : *Catherine Laroche, 22 décembre 1857.*

— Et votre papa, c'était Guillaume Duquesne. Je suis Léa, l'épouse de son ami Baptiste Rambert. Je devais faire votre connaissance il y a dix ans, un soir du mois de novembre. On a vous a attendus en vain, votre papa et vous.

— Léa et Baptiste Rambert ? répéta Élisabeth, sidérée. Je ne me souviens pas de ces noms, je suis navrée. J'étais si petite, j'avais l'âge de votre fille.

— Oui, et Tony était un beau bébé de six mois. Je vous ai cherchée, Élisabeth. Je suis allée chez les Sœurs de la Charité, et dans le bureau de l'aide à l'enfance. J'ai même assisté au départ de plusieurs trains des orphelins, dans l'espoir d'écrire une bonne nouvelle à votre grand-père, M. Laroche.

— Comment ? Vous étiez en contact avec lui ?

— Il est venu chez nous, dans le Bronx, un mois environ après votre disparition. Il avait fait le voyage, parce que votre papa ne répondait pas à ses lettres, précisa Léa. Seigneur, vous voilà toute pâle. Je vous secoue, à raconter ça sans ménagement. Je suis comme ça, je m'enflamme, Baptiste me le reproche assez.

— Ne vous en veuillez pas, madame, je suis si heureuse de vous avoir rencontrée, et de pouvoir toucher la médaille de maman.

— La toucher ! Vous allez la garder, elle est à vous !

— Mais je ne voudrais pas causer de la peine à Miranda… Je lui offrirai un autre médaillon, je vous le promets. Madame, est-ce que je peux vous embrasser? Je l'aurais fait il y a dix ans, s'il n'était pas arrivé malheur à papa!

— On s'embrasse et vous m'appelez Léa, d'accord?

Tremblante de joie, Élisabeth déposa un baiser sur la joue fraîche de cette petite femme au sourire lumineux qui la serrait contre elle. Tony les surprit ainsi et s'arrêta dans un crissement aigu, produit par les fers de ses patins striant la glace.

— Maman! s'écria-t-il, toujours en français. J'ai faim, on rentre? Pourquoi tu pleures?

— Je te le dirai tout à l'heure, garnement, rétorqua Léa entre deux sanglots ponctués de rires nerveux. Viens plutôt remettre tes chaussures.

Élisabeth en profita pour contempler à son aise la médaille en or, la caresser. Le bijou avait brillé sur la gorge de sa mère, qui ne le quittait jamais. Il lui semblait renouer le lien brisé net, sur le paquebot, lorsque son père l'avait conduite jusqu'à l'infirmerie où gisait le corps sans vie de Catherine.

Un autre lien se tissait, neuf et plein de promesses, avec Léa et ses enfants. Elle se sentait très proche d'eux, et une nécessité lui apparut.

— Je dois voir votre mari, Léa, dit-elle. Il a travaillé une semaine avec papa, il pourra me parler de lui.

— Et vous nous raconterez ce qui vous est arrivé! Dieu m'est témoin, pendant ces dix ans, je ne pouvais pas m'empêcher d'aborder et d'interroger les filles brunes aux yeux très bleus, car Guillaume vous avait décrite à Baptiste. Il vantait vos longues boucles, des anglaises.

— Vous me cherchiez après si longtemps! s'extasia Élisabeth.

— J'avais à cœur de savoir si vous étiez encore vivante, et je l'avais promis à M. Laroche, la veille de son départ.

— Mais une chose m'étonne, comment avez-vous eu la médaille de maman? On me l'avait dérobée, une voisine sans scrupule qui se prétendait notre amie, à papa et moi.

— Colette, surnommée Coco, trancha Léa en hochant la tête.

— Oui, c'est elle. Seigneur, vous la connaissez, elle aussi ?

— Je vous dirai ce que je sais, mademoiselle Duquesne. Je dois rentrer, les enfants ont faim, et le vent se lève. Venez nous voir ce soir, ou demain matin. Mon mari sera là, il est en congé.

— Et si je vous accompagnais maintenant ? J'avais prévu de déjeuner au chalet, avec un ami, mais il ne pouvait pas rester.

— Le beau garçon qui vous escortait tout à l'heure ? Lui aussi il vous cherchait. Il nous a rendu visite deux fois, au printemps et en été. De toute évidence, il vous a retrouvée.

— Richard Stenton ? Vous faites erreur !

— Il ne m'a pas donné ce nom-là, mais je suis sûre que c'est lui. Il travaille pour son père, qui a une agence de détective du côté de Longacre Square[1].

Élisabeth accusa le coup, partagée entre la colère et une amère déconvenue, en se demandant combien de fois encore elle serait dupée, manipulée et trahie. L'attirance qu'elle éprouvait pour le beau Stenton, ses sentiments naissants envers lui, tout fut balayé.

— Je vais rentrer en France le plus vite possible, confia-t-elle à Léa d'une petite voix altérée. Plus rien ne me retient à New York.

— Ce jeune monsieur ignore qui vous êtes, n'est-ce pas ? s'exclama Léa. J'aurais dû tenir ma langue, je vous ai fait de la peine.

— Ne vous inquiétez pas, la vérité est nécessaire, dans certains cas, et j'en ai assez des mensonges. Je ne m'étonne plus de toutes les questions qu'il me posait.

---

1. L'ancien nom de Times Square. Le 8 avril 1904, la partie de la place connue précédemment sous le nom de Longacre Square prit le nom de Times Square, à la suite de l'implantation du *New York Times* sur les lieux.

— Hugues Laroche paie le prix fort, il a épuisé la bonne volonté d'autres enquêteurs, car il garde l'espoir de vous revoir bien vivante.

Un élan de gratitude jaillit dans le cœur d'Élisabeth, devant la constance de ce grand-père dont elle avait eu si peur, fillette. Elle déplora la lenteur des courriers transatlantiques.

— J'ai posté une lettre pour mes grands-parents samedi, mais ils ne la recevront pas avant des semaines. Les traversées sont plus périlleuses en hiver.

— Vous auriez mieux fait d'envoyer un télégramme, si vous avez leur adresse, nota Léa de sa voix chantante.

— Bien sûr, je n'y ai pas songé, et personne ne me l'a suggéré. J'ai été recueillie par des gens très fortunés. C'est une longue histoire…

Tony et Miranda les écoutaient discuter, sans intervenir ni réclamer quoi que ce soit. Léa Rambert les félicita d'un sourire.

— On rentre, annonça-t-elle. Dépêchons-nous.

— Je viens avec vous, insista Élisabeth.

Chez Léa et Baptiste Rambert

Élisabeth découvrait une autre facette de l'immense cité de New York. Elle avait vécu dans une élégante forteresse sans être confrontée à la foule, à la pauvreté. Les Rambert habitaient à la limite sud-est du Bronx et de Manhattan. Après un trajet en omnibus tiré par quatre chevaux, Léa l'avait guidée dans une rue parallèle à une avenue, puis au quatrième étage d'un immeuble vétuste.

Dans la cage d'escalier, des odeurs pénibles se mêlaient à des relents de friture, et la jeune fille appuya discrètement un pan de son écharpe sur son nez. Elle observa, désemparée, les plâtres écaillés, les peintures sales, les inscriptions sur les murs.

— On s'habitue, le tout est de tenir propre son intérieur, lui dit Léa, consciente de sa surprise. On voit bien que vous vivez dans l'opulence !

— Opulence, opulence ! chantonna Tony pendant que sa mère faisait entrer la visiteuse dans leur logement.

— Nous avons quatre pièces, c'est du luxe, précisa la maîtresse des lieux d'un air comblé.

— Vous devez être très bien ici, hasarda Élisabeth.

Les quatre pièces auraient sûrement tenu dans le salon des Woolworth, mais l'ordre régnait et de menus détails égayaient le modeste décor, comme un bouquet de houx sur le buffet, des gravures encadrées et des rideaux en macramé.

— Asseyez-vous, mademoiselle d'Opulence, blagua Tony, très déluré sous sa frange brune.

— Tony, veux-tu te taire, protesta Léa. En voilà des manières !

— Tu as dit qu'elle vivait dans le coton, m'man.

— Ne fais pas l'idiot, tu as très bien compris.

— Ne le grondez pas, supplia Élisabeth. Les gens qui m'ont recueillie habitent le Dakota Building et l'homme que j'appelle *dad* a fait fortune dans le commerce du coton, alors…

— Vous habitez le grand château tout près de Central Park ? s'émerveilla le garçon.

— Oui, Tony, mais j'aurais pu grandir près de chez toi, car ton père avait trouvé un logement au mien, dans ce quartier, il y a dix ans. Tu étais un bébé et je devais aider ta maman.

— Vous vous souvenez de tout ça ? s'écria Léa, ébahie.

— J'ai retrouvé la mémoire il y a quelques jours, enfin je ne sais pas si j'avais vraiment oublié ce qui s'est passé à l'époque de mes six ans. C'était en sommeil dans mon esprit.

Léa considéra mieux Élisabeth, dont l'élocution soignée, la distinction, les vêtements de prix faisaient d'elle une vraie demoiselle.

— Je me sens beaucoup plus à ma place chez vous, madame, avoua l'adolescente au même instant.

Miranda, boudeuse, se remit à pleurer. Sa mère la poussa vers une des chambres.

— Va jouer, Miranda ! Tony, occupe-toi de ta sœur, on voudrait causer en paix, mademoiselle et moi.

La fillette aux cheveux noirs, au minois craintif, avait le don d'émouvoir Élisabeth. Elle ôta son bracelet en or, serti de fins motifs en turquoise, et le tendit à l'enfant.

— Tiens, je te l'offre, puisque je t'ai pris le collier, dit-elle d'une voix très douce.

— Non, c'est trop joli pour une petite de son âge, trancha Léa, effarée. Si elle le perd !

— Je vous en prie, ça me fait plaisir. Je suis tellement heureuse d'avoir la médaille de baptême de maman. Prends-le, Miranda.

Tony émit un sifflement d'admiration, puis il entraîna sa sœur, muette de joie, dans la pièce voisine. Léa haussa les épaules.

— Baptiste refusera de garder un bijou pareil, soupira-t-elle. Enfin, j'essaierai de le convaincre.

La pétulante quadragénaire, au tempérament ardent, arbora une expression volontaire qui eut le mérite d'amuser son invitée. Élisabeth fut certaine que son mari s'inclinerait.

— J'ai autre chose à vous remettre, décréta Léa. Baptiste l'a ramassé sur les lieux où votre papa a été agressé. Nous l'avons récupéré au poste de police, quand ils ont bouclé l'enquête.

Elle ouvrit un tiroir, au fond d'un placard et rapporta une enveloppe d'où elle extirpa un bouton en cuivre.

— Dessus, il y a les insignes des compagnons charpentiers.

Élisabeth s'en empara et l'examina longuement, les larmes aux yeux. Elle essaya de revoir la veste en velours de son père, bien en vain.

— Vous êtes sûre qu'il est mort ce soir-là, interrogea-t-elle d'un ton faible. J'espérais un miracle.

— On a repêché un corps dans l'Hudson, quelques jours plus tard, et il portait ce genre de vêtements, ma pauvre petite.

— Je suis au courant. Léa, je dois vous expliquer ce qui m'est arrivé.

— Je vous écoute, mais nous allons boire un bon café.

Château de Guerville, même jour, 6 heures du soir

Il faisait nuit sur la campagne charentaise, à l'heure où la jeune Élisabeth Duquesne buvait une tasse de café, de l'autre côté de l'Atlantique, chez Léa Rambert.

Adela Laroche, assise au coin de la haute cheminée du salon, feuilletait sans réel intérêt un numéro de *L'Illustration*[1], un magazine de grande qualité auquel son mari l'avait abonnée.

— Est-ce que je tire les doubles rideaux, Madame ? demanda Madeleine, qui venait d'apporter des bûches dans un large panier d'osier.

— Oui, volontiers, et vous me servirez un verre de porto, je suis d'humeur morose, ce soir.

La domestique retint un sourire moqueur, en songeant que sa patronne n'était jamais très gaie et en profitait pour abuser du porto. Un pas énergique résonna soudain dans le hall. Hugues Laroche apparut et il congédia aussitôt Madeleine d'un geste explicite. Elle se dirigea sans hâte vers la porte donnant accès à l'escalier de l'office.

— Tu es de retour ! s'écria Adela dès qu'ils furent seuls. Alors, c'est elle ?

Depuis une semaine, elle vivait sur le fil d'un espoir insensé.

1. Célèbre hebdomadaire français, fondé en 1843.

— Fred Johnson me promet une réponse définitive dans les prochains jours. Il a répondu en fin d'après-midi au télégramme que j'ai envoyé hier. Il pense avoir retrouvé notre petite-fille, qui se nommerait Lisbeth Woolworth.

Laroche se pencha sur le fauteuil de sa femme et il déposa un baiser sur son front, auréolé de boucles d'un blond gris. Elle n'osa pas se réjouir.

— Sur quoi ce détective fonde-t-il son opinion? Hugues, si c'est une fausse piste, je n'aurai plus de courage, j'en tomberai malade.

Devenue d'une sensibilité à fleur de peau, Adela lui étreignit les mains. Apitoyé par la détresse de son épouse, il voulut la rassurer.

— Je suis certain que nous reverrons bientôt Élisabeth, aie confiance.

Madeleine, fidèle à son habitude, avait écouté, tapie derrière la porte. Elle esquissa une grimace, les poings serrés. Justin la vit entrer dans les cuisines d'une démarche énergique, où se devinait son irritation.

— Qu'est-ce qui vous contrarie, madame? s'enquit-il d'une voix froide.

— Arrête tes singeries, ils ont retrouvé Élisabeth, paraît-il!

Le jeune palefrenier lui décocha un regard noir. Il ne croyait plus au retour de la petite fille qu'il avait consolée jadis, un soir de novembre. Après des années passées à se cacher sous les combles, dans une minuscule chambre, il était entré au service de Laroche, préposé aux écuries, une fonction qui le passionnait.

Présenté comme un lointain cousin d'un autre cousin de Madeleine, il pouvait vivre au grand air, parmi les chevaux, et cela lui suffisait. La seule ombre au tableau, c'était la tutelle exigeante de Madeleine.

La domestique se prétendait sa tante, mais elle lui avait interdit d'en faire état auprès de leurs patrons. Il ne devait plus la tutoyer ni se montrer familier envers elle.

« Cette femme se nourrit de mensonges, de rancunes, et même de haine, songeait-il, attablé devant un bol de potage. Si jamais Élisabeth revient, je la mettrai en garde contre elle. »

Il termina son maigre repas et s'équipa pour ressortir. Il pleuvait et le vent soufflait du nord.

— Où vas-tu encore ? aboya Madeleine.

— Une des juments se regardait le flanc, je crains une colique, je préfère la veiller cette nuit, répondit-il. Je coucherai sur le plancher à foin.

— Fais à ton idée, jeta-t-elle entre ses dents, et envoie-moi Alcide, j'ai à lui causer.

Justin acquiesça d'un signe de tête. Alcide était le nouveau jardinier, un homme de trente-cinq ans que formait le vieux Léandre, perclus de rhumatismes.

Madeleine en avait fait son amant. Il fallait bien remplacer Vincent, victime d'une mort violente et encore inexpliquée.

Chez Léa et Baptiste Rambert, même jour, même heure

Léa avait écouté attentivement le récit d'Élisabeth, depuis l'accident dans Central Park, lorsqu'elle avait six ans et fuyait le montreur d'ours, jusqu'aux dernières révélations des Woolworth et en évoquant aussi, brièvement, sa rencontre avec le prétendu Richard Stenton.

— Ma situation est très pénible, dit la jeune fille en guise de conclusion. J'aime toujours Maybel et Edward, qui m'ont donné beaucoup d'amour et m'ont choyée à l'outrance. Mais je leur en veux de m'avoir menti, en me laissant croire qu'ils m'avaient adoptée depuis longtemps.

Le sang italien de Léa lui conférait un caractère de feu. Elle était franche et ne ménageait personne, en règle générale. Là encore, elle ne cacha pas son agacement.

— Je pense qu'une foule de gens sont dans des situations bien plus pénibles que vous, Élisabeth. Que peut-il vous arriver de si grave? Au pire, vous allez rentrer en France, habiter un château, et être entourée d'affection par vos grands-parents. Vous pouvez aussi rester à New York, dans une famille très fortunée qui vous traite comme leur véritable enfant. Les Woolworth sont connus, je n'aurais jamais imaginé que vous grandissiez chez eux. Ils sont à blâmer, je suis d'accord, et d'un autre côté, je les comprends. Ils vous aimaient trop, ils ne voulaient pas vous perdre.

— Je l'ai compris, ça, répliqua Élisabeth, un peu blessée par ce sermon déguisé. J'admets avoir eu de la chance, car j'aurais pu échouer dans un orphelinat, cependant l'existence dont je rêvais, je ne l'ai pas eue. C'était vivre ici entre maman et papa, avec le bébé qui serait né en terre américaine. Nous n'aurions pas été riches, mais tellement heureux, tous les quatre.

Sa voix se brisa, tant elle contenait ses larmes. Léa, radoucie, lui prit la main.

— Je m'en doute, pauvre petite! Mon mari et moi, nous avions si mal au cœur, en pensant à votre terrible sort. C'est pour ça que je vous cherchais toujours, dans l'espoir que vous puissiez au moins retourner en France. Excusez-moi, je suis vive, je ne sais pas tricher.

— C'est réconfortant, et vous avez eu raison de me secouer. Je suppose que nombre d'orphelines sont victimes de mauvais traitements et sombrent dans la misère morale et physique. J'ai été préservée, j'en remercie Dieu, Léa.

— *Mia povera piccola*[1], murmura celle-ci dans sa langue natale. Dites, il se fait tard, vos parents vont s'inquiéter, et je ne vous ai pas raconté comment j'ai récupéré la médaille de votre maman.

— Je prendrai un fiacre pour rentrer, je vous en prie, dites-moi vite. C'est une telle consolation d'avoir récupéré ce bijou, de le toucher.

---

1. « Ma pauvre petite. ».

— C'est une histoire bizarre, commença Léa. Je n'avais pas encore Miranda, alors ma mère gardait Tony, et je travaillais dès que je pouvais, même si Baptiste gagne bien, sur les chantiers. Cette fois-là, j'étais engagée dans une grande blanchisserie pour deux mois, à une station de tram d'ici. Nous étions une dizaine de femmes à utiliser les machines qui lavaient, rinçaient, essoraient des piles énormes de draps, de torchons, tout venait des hôtels environnants. Et là-bas, une des employées s'appelait Colette, et je l'ai reconnue tout de suite. J'étais allée l'interroger le lendemain de votre disparition, à Guillaume et vous. Mais quand je lui ai dit, elle a nié, en hurlant qu'elle ne m'avait jamais vue.

Léa fit une pause, pour boire un peu d'eau et écouter si ses enfants étaient sages. Elle reprit, exaltée :

— Colette était française, j'étais la seule avec qui elle pouvait discuter. Elle passait ses journées à se lamenter. Son mari l'avait quittée pour une Irlandaise, son fils aîné, Léonard, volait à l'étalage.

Élisabeth ferma les yeux un instant. Une scène précise lui était apparue, en entendant le prénom Léonard.

— Je me souviens de lui ! s'écria-t-elle. Le soir où nous partions chez vous, avec le gros sac en cuir de maman comme unique bagage, Léonard a lancé une pomme à papa, en précisant qu'elle était pour moi. Pour Lisbeth ! Il avait un petit frère, Paul.

— Colette le confiait à une voisine de l'immeuble, mais elle se plaignait aussi de cette dame, qui nourrissait mal son fils. Je compatissais, bien sûr. J'ai vite compris que Coco, comme elle se désignait, buvait sa paie, qu'elle était à la dérive. Souvent elle pleurait en répétant qu'elle allait rentrer en France.

— Elle m'avait pris la médaille et la chaînette, en me coiffant. J'étais timide, craintive, je n'ai pas osé la lui réclamer, et quand papa l'a fait, elle a répondu que je l'avais sûrement perdue.

— Peut-être qu'elle a eu des remords, puisqu'elle la possédait encore, et même elle la portait, affirma Léa. Un matin, je lui ai fait la remarque : « Vous en avez une jolie médaille ! » Et elle m'a répondu avec un clin d'œil : « S'il m'arrive un coup dur, je m'en débarrasserai ! » Elle n'en a pas eu l'occasion. Une semaine plus tard, il y a eu un grave accident à la blanchisserie. Une des essoreuses s'est détachée, personne n'a su pourquoi ni comment. Le rouleau en acier a tué une femme, et gravement blessé Colette au crâne et à la colonne vertébrale.

— Seigneur, quelle horreur !

— Le mécanisme devait être endommagé, hasarda Léa. Cette pauvre malheureuse a agonisé des heures à l'hôpital. Je suis allée la voir, j'avais pitié d'elle. Le laudanum la soulageait, elle a pu me parler. Et justement elle m'a dit de prendre la médaille en or, de la vendre pour donner l'argent à ses garçons. J'ai accepté, en lui promettant de m'occuper de ses fils, dans la mesure du possible. Mais le bijou entre les mains, j'ai lu l'inscription. Pensez donc, Catherine Duquesne, ce nom-là m'a fait bondir. Je n'ai pas eu trop de mal à obtenir la vérité, elle vous avait volé la médaille.

— Et que s'est-il passé ensuite, demanda Élisabeth. Que sont devenus ses enfants ?

— Quand j'ai confié l'histoire à Baptiste, il a décidé de conserver précieusement le bijou. Colette est morte peu après. Mon mari a donné une petite somme à Léonard, qui a disparu aussitôt, et Paul a été placé à l'orphelinat. Il a dû partir dans un des trains qui emmènent les jeunes garçons dans l'Ouest du pays.

— C'est triste, concéda Élisabeth. Décidément les immigrants ont rarement la vie facile dont ils rêvaient pendant la traversée en bateau. Léa, je dois vous quitter. Est-ce que je pourrais revenir vous voir ?

— Vous y êtes obligée, plaisanta l'Italienne. Baptiste voudra absolument vous rencontrer ! Venez déjeuner avec nous après-demain, le 1er, c'est jour de congé.

— Juste une question, encore ? Vous avez reçu mon grand-père, Hugues Laroche. Comment se comportait-il ? Il me terrorisait quand j'étais petite.

— Au début, il m'a impressionnée. C'était un monsieur très élégant, à l'air hautain. Mais on sentait qu'il était très malheureux, ça oui. Il avait perdu sa fille unique et en débarquant chez nous, il apprenait que son gendre était sans doute mort et sa petite-fille disparue. Il s'est mis en colère, d'abord, puis il s'est calmé. Il était bouleversé, je l'ai senti. Depuis, il espère vous retrouver.

Très émue, Élisabeth se leva et enfila sa veste et ses gants. Sa rancune envers les Woolworth, un moment atténuée, reprit de la vigueur.

— Si je pense que mon grand-père s'est tenu là, chez vous, Léa, je n'ai pas envie de rentrer à la maison. Ce mot lui-même sonne faux désormais, comme il m'est difficile de dire *dad* ou *mom* à Edward et à Maybel ! Ils auraient dû, malgré tout, me conduire à l'hôtel *Chelsea*, pour apaiser le chagrin d'un homme qui avait besoin de moi, sa petite-fille. Je les déteste.

Léa préféra se taire. Elle eut un élan vers Élisabeth, qui la serra dans ses bras.

— Soyez courageuse, lui souffla-t-elle à l'oreille. Et revenez-nous vite.

10
Le vent du scandale

Dakota Building, jeudi 31 décembre 1896

La réception des Woolworth était une réussite. Maybel, dans une magnifique robe en velours vert, rehaussé de dentelles beiges, évoluait gracieusement d'un invité à l'autre, sous le regard mélancolique de son époux.

Rien ne manquait au tableau, ni le champagne français, ni le buffet garni des meilleurs produits fournis par un traiteur : du caviar, du saumon fumé, des homards et des aspics[1] de volaille. Bonnie, assistée d'un serveur, veillait au moindre détail.

Le grand salon resplendissait à la clarté des lustres à pampilles de cristal. La lumière électrique faisait briller les bijoux luxueux des femmes, qui arboraient des parures en diamants, en rubis et en perles fines. Chacune rivalisait d'élégance, le verbe haut, un sourire de satisfaction sur les lèvres.

— Seriez-vous triste, oncle Edward, demanda tout bas Pearl au négociant, en s'asseyant sur l'accoudoir de son fauteuil.

— Non, ma chère nièce, j'ai quelques soucis, et je suis un peu las, ces temps-ci.

— Lisbeth semble les partager, fit remarquer insidieusement la jeune fille. Comment peut-on être aussi

1. Préparation en gelée.

jolie et bouder, alors qu'on porte une telle robe, une merveille !

Pearl considéra d'un œil jaloux la ravissante silhouette de sa cousine, qui étrennait ce soir-là une toilette exquise. Maybel la lui avait offerte le matin même, sans obtenir pourtant le moindre sourire, juste un « merci » indifférent et marmonné.

— Un modèle unique, que j'ai commandé à Londres, précisa Edward Woolworth.

Élisabeth regarda de leur côté, comme mystérieusement avertie qu'on parlait d'elle. Le tissu soyeux, rose pâle, moulait son buste et marquait sa taille fine. Tout le corsage était brodé de strass et l'ample jupe s'ornait de broderies scintillantes. Le décolleté en forme de V dévoilait ses épaules rondes et nacrées en révélant également la naissance de ses seins. Sa chevelure d'un brun intense contrastait avec sa carnation laiteuse.

— La princesse du Dakota Building, ironisa Pearl, dépitée par sa poitrine plate et ses cheveux raides.

— Tu es charmante, et au moins tu sembles t'amuser, répliqua son oncle d'un ton désabusé.

— C'est vrai, mon oncle, et je compte danser avec vous, dès que le pianiste se mettra à jouer.

Pearl s'éloigna en adressant un grand sourire à tous ceux qu'elle croisait, hommes ou femmes. Edward se leva à son tour et rejoignit Maybel, postée près d'une des fenêtres.

— Lisbeth pourrait faire un effort, déplora-t-il à mi-voix.

— Non, elle nous punit en se montrant aussi froide, presque hostile. J'avais l'impression qu'elle commençait à nous pardonner, mais il a fallu qu'elle rencontre cette femme, Léa Rambert. Depuis c'est pire encore. Tu l'as entendue hier soir, quand elle est rentrée, toute seule et à la nuit tombée ! Nous avons fait souffrir mille morts à son grand-père, elle aurait préféré vivre près de lui, dans son château, et d'autres récriminations.

Maybel frissonna de nervosité. Au bord des larmes, elle avoua à son mari :

— Parfois, j'ai envie de la gifler, tellement elle est ingrate et insolente, mais je ne le fais pas, car ce n'est pas ma fille.

— Tu l'aimes de tout ton cœur, tu as pris soin d'elle des années, tu en aurais le droit. Et moi aussi.

— Non, non, Edward, nous la perdrions pour de bon !

— Je me le demande. Nous ferions peut-être mieux de nous comporter comme si nous étions ses véritables parents, avec un peu plus de sévérité notamment.

— Je n'en sais rien, gémit Maybel. Demain, elle va déjeuner chez ces gens, les Rambert, nous n'allons pas l'en empêcher.

— Certes non, mais j'ai l'intention de l'accompagner et de leur expliquer pourquoi nous avons agi ainsi. Lisbeth plaint un grand-père qu'elle imagine bon et aimant, je pourrais en tracer un autre portrait. Je soutiens que Laroche m'a fait froid dans le dos. Il avait un regard cruel, je m'en souviens parfaitement.

Élisabeth, une coupe de champagne à la main, épiait le couple, certaine d'être l'unique objet de leurs préoccupations. Elle ne prêta pas attention à l'arrivée d'un dernier invité, que Bonnie accueillait à l'entrée du salon, en lui prenant manteau et chapeau. Pourtant le nouveau venu se dirigea droit vers la jeune fille, une expression d'attente et de joie sur le visage. Vêtu d'un smoking[1] à la mode, il dépassait en taille la plupart des hommes.

— Lisbeth, appela-t-il tout bas une fois près d'elle. J'ai pu me libérer. J'avais hâte de vous revoir. Je ne regrette rien, vous êtes éblouissante !

Le soi-disant Richard Stenton la contemplait, fasciné par sa beauté. Jamais, il en était sûr, il n'avait admiré des

1. La mode du smoking aux États-Unis fut lancée par James Potter, lors d'une soirée mondaine, à New York, en 1886.

yeux aussi bleus, aussi clairs, ni des traits d'une telle délicatesse.

— Oh, monsieur Stenton, quelle surprise ! s'écria Pearl qui avait accouru en le reconnaissant. Mon père me parlait encore de vous hier, et de vos projets d'architecte !

— Monsieur Stenton, répéta Élisabeth, submergée par une saine colère, tout en étant émue de se retrouver devant lui.

Il était infiniment séduisant, son regard ambré étincelait et il souriait. Elle songea que sans Léa Rambert, elle aurait été joyeuse et fière de le présenter à Maybel et à Edward. Mais les dés étaient jetés, la mascarade inutile.

— Excusez-moi, il y a une légère erreur, dit-elle tout haut. Nous recevons M. Fred Johnson, n'est-ce pas ? J'en ai assez des mensonges et des impostures, autant décliner votre véritable identité et votre métier !

Il devint livide, tandis que les Woolworth au grand complet, Edward et son frère, Maybel, sa belle-sœur Doris, approchaient, intrigués par l'altercation.

— Qu'est-ce que ça signifie ? demanda Pearl, qui croyait à une plaisanterie.

L'indignation, la fureur impuissante que contenait Élisabeth depuis une semaine lui firent oublier le sens des convenances et l'hypocrisie souvent pratiquée dans les réunions mondaines. Ses idées se mêlaient en une ronde folle.

Elle revit des images de ses cauchemars, sa mère morte confiée aux abîmes de l'océan, son père agressé par des brutes. D'instinct, ses doigts effleurèrent la médaille de baptême de Catherine Duquesne, le seul bijou qu'elle avait mis pour la réception.

— Il est parfois nécessaire de dire la vérité, ajouta-t-elle d'une voix nette. M. Fred Johnson travaille pour une agence de renseignements et je doute qu'il soit architecte ! Je doute aussi de son intérêt envers moi. Il souhaitait m'apprendre à patiner, il espérait me revoir le plus souvent possible, mais simplement afin de savoir qui j'étais vraiment !

— Lisbeth, je vous en supplie, arrêtez ! l'implora tout bas le jeune homme.

— Pourquoi ? Je n'ai plus rien à perdre, puisque je vais rentrer en France, dans mon pays, auprès de ma famille ! Je ne suis pas apparentée à Maybel, non, je ne suis pas la pauvre petite-nièce d'un oncle de l'Arizona !

— Chérie, par pitié, tais-toi, protesta celle-ci. Pas ce soir !

— Ce soir ou demain, il faudra bien expliquer d'où je viens à tous ces gens ! reprit Élisabeth, superbe de révolte. Vous voyez cette médaille en or ? Elle appartenait à ma mère, Catherine Duquesne, née Laroche, en France. Mes parents étaient des immigrants, maman est morte pendant la traversée et papa une semaine plus tard, ici, à New York, il y a dix ans.

Edward, hors de lui, l'attrapa par le poignet. Élisabeth ne lui avait jamais vu un air aussi menaçant.

— Je te conseille de te taire, en effet, ordonna-t-il. Il est inutile de te ridiculiser.

— Me ridiculiser en révélant enfin *votre* mascarade, *dad* ?

Elle avait mis du mépris dans ce terme familier. Pearl recula, affreusement gênée. L'heure était grave, elle le sentait.

— Depuis dix ans, on me répète que je m'appelle Woolworth, que j'ai été adoptée par amour, moi la pauvre enfant perdue dans Central Park ! C'était faux ! Ceux que je chérissais il y a quelques jours, ceux que j'appelais *mom* et *dad* en toute bonne foi m'ont ramenée ici, blessée, ils m'ont soignée, puis ils m'ont gardée mais en me cachant, en élaborant des mensonges, toujours plus de mensonges, à l'époque où mon grand-père me cherchait. Il avait fait le voyage jusqu'en Amérique, parce qu'il m'aimait, lui aussi ! J'aurais grandi au château de Guerville, en France, entourée des miens...

Fred Johnson, alias Richard Stenton, restait figé, le teint blafard. Haletante, Élisabeth reprit sa respiration, prête à pleurer d'exaspération. Le négociant la lâcha sur un geste impérieux de son frère Matthew, qui demanda sèchement :

— Est-ce vrai, Edward ? Maybel et toi vous avez osé enlever une fillette aux siens ? Vous nous avez menti !

Les autres invités assistaient à la scène, mais en demeurant à distance respectueuse. Quant à Bonnie, debout dans un angle du salon, elle était totalement désemparée.

— Seigneur, protégez-nous, murmurait-elle. La petite n'aurait pas dû, ça non.

— J'ai voulu rencontrer Hugues Laroche, son grand-père, à l'époque où il séjournait à New York, rétorqua Edward. Il ne m'a pas inspiré confiance. Tu exiges la vérité, Lisbeth ? Tu nous reproches nos mensonges ? Eh bien, sache que j'ai pensé, il y a dix ans, que tu serais plus heureuse avec nous ! As-tu réfléchi avant de nous accuser en présence de nos amis, de notre famille ? Quel homme était ce Laroche, pour laisser s'exiler sa fille unique, et toi, sa petite-fille, alors qu'il paraissait très fortuné ? Qu'avait-il à la place du cœur ?

— C'était la volonté de mes parents, je m'en souviens très bien, répondit Élisabeth dans un cri déchirant. C'était leur rêve, mon grand-père n'a pas pu les retenir ! Mais il ne m'a jamais oubliée, ce Fred Johnson en est la preuve. Dites-leur, vous, que depuis la France, Hugues Laroche vous verse de fortes sommes pour retrouver Élisabeth Duquesne, brune aux yeux bleus, d'origine française !

Pris à partie en public, le détective fut obligé d'avouer. Il le fit d'un ton hautain.

— Oui, depuis trois ans maintenant, notre agence essayait de donner satisfaction à M. Laroche, qui était persuadé, à juste titre de toute évidence, que sa petite-fille avait survécu. Je préciserai qu'il avait auparavant fait appel à d'autres enquêteurs privés, en vain.

Maybel pleurait d'humiliation et de confusion. Incapable d'en entendre davantage, elle tenta de courir vers le couloir mais, aveuglée par ses larmes, elle renversa un guéridon où trônait un vase en porcelaine de Chine, d'une grande valeur. Il se brisa avec fracas à ses pieds.

— Ma pauvre tante, votre soirée est gâchée ! s'exclama Pearl.

La remarque parut tellement inappropriée à tous les témoins que Matthew, son père, en fut honteux. Il toisa sa fille d'un air furibond.

— Beaucoup de choses plus graves ont été gâchées, aboya-t-il. Nous partons, Doris, dit-il à son épouse. Je suis désolé pour toi, Lisbeth, n'hésite pas à solliciter mon aide si tu en as besoin.

— Je vous remercie, soupira-t-elle, consciente d'avoir provoqué un scandale.

Fred Johnson n'avait pas bougé. Il fixait Élisabeth, qui se tenait à deux pas de lui et le regardait également, la tête haute. Comme Edward conduisait Maybel jusqu'à leur chambre, car elle sanglotait de plus belle, le détective dit assez bas à la jeune fille :

— Êtes-vous contente du rôle que vous avez joué ?

— Et vous ? répliqua-t-elle d'un ton amer. Je suis écœurée, vous m'avez abordée, à la patinoire, dans l'unique but de vérifier si je n'étais pas celle que vous recherchiez, mais je ne vous en disais jamais suffisamment sur moi, alors vous vous êtes acharné. Maintenant vous pouvez écrire à mon grand-père, la lettre où je lui annonce que je suis en vie, ici, à New York, arrivera avant la vôtre.

— Peu m'importe, il saura que je vous ai retrouvée dès après-demain, par un télégramme.

— Je vous interdis de le prévenir.

— Mon métier l'exige, Lisbeth.

Pearl, prête à quitter l'appartement avec ses parents, revint d'un pas rapide vers eux. Elle considéra Élisabeth avec dureté.

— Bon voyage, petite peste, susurra-t-elle entre ses dents. J'ai eu de l'affection pour toi, car on me répétait que tu étais ma cousine. Je suis soulagée, je ne te verrai plus. Et si jamais tu t'inquiétais pour oncle Edward et tante Maybel, ne crains rien, je saurai les consoler de ton départ. Je dis bien : « si jamais », car tu respires l'égoïsme et l'ingratitude. Ils t'ont donné tout ce que tu n'aurais pas eu, si tu étais restée à ta place, celle d'une petite immigrante sans un sou en poche !

— Vos sarcasmes sont cruels et inutiles, Pearl, lui reprocha Fred Johnson.

— Oh vous ! Je vois clair dans votre jeu, vous n'avez pas hésité à entrer chez mes parents en vous faisant passer pour ce que vous n'êtes pas. Au fond, vous allez bien ensemble, Lisbeth et vous.

Sur ces mots, la jeune fille s'éloigna et disparut dans le couloir où Bonnie l'attendait, les bras encombrés d'une lourde veste en fourrure de renard argenté.

Élisabeth, les joues en feu, dut affronter des dizaines de regards curieux, perplexes, où ne se lisait aucune compassion.

— Sans doute tout ce beau monde me juge également ingrate et égoïste, hasarda-t-elle.

— Il est des sphères de la société new-yorkaise où le scandale se doit d'être étouffé, Lisbeth, murmura le détective. Je vous en prie, j'aimerais vous parler, en privé.

— Je ne le souhaite pas, monsieur.

— Très bien, ainsi je ne vous reverrai plus avant votre départ pour la France ? Je voudrais pourtant m'expliquer.

Elle se détourna, afin de lui cacher ses yeux embués de larmes. Bonnie accourait, soucieuse de veiller sur sa protégée et surtout d'éconduire l'intrus.

— Monsieur Johnson, je crois, à moins que vous ayez plusieurs noms de rechange, dit-elle tout bas en lui tendant son chapeau et son manteau. Ce n'est guère élégant de tromper une jeune demoiselle !

— Bonnie, ne t'en mêle pas, la rabroua Élisabeth. Je suis assez grande pour exprimer moi-même ce que je ressens.

La domestique en resta muette de stupeur. Elle recula d'un pas, tandis que Fred Johnson s'habillait pour sortir. Il salua d'un signe de tête rapide.

— Ne prenez pas la peine de me raccompagner, madame, dit-il gentiment à Bonnie, médusée.

Maybel et Edward avaient déserté le grand salon, témoin de leur humiliation et de leur déroute. Élisabeth s'empara de son châle en laine blanche, posé sur le dossier d'un fauteuil, et elle suivit d'un pas décidé le jeune détective. Il feignit de ne pas y prêter attention, mais bientôt ils se retrouvèrent seuls au milieu d'un des quatre paliers où s'ouvrait une cage d'ascenseur, fermée par une grille aux savantes arabesques de bronze doré. Le jeune liftier les salua, prêt à faire son service.

Johnson lui glissa un billet dans la main en lui signifiant de s'éloigner. Élisabeth en fut soulagée.

— J'attends vos explications, monsieur, dit-elle, exaspérée par sa fausse indifférence. Ne m'obligez pas à descendre avec vous dans la cour.

Il virevolta et la dévisagea. Ses prunelles d'ambre étincelaient.

— Mes justifications seront brèves, Lisbeth. Je tenais à vous dire que j'étais sincère, pendant ces heures délicieuses passées près de vous. Je travaille pour mon père, un homme exigeant et dur en affaires. Depuis un an, j'étais chargé d'enquêter sur la moindre jeune fille qui pourrait être Élisabeth Duquesne. Vous correspondiez au portrait que nous avions ébauché, d'après une photographie de vous prise le jour de vos cinq ans, et que nous avait envoyée votre grand-père. Je pratique le dessin et je devais vous représenter âgée de quelques années de plus.

— Dans ce cas, pourquoi prendre autant de précautions ? Vous pouviez me demander d'emblée si je n'étais pas la personne en question !

— La méthode aurait été brutale, il me semble. Et j'étais censé être prudent dans ma manière d'agir. Vous pouviez avoir souffert d'amnésie, ou dissimuler votre identité. Admettez aussi que vous évitiez de répondre à mes questions ! Pourquoi ?

Troublée, Élisabeth haussa les épaules. Elle estimait n'avoir pas le temps de lui confier ses états d'âme, au moment où ils se fréquentaient.

— L'ascenseur remonte, on a dû le demander à l'étage supérieur, nota-t-elle en haussant la voix, car l'appareil faisait beaucoup de bruit en s'immobilisant à leur niveau.

— Ne changez pas de sujet ! s'insurgea-t-il. Avez-vous oublié mes paroles d'avant-hier ? Je vous avouais que j'aurais été soulagé d'en savoir plus sur vous. De tout mon cœur, Lisbeth, j'espérais que vous n'étiez pas Élisabeth, la petite-fille du Français Hugues Laroche. J'ai prié, en vous quittant, pour avoir la preuve du contraire. D'où ma venue ce soir, malgré les foudres paternelles et les jérémiades de ma mère et de mes sœurs.

— Je ne comprends pas vraiment, dit-elle.

— Cessez de tricher, vous aussi, mon adorable Lisbeth ! Je suis tombé amoureux et je refusais l'idée de votre départ, inévitable à mon avis, comme de vous savoir sur l'océan, et ensuite loin de moi, dans le château de vos grands-parents.

Une timide émotion envahissait Élisabeth. Les intonations de Fred Johnson vibraient de ferveur, de franchise. Elle se moquait de tout, à cet instant, puisqu'il redoutait de la perdre.

— Comment vous faire confiance ? interrogea-t-elle. Déjà je ne peux plus appeler Maybel et Edward Woolworth *mom* et *dad*, or pour moi vous étiez Richard, et non Fred. Là aussi, à quoi bon user d'un faux nom ?

— M. Laroche se faisait insistant, mon père a eu l'idée d'une enquête dans la haute société. Il a choisi ce patronyme, car les Stenton étaient une illustre famille de la ville, richissime jadis, dont les rares membres sont établis à Chicago, désormais. Je suis entré en contact tout d'abord avec Matthew Woolworth, afin d'être invité dans les réceptions mondaines. Au fait, je possède un diplôme d'architecture, mais je n'ai pas décroché de contrat intéressant à ce jour.

— Tant de mensonges, toujours, gémit-elle. Même si vous dites vrai, ce soir, je suis en colère et très déçue.

— Une chose m'intrigue, comment avez-vous appris qui j'étais réellement ?

— La providence a guidé vers moi Léa Rambert, au bord de la patinoire. Sa petite Miranda portait au cou la médaille de ma mère. Elle vous a reconnu.

— Je vois, marmonna-t-il. Le sort en a décidé ainsi. Lisbeth, venez à Central Park demain matin, je vous en prie. Je voudrais me faire pardonner, et mieux vous connaître. Tant pis si je souffre davantage lorsque vous vous en irez.

— Demain, non, c'est impossible, Léa m'a invitée à déjeuner, répondit-elle. Je vais rencontrer Baptiste Rambert, un ami de mon père. C'est très important pour moi. Et je vais partir pour la France dès que je le pourrai, alors je préfère vous dire adieu maintenant.

Élisabeth retint un soupir. Elle avait baissé la tête, épuisée de soutenir le regard de Fred Johnson, où elle déchiffrait, malgré son innocence, un sentiment passionné. Il l'attira soudain contre lui, avec une douce autorité et il se pencha pour l'embrasser. Ses lèvres d'homme, chaudes, savantes, ardentes, donnèrent son premier baiser à la jeune fille.

— Je n'ai pas de meilleure preuve de ce que vous m'inspirez, souffla-t-il à son oreille, haletant.

Il se préparait à recevoir une gifle, un sermon virulent, ou à la fuite éperdue de Lisbeth. Le détective ignorait qu'elle avait hérité du tempérament de sa mère, la belle Catherine, à l'esprit rebelle et d'une nature sensuelle.

— Rien de plus ? s'enquit-elle d'un air frondeur.

La bouche entrouverte, la gorge palpitante, elle le défiait, ivre de la joie singulière que lui avait offerte l'étreinte de Johnson, ses mains larges autour de sa taille, et son baiser, source d'un émoi inconnu.

— Que voulez-vous, Lisbeth ? s'étonna-t-il.

Elle le sidérait, par son audace et sa beauté. Il songea qu'elle deviendrait plus tard une femme irrésistible, au charme unique. Cependant il fut encore plus étonné quand elle se jeta à son cou et l'embrassa avec une science instinctive.

— Je penserai beaucoup à vous, Richard, car dans mon souvenir, vous resterez Richard Stenton, mon guide sur la glace du lac. Je réussirai à vous oublier, une fois de l'autre côté de l'Atlantique. Bonsoir.

Élisabeth le laissa interloqué, plus amoureux encore. Il la suivit des yeux, en maudissant le destin qui l'avait mis en présence d'une telle enchanteresse pour la lui enlever peu après.

De retour dans l'appartement, accueillie d'une moue offensée par Bonnie, Élisabeth se rendit tout droit jusqu'à sa chambre. La domestique lui emboîta le pas.

— J'ai besoin d'être tranquille, Bonnie ! Occupe-toi des invités.

— Monsieur le fait mieux que moi, petite folle, rétorqua celle-ci. Je l'ai dissuadé de te rattraper, quand tu es sortie avec cet individu, Stenton ou Johnson, peu importe. Il a mal agi à ton égard. Tu dois avoir le cœur brisé.

— Pas par lui, Bonnie, soupira Élisabeth, en refermant la porte derrière elles. Bon, je suppose que tu veux me faire la morale !

— Madame a dû se coucher, au bord de la crise nerveuse. J'ai désapprouvé sa conduite de jadis, celle de Monsieur aussi, mais ce n'était pas la peine de tout dévoiler comme ça, devant leur famille et leurs amis.

— J'étais furieuse, j'en voulais au monde entier. Lorsque j'ai vu Richard près de moi, enfin le détective, il fallait que je libère toute cette colère qui me rongeait,

Bonnie. Hier soir, je t'ai raconté ma visite chez Léa Rambert et ce qu'elle m'a appris sur mon grand-père. C'en était trop pour moi. Je suis désolée, j'ai été désagréable tout à l'heure, je te demande pardon.

— Je te pardonnerai toujours, Lisbeth, mais tes parents seront moins indulgents. Tu leur as causé du tort.

— Eux aussi, ils m'en ont causé. J'avais peut-être envie de me venger.

— En voilà un vilain sentiment, ma pauvre petite ! Seigneur, tu n'es plus la même. Fillette, tu étais si gentille, obéissante et câline. Le seul souci, c'étaient ces cauchemars qui te réveillaient la nuit, en larmes, et je devais te consoler. Au fond, ça me plaisait de te cajoler, de te chanter une berceuse.

— Tu chantais en français, très bas, et je n'avais plus peur, admit Élisabeth.

Bonnie prit place familièrement au bord du lit. Elle tritura le bas de son tablier blanc entre ses doigts dodus.

— Et puis tu as fait des colères, moins violentes que ce soir, mais de vraies colères. Tu avais treize ans. La première fois, tu as cassé une assiette, parce que je te défendais de goûter à de la crème vanillée encore chaude. Il y en a eu d'autres.

— Ce doit être l'héritage de mon grand-père Hugues. Je le revois en train de vociférer, pendant que la tempête grondait dehors. Mes souvenirs sont si précis, Bonnie, depuis le 22 décembre exactement. Mais... mais ce n'est pas une date ordinaire.

Élisabeth retourna la médaille en or de sa mère et lut tout bas : *Catherine Laroche, 22 décembre 1857.*

— C'était le jour de sa naissance, balbutia-t-elle, bouleversée. Mon Dieu, ne me dis pas qu'il s'agit d'un simple hasard. Du Ciel, maman m'a aidée à retrouver la mémoire, j'en suis sûre. Elle désire que je renoue avec mes racines, mes deux familles, car je prie pour revoir mon cher pépé Toine, le meunier Antoine Duquesne, qui m'adorait. Bonnie, tu viendras avec moi ?

— Je vous l'ai promis, répliqua la domestique. Il vous faut un chaperon, ici ou ailleurs.

La jeune fille s'assit à ses côtés et l'étreignit fébrilement. On frappa un coup sec à la porte. Sans attendre d'y être convié, Edward entra. Il eut un sursaut de surprise en apercevant Bonnie.

— Je te prie de sortir, nos invités s'en vont, tu dois t'occuper d'eux, lui dit-il.

— Oui, Monsieur.

Elle se rua hors de la chambre. Élisabeth affronta le regard froid du négociant. La tendresse et la complicité avaient disparu de ce regard-là, qui la toisait comme si elle était une étrangère.

— Maybel est très secouée par le scandale que tu as provoqué, décréta-t-il. Quant à moi, je suis cruellement déçu. Je peux comprendre ta rancœur, ta colère, cependant nous accuser ainsi, c'était d'une bassesse odieuse. Il y avait de gros clients avec qui je traite souvent, et ils peuvent s'adresser à d'autres, après ton coup d'éclat.

— Je n'y ai pas pensé, avoua-t-elle, gênée.

— Bien sûr, tu as songé à toi, toujours à toi. Nous sommes sans doute responsables de ce désastre, puisque notre univers tournait autour de toi, notre petite Lisbeth. C'est terminé. Réfléchis un peu, un des témoins, s'il décide de me nuire, se fera un plaisir de raconter l'histoire à la presse. Nous pouvons être l'objet d'une enquête, judiciaire celle-ci, non pas officieuse, et avoir des comptes à rendre pour ton « enlèvement ». J'ai fait de mon mieux auprès de nos invités, en avançant tes soucis sur le plan nerveux, en précisant que nous devions te révéler la vérité le jour de Noël, et te laisser le choix de rester ou de nous quitter.

— Vous l'auriez fait ? s'enflamma Élisabeth.

— Nous sommes de grands naïfs, nous devions t'adopter, n'ayant plus eu de nouvelles de ta famille française, et nous étions persuadés que tu en serais ravie. Mais nous t'aurions proposé de renouer avec Hugues Laroche, si tu l'avais désiré.

— J'aimerais te croire, j'en suis incapable. C'est pénible d'être trahie. Fred Johnson m'a menti, vous m'avez menti, Maybel et toi. Lui, c'était pour son travail de détective, et vous deux, vous m'avez emprisonnée dans une superbe cage dorée.

Edward Woolworth leva les bras au ciel. Il se mit à déambuler d'un bout à l'autre de la pièce, en considérant d'un œil amer les bibelots, les bijoux dans leur coffret en bois précieux, la lingerie fine étalée sur le dossier d'une chaise.

— L'image de la cage dorée est facile, Lisbeth. Le luxe ne te dérangeait pas. Tu as bien profité de ma fortune, pendant ces dix années ! Même ce soir, tu sembles apprécier d'avoir une robe hors de prix sur le dos, et de pouvoir te réfugier dans cette chambre et d'y jouer les princesses outragées.

— Mais… *dad* !

— Ne m'appelle plus ainsi, je te prie. Remettons les choses en ordre, pour éviter de se déchirer. Nous avons été profondément heureux, tous les trois, il ne reste rien de notre vie de famille ! Aussi j'ai pris une décision. Tu rentreras en France par le premier bateau. Je paierai ton voyage, tu pourras emporter tes toilettes, tes parures et tes livres. Les conditions de traversée seront peut-être difficiles, en cette saison, je prendrai une cabine de première classe.

Impressionnée par le ton glacé de l'homme en qui elle avait trouvé un père affectueux, Élisabeth se crispa. Ce départ dont elle rêvait lui apparaissait soudain tout proche, et une vague appréhension lui serra la gorge.

— Il serait peut-être préférable d'attendre la réponse de mon grand-père, suggéra-t-elle.

— Monsieur Johnson lui fera savoir sans tarder que tu es vivante et prête à le rejoindre. Et il y a des façons plus rapides de le contacter, comme le télégramme. Que crains-tu ? Hugues Laroche a dépensé de fortes sommes pour te chercher, il sera enchanté de te voir arriver.

Élisabeth perçut une note ironique dans ces paroles. Elle se défendit aussitôt.

— Ce n'est pas le problème, je me disais que mon grand-père s'acquitterait volontiers des frais du voyage. Il faut deux billets, Bonnie part avec moi.

— Quoi ? s'égosilla le négociant. C'est un comble ! Bonnie est employée chez nous depuis quinze ans. Je l'ai engagée à l'époque où nous habitions près de Wall Street. Comment a-t-elle le cœur d'abandonner Maybel, qui est si généreuse envers elle ? Qu'as-tu encore manigancé, Lisbeth ?

— Sur le sujet des manigances, je suis loin derrière vous deux, rétorqua-t-elle. Bonnie ne veut pas se séparer de moi, elle me suivra partout où j'irai. Ce n'est pas une esclave, quand même ?

Edward faillit la gifler. Il pointa l'index en direction de la jeune fille, les yeux exorbités par une rage impuissante.

— Qu'elle fiche le camp, mais dis-lui bien qu'elle paiera la traversée de sa poche !

Il sortit en claquant la porte.

New York, vendredi 1er janvier 1897

Élisabeth se rendait seule chez les Rambert. Il tombait de légers flocons de neige sur son chapeau, sur le trottoir verglacé. Un vent froid soufflait, mais la jeune fille le respirait à pleins poumons, grisée d'être libre, de marcher à sa guise dans la gigantesque ville qu'elle connaissait si peu, hormis Central Park, les abords du Dakota Building et le trajet jusqu'à la cathédrale Saint-Patrick.

Le sourire qui errait sur ses lèvres était néanmoins empreint de tristesse.

« Tout se passe à la fois trop rapidement et trop lentement, songeait-elle. J'ai dit adieu à Richard, après ces baisers dont je suis encore étourdie. Je voulais partir, mais je pensais avoir des semaines devant moi, et je devrai prendre le prochain bateau. »

Elle était distraite par le chaos de ses pensées, au point de traverser une rue perpendiculaire à l'avenue qu'elle longeait sans s'en apercevoir. Un attelage déboula et l'aurait renversée, si une poigne énergique ne l'avait pas arrêtée.

— Faites donc attention, fit la voix grave du détective.

Elle se tourna vers lui. Il la dévisageait avec sévérité.

— Où allez-vous ? demanda-t-il. Pourquoi vos parents vous ont-ils laissée sortir sans votre gouvernante ?

— Vous me suiviez ? Je n'ai pas le droit à mon indépendance ?

— C'est imprudent à votre âge.

— J'ai croisé quelques filles plus jeunes que moi et allant où elles le souhaitaient sans être accompagnées. Je vous prie de ne plus m'importuner, monsieur Johnson.

— Mon patron, qui est aussi mon père, je vous le rappelle, m'a chargé de veiller sur vous, puisque vous êtes bien vivante. Que nous dirait M. Hugues Laroche s'il survenait un accident aujourd'hui ?

La remarque frappa Élisabeth. Elle défia Johnson de son regard bleu azur.

— Eh bien, si ces chevaux m'avaient bousculée ou piétinée, ma courte existence aurait eu la forme d'une boucle. Edward et Maybel Woolworth se promenaient en calèche quand je me suis précipitée dans l'allée du parc. J'étais inconsciente, ils m'ont ramenée chez eux. Vous savez la suite ou du moins, vous devez la deviner.

— Lisbeth, je voudrais tout savoir de vous, dit-il en réponse.

— Je suis désolée, nous n'aurons pas l'occasion de nous revoir. Les Woolworth en ont assez de moi et j'embarquerai le plus tôt possible. Ne me retardez pas davantage, je vais déjeuner chez les Rambert, une adresse qui vous est connue, et je compte acheter des bonbons aux enfants. Edward ne m'a pas coupé les vivres, pas encore.

Le détective ne fut pas dupe de sa détresse, malgré sa volonté de donner le change.

— Je vous escorte, avec ou sans votre accord, annonça-t-il. Le quartier où vous allez n'est pas recommandé pour une jeune demoiselle aussi jolie et d'une rare élégance. On pourrait s'en prendre à vous, je ne me le pardonnerais pas.

Élisabeth se garda de protester, secrètement enchantée. Elle l'observait de temps en temps, un rapide coup d'œil de côté, et son cœur manquait un battement.

— J'irai à la patinoire demain matin, déclara-t-elle soudain.

— J'essaierai d'y aller, dans ce cas. Lisbeth, vous me paraissez un peu morose. Est-ce la perspective de quitter New York ?

— Sans doute. J'avais de douces habitudes, ici. Les leçons de piano, les cours privés que je recevais. Mes professeurs, toujours des femmes, étaient vraiment charmantes. Il y avait la cérémonie du thé, avant leur départ. Bonnie servait des pâtisseries exquises, Maybel se tenait au courant de mes progrès. Bien sûr, c'était une existence confinée, mais l'appartement s'y prêtait, il est immense, n'est-ce pas ? Quand j'avais huit ans, la mère d'Edward nous a rendu visite et elle m'a offert un très beau jouet. Elle était déjà veuve, et elle est morte six mois plus tard.

— Un détail me tracasse, Lisbeth, comment ferez-vous, une fois en France, pour parler à vos proches ? Vous avez dû oublier votre langue natale ?

— Ne vous inquiétez pas, je me débrouillerai fort bien, lui assena-t-elle, mais en français.

— Pardon ? Je n'ai rien compris.

— Je vous taquinais en usant de ma langue natale, justement. C'est un secret. La mère de Bonnie était de Normandie, une province au bord de la mer, près de Fécamp.

Au début, Maybel la sommait de traduire ce que je disais. Ensuite, il fallait que je parle seulement en anglais, mais Bonnie, qui est mon amie, n'a pas obéi aux consignes. Nous avons continué à discuter toutes les deux en français, en cachette. Moi aussi, j'ai un doute ! Pourquoi votre père a-t-il tenu à ce que vous vous présentiez sous une fausse identité ?

— Je vous l'ai déjà expliqué, Lisbeth, pour augmenter mes chances d'être introduit dans les hautes sphères mondaines. Papa a débuté en bas de l'échelle, comme on dit. Notre agence ne paie pas de mine et je lui ai coûté cher, avec mes études d'architecture. J'ai une dette envers lui, alors je respecte ses idées. Mais pour être franc, Richard est mon second prénom, que je préfère à Frédéric, devenu Fred ou pire, Freddy, dès ma naissance.

— Alors je vous appellerai toujours Richard, s'enthousiasma-t-elle. Enfin, durant le temps qui nous reste.

Il n'eut pas le courage de lui répondre, se contentant de prendre dans la sienne sa petite main gantée de velours.

— J'avais prévu de prendre le tram, nous avons dépassé la station, déplora-t-elle.

— Un omnibus arrive, nous finirons le trajet ainsi.

Ils se retrouvèrent assis très près l'un de l'autre, sur une banquette. Le lourd véhicule, tiré par quatre chevaux de trait, avançait cependant à bonne allure. Élisabeth mourait d'envie de nicher sa tête contre l'épaule de Richard. Le contact de son corps d'homme la troublait, éveillant en elle des ondes délicieuses qui l'intriguaient et la ravissaient.

Elle rêvait d'un nouveau baiser, même si le lieu ne s'y prêtait pas. Johnson lui en donna un, en bas de l'immeuble des Rambert, mais sur le front, en grand frère.

— Je déteste souffrir, avoua-t-il. Pour cette raison, j'éviterai de vous revoir, Lisbeth. Ne m'attendez pas demain, à la patinoire.

— Vous allez envoyer un télégramme à mon grand-père ?

— Oui, à regret. Ce serait malhonnête de retarder une annonce qu'il espère depuis dix ans. Hélas, je n'ai pas le pouvoir de vous retenir à New York.

Élisabeth le vit s'éloigner d'une démarche souple. Elle se sentait complètement perdue.

Chez Léa et Baptiste Rambert, même jour

Dès qu'elle toqua deux petits coups à la porte du logement des Rambert, Élisabeth cessa de penser à Richard, à ses yeux dorés, à son sourire enjôleur. Le passé reprenait tous ses droits.

« Papa a dû monter le même escalier que moi, au moins une fois. Baptiste était son ami depuis longtemps. Mon grand-père aussi s'est tenu à ma place », se disait-elle.

Le charpentier lui ouvrit, tout de suite souriant, un éclat de joie dans les yeux. C'était un homme robuste, de taille moyenne, aux cheveux ras et grisonnants.

— Bonjour, Élisabeth ! s'écria-t-il en français. Entrez vite, il fait très froid sur le palier. Je suis vraiment heureux de vous rencontrer.

Il la saisit par les épaules et l'embrassa sur les deux joues. Léa, un peu à l'écart, hochait la tête d'un air satisfait. Les enfants, en habits du dimanche, dansaient d'un pied sur l'autre.

— Que cette nouvelle année vous soit favorable en tout point, ajouta Baptiste.

— Je vous remercie, monsieur, et je…

La voix d'Élisabeth se brisa sur un sanglot. Léa se précipita pour l'étreindre nerveusement.

— Ne pleurez pas, allons, c'est l'émotion, dit-elle en câlinant leur visiteuse. Asseyez-vous. Et voilà, mon mari y va de sa larme, du coup.

— Je suis navrée, Léa, je me donne en spectacle, gémit la jeune fille. Déjà, je suis ravie de pouvoir parler en français, et peut-être à cause de ça, le passé revient en force, et avec netteté. Monsieur, nous venions chez vous le soir où papa a été agressé, battu à mort, d'après ce que j'ai appris récemment.

— Je sais, concéda-t-il. Et je regrette encore de n'être pas allé plus tôt inspecter les ruelles avoisinantes. J'aurais pu sauver mon ami. Guillaume et moi, nous avons affronté de rudes gaillards, dans la vallée du Rhône, et nous les avons mis en fuite, grâce à nos cannes de compagnons.

— Je vous en prie, parlez-moi de papa, de l'époque où vous l'avez connu. Comme il me manque…

Baptiste s'attabla en face d'Élisabeth. Il tremblait de joie en la contemplant.

— Ce sera un plaisir de le faire revivre pour sa fille, sa princesse qu'il adorait, répondit-il. Dieu m'est témoin, vous étiez son unique raison de vivre, après le décès de votre maman.

Le couvert était déjà mis. Léa, en ménagère avisée, coupa court à la conversation.

— Nous allons manger, d'abord, les petits sont affamés, et puis c'est jour de fête, ils sont impatients de se régaler. Je vous ai fait un plat de mon pays, Élisabeth, des lasagnes[1]. Ce sont des pâtes plates, avec des couches de viande et de légumes, gratinées au parmesan.

— Je n'en ai jamais goûté, Léa. Mais ça sent très bon.

— Et en votre honneur, j'ai acheté une bouteille de chianti, renchérit Baptiste. Bon, c'était aussi pour ma femme, qui l'aime tant. Du vin italien. Que voulez-vous, on demeure attaché à ses racines profondes.

— Tu causeras tout à l'heure, je vais servir, trancha son épouse. Miranda, Tony, à table.

---

1. On évoque les lasagnes, plat de pâtes et de farce, dès le XIIIe siècle.

Élisabeth avait rarement dégusté un plat aussi original, ni partagé une ambiance familiale aussi gaie, simple. Au dessert, un flan au fromage frais et au cacao, elle sortit de son sac à main un paquet de gommes à l'anis, fermé par un ruban rouge.

— Je les ai achetées pour les enfants, chez l'épicier en face de votre immeuble. Je ne connais pas le quartier, j'aurais aimé leur offrir des bonbons plus raffinés.

— C'est très gentil, Élisabeth, approuva Léa. Ils n'en ont pas souvent. Prenez-vous du café ?

— Non, je suis déjà très nerveuse, selon le docteur qui vient m'examiner régulièrement. Il m'interdisait le thé, mais bien entendu, je ne l'ai pas écouté.

— La bonne blague ! s'esclaffa le charpentier. Léa est une vraie pile électrique, avec ou sans café.

Le couple éclata de rire, semant une amère nostalgie dans le cœur de la jeune fille.

« Maman et papa se seraient comportés de la même manière, pensait-elle. Nous aurions habité un logement similaire, et le dimanche, les jours fériés, nous serions restés ensemble. »

— Pourquoi avons-nous eu si peu de chance, énonça-t-elle à voix basse. Le sort s'est acharné sur mes parents. Léa a dû vous le dire, monsieur, beaucoup d'événements de mon enfance étaient comme effacés, mais la mémoire m'est revenue, le soir de la date anniversaire de ma mère.

— Vous n'avez pas été épargnés, tous les trois, ça non, admit Baptiste. Les malles disparues au départ, la tempête, et la suite, que je ne vais pas évoquer. Buvez quand même un petit verre de vin.

Élisabeth sirota un peu de chianti, tandis que le charpentier lui parlait de son ami Guillaume Duquesne.

— Nous sommes partis tous les deux, le même jour, pour notre tour de France des Compagnons du Devoir. J'étais de Picardie, votre père de Charente. Nous étions bien accordés, autant au travail que le soir, pour étudier. Il faisait du bel ouvrage, plus doué que beaucoup.

Nous avons réparé la charpente d'une église du côté de Limoges, œuvré à la réfection d'une toiture de mairie dans le Jura.

Baptiste égrena plus d'une heure ses souvenirs. Les enfants jouaient dans leur chambre, Léa lavait la vaisselle. Elle revint s'asseoir à la table quand son mari concluait :

— Quand Guillaume est rentré à Montignac, son village, moi je me suis installé à Paris. Il m'écrivait, et j'ai su qu'il s'était marié. Il avait des mots de poète pour me dépeindre Catherine, l'élue de son cœur. Vos parents ont vécu un grand amour, Élisabeth.

Elle acquiesça d'un sourire ébloui. Une paix profonde l'avait envahie, en écoutant Baptiste.

— Mais tu les as toujours, les lettres de Guillaume ! s'exclama Léa. Tu dois les remettre à sa fille. Dites, vous seriez contente de les lire, *mia poverina*[1] !

— Oui, vraiment contente, affirma Élisabeth. Seulement elles ne m'étaient pas destinées, et elles appartiennent à votre époux, Léa. Je peux vous les emprunter pour les lire et vous les rapporter avant mon départ.

— Vous partez ? interrogea Baptiste, les sourcils froncés. Vous retournez en France ?

— Très bientôt. Léa a dû vous expliquer ma situation, et ce que j'ai découvert. Je ne peux plus rester aussi loin de ma famille.

Le charpentier se gratta la barbe, la mine perplexe. Il toussota, avec toute l'apparence d'un homme craignant de faire une erreur.

— Hum, hum, finit-il par bougonner.

— Qu'est-ce qui vous gêne à ce point ? s'étonna Élisabeth.

— Rien d'important, juste un doute, murmura-t-il. Ces gens, les Woolworth, ils ont mal agi, mais j'aurais pu me conduire comme eux, à l'époque. Je sais des choses,

---

1. « Ma pauvre. »

car Guillaume se confiait beaucoup à moi, pendant la semaine où nous avons trimé sur le même chantier, ici. Votre maman, Catherine, sur son lit d'agonie, lui avait fait promettre de ne jamais vous confier à ses parents, les Laroche.

— Vous en êtes sûr, monsieur ?

— Ah ça oui ! Elle prétendait que vous seriez malheureuse, chez eux. Je n'y croyais guère, à entendre la description du château de Guerville, des écuries, des vignobles. Pourtant, lorsque votre grand-père est venu nous rendre visite, qu'il était assis à cette table, j'ai mieux compris les craintes de votre mère.

Léa soupira, agacée. Elle brandit un doigt menaçant vers son mari, qui haussa les épaules avec lassitude.

— Tu ne devrais pas dire ça, Baptiste ! M. Laroche avait trop de chagrin, voilà tout.

— Ce moment est gravé dans ma mémoire, Léa ! Je lui apprends la disparition de son gendre, en précisant que j'ai la conviction de sa mort, et lui, il ne réagit pas. Rien, pas un frémissement sur le visage, pas un mot de pitié. Seul votre sort l'intéressait, Élisabeth, vous seule aviez de l'importance.

— J'en ai eu la preuve, en effet, répondit-elle. Sans vouloir vous vexer, cher monsieur, des années se sont écoulées. Maman était un esprit libre, elle rêvait d'aventures. En épousant papa, elle avait contrarié ses parents. En fait, l'attitude de mon grand-père correspond bien au souvenir que j'ai de lui, un homme dur, froid, coléreux. Il se pourrait que j'aie hérité de certains traits de son caractère. Et si maman a exigé cette promesse de mon père, c'est sûrement parce que j'étais alors une fillette, très sensible.

Baptiste lui prit les mains, dans un élan d'affection.

— Élisabeth, si vous estimez être assez forte pour reprendre votre place au château de Guerville, d'où votre maman s'est quasiment enfuie, alors partez, dit-il d'un ton solennel.

— Je prierai pour vous, *bellissima ragazza*[1], s'écria Léa.

— Merci à tous les deux, pour votre franchise, votre gentillesse. Je ne vous oublierai jamais.

1. « Très belle jeune fille. ».

11

Le sol de France

Mardi 12 janvier 1897, à bord de La Touraine

Le vent, chargé d'embruns, séchait les larmes d'Élisabeth, qui regardait s'amenuiser au loin la statue de la Liberté et les innombrables immeubles de New York, pareils à une longue dentelle de pierre aux contours fantasques. Malgré le froid vif, elle s'obstinait à rester là, les doigts serrés autour de la rambarde supérieure du bastingage.

Le grand paquebot baptisé *La Touraine*[1] l'emportait, pareil à un monstre d'acier aux flancs ruisselants, car la houle était forte et d'énormes vagues se brisaient sur la coque, avec un bruit sourd. Les remous de l'eau grise, autour du bateau, fascinaient la jeune fille. Des reflets verts s'y dessinaient parfois, fugaces, vite engloutis, vite resurgis.

— Ce départ, mon Dieu, dit-elle tout bas. Quel départ !

Elle respira à fond, affreusement oppressée. Les derniers jours qu'elle avait passés chez les Woolworth lui laissaient un goût doux-amer.

« Maybel n'a pas quitté son lit, elle était vraiment malade, par ma faute. Pourtant, elle a eu le courage de venir me dire au revoir, sur le quai. Je ne voulais pas, mais Edward lui a cédé. »

1. Paquebot ayant existé, et réputé très rapide, mis en service en 1891 par la Compagnie transatlantique, cela jusqu'en 1923.

L'image de la gracieuse femme aux cheveux couleur d'acajou l'obsédait : toute menue dans son manteau noir, tremblante, secouée de sanglots. Maybel s'accrochait à elle, lui caressait le visage, le prenait entre ses mains.

— Tu seras toujours ma fille, Lisbeth, avait-elle gémi. Tu m'as donné tant de bonheur, ma chérie. Aie pitié, appelle-moi *mom* encore une fois, rien qu'une.

— Je suis désolée, *mom*! s'était écriée Élisabeth en l'enlaçant. Je te pardonne, je vous pardonne. Oh, je vous aime…

— Si tu ne te plais pas en France, si tu regrettes ta vie ici, écris-nous, et reviens, chérie, avait dit le négociant, bouleversé. Tu es notre enfant, nous penserons chaque jour à toi.

Edward Woolworth prononçait ces mots en touchant sa poitrine à hauteur du cœur. Sa colère n'avait été qu'un feu de paille, étouffé par de nouveaux remords et son chagrin de perdre leur précieuse Lisbeth. En achetant un billet de première classe au siège de la Compagnie générale transatlantique, il avait payé le voyage de Bonnie, sans ouvrir l'enveloppe que la domestique lui avait remise, qui contenait une partie de ses économies.

— Finalement, je suis rassuré de la savoir avec Bonnie, avait-il expliqué à Maybel. Il lui fallait de la compagnie et une personne sûre pour la protéger.

« Ils ont été de bons parents, songeait Élisabeth, transie, qui se remémorait le geste généreux du négociant. « Dieu merci, personne parmi les invités du réveillon n'a dévoilé à la presse ce qu'ils avaient fait jadis. Il n'y a eu qu'un petit scandale "intra-muros", comme a dit *dad*! »

Maintenant, en route vers Le Havre, elle savourait les termes affectueux qu'elle se refusait si souvent depuis Noël.

« *Mom*, *dad*, vous m'aimiez, et je devais vous pardonner, au nom de l'amour. Je crois que vous me manquerez. »

Des goélands survolaient l'océan. Leurs cris rauques la firent frissonner. Elle n'était pas seule sur le pont supérieur, réservé aux passagers de première classe. Un couple bavardait, rieur, chaudement habillé. Des hommes élégants déambulaient, l'un d'eux utilisait une longue-vue qu'il braquait sur la côte.

On l'avait déjà saluée à maintes reprises d'un signe discret, depuis l'embarquement, et elle répondait de même, à l'abri de ses beaux vêtements de fille riche, de son allure ravissante.

— Ah, mademoiselle, vous êtes là !

Bonnie lui tapota l'épaule, en évitant de regarder la fuite de la mer le long du paquebot. La malheureuse était livide.

— J'ai défait votre malle, votre nécessaire de toilette, bégaya-t-elle. Mais j'ai l'estomac retourné, je vais m'allonger. Vous feriez mieux de rentrer dans votre cabine. Vous verrez, c'est luxueux. Monsieur n'a pas lésiné sur la dépense, il y a un coin salon, un cabinet privé, et j'ai mon lit dans un angle.

— Je reste encore un peu dehors, Bonnie. Tu es malade, va te reposer. Au large, *La Touraine* risque de tanguer davantage.

— Seigneur, je n'ai pas fini de souffrir, se lamenta-t-elle. Ne tardez pas, si des messieurs vous importunaient !

Élisabeth esquissa un sourire ironique pour répliquer :

— Sois sans crainte, nous sommes entre gens de bonne société. Je suis capable de me débarrasser des beaux parleurs.

— On dit ça, on dit ça, ronchonna Bonnie avant de tituber en direction de la coursive.

Soulagée d'être seule à nouveau, la jeune fille ajusta le foulard en soie de Chine qui maintenait son chapeau. Elle tourna le dos à l'Amérique, dont on ne voyait presque plus rien, et leva la tête vers l'immensité du ciel, d'un gris nacré.

« Pourquoi suis-je aussi triste ? se demanda-t-elle. J'aurais tellement voulu revoir Richard, mais il a tenu parole, je l'ai attendu en vain à la patinoire, trois matins de suite. »

Le détective, cependant, avait bouclé le contrat établi avec Hugues Laroche. Un télégramme était arrivé à 10 heures du matin, au château de Guerville, le samedi 2 janvier. Une réponse avait suivi, remise à l'adresse des Woolworth, le lundi 4, destinée à Élisabeth Duquesne. Elle en connaissait le texte par cœur : « *Notre foi en Dieu enfin récompensée. Espérons retour rapide sur le sol français. Tes grands-parents qui t'aiment.* »

Au bord de la Charente, même jour

Adela Laroche fouettait sa jument, qui ne trottait pas assez vite à son goût. Il pleuvait dru sur la campagne grise, et le fleuve, grossi par les intempéries, grondait entre ses berges hérissées de roseaux et de saules. Jamais le chemin n'avait paru aussi long et pénible à la châtelaine. Elle se tenait presque debout, agitant les rênes, le visage figé par un sourire incrédule.

Les roues de la calèche fendaient des flaques boueuses, la capote secouée par le vent faisait entendre un claquement obsédant, mais rien n'aurait arrêté Adela.

D'une des fenêtres du moulin, Pierre Duquesne vit l'attelage débouler dans la cour à une allure déraisonnable. Il envoya son frère Jean accueillir la visiteuse.

— Surtout, mets le cheval dans la grange. En sueur par ce froid, il attraperait du mal, recommanda-t-il. Je me demande ce qui se passe, regarde donc, Mme Laroche court vers la maison.

Jean se signa, redoutant l'annonce d'un malheur. Puis il se rua dehors et attrapa la jument par sa bride.

— Ta patronne te mène la vie dure, souffla-t-il à l'animal.

Adela, pendant ce temps, faisait irruption dans la grande pièce du logis. Antoine Duquesne se chauffait près du feu, comme lors de sa précédente venue.

— Antoine ! cria-t-elle. C'est un miracle ! Je n'ai pas pu venir dimanche, ni hier, mais je ne pouvais plus attendre. Élisabeth est vivante, et aujourd'hui, elle a pris un bateau pour Le Havre. Elle nous revient !

Haletante, elle aida le vieil homme à se relever. Il la fixa d'un air ébahi, qui se changea en une expression émerveillée.

— Dieu a entendu nos prières, les vôtres, les miennes, mon cher ami. Nous avons eu le télégramme samedi midi, par le facteur. Le texte était précis, et plus long que d'habitude. Je vous l'ai apporté. Lisez-le !

Elle brandissait un rectangle en papier beige.

— Il me faudrait mes besicles ! Faites-moi la lecture, Adela. Seigneur, j'ai le cœur qui saute comme un cabri. Je vais revoir ma petite-fille, ma toute petiote.

— Mais oui, dans une dizaine de jours, elle sera là ! Écoutez un peu : « *Ai retrouvé Élisabeth dans famille fortunée de New York. Aucun doute possible. Elle souhaite revenir en France.* » Nous avons eu d'autres messages de ce détective, et Élisabeth elle-même nous a avertis de son retour. Je l'ai aussi apporté. Je le lis : « *Chers grands-parents. Je vous ai écrit. J'embarque sur* La Touraine *mardi 12 du mois. Élisabeth qui vous aime.* »

Antoine Duquesne vacilla sur ses jambes douloureuses. Il en vint à maudire ses rhumatismes qui l'empêchaient de danser sur place. Ses yeux bleus embués de larmes, il donna l'accolade à la châtelaine, afin de libérer un trop-plein de joie.

Pierre et Jean, venus aux nouvelles, s'immobilisèrent sur le seuil, sidérés par la scène qu'ils découvraient.

— Mes garçons, c'est un beau jour, un des plus beaux de ma longue existence, clama leur père sans lâcher le bras d'Adela. J'en perds le souffle. Élisabeth est vivante, elle rentre !

Les deux frères échangèrent un regard de pure stupeur. Ils se souvenaient d'une jolie fillette brune, câline, rieuse, mais qu'ils n'avaient pas eu le temps de bien connaître.

— Il n'y a aucun doute ? s'alarma Pierre, en sa qualité d'aîné et d'homme peu enclin à l'enthousiasme.

Adela lui tendit les télégrammes qu'il parcourut en hochant la tête. Jean les déchiffra à son tour. Adela rayonnait de bonheur.

— Nous aurons peut-être la lettre dont elle parle avant son arrivée, le courrier voyage lui aussi par mer, hasarda-t-elle.

— Je vous remercie d'être venue m'avertir, ma chère amie. Je ne perdais pas vraiment espoir, mais l'Amérique me semblait si lointaine, si vaste. Je me disais que cet enquêteur ne parviendrait jamais à retrouver la moindre trace de notre petite-fille.

— Eh bien, si, il a réussi ! Mon époux est dans tous ses états. Il ira chercher Élisabeth au Havre, bien sûr. Je préfère préparer le château pour son retour, je donnerai un bal, une grande fête.

— Et serons-nous invités ? interrogea Jean. Nous sommes sa famille, nous aussi.

Il la défiait d'un air moqueur, certain de la réponse.

— Si j'étais la seule à en décider, oui, évidemment. Mais Hugues s'y opposera.

— Tu n'avais pas à poser cette question qui embarrasse Mme Laroche, Jean, s'indigna son père. Élisabeth a survécu, je pourrai la serrer contre moi avant de mourir, je n'exige rien d'autre. Et ce n'est plus une enfant, elle nous rendra visite.

— Mais oui, et je viendrai avec elle, affirma Adela. Je conçois combien l'hostilité de mon mari envers vous tous est blessante, et je dirais à ce propos que la véritable fête, en l'honneur de notre Élisabeth, elle aura sûrement lieu ici, au moulin.

Un sanglot nerveux l'obligea à se taire. Compatissant, le vieux meunier lui tapota l'épaule.

— Ne vous tracassez pas, Adela, dit-il gentiment. Pierre, sors du cidre bouché du bahut, nous allons trinquer à l'événement.

Sur La Touraine, *même jour*

Bonnie gisait sur son lit, le teint brouillé, les yeux clos, un mouchoir sur sa bouche. Elle avait vomi deux fois déjà. Le paquebot, réputé pour sa vitesse, voguait désormais au large, sur un océan que creusaient et gonflaient de profondes lames.

— Tu as le mal de mer, je ne sais pas comment t'aider, déplora Élisabeth, que le roulis n'incommodait pas.

Elle avait enfin pris possession de sa luxueuse cabine, où était disposé un mobilier de qualité, et elle déambulait du coin salon au cabinet de toilette particulier, seulement vêtue d'une culotte longue et de son corset en satin ivoire.

— Seigneur, mademoiselle, habillez-vous, on est en janvier, supplia la domestique d'un ton plaintif.

— Mais il fait chaud, Bonnie ! Je n'en pouvais plus de porter mon tailleur en tweed, des bas, un manteau. Ce soir, nous dînons dans la grande salle à manger des premières classes, je mettrai une robe chic.

— Je serais bien incapable d'avaler quoi que ce soit !

— Pourtant ça te requinquerait !

— Ma mère disait ça souvent, avança Bonnie.

Elles avaient décidé de se parler en français durant toute la traversée, afin d'être à l'aise une fois parvenues en Charente.

— Tu ne regrettes pas de m'avoir suivie ? s'enquit Élisabeth, qui ôtait les épingles de son chignon.

— Non, mademoiselle. Si je n'étais pas si malade, je brosserais vos beaux cheveux.

— Je peux le faire seule, Bonnie. Tu es mon amie, même si je dois te présenter comme ma gouvernante. Il faut m'appeler par mon prénom.

— Non, je ne pourrai pas.

Elle ponctua sa réplique d'un hoquet. Affolée, elle se leva pour courir jusqu'au lavabo. Élisabeth se rua à son secours.

— Tu n'as rien mangé, tu vomis de l'eau, ma pauvre Bonnie. Je t'en prie, nous allons boire un bon thé, avec des gâteaux.

— Je suis mieux couchée, mademoiselle. Je m'occuperai de vous demain, quand j'irai mieux.

Le « mieux » qu'espérait Bonnie se produisit au bout de deux jours, le jeudi 14 janvier. Le grand paquebot avançait à bonne allure, l'Atlantique s'était apaisé et beaucoup de passagers se promenaient en plein air, sous un ciel bleu pâle.

Élisabeth avait pris l'habitude d'observer les manœuvres des matelots, depuis la terrasse couverte du pont supérieur. Ce matin-là, ayant abandonné son amie à son triste sort, la jeune fille respirait avidement le vent glacé, son beau visage tendu vers l'infini de l'océan. Elle s'appliquait à ne pas penser, à ne rien imaginer de son retour en France. Il y avait trop de questions redoutables.

Elle craignait de trouver le moulin à l'abandon, son pépé Toine disparu, reposant au cimetière, ses oncles partis loin de Montignac.

— Mademoiselle Duquesne ?

— Oui !

C'était le commandant de bord lui-même, un quinquagénaire aux cheveux argentés. Il la salua, très digne dans son uniforme bleu marine, où figurait l'emblème de la Compagnie générale transatlantique.

— Monsieur ?

— Sans vouloir vous importuner, je dois vous entretenir d'un sujet délicat, dit-il en baissant la voix. M. Woolworth, qui s'est présenté comme votre tuteur, a souhaité me rencontrer, la veille du départ de mon bateau. Je l'ai reçu dans les bureaux new-yorkais de la Compagnie. Il m'a confié une mission que j'aurai à cœur de remplir. C'est à propos de votre mère, mademoiselle.

— De ma mère, répéta Élisabeth sans comprendre.

— Oui, votre tuteur m'a raconté la tragédie qui a endeuillé votre première traversée sur *La Champagne*, il y a dix ans. Il a pensé que vous aimeriez jeter une gerbe de fleurs à la mer, aux environs du secteur où a eu lieu la cérémonie funéraire. On nous a livré un gros bouquet de roses blanches, le matin de l'embarquement.

— Je l'ignorais, commandant.

— C'était la volonté de M. Woolworth. Il me revenait de vous l'apprendre. Nous serons bientôt dans les eaux où repose votre mère, demain soir si les conditions de navigation restent stables.

— Mais maman est morte au milieu du trajet, monsieur, il est trop tôt!

— *La Touraine* est un navire plus rapide que *La Champagne*, mademoiselle. Je dirais même beaucoup plus rapide. En juillet 1892, j'ai franchi l'Atlantique en six jours et quelques heures, un record qui lui a permis d'obtenir le Ruban bleu[1], une récompense fort prisée dans le domaine maritime.

— Je vous félicite, commandant, articula-t-elle, la gorge nouée par l'émotion et la surprise. Je suis très touchée par le geste de mon… tuteur, M. Woolworth. J'y avais songé, moi aussi, et j'avais acheté une petite couronne en perles. Vous me ferez prévenir, quand nous serons sur place.

— Nous serons approximativement sur place, je regrette de le préciser. Mais l'âme est immortelle, n'est-ce pas? Ceux que nous avons chéris et pleurés veillent sur nous, j'en ai la conviction, qu'ils aient été inhumés ou confiés aux abysses de l'océan. J'ai vu disparaître sous les flots mon jeune frère, lieutenant de bord, atteint de diphtérie, et un fidèle ami.

---

1. Récompense accordée au bateau qui effectue un parcours déterminé le plus rapidement possible, et créée par les compagnies maritimes.

— Je suis désolée pour vous. Et je vous remercie pour votre gentillesse. Sachez que je partage votre foi et vos convictions.

— Vous m'en voyez enchanté, mademoiselle Duquesne. Je ne vous dérangerai pas plus longtemps. Si vous le désirez, vous êtes invitée à ma table ce soir.

C'était une tradition pendant les traversées, réservée aux passagers de la haute société. Informée par Maybel, sur le quai, Élisabeth promit d'y réfléchir, en demoiselle parfaitement bien éduquée.

« Je ne laisserai pas Bonnie toute seule, et malade, se dit-elle peu après. C'est dommage qu'elle soit toujours enfermée dans notre cabine ! Hier, un des marins a signalé des baleines, et elles étaient là, en nombre. »

Elle évoquait les énormes animaux, qui avaient escorté un moment le paquebot, lorsque Bonnie apparut à l'autre bout du pont supérieur. L'accorte trentenaire affichait des joues roses, un regard vif et une démarche presque assurée.

— Je suis guérie, annonça-t-elle fièrement. J'ai bu un bon café au lait dans la salle à manger et j'ai mangé de bonnes brioches.

— Tant mieux, je m'ennuyais sans toi.

— J'ai dans l'idée que vous n'allez pas vous ennuyer, les jours qui viennent. Devinez qui a frappé à la porte de notre cabine ?

— Bonnie, comment puis-je le savoir ! Un des grooms ? Ou le steward ?

— Non, quelqu'un que vous connaissez. Hélas !

— Pourquoi dis-tu « hélas » ? Pearl Woolworth ? *Dad ?*

— Votre Richard Stenton ou Johnson, le détective. Il serait chargé de votre protection, aux frais de M. Laroche, votre grand-père.

Élisabeth tombait des nues. Elle regarda sur le pont inférieur, puis autour d'elle, sans apercevoir Richard.

— Ce n'est pas bien de te moquer de moi, Bonnie. En toute logique, si M. Johnson se trouvait à bord du bateau, je l'aurais déjà croisé ou bien il se serait manifesté dès le départ.

— Je vous dis que je l'ai vu, et nous avons discuté sur le seuil de la cabine. Il m'a priée de vous avertir de sa présence sur *La Touraine*. Il était souffrant, mais le médecin de bord a réussi à le remettre sur pied.

La nouvelle plongea la jeune fille dans un étrange désarroi. Elle avait espéré rencontrer Richard avant d'embarquer pour Le Havre, il s'était tenu à sa décision de l'éviter. Elle s'estimait un peu amoureuse de lui, deux jours auparavant, mais à présent, elle n'éprouvait aucune envie de le revoir.

«Je vais vers une existence toute neuve, dans ma famille, où lui n'a pas de place, raisonna-t-elle. Je suis certaine qu'il a menti, mon grand-père n'aurait jamais pris une telle initiative, le charger de ma protection.»

— Que comptez-vous faire, mademoiselle? demanda Bonnie, qui contemplait le déferlement incessant des vagues.

— Dîner à la table du commandant ce soir, tu viendras, je te prêterai une de mes robes.

— Mais je ne logerai pas dans une de vos toilettes, vous êtes si mince. Et je n'ai rien à faire dans le beau monde.

Élisabeth l'embrassa sur la joue. Le vent du large faisait voleter les mèches, d'un châtain clair, qui s'échappaient de son petit chapeau. Elle portait un chignon bas, un costume en velours brun, la veste cintrée, la jupe droite jusqu'aux bottines en cuir, cirées avec soin.

— Ne dis pas ça, Bonnie. Les gens se jugent les uns les autres sur des critères que je méprise. D'accord, je profite des largesses des Woolworth. Ils m'ont élevée dans le luxe, mais grâce soit rendue à Dieu, j'ai les souvenirs de mon enfance, où j'étais juste la fille d'un couple qui s'adorait, sous le toit d'une modeste maison. Le plus important, c'est la générosité et la valeur morale, dans n'importe quelle couche de la société.

Bonnie lui décocha un coup d'œil ironique. Elle désigna d'un mouvement de tête le pont inférieur, où s'étaient regroupés des voyageurs de troisième classe.

— Il n'empêche, mademoiselle, que vous m'avez raconté votre périple dans l'entrepont, fillette, les dortoirs qui empestaient, les sanitaires infects, et à mon avis, vous appréciez grandement le confort et le luxe de notre cabine. Sans oublier la qualité de la cuisine, le service impeccable du personnel, je n'invente rien, vous en disiez du bien hier soir.

— Je le sais, et au fond, j'en ai un peu honte. Tout sera différent, en France. J'aiderai mon grand-père à gérer ses vignobles, je tiendrai ses comptes. Je…

— Vous habiterez un château, trancha Bonnie, la mine sévère. Nous en causerons plus tard, voici votre ange gardien.

Richard venait vers elles, les traits tirés, le teint pâle. Il avait noué une écharpe bleue autour de son cou, et les cernes sous ses yeux avivaient leur teinte ambrée. Élisabeth tressaillit, avant de lui sourire, toutes ses bonnes résolutions envolées.

Jeudi 14 janvier 1897, même jour, écuries du château de Guerville

La pluie avait enfin cessé, après une semaine de déluge obstiné. Un rayon de soleil s'aventura par la petite fenêtre de la chambre et il nimba d'or l'épaule dénudée de Mariette. Justin déposa un baiser à cet endroit précis, tiède et soyeux.

— Reste encore un peu, supplia-t-il.

La jeune lingère, qui travaillait au château trois jours par semaine, se redressa, ébouriffée, rieuse. Elle repoussa le drap, se cambra, les mains posées sur ses seins pointus, aux mamelons roses.

— J'n'peux pas, si je rentre en retard, mon père me chantera pouilles[1], protesta-t-elle.

— Mariette, je te veux encore, insista Justin, vêtu seulement d'une large chemise à pans.

Elle l'attira contre sa poitrine, qu'il dévora de baisers. Ils se retrouvaient là, sur le vaste plancher à foin des écuries, où étaient aménagées deux pièces rudimentaires, aux cloisons de planches. Hugues Laroche et son père avant lui y logeaient les palefreniers.

— On est tranquilles, ici, personne ne montera jamais, haleta Justin en lui caressant les cuisses. Tu diras à ton père que tu as dû faire du repassage, en plus des lessives, il ne viendra pas vérifier.

— Oh ça non, pouffa-t-elle, moqueuse. Tu as raison, autant prendre du bon temps.

Mariette l'étreignit, grisée par son corps musclé, à la peau mate, très douce. Il en profita pour la reprendre, d'un coup de reins décisif qui la fit gémir de plaisir. L'étreinte fut plus longue que la précédente, mais elle les mena au délire exquis dont ils étaient tous deux avides.

— Cette fois, j'm'en vais, dit-elle, le souffle court.

Justin bascula à ses côtés, en lui donnant au passage un baiser au creux du cou.

— Tu es gentil, toi ! s'étonna-t-elle, occupée à ramasser sa lingerie, jetée en bas du lit une heure plus tôt. Et joli garçon.

— Merci, on me fait peu de compliments.

— Pourtant, paraît que t'es dans les bonnes grâces du patron. Le vieux Léandre en causait à ma mère, au lavoir, un matin.

— M. Laroche est satisfait de moi, mais ça ne me coûte guère d'efforts, j'aime les chevaux.

Il s'étira, sa chair de jeune homme rassasiée. Mariette lui jeta un regard attendri.

---

1. Ancienne expression très populaire signifiant « faire des reproches, injurier ».

— Si j'suis grosse de toi, tu seras fâché? interrogea-t-elle d'un ton inquiet. On le fait souvent, alors ça pourrait arriver.

— Je t'épouserai, car j'ai le sens de l'honneur, répondit-il avec franchise.

Elle se leva pour enfiler sa robe de serge, d'un vert délavé. Ses cheveux blonds, ondulés, descendaient en bas de son dos.

— Quand même, j'aime mieux l'Bertrand, marmonna-t-elle. Il m'a eue neuve, et puis il aura du bien, à la mort de son père, des parcelles de blé, la maison. J'n'aurai plus besoin de laver le linge de m'dame Adela.

— Dans ce cas, retourne le voir, lui, et ne monte plus ici, rétorqua Justin, son orgueil mis à mal.

— N't'fâche pas, le sermonna-t-elle. Tu m'plais aussi, mais tu n'as que tes deux mains pour gagner ton pain. L'Bertrand n'a pas eu de chance, il a été tiré au sort, le voilà parti à l'armée.

Attristée, Mariette laça ses chaussures éculées, grises de terre séchée. Justin se rhabillait.

— Dans moins de deux ans, ce sera mon tour d'être recensé et appelé sous les drapeaux[1], déclara-t-il. Madeleine ne pourra plus mentir à M. Laroche. Il me faudra des papiers d'identité.

— Oh qué sale bonne femme ! J'n'peux pas croire que ce soit ta tante. T'inquiète, je garde ça secret, sous mon mouchoir, au fond de ma poche. Et puis j'suis sûre que le patron t'achètera un remplaçant, si ton numéro sort, il n'voudra point perdre son palefrenier.

Elle lui adressa un clin d'œil, tout en tressant ses cheveux pour les couvrir ensuite d'une coiffe blanche. Tout bas, elle demanda :

— Dis, c'est-y vrai ce qu'on raconte au village ? L'héritière des Laroche rentre au bercail? Elle était aux Amériques?

---

1. En 1897, dès l'âge de vingt ans, les jeunes gens étaient recensés et tirés au sort pour accomplir cinq ans de service actif dans l'armée.

Justin approuva d'un signe de tête. Il boucla sa ceinture avant de préciser :

— Oui, Élisabeth Duquesne vivait chez une riche famille de New York. Monsieur s'est renseigné, son bateau doit atteindre Le Havre lundi. Il prend le train dimanche, pour l'accueillir sur le quai.

— Fi de loup, ça doit être une jolie demoiselle, avec de belles robes ! s'extasia Mariette.

— Je n'en sais rien, je ne l'ai jamais vue, mentit Justin.

— J'me doute, gros malin, puisque t'es arrivé au pays y a pas si longtemps. Bon j'me sauve.

— Dépêche-toi, à cette heure-ci, l'arrière-cour est déserte, lui dit-il en l'embrassant au coin des lèvres.

Une fois seul, Justin ouvrit la petite fenêtre, d'où il voyait les toits d'ardoise du château. Il avait vécu caché dans les combles, jusqu'au jour où Madeleine s'était décidée à le placer comme valet d'écurie dans un domaine du sud de la Charente.

« J'avais onze ans, et je n'espérais plus le retour de la petite Élisabeth. Bah, elle m'aura oublié, et elle a dû perdre le soldat de plomb que je lui avais donné. Quel idiot je fais, de me souvenir de ça. »

Une suite de hennissements le tira de sa songerie. C'était le moment de distribuer le grain et le foin. Il quitta sa chambre au pas de course et dévala l'escalier droit, au risque de faire une mauvaise chute.

Les chevaux s'agitèrent en l'apercevant. Ils tendaient la tête par-dessus la porte de leurs box, secouaient leur crinière.

— Un peu de patience ! s'écria-t-il, égayé.

Hugues Laroche le trouva occupé à distribuer l'avoine. Il le héla d'un sifflement.

— Monsieur ? Vous avez besoin de moi ? s'enquit Justin, l'air surpris, car le châtelain venait rarement aux écuries à cette heure-là.

— Tu m'accompagneras à Rouillac demain matin, lui annonça Laroche. Je voudrais ton avis sur la jument que je veux offrir à ma petite-fille. J'ignore si elle pratique l'équitation, mais nous y remédierons, si elle n'est jamais montée à cheval.

— Dans tous les cas, Monsieur, il faudrait une bête docile, bien dressée, aux allures souples.

— Je crois avoir déniché la perle rare ! se vanta Hugues Laroche. Mais je peux me tromper, aussi je me rangerai à ton opinion.

Sur ces mots, il gratifia Justin d'une tape amicale dans le dos. Le jeune palefrenier, radieux, s'inclina avec respect, puis il reprit son travail.

Sur La Touraine, *même jour*

Richard s'approcha d'Élisabeth prudemment. Elle avait beau lui sourire, il avait noté l'éclat insolite de ses yeux limpides.

— Laisse-nous, Bonnie, je t'en prie, M. Johnson ne me fera pas de mal, puisqu'il est censé veiller sur moi.

— Vous êtes sûre, mademoiselle ?

— Mais oui, je te rejoins pour déjeuner.

La domestique s'éloigna, non sans jeter plusieurs regards aux jeunes gens. Enfin elle disparut de leur champ de vision.

— Votre gouvernante n'était guère aimable envers moi, tout à l'heure, se plaignit-il.

— Je la comprends, répliqua Élisabeth froidement. Pouvez-vous m'expliquer ce que vous faites sur ce bateau ? Vous décidez de ne plus me voir, à New York, et vous réapparaissez soudain, ici, en pleine mer.

— J'ai embarqué à la dernière minute, à la demande de votre grand-père. Considérez aussi qu'il s'agit d'un voyage d'affaires, M. Laroche s'étant engagé à me régler son dû dans le port du Havre. L'arrangement convenait à mon père, j'ai obéi.

Malgré sa joie de le retrouver, Élisabeth se montra hostile, par jeu, par curiosité.

— Vous ne savez qu'obéir, Richard ! Un homme aussi docile ne me conviendrait pas, comme époux, même si je ne suis pas intéressée par le mariage.

— Arrêtez votre petite comédie ou je vous embrasse et votre réputation en pâtira, la menaça-t-il, tout en posant une main sur sa hanche.

Elle se dégagea prestement, saisie d'un malaise indéfinissable. Il s'y mêlait une envie folle d'un baiser, la peur de ce baiser, qui éveillerait à nouveau une douce chaleur dans son corps, mais aussi un signal d'alarme. Richard avait trop de pouvoir sur elle et cela l'effrayait un peu.

— Vous n'oseriez pas, car je dirais alors à mon grand-père que vous êtes un odieux séducteur. On ne paie pas ces gens-là. Quant à votre mission à bord, qui est de me protéger, acquittez-vous-en en demeurant à distance de moi. Mieux encore, retombez malade, je ne vous verrai plus.

Au début de son petit discours, Élisabeth feignait le mépris, mais une colère irrépressible la submergea, dès qu'elle se tut.

— Vous avez entendu, ne m'adressez plus la parole, tenez-vous à l'écart ! s'exclama-t-elle.

— Mais, Lisbeth, quel est le problème ? Vous plaisantez !

Il voulut lui prendre la main, elle le repoussa d'un geste brusque. Un des stewards accourait.

— Mademoiselle, cet homme vous importune ? s'écria-t-il en français, prêt à éconduire Johnson.

— Oui, beaucoup, je vous remercie.

Élisabeth prit la fuite. Elle put respirer à son aise une fois enfermée dans sa cabine, où Bonnie achevait d'enlever sa veste et son foulard.

— Je fais n'importe quoi ! s'exclama-t-elle. Ce sont sûrement mes nerfs, toujours mes nerfs.

— Allons, mademoiselle, reprenez votre souffle, asseyez-vous, recommanda celle-ci. Vous n'êtes sans doute pas faite comme les autres jeunes filles, vous avez du caractère, mais ça vous rend encore plus attachante.

— Que veux-tu dire ? Je n'étais pas ainsi, avant Noël, et même les années précédentes, j'en suis tout à fait consciente. Je me mets en colère d'un rien, je repousse les gens qui me plaisent.

Elle réprima un sanglot de panique, recroquevillée au creux d'un confortable fauteuil en cuir.

— Ma pauvre maman appelait ça « être chamboulée », professa la gouvernante en souriant. Moi, je pense que vous êtes surtout amoureuse de cet individu.

— Non, Bonnie, il m'exaspère avec sa voix de velours, ses regards, ses sourires en coin. Mais j'ai mal agi, j'ai prétendu qu'il m'importunait, en français, quand le steward est venu voir ce qui se passait. Heureusement, Richard n'a pas pu deviner, il ne comprend pas un mot de ma langue natale. Je suis stupide, à présent je ne pourrai plus lui parler. Et il va faire figure de goujat.

— Je ne me trompais pas, vous êtes amoureuse de lui, triompha Bonnie. Et ça rend nerveuses les jeunes demoiselles, les premiers élans du cœur. Je suis célibataire, pourtant j'ai été dans votre état, moi aussi, et j'avais environ votre âge. C'était le fils de l'épicier, un voisin. Mon Dieu, qu'il était joli garçon !

— Comment s'appelait-il ?

— Harrison. Je m'arrangeais pour le croiser, être sur le trottoir à l'heure où il revenait de faire des livraisons. Je n'en dormais plus, j'avais envie de rire, de pleurer. Ma mère se moquait.

— Et pourquoi vous ne vous êtes pas mariés, tous les deux ?

— Harrison préférait une petite brunette, Nora, qui vendait des fleurs pour le compte de ses parents. Il l'a épousée, moi je suis entrée au service des Woolworth.

— Je suis navrée, Bonnie, c'est triste ! Tu vas peut-être trouver un autre amoureux, en France ! hasarda Élisabeth.

— Dieu m'en garde, j'ai assez de soucis avec vous. Oh, je vous taquine, ne faites pas cette mine.

Elles discutèrent encore de Richard Johnson, du bel Harrison, puis elles se rendirent dans la salle à manger, où un serveur s'empressa de leur présenter le menu du jour.

La lumière extérieure avait baissé, le ciel était couleur de plomb, et une pluie torrentielle s'abattait sur les vitres. Élisabeth en perdit l'appétit.

— Bonnie, on dirait qu'une tempête se prépare, gémit-elle. Je m'en souviens très bien, le temps avait changé de la même façon, il y a dix ans, et selon le commandant, nous nous dirigeons vers les eaux où repose maman.

— Une tempête ! Seigneur, il ne manquerait plus que ça ! N'y pensez pas, mademoiselle.

C'était trop tard. Élisabeth revivait les secousses violentes qui ébranlaient l'entrepont de *La Champagne*, un puissant paquebot pourtant, comme s'il s'agissait d'une vulgaire barque.

— Si tu savais comme j'avais peur, Bonnie ! Les gens criaient, tombaient de leurs couchettes, des objets roulaient sur le sol qui se dressait et basculait dans l'autre sens. J'ai voulu aller près de maman, mais j'ai glissé, en me cognant partout, et elle s'est levée pour m'aider. Elle a été projetée par terre. C'est ma faute si elle est morte, ma faute !

La jeune fille s'était confiée à voix basse, mais elle venait de hausser le ton. Des passagers, assis à une table toute proche, lui jetèrent des coups d'œil intrigués.

— Je viens seulement de le comprendre, ajouta-t-elle, effarée.

Elle suffoquait. Bonnie la vit bondir de son siège et s'élancer vers le couloir menant à la terrasse couverte.

— Il y a un problème, madame ? interrogea le serveur.

— Nous déjeunerons plus tard, excusez-nous, lui dit-elle, très gênée.

D'énormes vagues assaillaient le paquebot qui poursuivait sa course à vive allure. Le roulis déséquilibra la domestique dès qu'elle se retrouva dehors, confrontée au déluge. Elle eut beau scruter le pont supérieur et regarder de tous les côtés à portée de vue, Élisabeth avait disparu. Un cri de panique lui échappa.

L'esprit en pleine confusion, Élisabeth s'était précipitée vers le pont inférieur, que les passagers de la troisième classe avaient déserté, à cause des intempéries. Elle souhaitait être plus près des flots démontés, afin de défier l'océan furieux qui lui avait pris sa mère et volé son enfance. Elle ne portait pas de manteau ni de chapeau. La pluie la trempa des pieds à la tête aussitôt, ensuite ce fut le tour des lames argentées qui éclaboussaient le bastingage, après s'être brisées sur la coque.

Cramponnée à la rambarde en fer, elle fixait la mer houleuse, aux reflets verdâtres, comme un ennemi haï, mais invincible. Ses cheveux bruns se plaquèrent sur son corsage, dont le tissu assombri la glaçait.

Le chagrin infini qui la rongeait depuis qu'elle avait retrouvé la mémoire la rendait à moitié folle de douleur. Un matelot en ciré noir la héla du haut d'une échelle métallique. Sourde à ses cris, elle n'écoutait que les grondements de l'eau déchaînée.

— Lisbeth, non !

Richard avait surgi derrière elle. Il la ceintura et la tira en arrière de toutes ses forces. Elle tenta de se débattre.

— Qu'est-ce que vous alliez faire, Lisbeth ?

Il la sentit grelotter dans ses bras, tandis qu'elle murmurait des paroles inaudibles. En la soulevant presque, il l'emmena de force jusqu'à sa cabine, située à un niveau intermédiaire, réservé celui-ci aux voyageurs de deuxième classe.

Élisabeth ne luttait plus, très pâle, les yeux clos. Il l'allongea sur sa couchette et l'enveloppa dans la couverture.

— Il faudra vite vous sécher et vous changer, dit-il pour lui-même, occupé à frotter ses cheveux noirs d'un coin de serviette-éponge. Si vous me promettez de rester ici sagement, je vais chercher votre gouvernante. Lisbeth, si je sors, vous n'allez pas courir vous jeter à la mer?

— Je ne sais pas, répondit-elle faiblement.

— Alors je vous surveille, afin d'éviter un accident.

Il s'assit à son chevet, sur un tabouret. Elle avait l'air d'une enfant perdue, d'une extrême fragilité.

— Qu'est-ce qui se passe dans votre jolie tête? demanda-t-il.

— Le chaos, Richard. Du désespoir, de la colère, mais aussi des envies de vivre à mon idée, de m'amuser, d'être libre. Je voudrais surtout ne plus jamais dormir, pour ne plus jamais rêver.

— Ce serait bien dommage, les rêves sont souvent fabuleux, exaltants. Lisbeth, si vous me racontiez la vérité sur vous.

Elle fit non de la tête, en le fixant avec audace. Il la trouva d'une beauté extraordinaire, avec ses lèvres gonflées, d'un rose intense, ses yeux si bleus, ses cheveux en désordre. Un délire sensuel s'empara de lui. Il se pencha et l'enlaça sans douceur, en prenant aussitôt possession de sa bouche, en homme avide égaré par la virulence de son désir. Elle subissait son souffle saccadé, le jeu fébrile de sa langue dure, les caresses brutales sur ses seins, le bas de son dos.

— Il ne faut pas, Richard, non, pitié, supplia-t-elle après avoir réussi à tourner la tête. Pas ça, pas vous!

Révoltée, Élisabeth se crispa tout entière. Elle se revit, au milieu de la nuit, le cœur cognant à se rompre, éveillée par un nouveau cauchemar. Comme toujours, elle peinait à se souvenir des détails précis, mais l'impression générale lui donnait envie de hurler ou de pleurer. Bonnie ne s'était aperçue de rien.

— Je vous épouserai, en France, je ne rentrerai pas à New York, je ne peux pas vivre sans vous, Lisbeth, chuchota-t-il à son oreille, tout en relevant sa jupe pour atteindre le haut de ses cuisses, d'une main rude.

Ses manières directes, la passion évidente qui le faisait trembler et le changeait en mâle conquérant n'étaient pas sans troubler la jeune fille, malgré son inexpérience de l'amour charnel. Un instant, elle faillit céder, lui livrer son corps vierge, mais un sursaut salutaire lui conféra une énergie insolite.

— Non, je vous ai dit non ! hurla-t-elle en le frappant au visage.

Élisabeth refusait de se plier au destin, si c'était le sien d'être violentée par Richard, car tout se déroulait exactement comme dans son cauchemar, où elle se démenait, terrifiée, sous les assauts d'un homme qui avait les mêmes gestes impudiques, la même soif d'elle. Il faisait très sombre, de lui elle ne distinguait qu'une silhouette robuste, un visage voilé de noir. Il la malmenait, pareil à une bête féroce, impitoyable et dix fois plus fort qu'elle, il parvenait à déchirer son bas-ventre, lui infligeant une souffrance atroce.

Élisabeth cria plus fort, cogna encore et encore, si bien que Richard s'écarta d'elle et se leva, hébété. Il se faisait horreur.

— Vous n'avez pas le droit, sanglota-t-elle.

Il s'écarta de la couchette et debout au fond de sa cabine, il l'observa d'un air accablé.

— Je vous demande pardon, Lisbeth, je me suis comporté en mufle, en brute. Je croyais que vous le vouliez, vous aussi.

— Certainement pas, et surtout pas dans ces conditions ! Vous avez profité de mon égarement, de mon chagrin !

— Ce n'était pas mon intention, je vous le jure, et puis il y a eu votre façon de me regarder. Je n'ai pas pu résister à ce que je lisais dans vos yeux. Vous m'avez rendu fou !

Tremblante de rage et de peur rétrospective, Élisabeth s'assit au bord de la couchette. Richard semblait sincère, même si ses propos lui paraissaient obscurs.

— Je pensais avoir des sentiments pour vous, décréta-t-elle, mais ce n'est plus le cas. Vous me répugnez.

— Pardonnez-moi, insista-t-il. Je vous ai quand même sauvé la vie, Lisbeth.

— Vous n'avez rien sauvé du tout, je n'aurais jamais sauté. Demain, le paquebot naviguera dans le secteur où on a jeté à l'eau le corps de ma mère, Catherine, il y a dix ans, morte des suites d'un accouchement prématuré, dont je suis responsable. Je lancerai un bouquet de roses blanches, et une couronne de perles. Et je prierai de toute mon âme. Ce rendez-vous, je ne l'aurais manqué pour rien au monde. Ni mon retour en Charente, où m'attend ma famille.

Des appels retentissaient à l'extérieur. Élisabeth reconnut son prénom, des voix masculines, le timbre plus aigu de Bonnie.

— On doit me croire au fond de l'océan, moi aussi, dit-elle d'un ton sec. Je vais vite rassurer tout le monde, monsieur. Je vous préviens, ne m'approchez plus, sinon je m'en plaindrai au commandant, le seul maître à bord après Dieu.

Elle rejeta la couverture et sortit. Richard vacilla avant de s'affaler dans un fauteuil. Le poids de sa faute, un véritable coup de folie, l'écrasait et l'annihilait.

Plus personne ne le croiserait sur le pont, ni sur les coursives, jusqu'à l'entrée de *La Touraine* dans le port du Havre.

12

Retour au pays natal

Le Havre, lundi 18 janvier 1897, sur La Touraine

Élisabeth et Bonnie se tenaient à la proue du grand paquebot, où le commandant les avait accompagnées avant de retourner à son poste. Touché par le drame qui avait marqué l'enfance de sa jeune passagère, il s'était conduit en figure paternelle, plein de bienveillance envers elle.

— Alors voici la terre de mes ancêtres ! s'exclama Bonnie en contemplant la côte normande toute proche.

Elle avait élevé la voix pour se faire entendre parmi les cris stridents des mouettes, le bruit des machines. De petits voiliers dansaient sur les vagues, autour du bateau qui manœuvrait.

— Oui, nous allons fouler le sol de France, admit Élisabeth, et je suis très anxieuse. En fait, mon grand-père est un inconnu pour moi, après tant d'années, j'étais si petite, la dernière fois que je l'ai vu.

— Ne vous inquiétez pas, mademoiselle, M. Laroche a répondu à votre télégramme d'hier, il doit guetter l'arrivée du bateau, depuis le quai. Vous n'avez pas oublié de lui parler de moi ?

— Mais non, je l'ai averti que j'étais accompagnée de ma fidèle gouvernante, qui m'a servi de « nounou », quand j'étais petite.

— C'est bien vrai, concéda Bonnie. Et je veille toujours sur vous. J'ai eu la peur de ma vie, jeudi, j'en suis encore toute remuée. J'étais sûre que vous étiez noyée, un brave matelot commençait à descendre un canot pour le mettre à l'eau. J'ai cru devenir folle. Heureusement, vous êtes arrivée, trempée de la tête aux pieds. Mon Dieu, comme j'étais soulagée ! Et le soir même, vous étiez toute belle pour dîner avec le commandant de bord.

— Il m'avait invitée, je ne pouvais pas refuser. C'est un homme charmant et qui avait des anecdotes passionnantes à raconter sur ses traversées. Je suis désolée de te causer tant de soucis, Bonnie. Tu verras, ça ira beaucoup mieux quand nous serons sur la terre ferme, au château.

— Espérons-le, car le lendemain, vous avez fait un malaise, en lançant les roses par-dessus le bastingage.

— Je t'ai expliqué pourquoi, Bonnie, s'exaspéra Élisabeth. C'était sans doute une hallucination, mais j'ai aperçu le visage de maman, entre deux vagues. Elle me souriait, si belle… Il y avait de quoi s'évanouir !

— Quand nous serons à la campagne, je soignerai vos nerfs, je connais un peu les plantes. J'allais chez un apothicaire, à New York, pour Mme Maybel, à l'époque où elle tentait d'être enceinte. Je lui en ai fait boire, des tisanes. Il vous faudrait de la valériane, de la camomille et de la sauge.

Élisabeth l'écoutait à peine. Le paquebot avançait doucement, tiré par deux remorqueurs qui le guideraient le long du quai. Un timide soleil éclairait les toits de la ville, au loin, et moirait la surface paisible de la mer.

« Dieu merci, Bonnie ignore ce qui s'est passé dans la cabine de Richard, songea-t-elle. Enfin, j'ai prétendu qu'il m'avait seulement mise à l'abri. »

L'épisode la hantait, en bien et en mal. Elle frémissait parfois d'une fièvre insolite en évoquant les baisers ardents qu'elle avait reçus, les caresses subies, les mots de passion devinés. Mais dès qu'elle se remémorait la scène perverse, d'une rare violence, de son dernier cauchemar, les gestes impudiques de Richard, son souffle haletant sur sa bouche lui donnaient la nausée.

— Je me demande si votre grand-père va vous repérer tout de suite parmi la foule, murmura Bonnie. Et vous, mademoiselle Élisabeth, vous le reconnaîtrez ?

— Peut-être pas ! Oh Bonnie, tu as réussi ! C'était délicieux. Je t'en prie, recommence, répète mon prénom !

— Vous êtes vraiment sujette à des sautes d'humeur, Élisabeth, s'appliqua celle-ci en riant. Un coup sombre, lointaine, deux secondes après, on dirait une enfant insouciante.

La jeune fille l'embrassa sur les joues, en guise de réponse. La sirène du paquebot résonna au même instant, et des vivats joyeux éclatèrent de tous côtés, des barques de pêche au quai, du pont de *La Touraine* à ceux des remorqueurs.

— Comme l'air est doux, nota Élisabeth. Les hivers sont moins rigoureux en France qu'à New York.

— Vous avez raison. Je vais me plaire ici. Et Richard Johnson, où est-il ? Il s'est fait discret et c'était une bonne chose.

— Je suppose qu'il va repartir par le prochain bateau dès qu'il aura touché son argent. Tant mieux.

Élisabeth distinguait parfaitement, à présent, le visage des gens qui allaient et venaient sur le vaste quai.

— Ils ont mis l'ancre, dit-elle très vite. Regarde, Bonnie, les matelots installent les passerelles. J'ai peur, c'est idiot, mais j'ai peur.

— Calmez-vous, ma petite, recommanda Bonnie, vous êtes toute pâle. Venez, des passagers commencent à descendre.

Hugues Laroche s'efforçait de dompter son impatience, tout aussi nerveux qu'Élisabeth. Il ne parvenait pas à croire qu'il allait revoir sa petite-fille. Mêlé à la foule, il scrutait chaque silhouette féminine, sur le pont du paquebot.

« Où est-elle ? se répétait-il. Et si elle était déjà à terre, et qu'elle me cherchait ! »

Le châtelain, en redingote noire à col de fourrure, chaussé de bottes en cuir fauve, bouscula un couple pour s'approcher le plus près possible de la coupée réservée aux voyageurs de première classe. Plus loin, du personnel de la compagnie maritime se hâtait de transporter les malles et les divers bagages sur des chariots, afin de les acheminer vers la gare ou les entrepôts.

Une jolie femme en manteau cintré de tweed gris, coiffée d'un chignon sur la nuque, lui adressa un sourire hésitant. Mais elle était plus âgée. Il déambula encore, en quête d'Élisabeth, vite furibond si on le bousculait.

Soudain il la vit. Une radieuse jeune fille venait vers lui avec la démarche de Catherine, des yeux lumineux, d'un bleu limpide. Des nattes ornaient ses épaules drapées d'un châle en laine rose. Un petit chapeau, assorti à sa robe de velours brodé, complétait le tableau.

— Grand-père ? appela-t-elle en agitant la main.

Une petite personne rousse, toute en rondeurs, la suivait de près, une sacoche en tapisserie à bout de bras. Il ne douta plus. C'était Élisabeth et sa gouvernante.

— Grand-père, c'est toi, n'est-ce pas ?

— Élisabeth, dit-il d'une voix étranglée par l'émotion. Que tu ressembles à ta mère, ma chère enfant !

Hugues Laroche recula d'un pas pour mieux l'admirer, sans accorder un mot de bienvenue à Bonnie, qui en profita pour l'étudier discrètement et lui trouva le profil aigu d'un oiseau de proie. Il portait très court des boucles encore brunes, une moustache et des favoris argentés qui couvraient une partie de ses joues émaciées.

— La traversée s'est-elle déroulée sans souci, tu n'as pas été malade, Élisabeth ? s'enquit-il d'un ton mondain.

— Non ! Tu ne m'embrasses pas, grand-père ? s'étonna-t-elle.

La question le prit au dépourvu. Il avait été éduqué dans le mépris des manifestations d'affection, jugées «populaires» par ses parents. Adela s'offusquait des marques de tendresse qu'il lui prodiguait parfois, même si elle s'en réjouissait en secret.

— J'étais tellement nerveuse à l'idée de vous revoir, ajouta la jeune fille. Pourtant vous me faisiez peur lorsque j'étais petite.

Elle se hissa sur la pointe des pieds et lui donna un baiser sur la joue. Il hésita un instant puis il l'étreignit, très gêné.

— Notre train part dans moins d'une heure, ne traînons pas, dit-il en la relâchant aussitôt. Je suis content que tu parles français, ma chère enfant, même si tu as un léger accent.

Élisabeth remarqua qu'il se décidait enfin à saluer Bonnie. Celle-ci inclina la tête.

— Bonjour, monsieur, je suis enchantée d'être en France, et de faire votre connaissance.

— Moi de même, madame, et je vous remercie d'avoir veillé sur ma petite-fille. Allons-y, j'ai réservé un compartiment où nous serons plus tranquilles. La foule me met mal à l'aise.

Laroche leur indiqua la direction des voies ferrées d'un geste autoritaire. Élisabeth n'était ni déçue ni satisfaite. Elle se sentait dédoublée, l'esprit vide, déterminée cependant à se laisser emporter par le courant qui la ramenait en Charente.

— Et M. Johnson? lui souffla Bonnie à l'oreille.

Elles le cherchèrent en vain des yeux parmi les voyageurs qui les entouraient.

— Grand-père, vous n'attendez pas M. Johnson? Il me semble que vous deviez lui verser de l'argent, ici, au Havre.

— Quelle est cette fable, Élisabeth? protesta Laroche, l'air sincèrement stupéfait. Veux-tu dire qu'il se trouvait sur le bateau lui aussi?

— Oui, je vous assure, Bonnie peut en témoigner. Il était chargé de ma protection, sur votre demande. Il ne fallait pas faire autant de frais, grand-père.

Les traits déjà sévères du châtelain se durcirent. Il dilata ses narines, un de ses tics, comme pour mieux respirer l'air marin.

— Cet homme a menti, Élisabeth. Je peux t'affirmer une chose, l'agence Johnson a été payée en bonne et due forme par mes soins. Mon compte est soldé depuis deux semaines, je ne dois rien à ces messieurs. Que cet Américain aille au diable ! Il a dû débarquer en catimini pour d'obscures raisons qui ne nous concernent pas, Dieu soit loué !

Sur ces mots, Hugues Laroche se mit en marche. Bonnie se retenait d'éclater de rire, interloquée par le terme « catimini », étranger à son vocabulaire français.

Élisabeth était beaucoup plus sérieuse, en proie à un vague malaise. L'expression pourtant usitée qui consistait à envoyer un indésirable « au diable » avait éveillé une pénible réminiscence.

« La veille de notre départ, pendant le dîner au château, j'ai cru voir le diable, et c'était lui, mon grand-père, les yeux étincelants, qui gesticulait et vociférait. »

Elle s'interdit d'y penser davantage, s'estimant encore une fois trop sensible. Des années s'étaient écoulées, la situation différait. Tout en avançant à côté de Bonnie, elle songea au considérable mensonge proféré par Richard Johnson, à la manière odieuse dont il l'avait traitée. Une crainte instinctive la fit frémir. Elle se demanda pourquoi le détective avait inventé une pareille histoire et ce qu'il venait faire en France.

« Peut-être qu'il ne renonce pas à moi, se dit-elle. Et s'il prenait le train, le même que nous ? »

Bonnie constata qu'Élisabeth se retournait fréquemment avec une petite mine anxieuse.

— N'ayez pas peur, mademoiselle, je suis là, lui murmura-t-elle d'un air farouche.

Dans le train pour la Charente, lundi 18 janvier 1897

Hugues Laroche s'était détendu dès qu'ils s'étaient installés tous les trois dans leur compartiment de première classe. Encore sur la réserve, peut-être par pudeur, il parlait bas et en évitant le regard de sa petite-fille.

— Le déjeuner était-il à ta convenance, Élisabeth ? interrogea-t-il alors qu'ils revenaient du wagon-restaurant.

— C'était délicieux, grand-père, affirma-t-elle. J'aurais mangé n'importe quoi de bon appétit, puisque vous m'avez donné de bonnes nouvelles du moulin. Je redoutais d'apprendre le décès de mon pépé Toine, ou le départ de mes oncles.

— Seigneur, que tu es impulsive ! remarqua-t-il. Je t'en aurais donné de toute façon, un peu plus tard. Mais tu m'as devancé. Ton éducation serait à reprendre. Nous ne sommes plus à New York.

— Pourtant Maybel et Edward Woolworth étaient pointilleux sur les convenances et l'art de se tenir en société, grand-père, rétorqua-t-elle.

— Oui, comme des Américains, marmonna-t-il entre ses dents.

Laroche s'assit en face d'elle, et ouvrit un journal qu'il avait acheté de bon matin. Il se plongea dans sa lecture et Élisabeth n'osa pas lui répondre. Elle l'observa à la dérobée, en étudiant sa physionomie rébarbative avec un début d'inquiétude.

Pendant le repas, le châtelain s'était lancé dans un monologue sur l'exploitation de ses vignobles, les crus qu'il sélectionnait. Il multipliait les chiffres, les qualités des cépages, comme pour la préparer à le seconder.

« Je me suis ennuyée à mourir ! songea-t-elle. Mais il faut que je m'y intéresse, je suis son héritière. »

Il était 2 heures de l'après-midi. Le train, un long convoi tracté par une locomotive à vapeur, roulait à une allure paisible au milieu d'une grande plaine quadrillée par des champs labourés, souvent bordés de haies et de buissons.

Bonnie ne se lassait pas de contempler la campagne française. Un large sourire plissait ses joues, quand elle apercevait des prés, des troupeaux de vaches rousses, des chevaux. Son avenir lui apparaissait plein de promesses, auprès de sa chère Lisbeth.

— Dans combien de temps arriverons-nous en Charente, monsieur ? s'informa-t-elle.

— Il sera très tard, madame, répondit-il en repliant son journal. Nous changerons de train à Orléans, pour prendre la ligne qui dessert Angoulême, où nous dormirons à l'hôtel. Demain matin, une voiture[1] viendra nous chercher, pour nous conduire au château de Guerville.

— Un château ! s'extasia la gouvernante. Si je pensais qu'un jour je logerais dans un château, en France.

— Il s'agit plus exactement d'une forteresse médiévale, rectifia Hugues Laroche d'un ton radouci. Je n'ai pas pu t'apprendre son histoire, tu n'aurais rien compris, quand tu étais petite, dit-il en s'adressant de nouveau à Élisabeth.

— Faites-le maintenant, grand-père, Bonnie en profitera autant que moi.

Laroche sembla hésiter, enfin il se décida.

— Les fondations sont très anciennes, la forteresse aurait été bâtie sur une citadelle datant des Goths, une peuplade venue de Germanie. Mon grand-oncle avait effectué des fouilles, et parlait d'un départ de souterrain, et même d'un aqueduc.

Le vocabulaire du châtelain devenait trop compliqué pour la gouvernante qui approuva cependant, la mine sérieuse.

— Notre château était le siège d'une seigneurie remarquable, dès le XIIe siècle, poursuivit-il. Il fut donc témoin

1. Voiture hippomobile, mais à l'époque on employait couramment ce terme pour désigner un attelage.

des guerres entre les Anglais et nous. Richard Cœur de Lion s'en empara, en 1178.

— Richard Cœur de Lion ! s'étonna Élisabeth. J'ai lu des textes sur les croisades où ce grand roi est dépeint comme le plus brave des braves.

— Bien sûr, au fil du temps, la forteresse a subi des dommages, des aménagements aussi ! professa Laroche, content de l'intérêt que lui portait sa petite-fille. Te souviens-tu du pont-levis, ma chère enfant ?

— Vaguement, grand-père. Je revois les arbres du parc, les toits pointus couverts d'ardoise, la petite tour en demi-lune.

— Tu auras tout loisir de visiter le château. Ta grand-mère se fera un plaisir de te guider. Nous ignorons dans quelle pièce aurait dormi le roi Henri IV, mais je suis sûr d'une chose, Louis XIV a foulé la terre de notre domaine, lors d'un de ses voyages.

— Qui était Louis XIV ? eut le malheur de dire Bonnie.

— Notre Roi-Soleil, rétorqua Laroche. Tous les Américains sont-ils aussi ignorants que vous, madame ?

— Grand-père, ne soyez pas désagréable. Bonnie ne pouvait pas le savoir. Dans les écoles new-yorkaises, on enseigne l'histoire des États-Unis.

Il haussa les épaules en ronchonnant d'inaudibles excuses.

— Dans ce cas, autant réserver l'historique de Guerville à plus tard, trancha-t-il.

— Et Bonne-maman ? Comment a-t-elle pris l'annonce de mon retour ? Était-elle contente ? s'écria Élisabeth, sans réfléchir à l'incongruité de sa question.

— Contente ? Le mot est faible ! Adela était transfigurée. Son bonheur faisait plaisir à voir. Il faut que tu saches, Élisabeth, que le décès de notre Catherine avait durement affecté ta grand-mère. Elle a repris des forces peu à peu, grâce au secours de la religion. Ma volonté de découvrir ce que tu étais devenue, de te retrouver, lui a été salutaire. J'entretenais son espérance, autant pour moi que pour elle. Je rends grâce au Ciel, mes efforts ont été récompensés.

— Je vous en suis très reconnaissante, grand-père. Quand j'ai appris que vous me recherchiez, j'ai été bouleversée.

— Là aussi, le mot est faible ! précisa Bonnie. Mlle Élisabeth en était malade.

Laroche fronça les sourcils, irrité par l'intervention de la gouvernante. Il posa le quotidien près de lui, sur la banquette molletonnée. En tendant les mains vers la jeune fille, il dit d'une voix nette, impérieuse :

— Raconte-moi tout ce que tu as vécu, chère petite, après avoir perdu ta mère et ton père. Ne crains pas d'entrer dans les détails, nous avons toute la journée devant nous.

— Très bien, dit-elle. Mais je vous avais confié les points essentiels dans ma lettre. Vous ne l'avez pas reçue ? J'avais joint une photographie de moi.

— Non, tu seras au château, sur nos terres, avant ce courrier, s'enthousiasma-t-il.

Il lui souriait enfin.

Hugues Laroche fulminait, lorsqu'ils changèrent de train en gare d'Orléans. Le récit d'Élisabeth achevé, il était entré dans une colère froide, qui l'avait poussé à maudire plusieurs fois les Woolworth. Il accabla d'ordres hargneux le porteur de bagages, pesta contre les odeurs de charbon et de ferraille.

— Vous n'auriez pas dû lui dire que M. Edward s'était rendu à l'hôtel *Chelsea*, il y a dix ans, murmura Bonnie.

Elles marchaient toutes les deux à quelques mètres derrière le châtelain. Élisabeth esquissa une moue fataliste.

— J'étais obligée de l'avouer, je l'avais dit dans ma lettre. Je comprends sa réaction, j'ai eu la même.

— Quand même, votre grand-père m'a l'air d'un homme froid, intransigeant. Sa remarque sur votre mauvaise éducation m'a agacée.

— Parle moins fort, Bonnie, recommanda la jeune fille. En tous les cas, je ne te remercierai jamais assez d'être partie avec moi. Si tu n'avais pas été là, sur le bateau, et aujourd'hui surtout, je me sentirais très seule, et triste.

Elles échangèrent un regard complice. Laroche montait dans un wagon, en leur faisant signe de se hâter.

— Dépêchons-nous, Bonnie.

Élisabeth grimpa sur le marchepied, puis elle tendit la main à Bonnie, moins leste. Au moment où elle allait suivre son grand-père, une silhouette masculine attira son attention, au bout du quai.

« Mais c'est Richard ! se dit-elle, effarée. Il se trouvait dans notre train. Que veut-il, à la fin ? »

Elle avait eu soin de ne pas évoquer leurs rendez-vous à la patinoire de Central Park, ni le scandale du réveillon. Quant aux baisers donnés et reçus, à l'épisode scabreux sur le bateau, elle comptait garder longtemps le secret. Même Bonnie n'en saurait rien, ou bien plus tard.

— Viens t'installer, Élisabeth, s'impatienta Hugues Laroche qui entrait dans le couloir longeant les compartiments.

— Vas-y, Bonnie, chuchota-t-elle. Je surveille Richard Johnson. Je veux être sûre qu'il ne monte pas dans ce train.

— Mon Dieu, il vous suit, ça ne fait plus de doute. Il faut prévenir votre grand-père. Johnson connaît l'adresse des Laroche. Qu'il monte ou non dans le train, il pourra vous retrouver.

Un employé de la Compagnie des chemins de fer approchait, chargé de fermer la porte. Elles durent s'écarter. Élisabeth s'entêta. Quand l'homme s'éloigna, elle se posta au hublot ovale. Le train démarra. Il roulait si lentement qu'on voyait aisément le quai défiler, mais Richard Johnson avait disparu.

Angoulême, hôtel des Trois Piliers

Élisabeth et Bonnie avaient somnolé durant la seconde partie du trajet. Le silence, le mouvement régulier des wagons, la pluie sur les vitres, après Orléans, tout avait concouru à les endormir, même si elles s'éveillaient de temps en temps pour refermer les yeux aussitôt.

Hugues Laroche n'avait plus prononcé un mot au sujet des Woolworth. Sa vindicte n'était pas tombée, juste mise de côté pour mieux mûrir.

Taciturne, il avait repris la lecture de son journal, quand il ne s'absorbait pas dans l'étude d'un épais calepin noir, où il notait parfois quelques phrases. En sortant de la gare d'Angoulême, le châtelain avait hélé un fiacre qui les avait conduits jusqu'à la place du Champ-de-Foire, où venait d'ouvrir un hôtel de qualité, baptisé *Les Trois Piliers.* Il faisait déjà nuit.

— Et les malles, grand-père ? s'inquiéta Élisabeth, lorsqu'elle découvrit une jolie chambre qu'elle partagerait avec Bonnie.

— Les malles, répéta-t-il. J'ai fait le nécessaire, sois sans crainte, un commissionnaire va les livrer ici après le dîner. Descendons, je suis affamé. C'est l'effet de l'air du pays, le meilleur du monde à mon sens.

— Il fait beaucoup plus doux qu'à New York, nota-t-elle.

— Certes, et on y est plus honnête, en règle générale, trancha-t-il. Sois gentille, Élisabeth, je ne veux plus rien entendre sur cette maudite ville, où je me croyais en enfer.

— Bien, j'essaierai, je suis navrée de vous avoir contrarié.

Il la considéra d'un air soulagé. L'attitude modeste de sa petite-fille, ses excuses énoncées tout bas le rassuraient.

— Tu me parais moins encline à la rébellion et à l'indiscipline que ta mère, déclara-t-il. Tu as néanmoins des façons un peu trop libres pour ton âge, mais nous y remédierons.

Bonnie toussota, ce qui attira l'attention d'Élisabeth. Sa gouvernante grimaçait dans le dos de Laroche. Elle lui fit les gros yeux, tout en retenant une envie de rire. La tension cédait, après des jours à préparer leur départ pour la France, après le voyage en paquebot.

Le repas suscita l'admiration de Bonnie. Elle se régala d'un pâté en croûte, des confits de canard sur une garniture de cèpes et de pommes de terre sautées. Seul le goût aillé la surprit, car elle n'utilisait jamais ce condiment.

— C'est excellent, grand-père, admit Élisabeth. Si vous saviez combien j'ai hâte de revoir le château et d'embrasser Bonne-maman. J'espère que je pourrai me rendre à Montignac, dans l'après-midi ? Pépé Toine doit être impatient de me retrouver, lui aussi, et mes oncles.

— Nous verrons, mon enfant, répliqua-t-il prudemment. Et tu es une demoiselle, n'appelle plus ainsi Antoine Duquesne, c'est ridicule à ton âge.

Élisabeth approuva sagement, mais elle bouillait à l'intérieur, excédée par les remontrances de Laroche. Ce fut à cet instant qu'elle songea au petit garçon blond, Justin.

— Puis-je me permettre une autre question, cher grand-père, demanda-t-elle d'un ton teinté d'ironie.

— Je t'écoute.

— Avez-vous encore à votre service une domestique nommée Madeleine ?

— Ciel, tu t'en souviens ? Elle a le privilège de l'ancienneté et elle mène d'une main rude tous nos gens[1].

— Elle avait un neveu, n'est-ce pas ?

Dix ans plus tard, avec la même expression incrédule, Hugues Laroche protesta, comme Adela jadis.

— Madeleine, un neveu ? D'où tiens-tu une telle fable ? C'est une pupille de la nation. Elle n'a ni frère ni sœur, nous l'aurions su, aucune filiation ne figurait dans le dossier de l'Assistance publique, à part de très lointains cousins.

---

1. Terme désignant jadis l'ensemble des domestiques.

Désemparée, Élisabeth se méfia. Elle avait pu se tromper, ou bien Justin s'était vanté. Dans ce cas, que faisait-il dans la nursery ce soir d'orage…

Un serveur en costume noir, à plastron blanc, apporta les desserts. Le châtelain jeta un coup d'œil distrait sur les ramequins garnis de crème vanillée, puis il dressa tout bas l'inventaire de son personnel.

— Il y a toujours le vieux jardinier, Léandre, assisté par Alcide, un fieffé imbécile, celui-là. Madeleine emploie deux lingères, une aide-cuisinière et une femme de ménage. Le majordome, Jérôme, m'a donné son congé, après le décès de Vincent, qui s'occupait des écuries. J'ai engagé pour le remplacer un jeune palefrenier, un garçon fiable et efficace. J'ai même sollicité son avis, dans le choix de ta jument. Il m'a conforté dans ma décision.

— Ma jument ?

— Oui, tu monteras une superbe bête de six ans, à la robe bai brun, une anglo-arabe.

— Je ne pratique pas l'équitation ! protesta-t-elle. Les chevaux me font peur, depuis l'accident que je t'ai raconté.

Elle préférait tricher. Edward Woolworth l'emmenait souvent distribuer du pain rassis et des sucres au hongre noir qui tirait sa calèche, l'animal qui l'avait renversée. Elle le caressait, ayant fort bien compris qu'il n'était pas responsable.

— Tu as peur des chevaux ! s'indigna son grand-père. Ce sont des sottises. Tu t'y feras, c'est indispensable. Catherine était une formidable cavalière. Il fallait la voir galoper sur les chemins, sauter des troncs d'arbres, et en amazone. Mais peut-être ignores-tu de quoi il s'agit ?

— Pas du tout, des dames montaient en amazone dans les allées de Central Park, je les observais de la fenêtre de ma chambre. Et j'ai vu des gravures représentant la selle qu'on emploie.

— Tu pourras en examiner une de très près demain, celle de ta mère. Je l'entretiens soigneusement.

— Maman était cavalière ? s'étonna la jeune fille. Elle n'en parlait pas. En fait, je l'ai perdue si tôt, elle n'a pas eu l'occasion de me parler de son enfance.

— Ta grand-mère se fera une joie de te dépeindre la belle vie que menait Catherine avant de se marier, insinua Laroche. Sans vouloir offenser la mémoire de ton père, Élisabeth, il n'avait pas grand-chose à lui offrir.

« Sauf l'amour, le grand amour, songea-t-elle, trop choquée par ces propos pour répondre à haute voix. Bonnie dit vrai, mon grand-père est un homme de glace, froid et indélicat. »

Sans toucher à son dessert, elle prétexta une grande fatigue pour remonter dans la chambre. La gouvernante s'empressa de la suivre, après avoir présenté ses excuses à Hugues Laroche.

— Mademoiselle, vous n'en pouvez plus, s'écria-t-elle à peine entrée dans la pièce.

Élisabeth pleurait, assise au bord de son lit. Elle tamponnait ses yeux d'un mouchoir bordé de dentelles.

— Je me pensais plus forte, Bonnie, avoua-t-elle entre deux sanglots. Rien ne se passe comme je l'imaginais. Déjà, cette histoire de monter à cheval m'exaspère, sans compter les autres remarques. Et si je dois entendre dire du mal de papa chaque jour, j'irai habiter au moulin, chez les Duquesne.

— Allons, ça va s'arranger, mademoiselle. Ce n'est pas facile de renouer le contact après dix ans, et ces tragédies qui ont frappé votre famille. Dites-moi, le neveu de Madeleine, c'est bien le petit garçon qui vous a donné le soldat de plomb ?

— Oui, mais j'ai peut-être rêvé, Bonnie ! C'est tellement loin, j'ai pu trouver ce jouet et le garder.

— Je ne suis pas d'accord, vous avez toujours fait état de cet enfant dans la nursery du château.

— Peut-être, mais je ne relancerai pas la discussion avec grand-père, sinon je me ferai rabrouer à nouveau.

— Vous êtes épuisée, je vais vous aider à ôter votre robe et votre corset.

Bonnie avait des gestes maternels, très doux. Sa voix coulait comme un baume sur le cœur endolori de la jeune fille.

— Au fil des jours, vous vous sentirez mieux. Je suis sûre que votre grand-mère se montrera plus tendre et moins sévère que M. Laroche. Et puis il y a votre second grand-père, vos oncles Duquesne. Ils vous accueilleront à bras ouverts.

— Sans doute. Qu'est-ce que j'aurais fait sans toi, Bonnie ?

— Vous me l'avez déjà dit. Je suis là, ma petite, et je ne vous abandonnerai jamais. Couchez-vous, une bonne nuit de sommeil vous requinquera.

Élisabeth continua de pleurer en silence, une fois allongée, le drap remonté jusqu'à son nez. Elle cédait à une terrible angoisse, à laquelle s'ajoutait une vive nostalgie de son existence new-yorkaise. Ce n'était pas le luxueux appartement du Dakota Building qu'elle regrettait, ni le cours paisible et agréable de sa vie de jeune fille fortunée. Maybel et Edward lui manquaient.

« *Mom, dad,* vous étiez quand même mes parents, se disait-elle. Vous m'avez offert tant d'amour, vous aviez raison, l'adoption n'est pas qu'un document, c'est un engagement, et vous l'aviez pris de tout votre cœur. »

Elle revit la scène des adieux, sur le quai. Le visage dévasté de Maybel, dont les mains fines tremblaient sur ses joues à elle.

« Et *dad* a eu cette initiative touchante, faire embarquer un gros bouquet de roses blanches, pour honorer la mémoire de maman, pendant la traversée. »

La générosité sans conditions des Woolworth lui apparut, car le négociant avait également eu soin de glisser dans son sac à main une enveloppe contenant une forte somme d'argent, des billets de banque français, qu'il avait obtenus au bureau de change.

— Ainsi tu ne dépendras pas des Laroche, si tu avais des besoins particuliers, avait-il expliqué gravement.

Elle pleura de plus belle, à ce souvenir. Bonnie se leva et vint lui caresser le front.

— Ne soyez pas triste, mademoiselle, murmura-t-elle.

— Mais j'ai peur d'avoir commis une grave erreur en quittant New York précipitamment. Rien ne pressait, au fond. J'ai fait souffrir *mom*, elle était si malheureuse, le matin du départ.

— Il faudra lui écrire une jolie lettre, plusieurs lettres, ça la consolera, et plus tard, qui vous empêchera de la revoir, de les revoir ?

Bonnie la berça de paroles réconfortantes, en lui tenant la main. Élisabeth finit par s'endormir. La gouvernante retourna dans son lit, soucieuse quant à l'avenir, ses espoirs de l'après-midi réduits à néant.

Hugues Laroche, sujet aux insomnies depuis la perte de sa fille unique, parvenait cependant à s'assoupir les premières heures de la nuit. Il fut réveillé par un cri aigu à 1 heure du matin, en provenance de la chambre voisine, celle d'Élisabeth.

Soucieux, il enfila son peignoir en laine et alla frapper à la porte. L'oreille collée au panneau de bois peint, il perçut la voix de la gouvernante.

— Que se passe-t-il ? Élisabeth est-elle malade ? interrogea-t-il sans hausser le ton.

Bonnie lui ouvrit, mais en barrant le passage. Elle avait un bonnet sur les cheveux et un air hébété.

— Mademoiselle a fait un cauchemar, monsieur. Je lui ai donné de l'eau, il n'y a rien de grave. Votre petite-fille n'a pas un bon sommeil.

— Ah, elle doit tenir ça de moi, dit-il. Faites en sorte qu'elle ne s'égosille plus de la sorte, c'est pénible et nous sommes dans un hôtel.

— Je ferai ce qui est en mon pouvoir, monsieur, rétorqua-t-elle un peu sèchement.

Élisabeth les écoutait, assise dans son lit, les bras noués autour de ses genoux repliés. Elle tremblait de tout son corps.

« Mon Dieu, qu'est-ce que ça signifie ? se demandait-elle. Je refuse de vivre une telle chose, ayez pitié. »

Comme à chaque fois, elle tenta d'ordonner ses idées autour de ce qu'elle considérait comme une maladie nerveuse, et même une tare honteuse. Elle avait fait ses premiers cauchemars dès que ses parents s'étaient préparés à quitter Montignac pour s'établir en Amérique, et les images terrifiantes de ses mauvais songes étaient devenues réalité.

— Mademoiselle, je n'ai pas laissé entrer votre grand-père, chuchota Bonnie en revenant s'installer à son chevet.

— Merci, il m'aurait sûrement adressé des reproches. Bonnie, c'était un cauchemar épouvantable. Si ça doit se produire, comme pour maman et papa, je ferais mieux de m'enfuir.

— Chut, ne dites pas de bêtises ! Pourquoi refusez-vous de me le raconter ?

— Ce serait trop difficile, tout est si confus. En fait, je n'ose pas en parler.

— Pourtant, vous m'avez confié avoir vu en rêve le fils de Léa Rambert qui patinait et cette dame et sa fillette sur la berge.

— C'était un rêve agréable, alors ça ne me gênait pas. Grâce à lui, j'ai pu récupérer la médaille de baptême de maman, et rencontrer Baptiste Rambert. Pardonne-moi, Bonnie, va vite te recoucher. Je m'affole peut-être pour rien.

La gouvernante obtempéra, navrée d'être impuissante à aider sa protégée. Elle n'était pas instruite, mais un bon sens inné palliait ses lacunes.

« Ma petite demoiselle n'est pas comme les autres, ça non, pensait-elle. Je l'ai compris au bout de quelques jours, quand je m'occupais d'elle. Elle était très sensible, tellement nerveuse. On le serait à moins. On lui montre des choses pendant son sommeil et ensuite, ça se produit. Nous irons plus souvent à l'église, là-bas, dans son village. On allumera des cierges et je prierai pour elle. J'aurai le temps. »

Bonnie parvint à se tranquilliser, notamment à la perspective de ne plus travailler du matin au soir. Bientôt elle émettait un léger ronflement, qui renseigna Élisabeth.

« J'aurais dû le faire bien avant, se dit-elle en se relevant pour fouiller son sac à main. Je vais tout noter. »

Elle alluma une petite lampe à l'abat-jour en soie jaune, sortit un carnet neuf et un stylo à encre. Presque en transe, elle relata les instants de violence et de perversité dont elle avait été victime, dans l'énigmatique dimension des songes.

Le lendemain matin, hôtel des Trois-Piliers

— Tu es ravissante ainsi, ma chère enfant, déclara Hugues Laroche à Élisabeth, alors qu'ils s'installaient à l'une des tables de la salle à manger, pour prendre le petit déjeuner. Bonnie se rengorgea, car elle avait veillé à choisir la toilette de la jeune fille.

— Je vous remercie, grand-père, répliqua celle-ci, que les « ma chère enfant » commençaient à exaspérer.

Elle se tenait bien droite, dans un corsage brodé, au col rond, en cotonnade beige. Une étroite jupe de drap marron, ceinturée de cuir, marquait ses hanches, selon les exigences de la mode. La veste cintrée, assortie, reposait pour l'instant sur le dossier de sa chaise. Un chignon haut dégageait son ovale parfait.

— Bois-tu du café ou du thé ? s'enquit Laroche. Je prônerai du lait chaud, puisque tu dors mal. La vie au grand air, la pratique de l'équitation te redonneront une meilleure santé.

Élisabeth hésita à ouvrir les hostilités. Elle préféra se taire, encore troublée par les images de son cauchemar.

— Je suis d'un tempérament nerveux, d'après le docteur John Foster, le médecin des Woolworth, dit-elle cependant. Sinon, je me porte bien.

Hugues Laroche fronça les sourcils avec une mince moue dubitative. Il consulta sa montre à gousset, un chef-d'œuvre d'orfèvrerie en or, au contour serti de rubis. Bonnie étouffa un cri d'admiration.

— Justin ne devrait pas tarder, hasarda-t-il. Je lui ai demandé d'être ici à 8 heures précises.

— Justin, répéta Élisabeth tout bas.

— Mais oui, enfin, s'agaça-t-il. Je t'ai parlé de lui hier, dans le train. C'est le nouveau palefrenier. Il devait atteler mes deux cobs au phaéton[1]. Reste à souhaiter que tes malles logent à l'arrière. Vous prendrez votre valise à vos pieds, madame.

Bonnie approuva d'un signe de tête, la bouche pleine d'un délicieux croissant au beurre. Élisabeth cacha comme elle put son émotion.

« C'est peut-être le même Justin, celui de la nursery, se disait-elle. Je le saurai vite, dans une vingtaine de minutes. »

Son intuition la poussa à ne pas interroger son grand-père. Elle dégusta son bol de lait, la mine distraite.

— En fait, nous aurions pu descendre du train à Vars, annonça-t-il soudain. Mais c'est dangereux, parfois, de mener un attelage la nuit. Et pour rien au monde je ne coucherais dans l'unique auberge de ce bourg.

— C'est vrai, commenta Bonnie, le convoi s'est arrêté dans la gare de Vars, j'ai vu le panneau sur le mur.

— Je voulais un établissement de qualité pour ton retour sur le sol natal, ma chère enfant, ajouta Laroche sans accorder un regard à la gouvernante.

---

1. Les chevaux de race cob étaient utilisés pour l'attelage. Le phaéton est une grande voiture hippomobile à quatre roues et à six places sans compter le cocher.

— Je vous remercie, grand-père. J'ai terminé, j'aimerais faire un tour dehors, si cela ne vous dérange pas.

— Tu n'as pas touché aux croissants, ni au pain, protesta-t-il. Et il est hors de question que tu te promènes seule. Je te prie de rester à cette table. Je n'ai pas encore abordé un point important, Élisabeth, il me semble nécessaire de le faire. Tu es désormais sous ma tutelle jusqu'à ta majorité, mon notaire a rédigé l'acte qui en réfère.

Muette de stupeur, infiniment contrariée, la jeune fille replia sa serviette. Elle eut la nette impression qu'un piège se refermait sur elle. La colère la domina.

— J'avais réussi à gagner un peu d'indépendance, à New York, après avoir vécu confinée, je vous l'ai expliqué. Si je ne suis pas libre de mes faits et gestes en France, je n'ai plus aucune raison de me réjouir d'être revenue.

Elle s'était exprimée d'une voix vibrante d'indignation, tandis que ses magnifiques yeux bleus étincelaient. Laroche se détourna pour dissimuler son trouble. Il croyait revoir Catherine, quand elle exigeait d'épouser Guillaume Duquesne. Les lèvres pincées, il refoula ce cuisant souvenir, car sa fille exigeait et ne suppliait pas.

— Plus aucune raison, dis-tu ? articula-t-il en appuyant sur chaque mot. Et offrir du bonheur à ta grand-mère, cela t'importe peu ! Apprendre à gérer des vignobles renommés dans toute l'Europe et même la Russie, les Fins Bois, tu t'en moques ? Le domaine te reviendra à ma mort, le château, les fermes ! Tu renoncerais à cet héritage pour une liberté qui pourrait te mener à ta perte ?

Hugues Laroche ne criait pas, il parlait même assez bas, afin de ne pas attirer l'attention des autres clients.

— Le débat est clos, trancha-t-il. Cela dit, ne t'affole pas, je n'ai pas l'intention de te priver des distractions de ton âge, de ton rang. Adela se fera une joie de venir à Angoulême avec toi, et samedi soir, elle donne un bal en ton honneur. Je te ferai aussi remarquer que les promenades à cheval, sur nos terres, sont un excellent moyen de goûter à l'indépendance.

— Très bien, je deviendrai donc rapidement une cavalière, le provoqua-t-elle. Vous avez pensé à tout, cher grand-père. Grâce à la jument que vous me destinez, je pourrai rendre visite à mon autre famille, les Duquesne.

Il la toisa d'un œil sombre. Bonnie songea que la guerre était déclarée. Au même moment, Justin se présentait à la réception de l'hôtel. Le jeune homme avait soigné sa tenue vestimentaire. Ses premiers gages lui avaient permis d'acheter chez un fripier de Rouillac un pantalon d'équitation en épaisse toile sergée, des guêtres, ainsi qu'une veste en peau, fourrée de laine. Il portait sous un tricot vert une chemise en flanelle grise.

Malgré tous ces efforts, le réceptionniste plissa le nez, pour signifier son dédain.

— M. Laroche m'attend, précisa Justin.

— Nous allons le prévenir, mon garçon.

Le châtelain, ayant aperçu son palefrenier, fit irruption. Il lui décocha une tape amicale, tout sourire soudain.

— Tu es pile à l'heure, encore une qualité que j'apprécie, Justin. Les malles d'Élisabeth sont dans le hall, un employé de l'hôtel va t'aider à les charger.

— J'ai laissé le phaéton sur le champ de foire, et comme vous me l'aviez conseillé, Monsieur, j'ai emmené le petit Colas pour qu'il surveille les chevaux.

— Parfait ! Je règle la note. Ces dames arrivent.

Élisabeth rejoignit son grand-père quand Justin s'apprêtait à sortir. Leurs regards se croisèrent et le dialogue interrompu dix ans plus tôt reprit aussitôt, en silence, mais pétillant d'intérêt.

Il inclina la tête respectueusement, elle lança un bonjour de sa voix douce. Bonnie fit de même. Le hasard, ou bien ce que certains nomment la providence, vint au secours des jeunes gens.

Laroche palpa les poches de sa redingote avant de s'écrier :

— C'est bien moi ! J'ai oublié mon portefeuille dans la chambre, je remonte le chercher.

Morose, le réceptionniste lui redonna sa clef, en vérifiant de nouveau la note de frais. Élisabeth se précipita vers Justin.

— C'est bien vous ? demanda-t-elle tout bas. Le neveu de la femme de chambre, Madeleine ?

Elle reconnaissait ses cheveux blonds, son visage harmonieux, ses yeux noirs, et surtout l'infinie gentillesse qui émanait de lui. D'un geste vif, elle prit quelque chose dans son sac. Justin vit le soldat de plomb, le joueur de tambour qu'il lui avait offert. Élisabeth le rangea aussitôt.

— Oui, c'est moi, avoua-t-il dans un murmure. Mais je vous en prie, ne dites rien à M. Laroche, à propos de ma tante, et du fait que j'étais au château à cette époque, je perdrais ma place.

Il l'implorait d'un sourire gêné, fasciné par sa beauté. Il la compara à une statuette de la plus fine porcelaine, aux couleurs exquises, du rose, du bleu pur, du blanc laiteux, tout cela animé d'une fougue juvénile, d'une ardeur secrète.

— Je suis heureux de vous revoir, j'ai espéré longtemps votre retour, chuchota-t-il. Excusez-moi, je dois m'occuper de vos malles.

Il désigna d'un mouvement de menton un employé en livrée brune, préposé au service des bagages, et qui accourait.

— Je ne dirai rien, je vous le promets, souffla-t-elle.

Une poigne autoritaire se posa alors sur son épaule. Hugues Laroche l'observait d'un air intrigué.

— Que promets-tu à Justin ? interrogea-t-il.

— Je lui ai confié ma peur des chevaux, et il m'a rassurée, alors j'ai promis de me raisonner.

— Nous en avons déjà discuté, Élisabeth. En effet, tu devras te raisonner, comme tu le dis si bien. Il me vient une idée. Justin te donnera des leçons d'équitation. Il sera plus patient que moi.

Le palefrenier et l'homme en livrée traversaient la rue pavée, en tenant chacun une des poignées de la plus lourde malle.

— Je veux bien essayer, grand-père, répondit Élisabeth qui suivait des yeux la silhouette mince et souple de Justin. Oui, je ferai de mon mieux. N'est-ce pas, Bonnie ?

— Oui, mademoiselle, vous en êtes capable, j'en suis certaine, répliqua la gouvernante, en retenant un sourire amusé.

13

Du château au moulin

Sur la route, mardi 19 janvier 1897

Les chevaux trottaient à allure régulière. Leurs crinières rousses volaient au vent et leurs sabots ferrés projetaient souvent des éclaboussures grisâtres, lorsqu'ils piétinaient des flaques d'eau. Après deux semaines de pluie, la tiédeur océane se faisait sentir. Les prés s'ornaient des premières fleurs de pissenlit, d'un jaune d'or, et certains bosquets arboraient des bourgeons.

Ils longèrent pendant quelques kilomètres le fleuve Charente, qui se devinait entre les frênes et les saules. Le paysage parut très familier à Élisabeth, peu à peu envahie par une timide joie.

Elle avait pris place sur la seconde banquette, aux côtés de son grand-père ; Bonnie occupait la première, sur laquelle elle avait déposé sa valise.

Le phaéton s'avérait une voiture confortable, équipée d'un système d'amortisseurs, et ses quatre roues lui conféraient une certaine stabilité.

— C'est plaisant de voyager ainsi, nota Bonnie.

La gouvernante faillit évoquer les omnibus de New York, tirés eux aussi par de solides chevaux, mais elle se retint, afin de ne pas irriter Hugues Laroche.

— On ne se croirait pas en hiver, fit remarquer Élisabeth.

— Chez nous, le printemps revient plus tôt qu'ailleurs, lui répondit son grand-père. Le parc du château sera bientôt un enchantement pour l'œil. Les crocus, les narcisses, les jonquilles pointeront avant le mois de mars. Et nous aurons des roses en mai. Catherine adorait les roses.

— Il me semble, oui, dit la jeune fille d'un ton rêveur. Nous avions des rosiers jaunes dans le jardin de Montignac. Savez-vous ce qu'est devenue notre petite maison, grand-père ?

— Le vieux Duquesne ne l'a pas vendue, mais il l'a louée durant trois ans à un instituteur.

C'en était trop pour Élisabeth. Ulcérée, elle scruta les traits émaciés du châtelain.

— Le « vieux Duquesne » ! Vous osez appeler mon grand-père de cette façon, devant moi ! Votre éducation serait également à revoir. C'est irrespectueux.

— Je ne te permets pas de me juger, ni de me reprendre, tonna-t-il. Tu as vraiment des manières détestables.

— Vous aussi !

Justin, juché à l'avant, sur le siège réservé au cocher, était sidéré. Il n'avait encore jamais entendu personne s'opposer à son patron. Presque collé à lui, se tenait Colas, un garçon du village, âge de onze ans. Il courba le dos, comme s'il allait payer pour l'insolence de la jeune fille.

— Eh bien, nous sommes quittes dans ce cas, ma chère enfant, décréta Laroche avec un rire moqueur.

Elle le regarda sans comprendre. Cependant il semblait ravi de son coup d'éclat et s'en expliqua :

— Je n'apprécie pas les natures faibles, les lâches, les peureux. Tu me tiens tête, cela me prouve que tu sauras gérer le domaine plus tard. Justin, secoue les bêtes, nous allons au ralenti.

Les deux cobs allongèrent le trot, à la satisfaction de Laroche. Élisabeth resta silencieuse, perdue dans ses pensées.

« J'irai cet après-midi embrasser mon pépé Toine, qui est la bonté même. Et je lui demanderai les clefs de notre maison, là-bas je serai chez moi. Si je ne supporte pas de vivre au château, je m'installerai à Montignac. »

Justin se retourna un instant. Il la vit tendue, les joues rosies par la fraîcheur matinale, si ravissante qu'il en eut mal au cœur. C'était toujours à ses yeux la fillette effrayée de la nursery, dont les prunelles limpides brillaient de larmes. Il se souvenait de la joie qu'il avait ressentie en étreignant sa menotte chaude, à travers les barreaux du lit.

« Elle ne pouvait qu'embellir, se dit-il. C'est une demoiselle, mais tellement riche, hélas ! »

Il refit face à la route, sans soupçonner qu'Élisabeth fixait son dos, ses épaules et la masse de cheveux blonds qui dépassait de sa casquette en velours. Justin serait son ami, son allié, elle en avait la certitude.

Bonnie poussa un léger cri d'admiration en découvrant le château, dont les tours se dessinaient sur un écrin de ciel bleu, avec alentour des arbres gigantesques, des chênes, des cèdres à la ramure bleutée. Élisabeth fut saisie d'un frisson.

— Je me souviens ! s'écria-t-elle. J'ai l'impression d'être partie hier seulement. Et le grand sapin, grand-père ? La foudre l'avait frappé le soir où nous dînions là. Il y avait un terrible orage.

— Seigneur, quelle mémoire ! s'étonna-t-il. Je n'ai pas oublié, j'étais meurtri par l'anéantissement de cet arbre. J'ai fait replanter un mélèze, déjà d'une taille conséquente. Sot que j'étais de me lamenter, une perte mille fois plus cruelle m'attendait. J'ignore comment j'ai pu survivre au décès de Catherine, grâce à toi sûrement, que je m'obstinais à rechercher. N'en parlons plus. Adela doit être dans tous ses états.

Le phaéton remontait une large allée gravillonnée qui menait droit à la cour intérieure du château. Élisabeth aperçut des silhouettes rassemblées dehors, la plupart en noir et blanc.

— Nos domestiques, précisa son grand-père.

— Où est Bonne-maman ? s'enquit-elle. Je ne la vois pas.

— Adela se tient en retrait, sur le perron. Garde ton calme, je te prie.

— Je sais, on réprime ses émotions, si on est bien éduqué.

— Tout à fait.

La voiture s'arrêta après avoir contourné un massif de buis taillés en spirale. Justin sauta de son perchoir pour ouvrir les portières. Bonnie accepta son aide et se cramponna à sa main, mais Hugues Laroche s'empressa de tendre la sienne à Élisabeth.

La jeune fille adressa un sourire à tous ceux qui la saluaient, en domestiques rompus à la bienséance. Madeleine inclina à peine la tête, les lèvres pincées. Elle portait une robe noire et un tablier d'un blanc immaculé, ainsi qu'une coiffe étroite sur ses cheveux châtains. Les jardiniers, le vieux Léandre et Alcide, esquissèrent une courbette. Mariette était là aussi, très blonde, en jupe grise et corsage blanc, un tablier noué à la taille. Une adolescente, le teint cramoisi, en toilette noire et coiffe blanche, se pencha dans un rire muet.

Adela patientait, son corps menu raidi par une toilette en satin violet, sa chevelure d'un blond grisonnant savamment coiffée. Malgré les battements désordonnés de son cœur, elle tenait son rang de maîtresse absolue du château.

— Bonne-maman ! appela à mi-voix Élisabeth, qui peinait à la reconnaître.

Sa mémoire retrouvée lui avait renvoyé l'image d'une femme au masque dur, aux œillades froides, mais encore jolie. Elle lisait sur ce visage bouleversé les dommages du temps écoulé, et elle en eut la conviction, ceux causés par un immense chagrin.

— Mon enfant, enfin ! Viens ! s'écria Adela. Tu es une belle jeune fille à présent. Je remercie Dieu pour ce cadeau, te revoir.

Elle ne put rien ajouter, la gorge nouée. Élisabeth courut vers elle et l'enlaça, en lui donnant un baiser sur chaque joue.

— Oh, chère petite, gémit-elle. Que je suis heureuse !

— Entrons, recommanda Laroche, partagé entre le soulagement et l'embarras.

Ses grands-parents entraînèrent Élisabeth dans le grand hall où elle revit les trophées de chasse, cerfs, sangliers, chevreuils, figés par l'empaillement, avec leurs yeux de verre et leurs poils ternes.

Dehors, Bonnie demeurait dans l'expectative, sa valise à bout de bras. Justin ramenait chevaux et phaéton jusqu'aux écuries. La gouvernante considéra tour à tour les gens du château.

— Qui c'est, cette rouquine ? ronchonna Madeleine avec une grimace ironique. Une fichue Américaine, pardi !

— Bah, elle n'fera pas la loi, sûr ! renchérit docilement Alcide.

— Bonjour à tous ! claironna Bonnie. Je suis au service de Mlle Élisabeth. Et oui, je parle français.

Léandre ôta son béret et marmonna un bonjour. Dépitée, Madeleine fit volte-face et pénétra d'un pas nerveux à l'intérieur du château.

— Je vais vous montrer votre chambre, madame, proposa alors l'adolescente, engagée pour seconder Madeleine, qui la chargeait de toutes les tâches ménagères. Germaine, pour vous servir.

Bonnie apprécia son visage délicat, son sourire poli, ses yeux gris-bleu. Une petite coiffe blanche ornait sa chevelure d'un blond couleur de paille.

— Je vous remercie, Germaine. Il faudra monter les malles de mademoiselle. Je veillerai à les défaire moi-même.

— On l'fera quand Justin reviendra de l'écurie, ânonna Alcide, dont le faciès blafard était marqué par la sottise.

— Très bien, dit Bonnie. Je vous suis, Germaine.

Élisabeth parcourait la salle à manger, où le couvert était mis pour trois personnes seulement. Elle était en quête du moindre détail, surprise de constater que rien n'avait été déplacé ou changé. Adela, en extase, marchait derrière sa petite-fille, avide de contempler ses longs cheveux bruns, son profil délicat, sensible aussi à son timbre de voix, le plus mélodieux du monde, à son avis.

— Je me souviens des tableaux, des grands rideaux en velours verts, des chandeliers en argent, Bonne-maman, affirma-t-elle. Et du majordome, Jérôme. Il m'avait apporté le dessert. Papa était assis là, maman à cette place.

Adela poussa un cri effaré. Elle semblait prête à suffoquer.

— Tu dis vrai ! Comment peux-tu te rappeler de cela avec tant de précision ?

— Nous aurons le temps d'en discuter, Bonne-maman. C'est assez particulier. Il y a une pièce où je ne suis jamais allée, enfant, le grand salon.

— Allons-y ! s'enthousiasma la châtelaine, revigorée. Mais il est en désordre, à cause du bal que je donne samedi. Germaine doit cirer le parquet, j'ai fait pousser les meubles le long des murs et rouler les tapis.

— Si cela vous ennuie, je le visiterai plus tard.

— Non, pas du tout. Tu le traverseras souvent, si tu désires nous voir, moi ou ton grand-père, car le grand salon est contigu à nos appartements désormais. Hugues a eu la riche idée de nous installer dans les chambres de la duchesse de Guerville, qui vivait là au XVIIe siècle. Cette noble dame avait à cœur de restaurer et d'embellir le château. Nous lui devons les deux fenêtres percées dans la tour du pont-levis et ces deux pièces superbes qui donnent accès au donjon situé à l'ouest.

Adela lui prit le bras d'un geste câlin, en riant de plaisir. Elle ouvrit d'une main la double porte peinte en gris clair.

Hugues Laroche, qui s'était assis au coin de la haute cheminée en marbre noir, pianota de l'index sur l'accoudoir du fauteuil. Soudain il sortit son portefeuille en cuir et en tira un cliché jauni, écorné.

— Le jour de tes vingt ans, Catherine, murmura-t-il. Je t'avais emmenée à Angoulême, pour que tu aies un portrait de toi. Le photographe te faisait des compliments sur ta beauté, tu lui souriais. Un an plus tard, tu rencontrais Guillaume Duquesne, pour mon malheur.

Il ferma les yeux quelques secondes, la respiration saccadée. Enfin il rangea la photographie, les traits tendus, le regard vague. Des rires lui parvinrent du salon. Il se leva et sonna Madeleine, qui accourut.

— Monsieur ? interrogea-t-elle, la mine humble.

— Rajoute un couvert pour la gouvernante de mademoiselle.

— Je pensais qu'elle mangerait dans les cuisines, comme nous autres !

— Tu pensais ? s'enflamma-t-il. Je te verse des gages pour être obéi, et non pour que tu penses. J'exige que tu respectes cette personne, Madeleine, as-tu compris ?

— Oui, Monsieur.

Adela et Élisabeth, alertées par les cris du châtelain, quittèrent le salon. Elles assistèrent aux déambulations de Madeleine, en train de disposer un quatrième couvert sur la table.

— Ta gouvernante déjeunera avec nous, déclara Laroche à sa petite-fille. Il s'agissait d'un oubli qui est déjà réparé.

— Ce n'était pas un oubli, Hugues, dit gaiement son épouse. Tu ne m'avais pas avertie de la présence de cette dame.

— Sans Bonnie, le voyage en mer m'aurait paru très pénible, admit Élisabeth. Elle prend soin de moi et sait me consoler.

— Si tu l'apprécies autant, Bonnie est la bienvenue, insista Adela, exaltée.

Touchée par la douceur et la spontanéité de sa grand-mère, Élisabeth éprouva un sentiment de délivrance. La femme de ses souvenirs enfantins avait disparu. Elle ignorait encore à quel point la métamorphose était profonde.

Château de Guerville, deux heures plus tard

Bonnie, après un copieux déjeuner, aspirait à une sieste. Mais elle s'entêtait à ranger les nombreuses toilettes d'Élisabeth dans une grande penderie.

— Votre grand-mère est charmante, mademoiselle, dit-elle à la jeune fille, assise au bord d'un lit à baldaquin. Elle vous adore.

— Si elle m'aime sincèrement, ça me suffira, Bonnie. Ce n'est plus la même. Peut-être que je l'ai jugée revêche et froide à tort, quand j'étais petite. Je la voyais si peu.

— Qu'est-ce qui vous tracasse, s'alarma la gouvernante. Je vois bien que vous êtes soucieuse.

— Je me pose beaucoup trop de questions. Déjà, que faisait Richard Johnson à bord de *La Touraine* et sur le quai de la gare, à Orléans ? Ensuite, pourquoi mon grand-père se montre-t-il froid, moralisateur, et soudain presque malicieux, moqueur ? Et il y a Justin.

— Le palefrenier, soupira Bonnie en lissant la soie d'une robe d'été. Je vous ai vue, quand vous lui parliez à l'hôtel.

— C'est bien le petit garçon de jadis, mais il m'a suppliée de ne pas trahir un secret. De toute évidence, Madeleine cache à mes grands-parents qu'il est son neveu. J'espère pouvoir le rencontrer sans témoin, pour en apprendre davantage.

— Prenez vite une leçon d'équitation.

— Tu as raison, mais on dirait que le mensonge est partout, à New York, ici aussi. Maybel et Edward m'ont trompée, Richard également, hier encore, et maintenant je dois mentir à mon tour, pour aider Justin.

— Se taire n'est pas mentir, mademoiselle, professa Bonnie. Sinon, êtes-vous contente de votre installation ?

— Bien sûr, je suis dans la chambre de maman, son univers de jeune fille. J'ai ouvert les tiroirs de sa commode, il reste une partie de ses affaires. C'est surprenant, comme si elle était partie sans rien emmener, ou presque.

Bonnie se pencha et tira un carton du bas de l'armoire. Elle l'avait entrouvert et souhaitait montrer le contenu à Élisabeth.

— Mademoiselle, voyez un peu, c'est une tenue d'amazone, qui devait appartenir à votre mère. De la belle ouvrage, cousu main, dans un superbe drap de laine. Et cette couleur, ce vert printanier, ce n'est pas courant pour monter à cheval ! C'est emballé dans du papier de soie. Cette toilette est comme neuve.

La gouvernante inspecta l'envers du couvercle. Une date y était inscrite : *22 décembre 1877.*

— Maman avait les yeux de cette couleur, vert, parfois bleuté, comme l'océan, murmura Élisabeth d'une voix faible. Et c'est la date anniversaire de ses vingt ans. C'est étrange, je suis arrivée hier en France, mais j'ai déjà appris beaucoup de choses sur elle, ma mère. Je gardais une douce image, celle de mon enfance, je comprends aujourd'hui qu'elle a été jeune fille ici, montant à cheval, dansant à des bals...

— Votre grand-mère sera heureuse de vous parler de votre maman, j'en suis sûre. Il faut vous changer, à présent.

— Ce n'est pas la peine, je suis à mon aise ainsi. Nous partons bientôt, je préfère rassembler les cadeaux que j'ai achetés. Je suis tellement pressée de revoir mon autre grand-père, que je ne dois plus appeler « pépé Toine », et le moulin, mes oncles.

Adela, à la fin du repas, avait annoncé qu'elles iraient toutes les deux rendre visite à Antoine Duquesne.

— Justin attellera la calèche, je t'emmènerai, chère petite.

Hugues Laroche s'était abstenu de commentaire, mais il avait décoché à son épouse un coup d'œil furibond. L'amitié qu'elle entretenait désormais avec le vieux meunier était la cause de vives querelles, dont Madeleine se régalait, toujours à l'affût derrière les portes.

— Mais vous n'avez pas encore offert les leurs à vos grands-parents ! s'étonna la gouvernante.

— Je le ferai ce soir. Tu ne t'ennuieras pas, Bonnie ?

— Pensez-vous ! Je vais continuer à arranger votre garde-robe, et j'écrirai une lettre à mon oncle du Queens. Il me paraît bien loin, ce quartier de New York où j'allais toute jeune.

— Tu es toujours jeune, s'esclaffa Élisabeth.

— Non, à trente-deux ans, on est une vieille fille.

Un hennissement strident les attira à l'une des fenêtres. Hugues Laroche caracolait sur un grand cheval gris qui piaffait et lançait des ruades. Le châtelain le cravachait, en vociférant des ordres. Soudain l'animal s'élança au galop dans l'allée.

— Eh bien, votre grand-père est bon cavalier, soupira Bonnie.

— C'est surtout un homme violent, murmura Élisabeth.

Elle frissonna, pleine d'appréhension. Edward Woolworth traitait son hongre noir avec respect, sans jamais le brutaliser.

— Ah, voilà Justin, ajouta-t-elle.

Le palefrenier ne se savait pas observé. Il regardait dans la direction où avaient disparu son patron et sa monture. Élisabeth perçut le désarroi du jeune homme.

— Je descends, Bonnie ! s'écria-t-elle. J'ai le temps d'aller voir ma jument.

— Votre grand-père voudrait sûrement vous la montrer le premier.

— Tant pis, il n'avait qu'à me le proposer !

Élisabeth rattrapa Justin qui se dirigeait vers les écuries, une vaste bâtisse indépendante du château. Il avait entendu le bruit de ses pas sur les gravillons et s'était retourné, l'air inquiet.

— Que faites-vous là ? demanda-t-il. La calèche n'est pas prête.

— J'ai vu mon grand-père partir, alors je suis venue. Je voudrais qu'on discute un peu, toi et moi.

Elle le tutoyait cette fois, tellement leur rencontre dans la nursery, dix ans auparavant, lui semblait proche. Justin, ce soir-là, avait dissipé les ténèbres en attisant le feu, il avait su la consoler.

— Tu n'as pas beaucoup changé, nota-t-elle en souriant.

— J'ai grandi, comme vous, mais nous avons gardé nos traits, nos regards. Mademoiselle, je vous en prie, tenez-vous à l'écart de moi.

Il jetait des coups d'œil suspicieux vers le corps de bâtiment adjacent à la forteresse et qui abritait l'office, au rez-de-chaussée.

— Ma tante doit nous épier, des cuisines, dit-il.

— Et alors ? J'ai envie de voir ma jument, celle que mon grand-père m'a achetée, sur tes conseils, pardon, sur *vos* conseils.

— D'accord, venez.

Justin parut plus à l'aise à l'intérieur des écuries. Élisabeth découvrit une suite de box en vis-à-vis, de chaque côté d'une allée pavée. Certains chevaux passaient l'encolure par-dessus leur porte, la tête tendue vers les arrivants, les oreilles droites.

— Combien sont-ils ? interrogea-t-elle.

— Ils étaient douze, et treize à présent, avec votre jument. Le vieux Léandre s'est signé, à cause du nombre, qui attirerait le malheur.

— Le malheur n'a pas besoin de ça, déplora-t-elle.

— J'ai su pour vos parents, je suis désolé. Je n'avais qu'à me cacher derrière la grosse maie des cuisines, j'écoutais ma tante débiter les nouvelles, de préférence les mauvaises.

— Justin, pourquoi refuse-t-elle de vous présenter comme son neveu ? Mon grand-père vous apprécie, il m'a vanté votre travail. Madeleine est employée ici depuis longtemps.

— Je me pose la même question que vous, Élisabeth. Déjà, petit, je devais être invisible. Ma tante répétait que Mme et M. Laroche la chasseraient, s'ils apprenaient que j'habitais le château. J'étais souvent effrayé, à l'idée de faire le moindre bruit. J'ai vécu au fond des combles, mais dès qu'il faisait nuit, je ne pouvais pas m'empêcher de me promener dans les couloirs de l'étage. J'allais dans la nursery, car les jouets m'attiraient.

— Et ce soir-là, vous avez dû vous cacher dans l'armoire, quand Madeleine m'a mise au lit ?

— Vous n'avez pas oublié ?

— J'avais oublié bien des pages de mon enfance, pourtant dès que je touchais le soldat de plomb, je me souvenais de vous.

Justin s'illumina d'un sourire ébloui. Élisabeth dut baisser les yeux, troublée.

— Venez, votre jument est dans ce box, à gauche. Elle a un joli nom, Perle.

— Oh non ! protesta-t-elle. J'avais une cousine d'adoption, à New York, qui s'appelait Pearl.

Elle avait prononcé à l'anglaise. Justin éclata de rire. Il la conduisit devant un bel animal à la robe d'un brun sombre, aux reflets de velours.

— Je l'ai montée, vous n'avez rien à craindre, expliqua-t-il. Elle est bien dressée, d'un tempérament paisible.

— Vous m'aiderez, n'est-ce pas ? Est-ce que je peux changer son nom ?

Il haussa les épaules, accoutumé à accepter les choses telles qu'on les lui imposait. Élisabeth s'enhardit et caressa le front étoilé de blanc de la jument.

— Vous feriez mieux de rentrer au château, recommanda Justin. M. Laroche peut revenir d'un moment à l'autre, ou bien seulement pour dîner. Il est sans doute furieux, comme chaque fois que Mme Adela se rend au moulin de Montignac.

— Ma grand-mère y va souvent ?

— Oui, et à ce propos, je dois préparer la calèche.

— Je peux rester avec vous ?

Le jeune palefrenier eut un geste fataliste. Élisabeth le suivit dans l'espace où l'on abritait les voitures et où étaient rangés les harnachements. Elle reconnut le phaéton, effleura d'un doigt la capote de la calèche, considéra un autre véhicule noir et jaune.

— Le tilbury de votre mère, précisa Justin.

La jeune fille éprouva un début de malaise, confrontée depuis la veille au passé de la belle Catherine Laroche, tout en devant assimiler sa nouvelle existence en France, séparée par l'océan de Maybel et d'Edward. Ils lui manquaient.

— Justin, j'imaginais que je serais contente de revenir ici, mais c'est difficile, en fait. Des gens m'ont recueillie, à New York, lorsque j'étais livrée à mon sort, une enfant perdue de six ans, affamée, transie, terrorisée. J'ai cru pouvoir les quitter sans aucun regret, je me trompais. Soyez mon ami, je vous en prie.

Il brassait des lanières de cuir, la mine grave. Après avoir hésité, il se confia d'un ton doux, humble.

— Pendant vos leçons d'équitation, nous pourrons bavarder un peu. Élisabeth, j'avais onze ans quand ma tante m'a envoyé vers Aubeterre. Je suis devenu valet d'écurie. Par chance, là-bas, le maître du domaine m'a appris à lire et à écrire. Je me suis instruit autant que je le pouvais. J'entraînais aussi les chevaux, je les soignais.

— Et pourquoi êtes-vous revenu ?

— Il y a trois mois, ma tante a fait le voyage et elle m'a dit que M. Laroche cherchait un palefrenier, que je ferais l'affaire. J'étais content, au fond, de me retrouver au château. Mais il y avait une condition, je devais passer pour un nouveau venu au pays. Elle a prétendu m'avoir rencontré au village. J'ai récité ma leçon, comme quoi je cherchais à me placer, que j'étais orphelin de père et de mère, ce qui est vrai.

— Vous êtes comme moi, constata Élisabeth, émue.

L'écho d'une galopade fit taire Justin. Il s'affola.

— M. Laroche revient ! Sortez vite, par ce côté et faites semblant de vous promener dans le parc, dit-il tout bas en lui désignant une porte voûtée. Je ne veux surtout pas être renvoyé, puisque vous êtes de retour.

Elle obéit, exaltée par son regard noir, implorant, et ce qu'il avait avoué à demi-mot. Richard Johnson ne comptait plus, balayé de son esprit par Justin, son teint hâlé, ses cheveux dorés, ses yeux si tendres.

Au bord du fleuve Charente, même jour, une heure plus tard

— Le printemps viendra vite, ma petite Élisabeth, et pour moi ce sera le plus doux printemps depuis des années, affirma Adela Laroche, qui menait la calèche. J'ai désespéré de te revoir, mais tu es là et je suis comblée.

La jeune fille fut sensible à ces paroles pleines d'amour. Elle s'appuya affectueusement contre sa grand-mère.

— Vous n'êtes plus la même, Bonne-maman. Ne vous vexez pas, mais quand j'ai retrouvé la mémoire, j'ai eu le souvenir d'une dame sévère, un peu distante.

— J'étais ainsi, en effet, enfermée dans les préjugés que mes parents m'avaient inculqués. Et ce soir-là, celui du dernier dîner de Catherine au château, je souffrais le martyre. Tout mon être se glaçait à l'idée de votre départ. J'en suis désolée. Il faut se délivrer du passé, mon enfant chérie, et profiter du présent, en forgeant ton avenir.

Le mot « chérie » versa du miel sur les angoisses d'Élisabeth.

Elle leva la tête pour admirer le ciel d'un bleu pâle, parsemé de nuages d'un blanc pur. Le chemin longeait la Charente, grossie par les pluies d'hiver. Les eaux du fleuve miroitaient au soleil, et il se dégageait du paysage une paix profonde.

— Je dois beaucoup à M. Duquesne, déclara soudain Adela. J'étais une âme en peine, crois-moi, après la tragédie qui nous frappait. Je ne sais plus comment ni pourquoi j'ai eu l'idée, un jour, de me rendre au moulin, en secret bien sûr. Peut-être que j'avais besoin de partager mon chagrin avec le père et les frères de Guillaume. Antoine m'a accueillie gentiment, sans rien me reprocher. Hugues avait érigé une barrière infranchissable entre nous et les Duquesne, par mépris, par haine.

— De la haine, vraiment? s'étonna Élisabeth. Et vous appelez mon grand-père par son prénom?

— Après toutes ces années, nous sommes de vieux amis. Il m'a enseigné l'humilité, et grâce à lui, j'ai retrouvé la foi, pas une foi de pacotille, afin d'occuper sa place à l'église le dimanche, non, une foi sincère, discrète. Le Seigneur a dû me pardonner mes fautes de jadis, puisque j'ai eu la joie immense de te retrouver. Je saurai te protéger.

Si Élisabeth n'avait pas vu approcher les toits du moulin, le large porche carré, elle se serait demandé de quoi sa grand-mère la protégerait. Mais elle n'y pensa plus, le cœur survolté, tandis que la calèche pénétrait dans la vaste cour encore boueuse.

— Mon Dieu, je ne peux pas le croire, balbutia-t-elle. Rien n'a changé.

La vue du château l'avait laissée presque indifférente. Devant les murs de grosses pierres grises, les volets couleur de bois brûlé, elle tremblait de tout son corps, bouleversée. Son enfance s'était déroulée là, entre ces anciens bâtiments et sa maison.

Antoine Duquesne apparut sur le seuil du logis. Il agita la main, une expression de bonheur sur son visage sillonné de rides. Son regard bleu était noyé de larmes.

— Pépé Toine! hurla la jeune fille en sautant de la voiture. Oh, mon pépé Toine!

Elle courut vers lui, les bras tendus, sans souci de patauger dans les flaques d'eau, de souiller le bas de sa jupe. À son cri, Pierre et Jean s'étaient rués dehors, eux aussi.

— Ma petiote, ma belle petiote, sanglota le vieil homme en la recevant contre sa poitrine.

Ils étaient tous deux incapables d'en dire davantage. Il leur suffisait de s'étreindre, de se persuader qu'ils ne rêvaient pas.

— C'est bien Élisabeth ? s'étonna Jean qui avait saisi les rênes de la jument. Madame Adela, je ne l'aurais pas reconnue !

— Je t'assure que c'est elle, Jean. Mais c'est une demoiselle.

Lui aussi sidéré, Pierre se grattait la barbe d'un air perplexe. Il n'osait pas bouger, presque intimidé.

— On est dans un bel état pour recevoir notre nièce, ajouta Jean. Saupoudrés de farine de la tête aux pieds. On remplissait des sacs pour la boulangerie de Vouharte.

— Vous n'avez pas à être gênés, messieurs, dit gaiement Adela. Votre travail est parmi les plus nobles, donner de quoi pétrir du pain pour vos concitoyens.

Antoine Duquesne, lui, faisait reculer sa petite-fille d'un pas, sans la lâcher.

— Que je t'admire un peu, petiote ! dit-il, haletant. Que Dieu soit remercié pour son infinie miséricorde ! Je te revois, après ces années de deuil, de doutes et de pauvres espoirs.

Le meunier fit un signe à ses fils, toujours figés près de la calèche. Adela en profita pour descendre de son siège, aidée par Jean, qu'elle poussa ensuite en avant.

— Oncle Pierre, oncle Jean ! cria Élisabeth qui s'était retournée.

Cette fois, ils se précipitèrent, délivrés de leur embarras au son de sa voix vibrante d'impatience. Petite, elle les appelait de la même façon, si elle était tombée et saignait d'un genou, ou bien si elle voulait être poussée à la balançoire du jardin.

— Mon Dieu, c'est un miracle ! clama Pierre en l'embrassant.

— Que tu es jolie, mazette ! plaisanta Jean, la gorge nouée.

Élisabeth les dévisageait tour à tour. Ils ressemblaient tant à son père qu'elle se mit à pleurer.

— Entrons, mes enfants ! proposa Antoine Duquesne. Mes pauvres jambes flageolent, misère ! C'est le bonheur, j'avais perdu l'habitude.

Il souriait, cependant Jean s'empressa de le soutenir pour le conduire à l'intérieur.

— Je vais chercher Yvonne, annonça Pierre. Il faut qu'elle soit là, nos fils aussi. L'instituteur les libérera avant l'heure, c'est jour de fête chez nous. J'ai deux beaux petits gars, Élisabeth, Gilles et Laurent, tes cousins germains !

— Bonne-maman me l'a dit pendant le trajet, j'ai hâte de les connaître.

— Dis donc, tu causes encore le français, après dix ans là-bas, en Amérique ? s'extasia Jean.

— Eh oui, ma gouvernante était d'origine normande, du côté de sa mère. Nous avons continué à parler notre langue natale en cachette de mes parents. Enfin, des gens qui m'avaient recueillie. Je les considérais comme mes parents. Je vous raconterai tout.

Bourg de Montignac, même jour, même heure

Frédéric Richard Johnson ne pouvait pas détacher ses yeux ambrés du château médiéval qui surplombait les rues étroites de Montignac. Il se tenait au bas d'un escalier en pierre, encadré par deux tours rondes. C'était l'accès fortifié de l'ancien fief au gros donjon carré, un fief passé de seigneuries en seigneuries au fil des siècles[1].

---

1. Monument encore existant, ayant appartenu notamment aux Taillefer, aux Lusignan, de puissantes familles nobles du département.

Le détective n'avait jamais eu l'occasion d'observer un édifice de ce genre, auquel il attribuait une aura romantique. Complètement fasciné, il se promit de faire un croquis dès le lendemain. La France l'envoûtait, autant que l'avait ensorcelé la jeune Élisabeth Laroche.

— Oui, ensorcelé, dit-il tout bas, conscient d'avoir un accent américain incorrigible.

Son arrivée avait fait sensation, le matin même. Il avait pris la plus belle chambre de l'auberge du Pont-Neuf, suscitant la curiosité générale, toujours à cause de son accent. Sur ce point aussi, il avait menti à Élisabeth, car il avait appris le français dès le collège, et plus tard au lycée. Il déplorait néanmoins le manque de pratique et s'était équipé d'un petit dictionnaire bilingue.

Là encore, des vieilles femmes du village l'épiaient, vêtues de noir, une ample coiffe blanche sur leurs cheveux gris. Il les salua en soulevant son chapeau de feutre beige. Sa haute taille, son costume d'une coupe élégante, tout le différait des habitants de Montignac.

« Lisbeth apprendra vite que je suis dans la région, pensa-t-il. Au début, elle sera furieuse, mais elle viendra, j'en suis sûr. Et si par malchance, elle mettait son affreux grand-père au courant, je m'expliquerais avec lui. Je ne fais rien de mal, je gagne ma vie. »

Très content de lui, Richard eut la fantaisie de gravir l'escalier du château. Il caressa du bout des doigts les pierres d'une des tours que reliait un pan de muraille. Il ignorait que des centaines d'années auparavant, une herse en fer devait fermer l'accès.

— Je chercherai quelqu'un capable de me parler de l'histoire du château, marmonna-t-il en s'engageant dans l'enceinte.

Peu après, nullement incommodé par les nombreuses marches qu'il avait gravies, il découvrit l'énorme donjon en ruine. Là, émerveillé, il s'assit au soleil, sur un bloc de calcaire.

La douceur du climat charentais lui semblait une bénédiction. Il s'abîma dans une douce songerie. Il était obsédé par ces instants enivrants où il avait meurtri de baisers les lèvres glacées d'Élisabeth, où il avait caressé, saisi d'un délire sensuel, ses seins, ses hanches, et le satin de ses cuisses. Il revoyait le regard qu'elle avait eu, allongée sur la couchette de sa cabine, pareille à une sirène échouée, infiniment séduisante.

La comparaison soulageait sa conscience, puisque les légendes évoquaient le charme irrésistible de ces créatures, dont le chant attirait les marins.

« Et le bateau se fracassait sur des récifs, c'était le naufrage ! se dit-il. Je ferais mieux d'être méfiant, si Lisbeth me provoque à nouveau. »

Il n'en démordait pas. Jamais il ne se serait comporté en mâle conquérant si la jeune fille ne lui avait pas lancé un tel regard, où il aurait pu jurer avoir lu un appel sans équivoque.

Dépité, il s'étira, étendit ses longues jambes musclées. Avant de se relever, il sortit de la poche intérieure de son veston la photographie qu'on lui avait confiée. Il soupira en se moquant de lui-même à voix basse :

— Si j'arrive à l'épouser, je serai le plus heureux du monde et, ce qui n'est pas négligeable, ma fortune sera faite.

Sur le cliché sépia, Élisabeth souriait d'un air rêveur, un collier de saphir à son cou, en robe de dentelle. Avant d'embarquer sur *La Touraine*, elle avait cédé aux prières de Maybel Woolworth, qui souhaitait garder d'elle un portrait récent pour l'encadrer et le placer dans son salon. Richard Johnson ne s'en séparait pas.

Moulin Duquesne, même jour, deux heures plus tard

— Je suis désolée, Élisabeth, mais il faudra bientôt se mettre en chemin, déplora Adela. Les jours rallongent mais nous devons rentrer avant la nuit. Nous reviendrons la semaine prochaine.

Antoine Duquesne saisit la main de sa petite-fille et y déposa un baiser. Il n'était pas rassasié de sa présence, de son rire, de la tendresse spontanée qu'elle lui témoignait.

— Pourquoi attendre si longtemps, Bonne-maman, disons après-demain ! s'écria Élisabeth. Bonnie viendra avec nous.

— J'y compte bien, renchérit le vieux meunier. Je voudrais la rencontrer et la remercier d'avoir pris soin de toi.

— Nous aviserons, selon l'humeur de mon mari, hasarda la châtelaine. Hugues tient à profiter de notre petite-fille. Il a tant de mal à montrer ses sentiments.

Sa déclaration fut suivie d'un silence dubitatif. L'épouse de Pierre tenta de relancer la conversation.

— Nous nous reverrons souvent, affirma-t-elle. C'est déjà un grand bonheur de te retrouver, Élisabeth. Tu es là, parmi nous, bien vivante, et je sens que nous allons passer de bons moments, tous ensemble, au printemps, cet été.

Yvonne respirait la bonté, le dévouement. Élisabeth l'avait embrassée tout de suite, sur ses joues toujours un peu rouges. Ses cheveux châtains sagement rangés sous une petite coiffe faite par ses soins, en robe de serge marron, elle lui était apparue fidèle à ses souvenirs.

— Je parlais souvent de toi à mes garçons, ajouta-t-elle. Gilles et Laurent priaient pour ton retour, le soir, avant de se mettre au lit.

— Mes cousins ! s'enthousiasma la jeune fille. J'ignorais votre existence, mais vous aurez quand même un cadeau. Oncle Jean, où ai-je posé mon sac en tapisserie ?

— Sur le coin du buffet, je te l'apporte.

La familiarité était de mise, les timidités envolées. Élisabeth songea qu'elle aurait voulu rester au moulin, y dormir, y habiter. Le château lui paraissait inhospitalier, malgré la gentillesse de sa grand-mère.

Elle remit ce souci à plus tard, déterminée à partager ses journées et peut-être ses nuits entre Guerville et Montignac.

— Je vous ai choisi des petits cadeaux, sans être certaine de vous revoir tous en bonne santé. Yvonne dit vrai, c'est déjà un grand bonheur d'être réunis. Pépé Toine, j'ignore si tu fumes encore la pipe, mais je t'en ai acheté une en loupe d'orme. Avec du tabac anglais !

— Merci, petiote, ça me changera du gris[1] que j'économise !

— Mes chers oncles, je vous ai rapporté des couteaux de poche, la lame est en acier, le manche en ivoire sculpté. *Dad* m'a conseillé. Pardon, je voulais dire M. Woolworth.

— Ne t'excuse pas, mon enfant, lui dit Adela. Quoi qu'ils aient fait, ces gens t'ont servi de parents, et ils t'ont sans doute évité un sort misérable.

Élisabeth avait réussi, dans un récit concis, à leur raconter ce qu'il était advenu, après l'agression de son père dans une ruelle du Bronx. Antoine, Pierre et Jean s'étaient crispés, la face dure, en imaginant Guillaume frappé à mort.

Adela les en avait informés des années plus tôt, et elle s'en était félicitée, en les voyant encore durement éprouvés au rappel de cette fin tragique.

— J'ai pensé à toi, aussi, Yvonne, reprit Élisabeth en lui tendant un sachet en velours, qui révéla un collier de turquoises.

— C'est magnifique, s'écria-t-elle. Mon Dieu, je n'oserais pas le porter, ou alors le dimanche, à la messe. Regarde, Pierre.

— Et pour mes cousins, des caramels anglais, des *toffees* !

— Des toffises, bredouilla à la française Laurent, le plus petit.

---

1. Tabac brun découpé en fines lanières, destiné à l'usage de la pipe.

— Ils sont délicieux, tu peux en goûter un tout de suite, toi aussi, Gilles.

Elle les aida à ouvrir une boîte ronde, en carton coloré, qui contenait les bonbons, enveloppés de papier doré.

— Moi, je garderai le papier, déclara gravement celui-ci. Il brille tant…

La jeune fille regretta de ne pas pouvoir leur offrir des jouets. Ils se jetèrent cependant à son cou, en la couvrant de baisers.

— Merci, t'es belle comme une princesse, murmura Laurent.

— Vous êtes adorables, répliqua-t-elle faiblement.

Une ronde de « ma princesse » vrillait son esprit, et elle croyait entendre la voix de sa mère, celle de son père. Elle ferma les yeux sous le choc.

« Si on pouvait revenir en arrière, songeait-elle. Je n'aurais que cinq ans, comme Laurent, et papa entrerait, maman aussi, tous deux rieurs, amoureux. »

— Élisabeth, qu'est-ce que tu as ? demanda Adela.

— Un vertige, c'est le cidre que nous avons bu, rien de grave, je vais boire un peu d'eau et je me sentirai mieux.

Pierre la servit, en la couvant d'un regard paternel. Des liens invincibles se renouaient dans le cœur de tous. Yvonne, en dépit de son statut de bru, comme l'appelait son beau-père, se montrait la plus câline. Elle chérissait Élisabeth, quand c'était une fillette délurée, au minois de poupée, et à qui elle avait fait faire ses premiers pas, dans la cour du moulin.

Adela jeta un coup d'œil soucieux à l'horloge, accrochée près de la fenêtre. Elle se leva et enfila son manteau, ses gants.

— Il faut partir, Élisabeth, insista-t-elle.

— Je viens. Nous passerons près de la maison de mes parents, comme nous l'avions prévu ?

— En calèche, ce ne serait pas commode, et nous n'avons plus le temps d'y aller à pied. La prochaine fois, nous viendrons de bonne heure et tu pourras la visiter.

— Mais oui, petiote, renchérit Antoine Duquesne. Ma bru en prend grand soin. Elle ouvre les fenêtres pour aérer, le ménage est fait, tout est à sa place.

— Merci, Yvonne, merci pépé Toine. J'irai de toute façon, n'est-ce pas, et puis j'ai déjà eu beaucoup d'émotions.

La cérémonie des embrassades les retarda encore. Le jour déclinait lorsque Adela emprunta enfin le chemin du retour, en poussant la jument au grand trot.

— Es-tu contente, Élisabeth ? interrogea-t-elle en haussant le ton, pour dominer le bruit des sabots, le cliquetis des harnais, le crissement des roues cerclées de fer.

— Non, Bonne-maman, je suis très heureuse. Mais je dois vite apprendre à monter à cheval. Vous ne serez pas obligée de me conduire à Montignac chaque fois que j'aurai envie de rendre visite à ma famille.

— Je suis toujours enchantée de voir Antoine et ses fils, et je crains que tu n'obtiennes pas la permission de parcourir tous ces kilomètres, seule. La maîtrise de l'équitation ne s'acquiert pas en un jour ou deux, ma chère petite.

— Grand-père m'interdira de dépasser les limites du domaine ? Pourquoi ? Parce qu'il n'a jamais pardonné à papa d'avoir épousé maman ? Quelle importance maintenant ? Mes oncles, mon autre grand-père ne sont pas responsables.

— Hugues espère faire de toi une demoiselle accomplie, qui évoluera dans son monde et héritera de tous ses biens. Il plaçait les mêmes espoirs en Catherine. Guillaume a brisé ses rêves. Si j'avais pu lui donner un fils, tout aurait été différent. Si nous parlions du bal, c'est un sujet tellement plus gai. As-tu une robe qui conviendrait ?

— Oui, celle que j'ai portée le soir du 31 décembre, à New York. C'est une merveille, précisa Élisabeth d'une voix neutre.

« Personne ne m'enfermera, se disait-elle sous son air sage. Et surtout pas un homme qui haïssait mon père. »

14
L'araignée dans sa toile

Château de Guerville, vendredi 12 mars 1897

Hugues Laroche avait fait aménager derrière ses écuries un espace destiné au dressage des chevaux, entouré de barrières blanches. On pouvait trotter et galoper sur une piste sablonneuse qui dessinait un ovale.

Depuis bientôt deux mois, Élisabeth y apprenait l'art de l'équitation, sous la douce férule de Justin, soucieux de la faire progresser sans la brusquer.

Il lui donnait des leçons presque tous les jours et c'était pour les jeunes gens l'occasion de discuter sans témoins et de mieux se connaître.

Ce matin-là, le printemps semblait au rendez-vous, grâce au vent tiède, aux chants d'oiseaux dans les futaies. Des jonquilles piquetaient de jaune d'or les pelouses du parc, et des arbustes d'ornement se paraient d'une timide floraison rose, sous un franc soleil.

— Bien, très bien ! s'écria Justin. Vous maîtrisez mieux chaque allure, mademoiselle. Encore un tour au galop et nous arrêtons.

Élisabeth avait dû s'accoutumer à la selle d'amazone équipée de deux fourches en cuir, qui exigeait une assiette[1] particulière. Sa grand-mère l'avait emmenée à Angoulême pour lui acheter une toilette adéquate, en

1. Aptitude du cavalier à bien tenir en selle.

serge marron, assortie d'un chapeau haut de forme, d'une écharpe blanche et de bottes en cuir.

— Je préférerais monter à califourchon, comme vous et mon grand-père, répondit la jeune fille d'un ton malicieux. Ce doit être plus pratique.

— Mais c'est réservé aux messieurs, répliqua Justin.

— D'accord, je me plie aux convenances encore une fois ! Si nous faisions une promenade cet après-midi ? J'en ai assez de tourner dans cet enclos ou de trotter le long de l'enceinte du parc.

— M. Laroche ne vous juge pas prête.

Le palefrenier pensait le contraire, cependant il gardait ses opinions pour lui, de peur d'être privé des précieux moments qu'il passait avec Élisabeth. Ils se sentaient complices et il leur arrivait d'avoir des fous rires à la moindre occasion, quand leur jeunesse renversait les barrières et les différences de classe.

Élisabeth remettait sa monture au petit trot lorsqu'elle aperçut ses grands-parents. Adela tenait son mari par le bras, tout en s'abritant sous une ombrelle en soie rose.

— Nous venons assister à tes prouesses ! clama le châtelain.

Tout de suite, Justin se raidit, la tête haute, l'air distant. Il salua le couple en s'inclinant.

— Mademoiselle avait terminé l'entraînement, Monsieur, osa-t-il dire. Perle commence à transpirer.

La jument n'avait pas été débaptisée. Son nom était même devenu une source de plaisanteries entre Élisabeth et Justin, car certains ordres adressés à l'animal, s'ils les attribuaient ensuite à la lointaine cousine américaine, les amusaient beaucoup.

— Refais un tour au galop, ma chère enfant, et je t'en prie, tiens correctement ta cravache ! demanda Laroche.

— Si vous êtes satisfait de mes progrès, m'autorisez-vous à partir en balade après le déjeuner ? interrogea Élisabeth d'un air frondeur. Justin m'accompagnera, bien sûr.

— C'est hors de question, trancha son grand-père. Quand tu seras prête à sortir en campagne, c'est moi qui t'escorterai. Mais ne te crois pas une cavalière accomplie, tu n'arrives pas à la cheville de ta mère.

— Hugues, pourquoi es-tu si désagréable? s'irrita Adela. Notre petite-fille fait de grands efforts pour te plaire et tu la rabroues.

Exaspéré d'être témoin d'une nouvelle querelle entre ses patrons, Justin se dirigea vers les écuries d'un pas rapide. La voix d'Élisabeth, vibrante d'indignation, le fit s'arrêter.

— Vous êtes amer, injuste, et toujours d'une humeur exécrable, grand-père! hurlait-elle. Je sais ce qui vous rend aussi grincheux, Bonne-maman et moi nous allons trop souvent au moulin de Montignac à votre goût, mais j'ai une famille là-bas aussi! Et ça ne m'a pas empêchée de me plier sagement à toutes vos demandes. J'ai dû assister à trois bals ennuyeux, où l'on me regardait comme une bête curieuse, où l'on se moquait parce que je ne savais pas bien danser la valse. J'ai visité tous vos vignobles, en écoutant vos longues explications, et je m'efforce à présent de tenir sur un cheval! Maintenant, dites-moi à quoi bon ces leçons, si j'ai juste le droit de parcourir le parc, comme un automate!

Dans sa colère, Élisabeth tira un coup sec sur les rênes. Perle piaffa, surprise par la brutalité inhabituelle de son geste.

— Descends immédiatement de cette bête, rugit Hugues Laroche. Tu la malmènes!

Justin accourut. Très pâle, Adela tenta de raisonner son époux qui venait de se ruer à l'intérieur de l'enclos.

— Calme-toi, Hugues, implora-t-elle.

— Je me calmerai quand on me respectera! hurla-t-il. Élisabeth, je t'ordonne de descendre! Obéis!

— Non! rétorqua-t-elle en faisant reculer sa jument.

Ni Adela ni Justin ne purent intervenir. Laroche arracha la cravache des mains de sa petite-fille et lui en assena un coup sur le mollet gauche. Le choc, atténué par l'épaisseur de la longue jupe et des bottes, eut pour seul effet de provoquer la fureur d'Élisabeth.

Le châtelain la fixait, menaçant, pourtant ce n'était pas vraiment elle qu'il voyait, si belle, juchée sur son cheval. Les yeux bleus qui le toisaient prenaient des reflets verts, la chevelure brune, nouée sur la nuque, lui semblait blonde. Sa fille Catherine lui avait tenu tête ainsi, des années auparavant et il perdait sa lucidité, comme jadis.

— Hugues, non, supplia Adela. Vous n'allez pas recommencer, reprenez vos esprits !

Mais il frappa de nouveau. Justin poussa un cri outragé, en écho au cri de douleur d'Élisabeth.

— Monsieur, arrêtez ! dit-il d'un ton affolé.

L'intolérable scène lui fit oublier toute prudence. Il sauta la barrière et se plaça entre Laroche et la jument effrayée qui piétinait le sable en dansant sur place.

— Ne t'en mêle pas, toi ! gronda son patron en le cinglant de la cravache en plein visage.

— Non, grand-père, non ! hurla Élisabeth.

En un instant, elle se retrouva au sol, sans même savoir comment elle avait réussi à descendre aussi vite. Au début de son apprentissage, Justin l'aidait et elle savourait le contact de ses mains autour de sa taille. Plusieurs fois, ils étaient si proches l'un de l'autre que leurs deux cœurs battaient à l'unisson.

— Voilà, je vous ai obéi ! déclara-t-elle d'une voix dure. Mais je ne vous pardonnerai jamais ce que vous venez de faire.

Elle lança un regard désespéré au jeune homme, dont la joue droite et la bouche étaient zébrées de sang. Adela demeurait pétrifiée, une expression de pure désolation sur ses traits livides.

— Je rentre au château, Bonne-maman, lui dit Élisabeth.

— Attends-moi, ma chère petite ! Je ne me sens pas bien.

— Ce n'est pas étonnant, concéda-t-elle tout bas. Venez, je vous tiens le bras.

Elles s'éloignèrent, laissant Hugues Laroche et Justin face à face, sous le soleil d'un printemps précoce.

— Je suppose que je suis congédié, Monsieur? hasarda celui-ci.

— Fiche-moi la paix, j'ai besoin d'être seul, répondit le châtelain.

Il tenait les rênes de Perle et soudain, il appuya son front contre l'encolure de la jument, les paupières mi-closes. Justin marcha jusqu'à l'abreuvoir en pierre, alimenté par une source. Là, il put apaiser le feu du coup reçu, en s'aspergeant d'eau fraîche.

Élisabeth considérait le château d'un œil haineux, tout en soutenant sa grand-mère. Les premiers jours, Bonnie et elle avaient admiré la beauté de l'ancienne forteresse, dotée d'un pont-levis dont on actionnait rarement le mécanisme, une seconde entrée plus aisée ayant été aménagée à la fin du siècle dernier. Maintenant le majestueux édifice, avec ses hautes tours couronnées d'un toit pointu en ardoise, ses murs orgueilleux, lui faisait songer à une prison.

— Bonne-maman, pourquoi avez-vous dit ça : « Vous n'allez pas recommencer? » Est-ce que grand-père a l'habitude de frapper ceux qui lui résistent? Même s'il les aime? Même maman, quand elle était jeune fille?

— Que vas-tu imaginer? J'étais choquée par l'attitude de ton grand-père, j'ai crié n'importe quoi. Bien sûr, il perd vite patience, je l'ai vu punir un chien ou un cheval avec rudesse, mais pas Catherine, enfin…

Élisabeth, très intuitive, eut la conviction qu'elle lui mentait. Son cœur saignait pour Justin. Il l'avait défendue et elle avait dû l'abandonner, par précaution, dans l'espoir qu'une attitude en apparence indifférente lui éviterait d'être chassé du domaine.

— Bonne-maman, vous pouvez me parler franchement, je ne suis plus une enfant, insista-t-elle. Peut-être qu'à l'époque où maman voulait épouser papa, il y a eu de sérieuses querelles ici.

Adela tremblait, en s'appuyant lourdement sur le bras de sa petite-fille. Elle avait refoulé tant de chagrins, de peurs dans le passé qu'il lui paraissait impossible de leur redonner vie, en les évoquant à haute voix.

— Dans chaque famille, riche ou pauvre, heureuse ou non, dit-elle dans un souffle oppressé, des désaccords peuvent naître, des disputes, des malentendus aussi. Hugues refusait de perdre sa fille unique, on peut le comprendre. Il espérait qu'elle épouserait un gentilhomme de la région, que le couple habiterait le château et assurerait la prospérité des vignobles.

— Papa n'était pas intéressé par ce genre de vie, n'est-ce pas ?

— Je ne sais plus, Élisabeth, c'est si loin. J'ignore si tu t'en souviens, mais la veille de votre départ pour Le Havre, pendant ce triste dîner, Hugues a fait une proposition à ton père, un vrai pont d'or ! Guillaume a décliné son offre.

— Je n'ai rien oublié, Bonne-maman. Ni les cris de grand-père, ni la résolution inébranlable de mes parents, ni même la fausseté de votre domestique, Madeleine, sa méchanceté.

Cette fois, Adela s'arrêta, sidérée par ces mots. Elle lança un regard incrédule vers les fenêtres des cuisines.

— Madeleine ? Que veux-tu dire ? C'est une employée modèle, qui me seconde efficacement en toutes choses.

— Pourtant elle m'a terrorisée, ce soir-là. Dès que nous sommes entrées dans la nursery, elle m'a houspillée, secouée, en se plaignant du dérangement que j'occasionnais, en me menaçant des pires calamités si je racontais à maman la façon dont elle me traitait.

— J'ai du mal à te croire, se rebiffa Adela. Tu étais sans aucun doute effrayée de dormir seule à cet étage, et comme c'était une femme de chambre qui te couchait, la situation t'a marquée. La mémoire peut travestir les faits, ma chérie.

— Pas la mienne, Bonne-maman, affirma Élisabeth. Je vous ai confié à quel point j'ai revu des scènes très précises, riches en détails. Cette capacité de mon esprit étonnait les Woolworth, et elle inquiète souvent Bonnie, comme mes cauchemars et mes rêves.

— Oui, tu m'en as parlé, Élisabeth. Selon moi, tu es victime d'une extrême nervosité, d'une sensibilité peu ordinaire.

— Vous niez la gravité de tout ceci, Bonne-maman.

— Pas du tout, j'attribue le phénomène à ton enfance plongée brutalement dans le chaos. Certes, ces gens, à New York, t'ont élevée dans les meilleures conditions, mais sans pouvoir effacer les blessures de ton cœur, de ton âme. Admets-le, tu m'as avoué ne plus faire de mauvais songes, depuis ton retour au château.

— C'est vrai.

Elles se turent un instant. Élisabeth avait failli révéler à sa grand-mère l'apparition de Justin, petit garçon de huit ans, dans la nursery. Elle aurait alors trahi la promesse faite au jeune homme. Il lui inspirait de tendres sentiments, sans éveiller en elle, néanmoins, l'exaltation voluptueuse que faisait naître au plus profond de sa chair le seul souvenir des baisers de Richard.

— Je pense à Madeleine, reprit Adela. Si elle se montre dévouée envers moi, elle est sévère et pointilleuse à l'égard des autres domestiques. Et puis elle n'a pas eu la joie d'être mère, ni même d'avoir une famille. Ce n'est guère surprenant si elle n'a pas su s'y prendre avec toi. Allons, rentrons, je suis épuisée.

Élisabeth renonça à poursuivre la discussion, afin de ménager sa grand-mère, qui semblait très affectée. Mais elle était furieuse et sa décision était prise.

« Je ferai à mon idée, désormais, quitte à mentir, à désobéir. Tant pis si je reçois des coups de cravache, ensuite. »

Bonnie guettait impatiemment son retour, assise dans une bergère tapissée de velours bleu. Sa chambre jouxtait celle de la jeune fille, mais la gouvernante avait l'habitude d'évoluer à sa guise d'une pièce à l'autre. Élisabeth entra et claqua violemment la porte derrière elle.

— Ah, mademoiselle, vous voilà enfin ! Ne faites pas tant de bruit, j'ai la migraine.

— Pardonne-moi, Bonnie. Mais tu es blessée !

— Ce n'est rien, une mauvaise chute. J'ai une belle bosse et une petite entaille. Madeleine m'a bien soignée, avec du baume d'arnica. D'abord elle a désinfecté la plaie.

Élisabeth se pencha et examina son front. Une marque bleue, gonflée, cernait une coupure rougeâtre.

— Ce n'est pas joli, soupira-t-elle. Qu'est-ce qui t'est arrivé ?

— Pendant vos leçons d'équitation, Madeleine m'invite à boire un café au lait, dans les cuisines. Je me sens mieux en bas, à l'office, qu'à l'étage noble, comme dit votre grand-mère.

Malade d'exaspération, Élisabeth perdit patience :

— Viens-en aux faits, Bonnie !

— Non, ce n'est pas important, je suis tombée, voilà tout. Je vais quand même vous aider à ôter votre tenue d'amazone.

— Je ne me change pas, j'ai l'intention de remonter à cheval après le déjeuner.

La gouvernante retenait ses larmes, incapable de cacher sa contrariété et sa peine.

— Vous me faites penser à votre grand-père, quand vous me parlez sur ce ton, se plaignit-elle. Et vous allez encore partir. Je ne vous ai accompagnée qu'une fois au moulin, Mme Adela prétextant que la calèche ne convient pas à trois personnes. Je m'ennuie, mademoiselle, et vous êtes souvent en colère.

Confuse et honteuse, Élisabeth attira un pouf matelassé et s'y assit. Elle prit les mains de Bonnie entre les siennes.

— Pardonne-moi, je ne voudrais pour rien au monde devenir comme mon grand-père. Je te néglige, je le sais bien. Mais je me disais que tu faisais de la couture, la journée, que tu en profitais pour lire et t'instruire. Je suis accaparée par Bonne-maman, par beaucoup de choses qui ne m'intéressent guère. Allons, ne soyons pas fâchées, Bonnie. J'ai un peu de temps, là, explique-moi ce qui s'est passé.

— Madeleine ne m'inspirait pas confiance, au début. Petit à petit, j'ai appris à la connaître. Elle n'a pas eu de chance dans la vie, savez-vous ?

— Oui, mes grands-parents me l'ont dit, mais je ne comprends toujours pas pourquoi elle leur ment à propos de Justin.

— Je n'ai pas osé lui avouer que je suis au courant, pour son neveu. Enfin, ce matin, elle voulait absolument me montrer la mare où le vieux Léandre a retrouvé le corps de Vincent, l'ancien palefrenier qui s'est noyé. J'ai accepté, histoire de me dégourdir les jambes dans le parc. J'ai eu droit à des détails ! Vincent était son amant, elle l'a bien pleuré. Il avait des traces de coups à la tête, alors les gendarmes ont eu de gros doutes sur les causes du décès.

— Quelle drôle d'idée de t'emmener là-bas !

— Oh, j'en ai vu d'autres dans les rues de New York, et puis le corps n'y était plus. Ce n'est que de l'eau sombre, où il y a des têtards par centaines. Ensuite elle m'a proposé de visiter la salle des gardes. Mon Dieu, ça la faisait rire d'y retourner, car elle y entasse les bouteilles vides, en dissimulant de bonnes bouteilles pleines dans la pile. Elle me promettait de déguster un vin de Bordeaux, un soir.

— Elle vole ma grand-mère ! s'indigna Élisabeth.

— Je le lui ai reproché, mademoiselle. Madeleine m'a répondu que ses patrons étaient riches et ne s'en apercevaient jamais. Bien sûr, c'est elle qui s'occupe des achats, des livraisons. J'en viens aux faits, parce que vous ne faites que soupirer. C'est un endroit sinistre, cette salle des gardes, une grande voûte, des débris par terre, il y fait sombre en plus. Il paraît qu'il faudrait déblayer des gravats qui datent des siècles passés. Enfin, je vous explique. On commence à descendre un escalier en pierre, assez raide. Je la suivais de près et tout à coup, elle trébuche. Je crie, elle crie, en essayant de se raccrocher à mes jupes. Elle s'est étalée sur les marches, mais j'ai perdu l'équilibre, et j'ai basculé sur le côté. C'est ma pauvre tête qui a encaissé le choc. Il y avait des gros cailloux en bas.

— Mais tu aurais pu te tuer !

Élisabeth étreignit plus fort les mains de sa gouvernante. Elle éprouvait une peur rétrospective qui la glaçait.

— Qu'est-ce que je ferais sans toi ? ajouta-t-elle.

— Oh, je ne vous manquerais pas longtemps, et je ne manquerais à personne, se lamenta Bonnie. Madeleine n'a pas tort, quand on n'est pas mariée à mon âge, on est condamnée à vieillir seule. Qui peut m'assurer du contraire ? Quand vous aurez un époux de votre rang et des enfants, je serai peut-être remplacée par une nurse qualifiée, qui n'aura pas grandi en Amérique. Je n'arrive pas bien à lire en français, alors…

Sur ces mots, Bonnie éclata en sanglots. Élisabeth se leva et l'enlaça tendrement.

— Si Madeleine te met de telles idées en tête, c'est normal que tu aies la migraine, sans compter ta chute. Mais tu resteras avec moi, je n'ai pas envie de te perdre. Un époux de mon rang, tu en as des termes guindés ! Le rang social, les bonnes manières, les vieux principes, je m'en moque, Bonnie. Et si j'ai des enfants, tu seras leur nurse, je n'en voudrais jamais d'autre.

Élisabeth continua à bercer sa gouvernante et amie de douces paroles. Elle la sentait profondément bouleversée et estima inutile de lui raconter ses propres déboires.

— Bonne-maman garde la chambre, elle a commandé un plateau à Germaine. Nous allons déjeuner ici toutes les deux.

— Je vous en prie, mademoiselle, n'en veuillez pas à Madeleine. Elle était vraiment désolée et je lui avais promis le secret, au sujet des bouteilles de vin.

— Toujours des secrets, enragea la jeune fille. Ne te rends pas malade, pour l'instant je ne dirai rien. Je sonne Germaine.

Dans les écuries du château, deux heures plus tard

Justin sellait Galant, le grand étalon gris du châtelain, lorsque Mariette s'aventura dans l'allée des écuries. Un panier rempli de linge sur sa hanche gauche, elle s'arrêta devant le box.

— Bonjour, dit-elle à mi-voix. J'suis venue te voir, puisque t'es plus fichu d'me faire un p'tit signe !

— Tu ne travailles pas aujourd'hui, pourquoi tu traînes par ici ? lui lança-t-il d'un ton agacé.

— Tu n'te plaignais pas, avant, si je t'rendais visite !

— Le patron ne va pas tarder, tu devrais t'en aller, Mariette. C'est un mauvais jour. S'il te trouve là, et si son cheval n'est pas prêt, on pourrait être congédiés tous les deux.

— M'sieur Laroche, y cause encore avec le vieux Léandre, n'te bile pas. Dis plutôt que t'n'as plus envie de me voir. J'n'suis pas aveugle, j'ai compris, y en a plus que pour la demoiselle !

Irrité pour de bon, Justin sangla Galant un peu brusquement. L'étalon s'agita, en tentant de le mordre.

— Tu me gênes, Mariette, on causera une autre fois, et ne te mets pas de sottises en tête. J'ai un surcroît de travail, dès que je pourrai, on se reverra. Il y a autre chose, je ne veux pas prendre de risques. J'ai réfléchi, si tu étais enceinte, je ne gagne pas assez pour qu'on se marie.

Il s'était tourné vers elle pour mieux la convaincre.

— Mais on t'a arrangé le portrait, tu as une marque ! s'effraya-t-elle. Qui c'est ? Le patron ?

— Non, j'ai pris une branche en galopant sur un sentier, tout à l'heure. Je t'en prie, sauve-toi.

La petite blonde hocha la tête, moqueuse. Il lui désigna la porte arrière du bâtiment d'un geste de la main.

— T'es qu'un pauvre crétin, Justin, susurra-t-elle. J'suis sûre que t'es amoureux de la belle Élisabeth. Bah, elle n'est pas si belle, d'abord, et puis elle n'vaut pas mieux que les autres filles. J'lui lave ses dessous, ses guenilles, à ta princesse ! Elle est faite comme tout le monde.

Justin la foudroya du regard. Il était gêné et vexé. Mariette feignit d'être terrifiée et disparut. Peu après Laroche entrait par la double porte, sans avoir aperçu la jeune lingère.

— Galant est prêt, monsieur.

— Très bien, mon garçon. Je pars pour Aigre et je reviendrai à la nuit. Il me faut de l'exercice et de l'espace. J'ai déjeuné seul pour la première fois depuis des années, mon épouse et ma petite-fille s'étant retranchées dans leurs chambres. Pourquoi me priverais-je d'un peu de distraction ?

Comme son palefrenier ne daignait pas répondre, il s'étonna :

— Aurais-tu perdu ta langue, Justin ?

— Non, Monsieur, mais mon opinion est sans importance.

Sidéré, le châtelain l'observa pendant qu'il conduisait Galant à l'extérieur. Il le suivit, tout en vérifiant le contenu des poches de sa redingote. Il avait le nécessaire, un portefeuille bien garni, sa montre à gousset et ses cigares.

— Justin ! appela-t-il. J'ai eu tort de m'emporter ce matin. Tu ne méritais pas d'être frappé. Jamais je n'ai eu à mon service quelqu'un d'aussi capable que toi, pour soigner mes chevaux.

Il s'empara des rênes de l'étalon, et réussit à glisser un louis d'or dans la main du jeune homme.

— Je ne peux pas accepter, Monsieur, décréta-t-il. Mes gages me suffisent.

— Et fier, avec ça ! Tu caches bien ton jeu, dis-moi. Ne fais pas le difficile. J'ai su par Madeleine que tu couchais avec la petite Mariette. Mets cette pièce de côté pour vos noces.

Hugues Laroche, satisfait de sa générosité, lui fit un clin d'œil lourd de sous-entendus. Il se mit en selle, pressé de galoper à bride abattue vers l'auberge où il pourrait jouer aux cartes, avant de rejoindre à l'étage une servante aux formes opulentes, plus délurée et beaucoup moins âgée que sa femme.

Justin le regarda s'élancer au grand trot dans l'allée. Il étudia ensuite attentivement le louis d'or. Ses yeux noirs brillaient de mépris.

Un quart d'heure plus tard, c'était au tour d'Élisabeth d'entrer dans les écuries. Elle trouva Justin assis sur une caisse, toujours occupé à fixer le louis d'or, qu'il tournait entre ses doigts. En reconnaissant son pas léger, il se leva d'un bond.

— J'avais peur que tu ne sois pas là ! dit-elle tout bas.

Il frémit, désorienté par le tutoiement inattendu. La jeune fille posa une main apaisante sur son poignet.

— Quand nous sommes seuls, pourquoi se vouvoyer et jouer au domestique et à la demoiselle du château ? sourit-elle. Mon grand-père est parti, je l'ai vu galoper dans l'allée. Justin, je suis désolée. Il t'a frappé ! J'aurais dû obéir immédiatement.

Elle caressa du bout des doigts la trace rouge et gonflée qui lui striait le visage. Il s'empara de sa main et la repoussa.

— Ne faites pas ça, je vous en prie. Je vous ai défendue, je n'ai pas pu m'en empêcher. Restons-en là, chacun à sa place. M. Laroche a jugé bon de me donner ce louis d'or. Je me suis senti humilié, comme s'il me dédommageait d'avoir passé ses nerfs sur moi.

— Alors il ne t'a pas renvoyé ? Tant mieux, je craignais le pire. Je t'en prie, Justin, garde cet argent, il pourrait t'être utile.

— Arrêtez de me tutoyer, au fond c'est humiliant, les patrons parlent ainsi à leurs employés, nous le savons tous les deux. Au moins, j'avais l'impression que vous m'accordiez un peu de considération, avant.

Il se tut, haletant. Élisabeth ne savait plus que penser. Elle insinua tout bas :

— Ce n'est pas un manque de respect, Justin, je voulais vous prouver combien j'avais envie d'être proche de vous, sans me soucier des prétendues barrières de la société. Si mes parents n'étaient pas morts il y a dix ans, je serais une simple fille d'immigrants, déjà au travail dans une boutique de New York.

Le jeune homme eut un sourire adorable. Il rangea la pièce dans la poche de sa veste.

— Pardonnez-moi, vous n'êtes pas fière, ni dédaigneuse, je l'ai constaté dès votre arrivée. Au fait, avez-vous mal ? Votre grand-père a été très brutal, au second coup de cravache.

— Oh, ça me brûle un peu, mais je ne me suis pas changée. Justin, pouvez-vous m'aider à seller Perle, je veux aller seule à Montignac. Je dois faire vite. Si mon grand-père revient, il me défendra de quitter l'enceinte du château.

Justin l'obligea à s'asseoir sur la large caisse en planches où il rangeait du matériel et qui lui servait de banc.

— M. Laroche comptait se rendre à Aigre. C'est plus loin que Rouillac et il y passera l'après-midi. Faites voir votre jambe.

— Ce n'est pas la peine, protesta-t-elle sans conviction.

— Les chevaux font souvent les fous quand je veux les soigner, soyez plus raisonnable qu'eux, Élisabeth.

Vaincue, elle releva lentement sa jupe d'amazone, doublée de satin, dévoilant son mollet gainé d'un bas de laine beige. Justin se mit à genoux et l'examina.

— Quelle sale brute, dit-il entre ses dents. Vous êtes coupée, ça a saigné. J'ai une excellente pommade, mais il faudrait baisser votre bas. Je vous ferai un pansement, ensuite.

— Alors tournez-vous un peu, ou fermez les yeux, supplia-t-elle. Je dois rouler mon bas.

Il obtempéra, et elle détailla ses traits réguliers, sa bouche bien dessinée, ses pommettes hautes.

— Vous pouvez regarder, dit-elle, troublée d'exhiber une partie de son corps.

Justin vit la marque à vif, qui cicatrisait déjà. Mais autour de la petite plaie, la peau était enflammée. Il s'apprêtait à courir chercher la pommade, quand il eut conscience d'avoir le genou d'Élisabeth sous son nez, un joli genou rond, d'une blancheur de nacre. Sans réfléchir, il y déposa un léger baiser.

— Pardon, je n'aurais pas dû ! déplora-t-il.

— C'était agréable, ne vous excusez pas.

Elle s'approcha de lui, espérant un autre baiser, sur ses lèvres cette fois. Il était déjà debout et fouillait un placard.

— Il vaut mieux que vous étendiez vous-même la pommade, affirma t il. J'ai rapporté une bande de gaze, pour le pansement.

Élisabeth cédait à son instinct féminin, victime de la langueur délicieuse qu'elle avait ressentie auprès de Richard. C'était inné chez elle, ce besoin d'appeler des caresses, d'être embrassée.

— De quoi as-tu peur ? demanda-t-elle d'une voix changée. Je préfère que ce soit toi qui me soignes. Justin, je me couche tôt pour vite te retrouver ici le matin. Nous sommes si bien tous les deux.

Il recula encore, en faisant non de la tête. Elle soupira et étala le baume, à l'odeur forte de plantes, sur la fine coupure.

— Ne m'en veuillez pas, mademoiselle, je me suis promis de ne pas vous approcher, enfin pas de cette manière. Je souffre assez de ma condition, des mensonges de ma tante. Si je tombais amoureux de vous, je serais si malheureux que je m'en irais.

— Tu ne m'appelles plus Élisabeth ?

— Non, ça m'a échappé. Les jeunes filles comme vous, on les respecte. Si je vous prenais dans mes bras, je serais capable de vous emporter là-haut, dans ma chambre.

— Et de me faire ce que tu fais avec Mariette ?

— Seigneur, qui vous l'a dit ?

Élisabeth enroulait le bandage autour de son mollet. Elle le bloqua habilement et remonta son bas.

— Madeleine se donne du mal pour amadouer ma gouvernante. J'ai déjeuné dans ma chambre avec Bonnie et comme je lui parlais encore de toi, pardon, de vous, j'ai appris que Mariette avait vos faveurs. Il paraît que vous l'avez demandée en mariage, si l'on écoute votre tante.

Pris de panique, Justin sauta sur l'occasion de dresser un mur infranchissable entre Élisabeth et lui.

— Oui, c'est vrai. J'ai le sens de l'honneur. Aussi j'ai l'intention d'épouser Mariette, si elle attendait un enfant de moi. Sinon les noces se feront après mes cinq ans dans l'armée. Je devrai tirer un numéro au sort l'année prochaine. Bon, je vais seller Perle. N'oubliez pas mes conseils, si elle galope, lâchez un peu les rênes, qu'elle ne s'appuie pas sur son mors.

— Cinq ans, répéta Élisabeth en le suivant de près. Il peut se passer beaucoup de choses en cinq ans.

— Ce sera sans moi, ironisa Justin qui évitait de la frôler. Avez-vous prévenu votre grand-mère de votre expédition à cheval ?

— Seulement Bonnie, et elle ne dira rien. Ne t'inquiète pas, si mon grand-père s'aperçoit de mon absence, je prétendrai que tu t'es opposé à mon départ, que je t'ai menti. Je ferai n'importe quoi, mais tu ne seras pas chassé d'ici.

Élisabeth posa ses mains sur les épaules de Justin. Plus petite que lui, elle se hissa sur la pointe des pieds et tenta de l'embrasser sur la bouche. Il se détourna vivement.

— Je vous ai suppliée de ne pas me provoquer, dit-il.

— Tu parles comme Richard Johnson, se rebella-t-elle.

— Qui est-ce ?

— Un détective de New York, engagé par mon grand-père. Il m'a cherchée presque trois ans. Il m'a abordée et je pensais que je lui plaisais. Mais lui aussi il m'a trahie, comme les Woolworth.

— Et vous l'avez provoqué ? interrogea Justin, suspicieux.

— Il paraît, d'un seul regard ! répliqua la jeune fille d'un ton amusé où pointait un peu de fierté. Pourtant il m'avait déjà embrassée, le soir du 31 décembre.

— Rien d'autre ?

— Il avait embarqué sur *La Touraine*, lui aussi. Là, disons qu'il m'a encore embrassée. Il était très entreprenant... Ensuite je l'ai revu sur le quai de la gare d'Orléans.

Justin étouffa un juron. Furibond, il s'empara de la selle d'amazone, d'une bride et harnacha la jument sans desserrer les dents.

— Qu'est-ce que tu as ? s'étonna Élisabeth. Justin, tu as l'air fâché ! Bonnie me disait que j'étais amoureuse de Richard, elle se trompait. Il me faisait un peu peur, je me sens mieux avec toi.

— Je ne vous écoute plus, je viens de comprendre. En fait, vous vous moquez bien de moi, votre pauvre palefrenier ! lâcha-t-il sèchement. Les rumeurs vont vite dans le pays. Un Américain a pris pension à l'auberge du Pont-Neuf, un bel homme, d'après Mariette, qui l'a croisé à la foire. Cessez votre petit jeu, je suppose qu'il s'agit de ce Richard Johnson et que vous allez le rejoindre aujourd'hui. Vous avez dû le rencontrer à Montignac, chaque fois que Mme Adela vous conduisait là-bas. Elle est votre complice.

Élisabeth fut incapable de répondre tout de suite, tant elle était stupéfaite par la nouvelle et la hargne de Justin.

— J'ignorais que Richard Johnson séjournait ici, en Charente, se défendit-elle enfin, d'une voix altérée. C'est complètement insensé. Je mettrai mon grand-père au courant de sa présence, et je vous interdis d'accuser Bonne-maman ainsi. Nous passons beaucoup de temps au moulin, parce que j'adore mon pépé Toine et mes oncles, mes petits cousins et ma tante Yvonne. Je ne vous crois pas, Justin, et je suis très déçue. Que ferait ce détective dans la région ? S'il était là dans l'espoir de me revoir, je l'aurais déjà croisé, il se serait manifesté.

La véhémence d'Élisabeth fit douter Justin. Il sortit Perle du box et l'emmena à l'arrière du bâtiment.

— Au moins, vous me dites « vous » à nouveau, déclara-t-il dans un souffle. Je vous contrarie et adieu les familiarités.

— Seigneur, que tu es sot ! s'écria-t-elle, au bord des larmes. Aide-moi à monter, j'ai hâte de m'éloigner du château, et de toi !

Justin la saisit par la taille d'un geste brusque. Mais il l'attira un court instant contre lui en respirant le parfum de verveine de ses cheveux soyeux.

— Pardonnez-moi, j'ai eu tort de vous accuser, murmura-t-il. Je sens que vous êtes sincère, Élisabeth. Surtout soyez prudente.

Il la souleva un peu et la hissa sur la selle. Il vérifia la sangle, les étriers.

— Je vous attendrai ce soir au carrefour entre le chemin de Vouharte et celui de Guerville, ajouta-t-il tout bas. Talion a besoin d'entraînement, M. Laroche ne le monte presque plus. Le trajet vous paraîtra plus court à cheval qu'en calèche, mais surveillez l'heure.

— Merci, Justin. Je ne t'en veux pas, j'ai compris. Tu es jaloux.

Sur ces mots, Élisabeth mit sa jument au trot. Elle avait lu suffisamment de romans pour en tirer cette conclusion. Malgré la violence de son grand-père, le matin même, malgré la querelle qui venait de l'opposer à Justin, elle éprouvait une exaltation proche de la griserie. Elle refusait de songer à la désobéissance dont elle se rendait coupable, à ses possibles conséquences. Le vent du printemps avait un exquis parfum de liberté.

Madeleine la vit s'éloigner, depuis la fenêtre des cuisines qui donnait sur la cour intérieure. Elle grimaça un mauvais sourire. Au fil des années, la haine rongeait son esprit retors, tout en aiguisant son appétit de pouvoir.

— Tu veux du pouvoir ! lui serinait Vincent, quand elle lui avouait ses larcins, ses projets. Ma pauv' Madeleine, tu n'seras jamais rien qu'une domestique, toujours à lécher les bottes du patron ! Tu pourras bien raconter ce que tu veux, personne n'gobera tes sornettes.

En se souvenant de son ancien amant, elle hocha la tête d'un air satisfait.

« Sûr qu'y me cassera plus les oreilles, ce jean-foutre ! se dit-elle. Pardi, il fallait qu'il fiche le camp, y voulait point, tant pis pour lui. Et l'autre pimbêche, là, elle s'mettra pas longtemps en travers de ma route ! »

Un frisson de délectation courut de sa nuque au bas de ses reins. Elle avait l'intention de nuire à Élisabeth et elle venait de trouver une excellente occasion.

Germaine, qui la craignait, entra et l'appela d'une voix faible :

— Madame a sonné, vous n'avez pas entendu ?

L'adolescente cédait à tous les caprices de Madeleine, qui tenait notamment à être vouvoyée, en tant que gouvernante du château.

— Et alors ? Tu n'as qu'à monter savoir ce qu'elle veut ! aboya-t-elle. J'ai de l'ouvrage, moi.

Les quatorze ans de Germaine, sa bonne volonté la rendaient corvéable à merci. Elle lissa du plat de la main son petit tablier blanc et s'esquiva au pas de course. Pourtant, sur le tableau situé à l'entrée de l'office, c'était Madeleine qu'Adela avait sonnée.

« Sale sorcière ! songea Germaine. Si je disais à Madame tout ce qui disparaît et finit caché dans la salle des gardes ! »

Mais elle n'en ferait rien et le savait, terrifiée par les menaces que proférait l'horrible mégère. Il était question de sortilèges, de malédictions qui retomberaient sur toute la famille de la jeune femme de chambre. Superstitieuse, Germaine filait doux.

Montignac, même jour, une heure plus tard

Le bourg de Montignac était très animé, en ce début d'après-midi. Élisabeth y était venue une seule fois, accompagnée par sa grand-mère, sa tante Yvonne et Bonnie.

« Il y avait la foire, nous nous sommes bien amusées, nous avons failli acheter des tourterelles pour la volière du château, se remémora-t-elle. Mais Richard était peut-être déjà là, il a pu nous observer. »

L'esprit en pleine confusion, elle guidait sa jument parmi les passants, les charrettes tirées le plus souvent par des mulets. Le hasard lui fit croiser son oncle Jean, qui poussait une brouette remplie de sacs de farine.

— Eh bien ça alors, si je m'attendais à te voir aujourd'hui ! s'exclama-t-il. Tu es seule ? Depuis quand montes-tu à cheval ?

Il semblait contrarié et lui adressa un sourire forcé. Elle dit très vite, d'un air léger :

— C'est ma première promenade, oncle Jean. J'ai une lettre à poster, ensuite j'irai au moulin, embrasser pépé Toine.

— J'y arriverai après toi, dans ce cas. Tu ferais mieux de mettre pied à terre, si ta bête s'affolait.

— Ma jument est calme, elle n'a peur de rien, à tout à l'heure, oncle Jean.

Il poursuivit son chemin, après avoir marmonné un « oui » hésitant. Élisabeth aperçut enfin l'enseigne de l'auberge du Pont-Neuf, au bord du fleuve. Un porche donnait accès à une cour pavée. Un valet d'écurie se précipita et saisit les rênes de Perle.

— Je m'en occupe, mademoiselle, articula-t-il avec soin.

— Je désire prendre un rafraîchissement, est-ce que je peux accéder à la salle sans passer par la rue ?

— Sûr, mademoiselle, il y a un couloir, là, pour les clients qui remisent leur voiture dans la grange.

— En fait, vous me feriez gagner du temps en me renseignant. Je voudrais rendre visite au gentleman américain qui loge ici. Je viens de New York, moi aussi.

— Ah, j'n'aurais pas cru, bégaya le garçon, âgé d'environ quinze ans. Moi, j'n'sais pas où c'est, votre Amérique. Le monsieur a la chambre 4, à droite sur le palier. Y voulait voir la Charente de sa f'nêtre.

— Merci, dit-elle gentiment, en se félicitant d'avoir emporté de la monnaie.

Le pourboire que reçut le jeune valet était important. Il répéta trois fois « à vot' service » en emmenant la jument.

Élisabeth, une fois face à la porte où était gravé le numéro 4, eut envie de faire demi-tour. Cependant elle toqua deux coups rapides, en s'exhortant au courage. Elle avait le goût inné de l'aventure et de l'imprévu, une facette de sa personnalité que les Woolworth avaient étouffée en la cloîtrant dans le luxe.

Richard Johnson ouvrit sans demander l'identité du visiteur. En la reconnaissant, il eut un air tellement ahuri qu'elle dut contenir un éclat de gaieté.

— Lisbeth ! Vous ! Seigneur, j'avais raison d'espérer ! Entrez, je vous en prie.

— Je venais simplement vous interroger, ne vous réjouissez pas. Que faites-vous en France, à Montignac ?

Il referma la porte, tandis qu'Élisabeth subissait le choc de leurs retrouvailles. Elle lui tournait le dos, feignant d'étudier le décor de la pièce.

« Qu'il est grand, et ces yeux, de l'ambre pur. J'avais oublié combien il était séduisant, s'effrayait-elle. Et cette chemise blanche lui va bien, le col ouvert, sans cravate. »

— Lisbeth, je suis sincère, j'avais la conviction qu'aux beaux jours, vous viendriez ! affirma-t-il.

— Mais… mais vous me parlez en français, avec un affreux accent américain, mais en français ! s'écria-t-elle, furieuse. Je ne m'en étais pas rendu compte. Vous m'avez encore menti sur ce point.

— Non, enfin un peu. J'apprends votre langue, ici, Lisbeth. Je l'avais pratiquée au lycée, je me perfectionne. Ce n'est pas facile, les gens du pays ont un langage bizarre, oui, c'est le mot exact.

— Sûrement du patois, ironisa-t-elle. Comme ça, ils sont sûrs que vous n'y comprendrez rien.

— Du patois ? Qu'est-ce que c'est ?

— Un dialecte de la région. Richard, je vous pose à nouveau la question. Que faites-vous ici ? Et pourquoi étiez-vous sur le bateau ? Mon grand-père a nié vous devoir de l'argent et il n'a même pas daigné vous rencontrer. Je vous ai vu aussi à la gare d'Orléans, et maintenant vous avez une chambre dans le village où je suis née, où j'ai grandi !

Il marcha jusqu'à la fenêtre ouverte sur le cours tranquille du fleuve. Là, accoudé à la rambarde en fer forgé, il fixa une barque plate, amarrée à l'ombre d'un saule.

Élisabeth déambula autour d'une table couverte de feuilles et de livres. Elle avait chaud et déboutonna sa veste. Richard virevolta sur ses longues jambes.

— Voulez-vous une tasse de thé ? J'en avais commandé il y a dix minutes, le café est infect en France.

— Volontiers, murmura-t-elle. Mais vous n'avez pas répondu.

Johnson leva les bras au ciel, manifestement embarrassé. Il s'exprima soudain en anglais, afin d'être plus à l'aise pour se justifier :

— Si je vous disais que je travaille, Lisbeth ! Non, je ne suis pas venu en Charente pour vos beaux yeux bleus, même s'ils sont obsédants, comme vos sourires, vos baisers.

Elle s'assit sur une chaise, émue de réentendre la langue de ses années new-yorkaises, les sonorités qui chantaient dans la voix douce de Maybel, lorsqu'elles bavardaient toutes les deux.

— Pour qui travaillez-vous ? demanda-t-elle. Ne dites pas qu'il s'agit de mon grand-père, je ne vous croirais pas.

— Ma position est pénible, Lisbeth. Je me fais l'effet d'être une balle en baudruche que les riches personnages se renvoient. Il n'y a qu'un avantage, je suis près de vous, à quelques kilomètres pour être exact.

Il lui servit du thé qu'elle jugea trop infusé, à la couleur brune. En le sucrant d'un geste distrait, Élisabeth se reprocha d'être aussi heureuse de le revoir, et surtout, aussi troublée. Elle tentait de paraître froide, hostile, méfiante, alors que son corps était parcouru de frémissements, au souvenir des caresses qu'il lui avait données, dans la cabine du paquebot.

— J'ai accepté de veiller sur vous, en étant fort bien payé par Edward Woolworth, avoua-t-il. Il m'a rendu visite à l'agence, peu de jours avant votre départ pour la France. Cet homme vous adore, Lisbeth. Il se méfiait de M. Laroche. Et Mme Woolworth allait dans son sens, elle se rongeait d'angoisse.

— *Dad* a fait ça, murmura-t-elle, d'abord sidérée, puis touchée d'être aimée autant. Et comment faites-vous pour veiller sur moi, en restant enfermé dans cette auberge ?

Richard sirota sa tasse de thé avec un sourire malicieux. Il dit d'un ton amusé, en français cette fois :

— J'ai déjà envoyé trois courriers au Dakota Building, où je relate vos diverses occupations, annonça-t-il. Je n'ai pas posé un pied sur les terres du château, c'était inutile, on me renseigne ici.

— Qui donc ? Vous n'avez pas importuné ma famille du côté de mon père, les Duquesne ? Non, ils m'auraient avertie.

— J'ai pour consigne de n'importuner ni les Laroche, ni les Duquesne, et bien sûr d'être quasiment invisible. Je n'ai pas à aller loin. Le maréchal-ferrant qui ferre les chevaux de votre grand-père habite de l'autre côté du pont. J'ai su, grâce à lui, que vous appreniez l'équitation, que vous étiez « pas fière » et « ben jolie ». Je vois la calèche de votre grand-mère sur le chemin du moulin, ou dans le village, et vous êtes là, blottie contre cette dame qui semble charmante. Je vous ai observées, le cœur lourd, Bonnie et vous, le jour de la foire, le mois dernier. M. et Mme Woolworth m'envoient des télégrammes, à réception de mes lettres. Ils sont rassurés.

Abasourdie par l'élocution rapide de Richard, Élisabeth lui fit signe de se taire. Mais il reprit, subitement inquiet :

— Comment avez-vous su où me trouver, Lisbeth ? Vous étiez censée ignorer que j'étais en Charente.

— Les rumeurs d'un bourg à l'autre, répliqua-t-elle. Et moi aussi on me renseigne ! Mon ami Justin m'a dit aujourd'hui que vous logiez dans cette auberge. Il l'a su par Mariette, la lingère de ma grand-mère. J'avais prévu de rendre visite à mon pépé Toine, mais j'en ai profité pour vérifier si tout cela était vrai.

— Votre « pépé Toine » ! répéta-t-il, perplexe.

— Oui, je l'appelle ainsi, comme quand j'étais petite. Il en est ravi. Richard, vous perdrez votre temps ici. Je vous conseille de rentrer à New York. Je ne voudrais pas coûter trop cher à *dad*, non, à M. Woolworth. J'ai écrit là-bas, moi aussi. Je ne suis pas en danger. Votre présence est inutile.

Élisabeth, qui s'était levée et reboutonnait sa veste, baissa la tête. Son ravissant visage avait perdu un peu de sa lumière et elle jeta un regard anxieux par la fenêtre.

— Qu'avez-vous, Lisbeth chérie ? s'alarma Richard.

— Je n'ai rien, et je vous interdis de me dire ça, « chérie », c'est inconvenant.

— Ai-je le droit à « ma chère Lisbeth » ?

— Non plus. En France, je me prénomme Élisabeth. Adieu, je ne reviendrai pas. Votre travail me hérisse, je déteste l'idée d'être épiée, surveillée.

Il resta silencieux, mais il la prit par la taille d'une main, en relevant son menton de l'autre.

— Vous êtes différente, plus belle encore, plus irrésistible, chuchota-t-il en anglais.

Le cœur de la jeune fille battait à grands coups sourds. Quand Richard posa sa bouche sur la sienne, elle ferma les yeux et s'abandonna toute à son baiser, dont elle avait faim et soif. Leurs lèvres s'unirent pour un jeu subtil et enivrant.

Élisabeth se sentait brûlante, égarée. Des ondes voluptueuses la transportèrent d'une joie farouche, dès qu'elle perçut de rudes caresses sur ses seins, ses hanches. Sa soumission éperdue, son souffle haletant, sa sensualité exacerbée rendirent Johnson à demi fou de désir.

Malgré ce qui s'était passé à bord de *La Touraine*, dans sa cabine, et dont il avait eu honte ensuite, il n'était pas homme à brider ses pulsions.

Sans un mot, il la souleva et la porta sur son lit. Elle n'eut aucune réaction, dans l'attente apeurée de la possession, car elle n'en doutait pas, Richard allait la faire femme.

— Chérie, ma chérie, répétait-il en anglais. Je t'aime, sais-tu, je t'aime !

Elle demeurait muette, effarée. Mais il avait eu le tort de ne plus l'embrasser et peut-être de ne pas ménager sa pudeur. En entrouvrant les paupières, elle le vit dégrafer sa ceinture, baisser son pantalon. Il s'abattit ensuite à ses côtés, pour retrousser ses jupes, et glisser une main impérieuse entre ses cuisses.

— Lisbeth, ma beauté, ma petite merveille, gémit-il à son oreille.

Il respirait de plus en plus fort, ses doigts ayant fait sauter les minuscules boutons de nacre de sa culotte en calicot. Un cri rauque lui échappa, quand il put sentir sa fleur de chair, tiède et moite.

Mais une fois encore, Élisabeth se rebella brusquement contre Johnson et contre sa propre docilité. Elle comprit son erreur. Il ne lui inspirait pas de véritable amour, elle subissait l'emprise qu'il avait sur son corps et ses sens.

— Non, laissez-moi ! s'écria-t-elle. Je ne veux pas !

— Pourquoi ? s'étonna-t-il. Lisbeth, je vous aime tant.

— Eh bien, pas moi !

Au même moment, elle revit les cheveux blonds de Justin, à l'instant où il avait déposé un timide baiser sur son genou. Vivement, elle se leva et courut à l'autre bout de la chambre.

— Non, je ne veux pas et je ne peux pas ! dit-elle tout haut.

Richard restait haletant au milieu du lit, en appui sur un coude.

— Vous refusez parce que les demoiselles de la bonne société ne font pas ça, mais je vous aurai à moi, rien qu'à moi. Vous ne m'échapperez pas, Lisbeth, je vous épouserai.

Richard balbutiait, frustré du plaisir infini qu'il pensait à sa portée. Élisabeth entrouvrit la porte. Elle voulut le punir d'avoir un tel pouvoir sur elle.

— Surtout ne relatez pas ce qui vient de se passer entre nous dans vos rapports à Edward Woolworth, monsieur Johnson, vous risqueriez de perdre de l'argent. Au revoir.

Il fut incapable de répondre, ni de la retenir.

15

Les cœurs en peine

Moulin Duquesne, même jour, vendredi 12 mars 1897

Élisabeth contempla un long moment les eaux calmes du fleuve avant d'entrer dans la cour du moulin. Elle écouta, saisie de nostalgie, le bruit de ruissellement que faisait naître la grosse roue à aubes en plongeant dans le courant, un bruit pareil à une complainte monotone.

Les mots qu'elle avait prononcés d'une voix nette à l'adresse de Richard – « je ne suis pas en danger » – l'obsédaient de manière singulière. Dotée d'une intuition hors norme, elle en déduisit que c'était faux. Quelque chose d'indéfinissable la menaçait.

Soucieuse, elle se dirigea enfin vers la grange où elle attacha sa jument, sans la desseller. Les lieux semblaient déserts, ce qui accrut son malaise. Pourtant, son grand-père était assis au coin de la cheminée, selon son habitude.

C'était la première fois qu'elle venait lui rendre visite sans Adela et il marqua un temps de surprise.

— Hé ! Bonjour, ma petiote ! Es-tu seule ? Aurais-tu appris à mener la calèche ?

La jeune fille l'embrassa affectueusement avant même de lui répondre. Elle aimait de tout son cœur le vieil homme qui avait veillé sur ses premières années.

— Pierre devait se rendre à Angoulême, il n'a pas pu t'aider, si tu as la voiture dans la cour. Et Jean livre de la farine, s'inquiéta Antoine Duquesne.

— Ne te tracasse, je me suis débrouillée, pépé Toine. Je suis venue à cheval. J'ai même poussé Perle au grand galop, sur le chemin qui longe la Charente.

— Et tu as eu la permission de faire le trajet toute seule ?

Les yeux très bleus du meunier exprimèrent une vive anxiété, mais Élisabeth n'en vit rien, car elle couvait du regard le décor qui l'entourait, toujours ravie de retrouver les meubles sobres, en bois sombre, les poutres noircies, les tresses d'oignon et d'ail suspendues à des clous.

— Je voudrais tant habiter ici, avec toi, avoua-t-elle sans réfléchir. Ou bien dans la petite maison de mes parents.

— Ta maison, rectifia-t-il. Elle t'appartient en propre, j'ai fait le nécessaire chez le notaire. Dis-moi, petiote, tu te déplais donc au château ? Et par quel miracle tu as eu le droit de parcourir une dizaine de kilomètres sans chaperon ?

Elle prit place sur un tabouret, près de l'âtre où se consumaient une grosse bûche de chêne et une souche de frêne. Son grand-père préparait soupes et ragoûts sur les braises, disposant de quatre trépieds en fer de tailles différentes et d'autant de marmites en fonte.

— Ce serait moins fatigant pour toi d'avoir une cuisinière à bois, pépé Toine, fit-elle remarquer. Tu dois te pencher souvent, alors que tu as mal aux jambes et au dos.

— Yvonne vient tous les jours faire ma popote, plaisanta-t-il. Mais toi, petiote, tu évites de me répondre !

— Je n'ai aucun problème particulier à Guerville. Bonne-maman déborde de tendresse envers moi, Bonnie me tient compagnie le soir, je ne manque de rien, mais je me plairais mieux ici.

— Pourquoi ? insista-t-il en lui prenant les mains.

— Je retrouve mon enfance, quand je passe du temps avec toi et mes oncles. Et j'ai l'impression d'être en sécurité.

Élisabeth regretta aussitôt cet aveu en voyant se crisper la douce figure de son aïeul.

— Je suis sotte de te dire ça, pépé Toine, ajouta-t-elle d'une voix qui se voulait joyeuse.

L'instant suivant, elle pleurait sans bruit, comme une fillette effrayée. Le vieux meunier étreignit ses doigts menus.

— Eh bien, qu'est-ce qui ne va pas, ma petiote ?

— Mon grand-père Laroche me fait peur, parfois, admit-elle en reniflant. Au fond, il n'a pas changé, lui, alors que Bonne-maman n'est plus la même que jadis, grâce à toi. C'est elle qui me l'a dit.

— Hugues Laroche a toujours terrifié son monde, énonça tout bas Antoine Duquesne. Seigneur, ça ne date pas d'hier, il était ainsi avant son mariage. Élisabeth, j'espère qu'il n'est pas trop autoritaire envers toi ?

La jeune fille hésitait à lui relater l'incident de la matinée, car elle se savait capable de semblables colères. Elle songeait aussi qu'elle avait envenimé la situation en refusant d'obéir.

— Je suis sous sa tutelle, et en conséquence, censée le respecter et me conduire convenablement, hasarda-t-elle.

— Jusqu'à quel point, petiote ?

Elle ne répondit pas et le vieil homme garda le silence. Puis ils échangèrent un regard alarmé, comprenant tous deux qu'ils n'osaient pas parler en toute franchise.

— Il m'a donné des coups de cravache, ce matin, sur la jambe ! finit par confier Élisabeth. Je ne l'avais encore jamais vu dans une telle fureur. Pourtant Bonne-maman était là. Elle ne disait rien. Justin, lui, s'est interposé, et grand-père l'a frappé au visage. C'était tellement violent et inattendu. Alors j'ai décidé de partir à cheval après le déjeuner, malgré son interdiction, parce qu'il s'absentait et qu'il ne devrait rentrer que ce soir. J'en ai profité.

— Seigneur, ça ne va pas recommencer ! déplora le meunier.

Adela avait poussé le même cri désolé. Élisabeth n'y tint plus. Elle tremblait de nervosité et préféra se lever pour faire les cent pas autour de la grande table.

— Bonne-maman a dit comme toi, pépé Toine, mais quand je l'ai interrogée, elle m'a menti, j'en suis sûre. Je t'en prie, toi au moins, dis-moi la vérité ! Qu'est-ce qui ne va pas recommencer ?

— Que Dieu me pardonne de trahir une promesse faite il y a vingt ans ! s'écria-t-il. Tu es en droit de savoir, Élisabeth, ma douce petite. La mort peut me faucher d'un jour à l'autre, et plus personne ne pourra te mettre en garde. Tes oncles ne sont pas au courant.

— Mais au courant de quoi ? implora-t-elle.

— Reviens t'asseoir, que je trouve du courage en tenant ta main. J'espère que Catherine, de son paradis, saura que je n'ai pas eu le choix.

Antoine Duquesne avait pâli. Il semblait extrêmement gêné et il soupira à plusieurs reprises, comme un homme accablé.

— Ta maman s'est souvent opposée à son père, dès qu'elle a quitté le pensionnat, à ton âge. C'était l'année de ses dix-huit ans, elle devait les fêter en décembre, mais elle avait eu son cadeau en été. Une superbe jument de race, à la robe brune. C'était une cavalière dans l'âme, et elle était transportée de joie de posséder son propre cheval. Il paraît qu'elle parcourait les chemins du pays au galop, par n'importe quel temps. Je ne vais pas t'apprendre ses opinions politiques, tu as dû te rendre compte combien elle désirait une vie simple, fondée sur les valeurs morales qui lui étaient chères, le partage, l'humilité, la charité.

— Oui, je me doute, sinon elle n'aurait pas épousé papa, et ils n'auraient pas embarqué pour l'Amérique, comme de modestes immigrants, concéda Élisabeth.

— Tout ceci, petiote, je l'ai découvert pendant les années où elle et ton père habitaient Montignac. Guillaume admirait tant Catherine qu'il me faisait des confidences sur ce qu'elle avait enduré au château. Plus tard, ta maman elle-même m'en a parlé, très sincèrement, et je lui ai promis de ne jamais rien révéler, surtout pas à toi.

— Pourquoi ?

— Elle souhaitait préserver l'image de son père, puisqu'il lui avait demandé pardon de ses violences.

Élisabeth se demanda alors si c'était utile d'en savoir plus, ou bien refusait-elle d'instinct d'apprendre des pages sombres du passé de sa mère… Antoine Duquesne avait été toute sa vie un homme pieux, doux et tendre, d'un caractère paisible. Pour lui, les actes de colère ou de brutalité étaient autant d'injures au Seigneur, à la parole de Jésus-Christ.

— Je suppose qu'il est arrivé à mon autre grand-père de frapper maman, si elle ne se pliait pas à ses ordres? hasarda-t-elle.

— Si ce n'était que ça, ma petiote. Je te l'ai dit, Hugues Laroche ne supportait pas d'être contesté. Mais sa plus grande peur était de perdre Catherine, si elle se mariait. Il s'est mis en tête de l'accompagner lors de ses balades à cheval. S'il y avait un bal, il exigeait toutes les danses, aucun prétendant n'étant à son goût. Et puis Adela a eu l'idée, pour les dix-huit ans de sa fille, de lui offrir une toilette d'amazone, en velours vert. Ta maman ne l'a portée qu'une fois, au printemps. D'après elle, la couleur était assortie à ses yeux, et au renouveau.

— Nous l'avons retrouvée, Bonnie et moi, en bas de l'armoire de sa chambre, dans un carton. On l'aurait dit neuve.

— Hélas, il lui a pris la fantaisie de partir seule à cheval, pour rendre visite à une amie de pension, qui habitait Rouillac, poursuivit le meunier d'une voix rauque. Le drame a éclaté à son retour. Son père la guettait. Il a saisi la jument par les rênes et ensuite il a fait tomber Catherine. Le palefrenier de l'époque, un certain Macaire, s'est approché, le fusil de chasse de Laroche en main. Il a abattu la pauvre bête, qui n'était coupable de rien, sous les yeux de ta maman. Elle était muette d'horreur, mais quelques secondes après, son père la frappait sauvagement, avec son fouet d'attelage.

Un vertige s'empara d'Élisabeth. Elle dut essuyer son front, moite d'une sueur froide.

— C'est abominable, pépé Toine. Maintenant je comprends mieux les craintes de maman. Tu te souviens que j'ai pu faire la connaissance de l'ami de papa à New York, Baptiste Rambert. Comme je lui annonçais mon projet de rentrer en France, il m'a rapporté un fait singulier, auquel je n'ai pas accordé une grande importance sur le moment. Maman, sur son lit d'agonie, aurait fait promettre à mon père de ne jamais me confier à mes grands-parents Laroche. Elle disait que je serais malheureuse au château.

— Et elle avait raison, petiote ! Tu ne respires pas la gaieté, en dépit de tous tes efforts pour nous le faire croire. Vieil idiot que je suis ! Je pensais qu'avec l'âge, les remords, Hugues Laroche ne serait plus en proie aux mêmes tourments.

— Mais quels tourments ? s'impatienta la jeune fille. Explique-moi, pépé Toine, Jean va sûrement revenir, nous ne pourrons plus en discuter. Et je dois rentrer, Justin m'attendra à la croisée des chemins de Vouharte et de Guerville.

Antoine Duquesne leva les bras au ciel. Il lança un coup d'œil navré à sa petite-fille, dont la beauté et l'innocence lui brisaient le cœur.

— Hugues Laroche aimait trop sa fille, petiote, d'une façon dont on ne doit pas aimer sa propre chair. Voilà, c'est dit. Et je prie Dieu qu'il ne se mette pas à t'aimer ainsi, en te privant de liberté, en exerçant sa tutelle abusivement, rongé par la jalousie. Je pense qu'il aurait pu tuer ta mère, quand elle lui a annoncé son mariage avec Guillaume. Mais elle était majeure, il ne pouvait pas l'en empêcher. N'oublie pas ça, Catherine a fui le château une semaine avant les noces et nous l'avons accueillie ici. Laroche est venu, escorté de Macaire, il nous a menacés des pires calamités, je n'ai pas cédé à ses menaces. Ensuite il n'a plus jamais mis les pieds à Montignac. Tu devais avoir trois ans, quand la situation s'est arrangée. Il y a eu réconciliation et ta maman a pardonné ce qu'elle avait enduré. Mais je n'étais pas surpris par la volonté de mon fils de s'exiler en Amérique.

— Ni de la détermination de maman à traverser l'océan pour être enfin libre, vraiment libre ! renchérit Élisabeth. Pépé Toine, qu'est-ce que je dois faire à présent ?

— Te méfier de cet homme jusqu'à ta majorité, petiote. Sois distante, ne t'oppose pas à lui et passe beaucoup de temps avec ta grand-mère. Adela a cruellement souffert de tout cela, elle te protégera.

— Je n'en suis pas si certaine. Ce matin, elle n'osait rien dire pour me défendre. Mais Bonnie et Justin veilleront sur moi.

— Justin, oui, c'est quelqu'un de bien, mais…

L'irruption de Jean le fit taire. Son benjamin brandissait une belle brioche à la croûte dorée.

— Un cadeau de la boulangère, clama-t-il en riant. Élisabeth, tu vas me goûter ce délice, au beurre et aux œufs de cane. Je t'ai rapporté du lait aussi, papa.

Le large sourire de Jean, l'éclat de ses yeux gris, la mèche noire sur son front donnèrent envie de pleurer à la jeune fille. De ses deux oncles, c'était lui qui ressemblait le plus à Guillaume.

— Je n'ai pas faim, mais j'en mangerai un morceau pour te faire plaisir, oncle Jean, dit-elle, la gorge nouée. Toi aussi, mon pépé Toine, tu vas te régaler.

— Tant que tu es sous mon toit, je suis heureux, répondit-il en lui caressant la joue.

Élisabeth n'apprit rien de plus ce jour-là. De retour au château avant Hugues Laroche, elle se montra distante et taciturne envers Justin, pourtant fidèle au rendez-vous. Elle le laissa s'occuper de Perle en prétextant une terrible migraine. Lorsque Madeleine lui barra le passage d'un air sournois, sur le palier du premier étage, elle la congédia d'un geste agacé.

Un peu plus tard, elle s'enferma à clef dans sa chambre, ayant chargé Bonnie de prévenir Adela qu'elle ne dînerait pas.

— Reposez-vous, mademoiselle, conseilla sa gouvernante en lui montant du thé et des biscuits. Mais vous m'avez mise dans un bel embarras. J'ai raconté que vous étiez là tout l'après-midi, et puis vous entrez par le grand hall, en tenue de cavalière. Votre grand-père saura que vous lui avez désobéi.

— Je m'en moque, Bonnie, rétorqua Élisabeth, adossée à des oreillers, un édredon moelleux remonté jusqu'à ses seins. Il ne me fait pas peur.

Sa voix tremblait. Elle éclata brusquement en sanglots, en se jetant dans les bras maternels de Bonnie.

Château de Guerville, le soir

Madeleine trépignait d'impatience, derrière la fenêtre des cuisines. Elle ne devait pas manquer le retour de celui qu'elle appelait « le patron » devant les autres domestiques, mais qu'elle surnommait « le diable » en songeant à lui, à sa sévérité, à sa brutalité.

« Tant que Justin n'est pas venu manger la soupe, le diable n'est pas de retour ! pensa-t-elle, le regard mauvais. Pardi, faut que le palefrenier de môssieur attende au garde-à-vous, dans le froid ou le chaud ! Mais ça va changer, ça oui, ça va changer. »

Elle entendit enfin un bruit de sabots dans la cour. Tapie derrière le rideau, elle observa le cavalier, son dos droit, son port de tête arrogant. Le crépuscule bleuissait le parc, et là-bas, à la porte des écuries, Justin, une lanterne à bout de bras, avançait vers Hugues Laroche.

— Il n'va pas être content, le patron, maugréa-t-elle, enivrée par la perspective de nuire à Élisabeth.

Germaine, occupée à nettoyer des radis et des laitues, jeta un coup d'œil inquiet au vieux Léandre, déjà attablé. Le jardinier bourrait sa pipe, las de sa journée, indifférent au reste du monde.

Alcide rangeait des bûches près de la colossale cuisinière à bois.

— N'bougez point, vous tous ! ordonna Madeleine. J'ai à faire. Germaine, mets not' couvert.

Laroche entrait dans l'ancienne salle romane, aménagée en hall d'honneur. Il ôta son chapeau de feutre, orné d'une plume de faisan, quitta sa veste. Il se sentait détendu, après quelques verres de cognac, une partie de cartes qu'il avait remportée, et une petite heure en bonne compagnie. L'apparition de Madeleine, par une porte étroite communiquant avec l'office, le fit grimacer de contrariété.

— Qu'est-ce que tu veux ? aboya-t-il.

— Je dois vous causer, Monsieur.

— S'il s'agit de soucis d'ordre ménager ou domestique, adresse-toi à Madame.

— Notre pauvre Madame a gardé la chambre, Dieu merci, se lamenta Madeleine.

— Pourquoi « Dieu merci » ? tiqua Laroche.

— Ben, y a des choses qui faut mieux pas voir, fragile comme l'est Madame ! J'suis obligée de vous l'dire, patron.

Agacé, il renonça à l'agréable perspective d'un dernier verre d'alcool dans son fauteuil en cuir, au coin de la cheminée du petit salon. Madeleine s'empressa de distiller son venin.

— C'est Mlle Élisabeth, Monsieur ! Vous étiez à peine parti qu'elle a filé en douce, sur sa jument. Elle est revenue y a même pas une heure, et dans un drôle d'état…

Hugues Laroche ne poussa pas d'exclamation, il n'eut aucun geste de colère. Une chape glacée l'avait enveloppé tout entier, le paralysant.

— Dans ce cas, je suppose que Justin l'a aidée ou accompagnée, insinua-t-il à voix basse.

— Oh non, Monsieur, vot' palefrenier n'a pas bougé d'ici, la Mariette traînait dans le coin, alors pensez-vous.

— Très bien, je te remercie, Madeleine. Disparais, à présent, j'ai horreur des mouchards.

— Moi, Monsieur, j'voulais rendre service.

Il lui fit signe de reculer, écœuré par sa vue. Elle le répugnait profondément. Quand il fut seul, il s'empara d'une baguette en osier, rangée en bas du porte-manteau.

Élisabeth faisait mine de lire une revue de mode, assise dans son lit, tandis que Bonnie feignait de broder un napperon. L'une, sous son air sage, revivait l'épisode de l'auberge, un peu de rouge aux joues. La seconde revoyait le beau visage aimable de Jean Duquesne, qui lui avait gentiment fait visiter le moulin.

Des coups violents à la porte les firent sursauter. La poignée en cuivre ouvragée tourna en vain.

— Élisabeth, ouvre immédiatement ! cria Hugues Laroche. Je t'interdis de t'enfermer à clef !

Bonnie lança un regard affolé à la jeune fille, qui lui fit signe d'aller ouvrir.

— Mademoiselle, votre grand-père semble vraiment furieux, sûrement à cause de votre escapade !

— Eh bien, je lui expliquerai pourquoi je suis partie.

La gouvernante, tremblante, s'exécuta. Comme elle se tenait dans l'entrebâillement de la porte, le châtelain l'attrapa par le coude et la poussa dans le couloir.

— Nous n'avons pas besoin de vous ! cracha-t-il avec hargne. Au diable l'engeance américaine !

Sur ces mots, il referma et redonna un tour de clef, au grand désespoir de Bonnie, qui avait aperçu la baguette en osier.

— Bonsoir, grand-père, dit Élisabeth, en apparence très calme. Je vous prierai, à l'avenir, de ne pas bousculer Bonnie, qui est avant tout mon amie et ne mérite pas d'être insultée. Que comptez-vous faire avec cette badine ? Me punir pour être allée chercher un peu d'affection auprès d'un homme pieux et doux, mon grand-père Antoine ?

Stupéfait, Laroche perdit contenance. Ce n'était pas tant le ton ironique de sa petite-fille qui le troublait, mais le spectacle qu'elle lui offrait. Il ne l'avait jamais vue les cheveux dénoués, en une nappe somptueuse d'un brun soyeux, aux souples ondulations. Elle était déjà en chemise de nuit, du linon rose, et un châle en laine très fine drapait ses épaules menues, tout en dévoilant la naissance de sa poitrine.

Ses anciens démons grondaient en lui, au creux de son bas-ventre. La bouche sèche, il eut envie de briser les deux grosses lampes à pétrole disposées sur les tables de chevet, pour ne plus être fasciné par la beauté d'Élisabeth.

— Tu en avais le droit, après tout, marmonna-t-il. Je suis désolé de t'avoir frappée ce matin. Tu m'en voulais, alors tu as décidé de me désobéir. On pourrait dire que c'est de bonne guerre.

Elle le considéra attentivement, désemparée. Puis elle pensa à Justin.

— Je n'arrive peut-être pas à la cheville de maman comme cavalière, cependant j'ai sellé seule ma jument, et j'ai beaucoup apprécié la promenade. Perle galope à merveille.

Il lui tourna le dos sans daigner répondre. Encore méfiante, elle ajouta :

— Qui vous a dit que j'étais sortie à cheval ? Sûrement cette harpie de Madeleine ? Je l'ai croisée en rentrant.

— Ta grand-mère et moi, nous lui accordons toute notre confiance.

Élisabeth eut un léger rire moqueur. Laroche lui lança une œillade rapide.

— Qu'est-ce qui t'amuse ?

— Vous placez mal votre confiance, rien d'autre.

— Tu discuteras de ce genre d'opinions avec mon épouse, je ne me soucie pas des domestiques, disons pas outre mesure. Je te prie, à l'avenir, de solliciter mon avis si tu pars à cheval jusqu'à Montignac. Les chemins ne sont pas sûrs. Justin t'accompagnera, en espérant que tu n'aies pas de penchants pour les petites gens. Cela dit, je n'imagine pas mon palefrenier capable de me trahir.

— De penchants pour les petites gens! répéta Élisabeth. Comme ma mère, n'est-ce pas? Elle aimait papa de tout son être, elle a eu raison de s'enfuir pour pouvoir se marier avec lui.

La querelle aurait pu ne pas éclater, si Hugues Laroche avait évité de rabaisser Guillaume Duquesne. Il se le reprochait déjà lorsque la jeune fille lui assena sa cinglante réplique.

— Catherine ne s'est pas enfuie! protesta-t-il. Qui t'a raconté de pareilles sornettes?

— Peu importe! s'enflamma-t-elle. Mais je ne me laisserai pas faire, je vous préviens. J'épouserai qui je veux.

Les doigts de son grand-père se crispèrent sur la baguette en osier, qui lui servait jadis à dresser ses chiens de chasse. Il aurait voulu se retrouver face au vieux Duquesne et lui cingler le visage, car c'était forcément le meunier qui avait révélé des pages du passé à Élisabeth.

— Je me suis montré clément, susurra-t-il entre ses dents. Toi, tu es bien ingrate. Restons-en là pour ce soir.

Il s'obstinait à ne pas la regarder. Elle le vit tourner la clef et sortir.

« On dirait qu'il me fuit, qu'il a peur! » songea-t-elle.

Dès qu'il fut dans le couloir, Hugues Laroche découvrit Adela et Bonnie, toutes deux l'air anxieux. Sa femme tenait une lampe Pigeon en cuivre par son anneau. La flamme dissipait à peine l'obscurité.

— Vous m'épiez, maintenant? interrogea-t-il. Je n'ai rien fait, bon sang, je ne l'ai pas frappée! Fichtre, elle a du caractère! J'ai cru revoir Catherine.

— C'est bien ce qui m'effraie, Hugues, murmura Adela en s'éloignant d'un pas chancelant.

Bonnie, quant à elle, se rua dans la chambre et courut s'asseoir au bord du lit de sa protégée.

— Alors? demanda-t-elle. J'avais averti votre grand-mère et elle était prête à intervenir.

— Il ne fallait pas déranger Bonne-maman, déplora la jeune fille. Je dois être de taille à me défendre, pendant encore quatre ans, jusqu'à ma majorité. Mais j'aurais préféré la tutelle d'un de mes oncles, ou de mon pépé Toine. Pourquoi suis-je dépendante de grand-père précisément ?

— Je l'ignore, mademoiselle.

— Il a dû consulter son notaire dès que je lui ai annoncé mon prochain retour et payer un bon prix. Il croit que l'argent achète tout, Bonnie.

La gouvernante lui saisit la main. Elle reconnaissait de moins en moins sa petite Lisbeth de New York.

— Ne soyez pas triste. Nous sommes là pour vous adoucir la vie, plaida-t-elle. Votre grand-mère Adela, votre famille de Montignac, et moi ! Je vous ai suivie en France, quand même.

— Je le sais, Bonnie. Mais je vais te confier un secret, tu sauras à qui je faisais allusion.

D'une voix feutrée, Élisabeth lui révéla la présence de Richard Johnson à l'auberge du Pont-Neuf, en précisant le nouveau travail du séduisant Américain. Bien sûr, elle eut soin de cacher les baisers échangés et ce qui avait failli en découler.

Bonnie, ébahie, adressa une pensée émue à Maybel et Edward Woolworth, avant de décréter un peu sèchement :

— Vous ne rencontrerez plus M. Johnson sans un chaperon, mademoiselle. Si vous souhaitez lui parler, je viendrai.

— Volontiers, je tiens à emmener Bonne-maman aussi. Nous irons lundi. Justin attellera le phaéton, ce sera plus confortable que la calèche. Ensuite nous goûterons au moulin.

Souriante, Élisabeth embrassa sa gouvernante sur la joue. Sans raison précise, elle se sentait soudain en position de force.

New York, Dakota Building, mercredi 18 août 1897, cinq mois plus tard

Ce soir-là, Maybel Woolworth se précipita au cou de son mari dès qu'il rentra. Elle ne portait qu'un déshabillé en soie mauve, tant il faisait chaud. La clarté orangée du soleil couchant filtrait à travers les rideaux en mousseline des hautes fenêtres du salon.

— Tu es ravissante ainsi, la félicita Edward, sa veste sur le bras. C'est une vraie fournaise, dehors. Qu'est-ce qui te rend aussi gaie, chérie ? Ce ne serait pas une lettre de Lisbeth ?

— Si, tu as deviné juste ! Elle est arrivée ce matin, mais je t'ai attendu pour l'ouvrir et la lire.

Maybel avait beaucoup pleuré, après le départ d'Élisabeth, et plus les jours s'écoulaient, plus elle souffrait, jusqu'à finir par sombrer dans la mélancolie. Le docteur Foster, alarmé, avait prescrit son remède habituel, du laudanum. Edward retrouvait son épouse somnolente, le plus souvent allongée dans la chambre de la jeune fille.

Affligé, le négociant s'était efforcé de passer plus de temps avec sa femme. Elle avait repris goût à la vie, grâce aux courriers leur parvenant de France.

— Le lien n'est pas rompu, chéri, s'extasiait-elle. Lisbeth pense à nous.

Ils avaient pris l'habitude de prendre connaissance ensemble des longues missives d'Élisabeth. C'était un moment de joie partagée, qui les laissait ensuite rêveurs, chacun imaginant selon son inspiration les lieux et les menus incidents qu'elle racontait d'une plume alerte, et en anglais.

— Elle n'avait pas écrit depuis un mois et tu en étais malade, nota le négociant. L'enveloppe est épaisse, nous aurons peut-être enfin droit à des photographies.

Il ôta sa cravate et déboutonna le col de sa chemise. Fébrile, Maybel lui servit un verre de citronnade.

— J'ai donné sa soirée à Norma, j'avais envie d'être seule avec toi, confessa-t-elle d'une voix câline.

— Tu ne l'apprécies pas, je l'avais remarqué, se moqua son mari.

Depuis le départ de Bonnie, le couple avait changé trois fois d'employée de maison. Maybel profitait des services proposés aux résidents du Dakota Building, qui pouvaient bénéficier d'un personnel qualifié[1]. Elle faisait appel à une blanchisseuse, mais aussi à un cuisinier. Edward avait néanmoins insisté pour remplacer Bonnie. Il savait à quel point son épouse souffrait de la solitude, quand il s'absentait. Avant Norma, une grande fille blonde originaire du Kansas, il y avait eu Dorothy puis Shirley. Aucune ne convenait à Maybel.

— Vite, vite, installe-toi, supplia-t-elle, ses cheveux auburn relevés en chignon souple, son peignoir sculptant ses formes épanouies. Je n'en peux plus d'attendre, j'ouvre l'enveloppe.

Il la contempla tandis qu'elle s'appliquait, maniant un coupe-papier en vermeil, à manche d'ivoire ciselé. Dès qu'elle sortit les feuilles pliées en deux, des clichés apparurent.

— Tu avais raison, Lisbeth nous a envoyé des photographies ! s'extasia-t-elle. Je les mets de côté, nous les regarderons plus tard.

— Fais à ton idée, Maybel, affirma-t-il en lui caressant la cuisse.

— Sois sage ! protesta-t-elle, mais ses yeux tendres disaient le contraire. Oh ! Edward, Lisbeth nous appelle *mummy* et *daddy* ! Moi qui craignais sans cesse qu'elle devienne moins familière...

— Lis, chérie, tu me fais languir, là.

Maybel respira à fond, une expression éblouie sur le visage, enfin elle lut à voix haute, bien timbrée, en répétant les mots qui la charmaient.

1. Au total, environ 150 blanchisseuses, cuisiniers, portiers, liftiers et maîtres d'hôtel travaillaient au Dakota Building.

Chère *mummy*, cher *daddy*,

Je suis désolée d'avoir tardé à vous écrire, mais j'étais trop préoccupée par la santé de Bonne-maman Adela. J'ai passé des jours et des nuits à son chevet. Nous avons eu très peur, Bonnie et moi, car ma chère grand-mère est tombée malade à la fin du mois de juin, de façon si soudaine que le médecin se prononçait pour un empoisonnement. C'était fort possible, puisqu'il y avait eu plusieurs fois des champignons au menu. En juin, il faisait déjà chaud et à la moindre pluie d'orage, Léandre, le jardinier, ramasse des cèpes et des girolles. Cependant grand-père, Bonnie et moi n'avons pas été incommodés.

Maybel se tut un instant. Elle avait pâli et fixait Edward d'un air effrayé.

— Quelle idée de manger des champignons! s'indigna-t-elle. Lisbeth aurait pu s'empoisonner aussi.

— Les Français ont des goûts particuliers, chérie.

— Ah oui, les escargots! soupira-t-elle. Je reprends.

Malheureusement, Bonne-maman s'est affaiblie et elle a dû rester alitée. Elle a beaucoup maigri et fait peine à voir. J'ai pris conscience de l'amour que je lui portais, à l'idée de la perdre. Je l'ai soignée de mon mieux, secondée par notre précieuse Bonnie, experte en remèdes à base de plantes.

Ces tristes jours où nous redoutions une issue fatale ont effacé la joie que m'avaient procurée la fête et le bal donnés pour l'anniversaire de mes dix-sept ans, le 22 avril. Je vous joins des clichés pris à cette occasion par un photographe venu de Rouillac. J'ai noté au dos le prénom des personnes y figurant, dont je vous parle le plus souvent.

Grand-père Hugues a été très affecté par la maladie de son épouse. J'avais évoqué dans une lettre, au printemps, une grave querelle qui nous avait opposés, lui et moi. Tout s'est arrangé par la suite, grâce aux conseils de Richard Johnson. J'ai un malin plaisir à vous l'écrire de nouveau, mais il a suffi que je menace de changer de tuteur, en ayant recours à un avocat, pour obtenir davantage de liberté et ne plus subir certaines manifestations d'autorité.

Un faible sourire sur les lèvres, Maybel posa la première feuille sur le guéridon. Edward l'attira contre lui.

— Tu as eu raison d'envoyer ce détective là-bas, dit-elle. Il a fait preuve d'intelligence et d'efficacité.

— Et je pense avoir vu juste, Laroche est un homme violent, un tyran, enragea le négociant. J'ai la conviction que Lisbeth nous dissimule une grande partie de la vérité sur lui.

Le couple échangea un baiser. Le départ d'Élisabeth, qu'ils considéraient comme leur fille, les avait rapprochés. Ils avaient affronté son absence en retrouvant la passion des premiers temps de leur amour.

Maybel but une gorgée de citronnade avant de poursuivre sa lecture.

Dans la mesure du possible, je fais ici allusion à l'état de santé de Bonne-maman, je me partage entre le château et le moulin. Mon grand-père Antoine s'inquiète également pour celle qu'il nomme « son amie Adela » et j'ai à cœur de lui donner des nouvelles.

Grâce à Justin, le jeune homme dont je vous ai parlé dans chacune de mes lettres, je suis désormais une cavalière endurcie et je sais conduire la calèche et le phaéton.

Pour plaisanter un peu, après ces propos sérieux, vous ne m'avez toujours pas dit si votre nièce Pearl appréciait le nom de ma jument, Perle. Je vous en prie, si vous ne l'avez pas encore fait, informez-la et décrivez-moi sa réaction.

— Seigneur, Pearl était outrée ! se souvint Maybel. Ton frère aussi. Je répondrai à Lisbeth dès demain, et cette fois, je lui raconterai l'indignation de sa cousine. Edward, chéri, je voudrais tellement revoir notre fille. Cela fera bientôt huit mois qu'elle vit loin de nous.

— Si nous étions invités, je t'emmènerais en France, Maybel. Mais Laroche nous en veut, tu n'as pas oublié les accusations qu'il proférait dans son unique courrier, en février, ni ses menaces de nous assigner en justice.

— Nous pourrions loger chez les Duquesne, ou dans une auberge, supplia-t-elle. Lisbeth me manque.

— Ce sera envisageable un jour, sois patiente ! soupira-t-il.

La réponse apaisa Maybel. Elle lut un peu plus vite, dans sa hâte de regarder les photographies.

Que vous dire encore ? Le parc du château devient un lieu enchanté en été. Nous nous y promenons, Bonnie et moi, et je cueille des fleurs pour égayer la chambre de ma grand-mère. Je vous fais une confidence : mon oncle Jean, le plus jeune, qui est le portrait de papa, et notre Bonnie sont devenus de très bons amis, et je les soupçonne d'éprouver des sentiments l'un pour l'autre. Je n'ai pas osé questionner ma gouvernante sur ce point, car au fond, je crains de la perdre si elle décidait de se marier.

C'est égoïste de ma part, puisqu'elle entrerait dans ma famille, et j'ai honte de songer à moi et non à son bonheur. Tout serait différent si j'étais majeure, car je pourrais habiter la maison de mes parents et vivre près du moulin. Hélas ! Je dois attendre quatre ans, ou bien me marier aussi.

Ces dernières lignes vont vous causer du souci et je le déplore vraiment. N'y prêtez pas trop attention, je laisse courir ma plume sans mentir sur mes états d'âme.

Avant de vous quitter, je suis chargée de vous transmettre les dispositions de Richard Johnson. Il tient à passer le reste de l'année en Charente, mais il refuse de le faire à vos frais. C'est vraiment un personnage original. Je le rencontre rarement, mais il était fier de m'annoncer qu'il avait décroché un emploi en ville. Il s'agit d'Angoulême, la préfecture, une ancienne cité édifiée sur un promontoire rocheux. Vous la trouveriez très pittoresque. Grand-mère m'y a emmenée deux fois, et nous avons visité la cathédrale Saint-Pierre, et fait le tour des remparts. On m'appelle, sûrement Bonnie. Je vous laisse à regret.

Je vous embrasse affectueusement. C'est promis, je vous écrirai très bientôt,

Votre petite Lisbeth.

Edward jeta un coup d'œil sur la feuille, un peu surpris par la fin rapide de la lettre. Maybel eut une mimique désappointée.

— Elle s'est empressée de terminer, il y a même une rature ! fit-elle remarquer. Nous ignorons la date exacte où Lisbeth nous a écrit. Elle ne l'a pas mentionnée. J'espère qu'il ne s'est rien produit de grave. Edward, il faudra m'expliquer certains mots, ceux qu'elle n'a pas traduits, « préfecture » et « remparts » !

— Mais oui, je t'expliquerai, chérie. Et les clichés ?

— Bien sûr, j'allais oublier, à cause de Johnson ! Je suis sûre qu'il est amoureux de Lisbeth, sinon il serait rentré à New York.

— Ou il a pu tomber sous le charme d'une jolie Française…

— Je suis déçue, Edward. Tout me choque. Bonnie et l'oncle Jean, la maladie de Mme Laroche, et ce que nous dit Lisbeth. Elle paraît prête à se marier pour habiter une petite maison !

— Non, non, ce ne sont que des mots. Calme-toi.

Il s'empara des photographies. Sur la première, on voyait Élisabeth en toilette d'amazone, montée sur sa jument. La jeune fille se tenait très droite, l'air arrogant.

— Mon Dieu, je la reconnais à peine, gémit Maybel.

Edward approuva. Il étudia avec une pointe de soulagement le portrait en pied qui suivait. Élisabeth, revêtue d'une splendide robe de bal, posait dans le grand salon du château. Une jolie torsade de cheveux reposait sur son épaule droite, dénudée par l'audacieux décolleté d'un bustier brodé de perles qui marquait la taille fine, d'où semblaient ruisseler, telle une corolle, plusieurs voiles en mousseline.

— Quelle merveille, cette toilette ! soupira Maybel. Un modèle bien français. C'est dommage, on ne sait pas la couleur du tissu. Bleu ? Rose ?

— Tu lui demanderas quand tu lui répondras.

Ils s'attardèrent sur ce cliché en particulier, fascinés. Edward songea, sans oser le dire à son épouse, que si

Lisbeth souriait, ses yeux limpides trahissaient une mystérieuse détresse.

— Mon Dieu, elle est de plus en plus belle ! s'écria Maybel.

Le couple, étroitement enlacé, examina ensuite le troisième et dernier cliché. Il y figurait Adela, Élisabeth et Bonnie. Justin, un peu en retrait, tenait les rênes d'un cheval gris.

— Si c'est le palefrenier, il est assez beau garçon, commenta Edward. Vérifie, chérie, il pourrait s'agir d'un voisin.

— Non, c'est Justin, il y a son nom au dos. Mme Laroche fait encore jeune, mais elle semble menue, surtout comparée à Bonnie qui a dû prendre du poids. Lisbeth paraît joyeuse, sur celle-ci.

Maybel remit la lettre et les photographies dans l'enveloppe qu'elle rangea sur le guéridon. Bouleversée, elle se réfugia dans les bras de son mari.

— Nous ne la reverrons jamais, se plaignit-elle. Je le sens au fond de mon cœur. Et Scarlett l'a lu dans les cartes. Les tarots révèlent l'avenir.

Scarlett Turner était leur nouvelle voisine, une richissime héritière qui avait acheté un appartement au dernier étage du Dakota Building, de surcroît une amie de Doris Woolworth, la belle-sœur de Maybel.

— Je suis content que tu apprécies la compagnie de Scarlett, mais je déplore votre engouement pour les tarots. Je prône la logique, or il y aura forcément un moyen de revoir Lisbeth. Arrête de te torturer l'esprit. Notre aimable voisine t'influence avec ses histoires à dormir debout ! déplora-t-il.

— Scarlett n'invente rien, elle a aperçu une silhouette dans le couloir du troisième étage, notre étage. Une forme floue qui est passée à travers le mur, et elle entend des bruits, la nuit[1].

---

1. Le Dakota Building avait la réputation d'être hanté et d'étranges anecdotes circulent encore de nos jours, si bien qu'on le surnomme parfois « la maison aux esprits ».

— Ce sont des sottises, les fantômes n'existent pas, chérie.

Il coupa court à ses protestations en lui donnant un baiser, puis un autre plus passionné. Maybel, ravie, se débarrassa de son déshabillé. Excité par sa nudité, il caressa ses seins, le creux de ses reins. La pénombre envahissait le luxueux appartement, mais elle soulignait la blancheur nacrée du beau corps de sa femme. Il se mit nu à son tour.

— Je ne veux plus penser, souffla-t-elle avant de l'embrasser.

— Si, Maybel, pense à nous, rien qu'à nous ! répliqua Edward.

Pendant une folle heure d'étreintes, de jeux voluptueux, ils oublièrent la France, le château de Guerville et même l'enfant adorée qui s'était exilée sur sa terre natale.

Château de Guerville, jeudi 19 août 1897

Il était 6 heures du matin. Depuis la maladie qui avait usé les forces d'Adela, Madeleine tenait à lui servir le petit déjeuner, ne laissant ce soin à personne d'autre.

Hugues Laroche avait investi de nouveau leur ancienne chambre, afin de ne pas troubler le repos de son épouse, qui dormait beaucoup. Élisabeth et Bonnie pouvaient ainsi se relayer à son chevet et veillaient à lui faire prendre son repas de midi et le dîner.

Un médecin angoumoisin, le docteur Trousset, était venu sans pouvoir se prononcer sur les symptômes qu'on lui avait décrits en détail. Il était parti en conseillant beaucoup de repos, des infusions de camomille, et une alimentation légère.

L'état de sa femme inquiétait tant Laroche qu'il finissait par inspirer une sincère compassion à tous.

— Bonne-maman se rétablira, grand-père, lui disait Élisabeth, quand ils partaient tous les deux à cheval sur les chemins, pour une courte promenade. L'affirmation, bien aléatoire, semblait le rassurer et il remerciait sa petite-fille d'un faible sourire.

Madeleine répéta presque la même chose en tirant les lourds rideaux de velours rouge pour éclairer la pièce.

— Vous allez vous rétablir, Madame. Je vous ai préparé un bon café au lait, des tartines beurrées et un œuf à la coque.

— Que tu es attentionnée, Madeleine ! soupira Adela. Les œufs frais me font du bien, j'en suis certaine. Je voudrais tant me lever, profiter de la fin de l'été.

La domestique l'aida à s'asseoir, en calant deux gros oreillers dans son dos. Elle posa ensuite le plateau, équipé de petits pieds amovibles, devant sa patronne. Amaigrie, les traits empreints de lassitude, Adela la remercia d'un signe de tête.

— C'est sûr, Madame, il serait temps que vous repreniez votre place au château, insinua alors Madeleine. Tout va de travers sans vous. Je n'veux rien dire, Monsieur m'a traitée de moucharde, une fois. Mais si vous voulez mon avis, il ne voit pas ce qui se passe sous son nez.

— Mon mari ? Tu le connais pourtant, ce n'est pas son genre. Rien ne lui échappe.

Adela but deux gorgées de café. Il lui parut excessivement sucré et elle renonça à finir la tasse.

— Rien ne lui échappe, à Monsieur, ça c'est vite dit, reprit Madeleine. Il a lâché la bride à Mlle Élisabeth, elle en abuse. Moi, j'en suis retournée, Madame, de voir ce que je vois.

— Parle donc à la fin, s'impatienta la châtelaine, qui se sentait oppressée. Tu en fais des manières ce matin !

Madeleine se détourna, incapable de ne pas grimacer de colère. Confortée dans son plan longuement mûri, elle franchit la première étape.

— Votre petite-fille se conduit mal, avec ce pauvre Justin, un brave garçon, tout le monde ici pense comme moi. Elle lui court après, vous pouvez demander au vieux Léandre. Et moi, l'aut' soir, je les ai vus. Ils s'embrassaient.

— Qu'est-ce que tu racontes? Déjà Élisabeth me consacre presque tout son temps, elle n'est même pas allée à Montignac, ces dernières semaines. Avec Justin, dis-tu? Monsieur se serait aperçu de quelque chose, il encense son palefrenier et ne lui trouve aucun défaut. Les ragots de l'office ne m'intéressent pas, Madeleine. Sois gentille, laisse-moi seule si tu veux que je puisse manger cet œuf.

Mais la domestique déplaça une chaise tapissée de cretonne fleurie et la cala près du lit. Elle s'y assit, les bras croisés, dans une attitude dénuée de gêne qui irrita Adela.

— Que fais-tu, Madeleine? Je t'ai dit de me laisser en paix.

— J'n'peux point, Madame, faut que je vide mon sac! rétorqua celle-ci, le teint soudain olivâtre sous l'effet de la rage intérieure qui la submergeait. Si je vous ai prévenue, pour Justin et m'selle Élisabeth, c'est qu'y vaudrait mieux pas qu'ils fautent, ces deux-là, et sans doute, le mal est fait. Il s'rait temps que vous sachiez d'où il sort, ce joli gars aux cheveux blonds... Et pardi, c'est le fils de Monsieur. Eh oui, ça vous secoue une nouvelle pareille! Surtout mal fichue comme vous l'êtes!

Adela était devenue livide. Elle scruta les traits grossiers de Madeleine, déformés par une incompréhensible fureur. La domestique était presque méconnaissable.

— Seigneur, tu dois être ivre! Comment oserais-tu débiter de telles sottises sinon?

— Je n'ai pas bu une goutte, moi, et j'peux même vous dire que j'suis la mère. Souvenez-vous donc, avant la noce de vot' Catherine, vous avez fait une fausse couche. On a eu du travail, avec Margot, la mère de la Mariette, pour nettoyer vos draps. Hé, on est toutes faites pareilles, nous les bonnes femmes.

— Madeleine, je t'ai priée de sortir! J'ai horreur de la vulgarité. Tu me déçois vraiment. Sors!

— Mais ma p'tite dame, j'n'en ai pas terminé avec vous. Quand vous pissiez le sang, Monsieur, y ne pouvait pas prendre son plaisir ! Faut dire qu'il n'fréquentait pas encore les catins et il devait ben se satisfaire. Misère, c'est tombé sur moi. J'n'avais pas connu le loup, Madame, ben oui, j'étais neuve, ça n'l'a pas arrêté, votre mari. Il a grimpé jusqu'au grenier, dans ma soupente, et il m'a forcée. Au début, j'n'étais guère contente, et puis j'y ai pris goût, ma foi.

Une prière muette vint sur les lèvres d'Adela, dont le cœur cognait à un rythme affolant. Elle ne supportait plus les chuchotements et la vue de Madeleine, son regard égrillard, ses mimiques odieuses. Rusée, elle parlait bas, afin de ne pas attirer l'attention du châtelain ou d'Élisabeth, qui devait dormir encore, dans la chambre voisine.

Adela le comprit. Elle voulut sonner Germaine, mais son bras droit ne lui obéissait plus, et le gauche la faisait souffrir atrocement.

— Ce n'est pas vrai, balbutia-t-elle, sans force. Tu mens, tu veux me faire du mal.

— Hé ! Chacun son tour, patronne ! susurra Madeleine, grisée par la saveur d'une vengeance méditée pendant des années. J'ai eu bien honte, une fois grosse de Monsieur. J'me suis confessée, et le curé m'a fait la morale.

— Tu n'as pas été enceinte, Madeleine, bégaya Adela. On ne peut pas cacher une grossesse.

— Que si, patronne, sauf vers la fin, alors j'suis partie deux mois du château, pour aller chez ma tante. Le gosse est né là-bas, dans un hameau, près de Rouillac. Et baptisé par la matrone, car il était bleu à la naissance. Je l'ai appelé Justin, rapport à la justice qui n'est pas d'ce monde. Not' monde à nous, les gens de maison.

Les idées d'Adela se brouillaient, cependant elle se souvint de façon confuse d'une absence de Madeleine, à l'époque où le chaos régnait au château.

« Oui, Catherine avait rencontré Guillaume, elle l'aimait, mais Hugues s'opposait aux fiançailles, et une nuit, il a essayé de… Non, non, j'ai dû me tromper. »

Paupières mi-closes, elle manquait d'air. Madeleine riait en silence, avec une expression sournoise.

— Ah, la mémoire vous revient, on dirait, ma p'tite dame. J'ai ramené mon gamin ici quand il avait deux ans. Je n'l'aimais point, pire, j'avais de la haine pour lui. Il a grandi enfermé là-haut, sous les combles, et s'il osait faire du bruit, j'le corrigeais. Et puis j'm'suis promis de tout dire à Monsieur, le jour venu. On l'sait, dans le pays, qu'y rêvait d'un fils, d'un héritier, M. Laroche. Il l'a sous la main, son p'tit gars. Le domaine lui reviendra, les terres, les vignes, ce n'sera pas pour votre petite pimbêche.

— Tais-toi ! gémit Adela. Pitié, tais-toi et sors de ma chambre ! Je ne veux plus t'écouter. Oh, tais-toi donc !

Une plainte rauque lui échappa, car dans un dernier sursaut de lucidité, elle sut que Madeleine disait la vérité. Justin lui avait été indifférent, lors de son arrivée à Guerville, mais peu à peu, elle l'avait apprécié.

« Un beau garçon, oui, gentil, plein de qualités, songea-t-elle. Il ressemble à Hugues, bien sûr, j'aurais dû m'en apercevoir. Mon Dieu, c'est le demi-frère de Catherine. Mon Dieu, qu'est-ce que j'ai ? »

Elle suffoquait, la poitrine broyée dans un étau. Son visage se crispa, blafard. Un spasme la secoua tout entière, si bien que le plateau se renversa. Madeleine se leva de la chaise et la remit à sa place, sans quitter des yeux la malheureuse qui agonisait. Dès qu'elle la vit inanimée, bouche bée, elle se rua dans le couloir en hurlant :

— Au secours ! Seigneur ! C'est Madame, à l'aide, à l'aide !

Hugues Laroche accourut. Il était en train de s'habiller et ne portait qu'un pantalon d'équitation et un gilet de corps. Bonnie, qui sortait du lit, enfila son peignoir en flanelle et oublia d'ôter son bonnet de nuit.

Élisabeth se précipita au chevet de sa grand-mère par la porte intérieure qui reliait sa chambre à celle d'Adela, située dans la tour du pont-levis. Elle poussa un cri sourd, horrifié, devant le sinistre tableau qui lui était apparu dans un cauchemar, un mois plus tôt. La scène reproduisait à l'identique les détails du rêve.

— Le plateau sur le tapis, la tasse brisée, le café qui s'est répandu et Bonne-maman renversée en arrière sur ses oreillers, comme morte, récita-t-elle du bout des lèvres. Mon Dieu, non, non.

Elle soulevait la tête inerte d'Adela en la couvrant de baisers désespérés lorsque son grand-père fit irruption, suivi de près par Bonnie.

— Je crois qu'elle est morte, grand-père ! s'écria Élisabeth en sanglotant. Seigneur, pardonnez-moi, j'aurais pu la sauver.

16

Une année de pénitence

Écuries du château de Guerville, même jour, jeudi 19 août 1897

Justin distribuait leur ration d'avoine aux chevaux, après avoir garni de foin les râteliers. Il fut surpris de voir entrer Élisabeth dans les écuries d'une démarche chancelante, échevelée, en chemise de nuit. Elle l'appelait d'une voix terrifiée, en lui tendant les bras. Il lâcha le seau de grain et courut vers elle. Il dut la soutenir, car elle tenait à peine sur ses jambes.

— Qu'est-ce qui se passe ? demanda-t-il, très inquiet.

— Bonne-maman est morte ! C'est ma faute, Justin. J'ai envie de mourir aussi. J'avais fait un cauchemar, le mois dernier, où je la voyais agonisante, et je n'ai pas été assez vigilante, une fois encore j'ai douté, alors que mes mauvais rêves se sont toujours réalisés, tôt ou tard. Je t'ai parlé de ce don que j'ai et qui ne cesse de se développer.

Élisabeth s'exprimait en respirant très vite et à mi-voix. Justin peinait à comprendre ce qu'elle lui débitait d'un trait, tout en pleurant.

— Je t'en prie, explique-toi. Mme Laroche est morte, tu en es sûre ?

— Je l'ai vue, Justin, là, sur son lit, les yeux révulsés. C'était affreux.

— Je comprends mieux, maintenant, que tu sois aussi bouleversée, ma petite Élisabeth. Ta grand-mère était de plus en plus faible, l'issue était sans doute fatale ! Là, là, calme-toi ! lui dit-il tendrement.

Le jeune homme l'avait enlacée et la berçait contre lui. Il allait se pencher pour l'embrasser, dans l'espoir de la réconforter, mais Élisabeth le repoussa d'un geste brusque.

— C'est terminé, Justin, tes baisers, tes bras autour de moi, et ça aussi me brise le cœur. Dieu soit loué, tu as su me respecter.

Il recula d'un pas, abasourdi. Au fil des jours, des semaines, leur relation avait évolué dans la plus grande discrétion, du moins le pensaient-ils. Le palefrenier avait renoncé au vouvoiement, ce qui avait renversé le frêle obstacle de leur différence sociale.

Ils s'amusaient à jouer la comédie devant témoins, lui en abusant des « mademoiselle » et des marques de considération, elle en le traitant de haut. Dupé, Hugues Laroche avait consenti à laisser Justin escorter sa petite-fille lors de ses balades à cheval.

C'était pour eux l'occasion de faire halte au bord du fleuve, de bavarder librement et peu à peu d'échanger des baisers, de timides caresses.

— Que veux-tu dire par là, Élisabeth ? interrogea Justin. Tu as changé d'avis ? Si c'est à cause de ton Américain, sois franche, car tu prétendais n'avoir aucun sentiment pour lui, et tu m'as dit et redit que tu ne le rencontrais plus.

Elle s'appuya à la porte d'un box, en se tordant les mains. Il lui paraissait impossible d'avouer ce qu'elle savait.

— Ce n'est pas Richard le problème. Tu es le frère de maman, enfin son demi-frère. Nous ne pourrons jamais nous marier, quand je serai majeure.

— Élisabeth, pourquoi inventes-tu des sottises pareilles ?

— Des sottises ! Ce matin, j'ai entendu l'écho d'une discussion dans la chambre de Bonne-maman. Sa voix et celle de Madeleine qui lui monte son petit déjeuner depuis le début de sa maladie. J'ai décidé d'aller dire bonjour à ma grand-mère, alors je me suis vite levée. Mais au moment de tourner la poignée, des bribes de phrases me sont parvenues, tellement insolites que j'ai voulu écouter quelques instants. Si j'étais entrée, Madeleine se serait tue, j'en suis certaine et je n'aurais rien su ! Elle racontait que tu étais son fils et celui de mon grand-père, le véritable héritier du domaine en quelque sorte. Elle me traitait de petite pimbêche, aussi, et soudain il y a eu un bruit, le plateau projeté sur le sol, sûrement, et un râle affreux. Cette sorcière de Madeleine hurlait au secours dans le couloir. J'ai couru au chevet de Bonne-maman, mais elle était morte.

Élisabeth tremblait de tout son corps, transie et à bout de nerfs. Sa longue chemise de nuit blanche lui donnait un air de fillette égarée.

— Ma tante avait bu, ma parole ! enragea Justin. Si j'étais son enfant, elle ne m'aurait pas autant insulté et battu. J'ai eu droit à des coups de ceinture, à du pain moisi. Non, j'ignore ce qui lui a pris de raconter cette histoire, mais il ne faut pas la croire, je t'en supplie.

— Pourtant elle était catégorique. Tu serais né dans un hameau près de Rouillac, et baptisé. Même si elle mentait, Bonne-maman ne l'a pas supporté, son cœur a lâché, par la faute de cette sale mégère. Je la hais, Justin, et je la ferai renvoyer d'ici, qu'elle soit ta mère ou non ! Je vais la dénoncer à mon grand-père, et lui aussi, il devra me dire la vérité.

Les chevaux qui n'avaient pas eu leur ration de grain se mirent à hennir, à cogner les pavés d'un sabot impatient. Justin acheva de les nourrir, sous le regard bleu, noyé de larmes, d'Élisabeth.

Le doute s'emparait du jeune palefrenier. Hugues Laroche lui témoignait de l'amitié, le félicitait régulièrement et n'hésitait pas à le gratifier d'une main sur l'épaule, d'un de ses rares sourires.

— Peut-être qu'il le sait déjà, qui je suis vraiment? hasarda-t-il d'un ton anxieux. Il a augmenté mes gages, et il m'a donné un louis d'or, au printemps.

— Ce serait odieux de sa part ! s'indigna-t-elle.

— Quand même, s'il a couché avec Madeleine, il doit s'en souvenir.

Élisabeth approuva en silence. Elle s'éloigna à petits pas, sans quitter Justin des yeux. En lui elle avait placé tous ses espoirs de bonheur, au point de savourer l'attente du jour où elle serait sienne, dans un lit aux draps frais. Elle était écœurée par ce nouveau piège du destin, qui les séparait de façon cruelle et irrémédiable.

— Si je suis le fils de M. Laroche, je m'en irai dès ce soir, déclara Justin. Je me fiche de l'argent, des terres, du château. Jamais tu ne deviendras ma femme et jamais nous n'habiterons tous les deux la maison de tes parents. Je te perds pour toujours, alors il vaut mieux que je disparaisse. Je t'aime tant, Élisabeth.

Elle n'eut pas le courage de lui répondre. Il la vit remonter l'allée pavée, sortir dans la brume matinale, adorable silhouette qu'il fixa avec désespoir, afin de garder son image bien au chaud dans son cœur, lorsqu'il aurait mis suffisamment de distance entre eux, car sa décision était prise, il s'engagerait dans l'armée.

Montignac, moulin Duquesne, samedi 21 août 1897

Le vieux meunier hochait tristement la tête, en caressant les cheveux de sa petite-fille, blottie contre son épaule. Élisabeth était arrivée une heure après le lever du soleil, à cheval. Dès qu'il avait entendu le bruit des sabots ferrés sur la terre sèche de la cour, Antoine Duquesne s'était signé.

« On vient m'annoncer un malheur ! » avait-il pensé.

Élisabeth était entrée aussitôt, dans sa tenue d'amazone, les joues rosies par sa folle galopade au vent de l'aube. Lui, debout près de la fenêtre, se préparait au chagrin.

— Mon amie Adela s'est éteinte ? s'était-il exclamé. Ma pauvre petiote, nous allons prier pour elle.

— Non, pépé Toine, Bonnie l'a sauvée ! Si Bonne-maman était décédée, je serais venue le jour même te l'annoncer. Dieu merci, elle a survécu, grâce à Bonnie.

Sur ces mots, elle avait conduit son grand-père jusqu'à son fauteuil, en s'asseyant tout près de lui, sur une chaise. D'une voix tendue, feutrée, elle s'était efforcée de relater le drame qui s'était noué au château.

— Pour moi, Bonne-maman avait succombé, je ne supportais pas de la voir ainsi, comme dans mon cauchemar. Je me suis enfuie, j'avais besoin de Justin, le seul capable de me consoler ! avait-elle expliqué. Mais il fallait bien que je retourne dans la chambre de ma grand-mère. Et là, Germaine m'a dit qu'elle respirait encore et avait repris conscience. Bonnie lui avait fait avaler de l'eau-de-vie, et l'avait frictionnée sur la poitrine, avec cet alcool. J'ai remercié le Seigneur, et ma chère gouvernante. Hélas, Bonne-maman est très faible. Hier le docteur Trousset est revenu et il n'a pas pu se prononcer sur le temps qu'il lui reste à vivre. Il s'agirait en fait d'une maladie de cœur.

Le meunier avait écouté sans l'interrompre, mais il étreignait souvent ses mains de ses doigts noueux, sillonnés de rides, durement éprouvé à la perspective de ne plus revoir le sourire d'Adela.

Maintenant, il souhaitait surtout apaiser Élisabeth, dont l'état d'exaltation le tracassait.

— Tu n'auras guère été épargnée, petiote, admit-il. Tu as perdu tes parents quand tu n'étais qu'une fillette innocente, et tu risques d'être privée du soutien de ta grand-mère.

— Il n'y a pas que ça, pépé Toine, je me sens coupable. Justin a quitté le château, je n'ai plus personne à qui me confier.

— Et Bonnie, vous êtes amies !

— Elle tient à rester au chevet de Bonne-maman, et je n'avais pas envie de lui faire certains aveux. Alors je suis venue pour te parler. Mais à toi seul. Où est oncle Jean ?

— Sans doute à la pêche, avec Pierre, comme chaque samedi. Ils posent leurs lignes à l'aurore. Yvonne ne nous dérangera pas, elle a pris la charrette pour aller vendre ses œufs à la foire. Tu m'as dit que Justin était parti ! Pourquoi donc ?

Élisabeth étouffa un sanglot, puis elle libéra tous ses secrets, des cauchemars de son enfance aux rêves moins effrayants, des révélations de Madeleine au départ de Justin.

— Il m'a abandonnée, sans un adieu, hoqueta-t-elle. Et moi je n'ai pas encore raconté à mon grand-père la conduite abominable de cette femme. Il est tellement accablé. Hier il pleurait, à genoux près du lit de Bonne-maman. Ce serait inconvenant de l'accabler avec ces calomnies. Je suis sûre que Madeleine a menti.

— Crois-tu ? interrogea tout bas le vieil homme.

— Penses-tu que c'est vrai, toi ?

— Rien ne me surprendrait de la part de Laroche, mais le plus étonnant, petiote, ce sont tes cauchemars. Ils te montreraient de tristes choses d'un avenir proche, ou lointain… Sais-tu que mon épouse, Ambroisie, en a souffert elle aussi ? Tu ne l'as pas connue, elle s'est éteinte avant ta naissance. Elle était très pieuse et s'en était plainte au curé. Il avait appelé ça des rêves prémonitoires.

— Oui, c'est le terme exact. J'ai lu un article sur ce phénomène peu après mon arrivée à Guerville, mais j'avais commencé à noter ce que je voyais en songe, pendant la nuit où nous avons couché à l'hôtel des Trois-Piliers, en ville. J'avais l'impression que je devais le faire, si je voulais prouver que je n'étais pas folle.

— Tu n'es pas folle, ma petiote, mais tu as reçu ce don en héritage d'Ambroisie, une sainte personne.

— Alors je devrais m'en réjouir et savoir l'utiliser à bon escient. Quand j'étais petite, j'oubliais en partie ces images terrifiantes, mais si j'avais dit à papa que j'avais rêvé de son agression, il aurait pu être sur ses gardes.

— C'est du passé, Élisabeth. Le destin des uns et des autres est tracé, à mon humble avis. On te montre des scènes de l'avenir, ce qui ne signifie pas forcément que tu peux changer l'ordre des choses, établi par les puissances divines.

Ce petit discours rasséréna la jeune fille. Elle sécha ses larmes et embrassa tendrement le vieux meunier.

— Je vais boire un bol de chicorée avec toi, ensuite je rentrerai au château, dit-elle d'une voix plus ferme. J'essaierai de venir une fois par semaine, te donner des nouvelles.

Ils savourèrent un moment paisible, le temps de siroter la chicorée au lait chaud, en échangeant des regards affectueux.

— Toi, tu m'as légué tes yeux si bleus, pépé Toine, remarqua Élisabeth. Est-ce que les miens sont vraiment aussi clairs ?

— Les tiens sont magnifiques, petiote, car tu es toute jeune, et tu as de longs cils recourbés.

Elle ne put retenir un léger rire mélancolique en songeant à Justin, qui lui manquait cruellement.

— Nous avions prévu de nous marier dès mes vingt et un ans, soupira-t-elle. Je voulais m'installer dans ma maison, avec lui.

Il comprit qu'elle faisait allusion à Justin et lui caressa la joue.

— Vous avez été tous les deux meurtris, en apprenant que vous étiez de la même famille, concéda Antoine Duquesne. Mais plus tard, vous pourrez être amis, et ça, rien ni personne n'y trouvera à redire.

— S'il revient un jour ! répliqua-t-elle, la gorge nouée. Pourtant tu as raison, pépé Toine. Justin serait un ami merveilleux, et comme il est le demi-frère de maman, j'aurais l'impression qu'un peu d'elle existe encore. Je me sentais proche de lui, j'éprouvais des sentiments profonds, sincères, mais sans avoir envie de brûler les étapes.

Elle avait baissé le ton sur cet aveu.

— J'en remercie le Seigneur, petiote, car l'inceste est un des péchés les plus graves qui soit. Allez, rentre vite auprès d'Adela et si elle est en mesure de t'entendre, dis-lui que je prie pour elle de toute mon âme. Et toi, sois prudente, Madeleine a mauvaise réputation dans le pays.

Élisabeth promit et quitta le logis du moulin le cœur moins lourd. Il lui restait cependant un combat à mener.

« Madeleine doit s'en aller, se répétait-elle. Bonnie m'aidera à la faire renvoyer. Je sais comment la démasquer. »

Elle lança sa jument au grand galop sur le chemin longeant la Charente. Des écharpes de brume flottaient à la surface de l'eau verte, irisée de pâles rayons de soleil.

« Je ne peux jurer de rien, lui avait soufflé sa gouvernante à l'oreille la veille, au chevet de la malade. Mais je connais bien les plantes et si votre grand-mère avait absorbé de la digitale, ça aurait pu provoquer un malaise cardiaque. C'est un miracle qu'elle ne soit pas morte sur le coup. »

Ces mots hantaient l'esprit de la jeune cavalière.

Château de Guerville, le soir

Hugues Laroche dînait dans la salle à manger, pour la première fois depuis que son épouse avait failli mourir. C'était à la demande d'Élisabeth et il s'était empressé d'accepter, soulagé, au fond, de retrouver un semblant de vie ordinaire.

Il ignorait ce qu'avaient comploté sa petite-fille et Bonnie pour éloigner Madeleine de la chambre d'Adela et la consigner à l'office. Sous la férule des Laroche, un ordre était un ordre, et on l'exécutait. Ce soir-là, Germaine devait préparer elle-même les plateaux destinés à l'étage.

Élisabeth avait exigé de Madeleine un plat de truffes d'été et de filets de canard, qu'elle seule savait concocter. La méfiance était de mise entre elles deux.

« A-t-elle écouté à la porte, la pimbêche ? s'interrogeait l'une. Ben non, sans doute, parce qu'elle aurait causé à Monsieur… »

« Est-ce vraiment une criminelle ? s'inquiétait la seconde. Elle a pu réclamer justice pour son fils, si Justin est bien son fils, mais de là à vouloir tuer Bonne-maman ? Pourquoi ? »

Aucun signe de l'agitation intérieure qui exaltait Élisabeth ne transparaissait sur son beau visage au teint de pêche. Elle avait mis une ravissante robe d'été, en soie mauve, dont la coupe mettait en valeur sa poitrine et sa taille fine.

— Tu es charmante, mon enfant ! la complimenta Laroche. Te voir aussi élégante soulage ma peine et ma déconvenue.

Ils étaient seuls à la table ovale, drapée d'une nappe blanche damassée. L'argenterie et les verres en cristal scintillaient à la clarté des bougies, dressées dans des chandeliers en bronze. Une brise parfumée entrait par les fenêtres ouvertes et soulevait le tulle des rideaux.

— Le départ inexplicable de Justin m'a vraiment affecté, moi qui avais confiance en ce garçon ! ajouta-t-il. De surcroît, il choisit pour se sauver comme un voleur le jour même où j'ai cru perdre mon épouse. Tu dois concevoir ma déception.

— Oui, grand-père.

— Il ne t'a rien dit ? Vous passiez du temps ensemble !

— Quelque chose l'a poussé à partir, en effet, répondit-elle.

Madeleine leur avait déjà servi une salade de concombres et des œufs en aspic. Elle revenait débarrasser les assiettes des hors-d'œuvre. Élisabeth lui décocha un coup d'œil ironique qui fit courir un frisson dans le dos de la domestique. Hugues Laroche n'en vit rien, car il observait, rêveur, la douce brillance des perles sur le décolleté de la jeune fille.

— Dépêchez-vous un peu, Madeleine ! ordonna celle-ci.

— Oui, mademoiselle.

— Ne sois pas si dure avec elle, marmonna le châtelain. Je la connais, Madeleine est affectée par l'état de ta grand-mère. Je crains, à ce propos, qu'Adela ne puisse plus quitter son lit avant des semaines, peut-être des mois.

— Bonnie et moi, nous nous occuperons bien d'elle, soyez sans crainte. Je tiens notamment à surveiller ce qu'on lui apporte à manger, ainsi qu'à vous. Figurez-vous que j'ai surveillé la préparation de la salade et des œufs, même celle de la gelée.

— Seigneur, pourquoi donc ? Tu en fais des mystères !

— Je suis prudente, vous saurez vite pourquoi. Notamment si vous proposez à Madeleine, quand elle reviendra, de partager notre repas.

— As-tu perdu l'esprit ? J'ai assez de soucis, Élisabeth, et je n'ai aucune envie de dîner en compagnie d'une de mes domestiques. Je dois en toute urgence engager un nouveau palefrenier, mais ce sera difficile de remplacer Justin, ce crétin qui a filé en douce.

Élisabeth sentait son cœur cogner trop fort, trop vite. Elle eut peur, soudain, d'avoir eu tort en échafaudant un plan hasardeux. Ç'aurait été aussi simple de tout révéler à son grand-père, qui aurait ensuite questionné la domestique. Mais elle tenait à vérifier certains points d'une haute importance à ses yeux.

— Ah, le plat principal arrive, j'entends des pas ! s'écria-t-elle. J'ai commandé votre régal, grand-père, des truffes et du canard.

De plus en plus surpris, Laroche haussa les épaules, tout en éprouvant un début de malaise. L'air était tiède, riche de la senteur des roses, sa petite-fille resplendissait dans la lumière dorée des bougies. Il crut deviner une menace latente, parmi cette harmonie, et le souvenir de cet instant étrange l'obséderait pendant des années.

Madeleine, les traits tirés, blafarde, déposa d'un geste un peu brusque le plat devant Élisabeth et la servit la première. Dès que son assiette fut garnie, elle la considéra d'un regard perplexe.

— L'odeur me déplaît, déclara-t-elle. Les truffes doivent être mal cuites, ou bien la viande n'est pas fraîche.

— J'ai fait comme d'habitude, mademoiselle !

— Je n'en suis pas sûre, Madeleine. Goûtez la sauce, vous me donnerez votre avis.

— Je n'mange pas de tout ça, moi ! protesta-t-elle.

— Mais oui enfin, à quoi joues-tu ? s'exaspéra son grand-père. Servez-moi, Madeleine, et qu'on en finisse avec les caprices.

Le visage durci, Élisabeth se leva d'un bond. Elle n'avait plus de doute. Elle saisit la domestique par le coude et l'obligea à s'asseoir sur sa propre chaise.

— Je vous redemande de goûter la sauce, ou un morceau de canard, ou même une lamelle de truffe, insista-t-elle. Ne faites pas de manières, Madeleine. Savez-vous, grand-père, qu'en cette saison, les talus de nos campagnes sont fleuris, et qu'on peut admirer des digitales, ces clochettes de couleur rouge ou rose ?

— Merci, je sais encore ce qu'est une digitale ! tonna-t-il. Mais à quoi rime ta petite comédie, Élisabeth ? Peu importe, obéis donc, Madeleine. Pour une fois, ça te changera des pommes de terre en ragoût !

Sous l'injonction autoritaire, Madeleine devint cramoisie, avant de pâlir à nouveau. Elle chercha comment éviter le piège que la jeune fille lui tendait.

— Je n'peux pas, Monsieur, c'n'est pas correct de la part de mademoiselle de s'amuser des pauvres gens comme moi.

— Ne fais pas l'imbécile, tu ne vas pas tomber en pâmoison si tu avales un peu de nos plats ! se moqua Laroche, intrigué par son attitude résolue. Décide-toi, sinon je te fais manger de force.

Élisabeth recula un peu, gênée et même horrifiée en voyant réunis le maître et la servante. Il lui fut aisé d'imaginer une autre scène, plus scabreuse. Dix-neuf ans auparavant, le châtelain, en pleine maturité, rejoignait Madeleine dans le grenier où elle couchait et lui imposait sa volonté d'homme, sans se soucier des conséquences.

— Elle préférera s'enfuir plutôt que d'avaler une bouchée de mon assiette, grand-père, s'écria-t-elle afin de couper court à la situation. Vous me disiez il y a quelques semaines avoir toute confiance en cette femme, et je vous l'avais reproché. Madeleine vous ment depuis des années, elle vous vole du vin, des produits de luxe, dissimulés dans la salle des gardes. Mais ce sont en fait d'innocents larcins. Il y a bien pire.

— Quoi ? rugit Laroche.

— Je la soupçonne d'avoir tenté d'empoisonner Bonne-maman à petit feu, ainsi que moi sans doute. J'ai été souvent prise de maux d'estomac, le mois dernier. Je parlais de la digitale, car c'est un poison pour le cœur. J'ignore ce qu'elle me concoctait comme mixture ce soir. C'est si facile de savoir quelle part de nourriture m'attribuer, sans vous faire courir de risques. Tout a commencé par le plat de champignons, au mois de juin. Rappelez-vous, je n'y ai pas touché, car il y avait trop d'ail à mon goût, et vous, vous en avez pris à peine une cuillerée.

Hugues Laroche avait noté le tressaillement de la domestique. Il bondit de son siège et se plaça derrière elle, en l'empoignant par les épaules pour l'empêcher de se lever.

— Eh bien défends-toi, Madeleine ! Élisabeth ne porterait pas de telles accusations sans preuve ! clama-t-il.

— J'n'ai pas fait tout ça, Monsieur ! Ni volé du vin, ni voulu tuer Madame qui est si bonne pour moi ! Mademoiselle est folle, oui. Elle m'en veut, j'n'sais pas Dieu pourquoi !

— Je ne suis pas folle ! s'insurgea Élisabeth. Je t'ai entendue, Madeleine, quand tu torturais ma grand-mère avec tes odieuses révélations, de ta voix haineuse. Et je n'étais pas folle non plus, à six ans, lorsque j'ai affirmé à mes parents qu'un petit garçon était venu me consoler dans la nursery, qui prétendait être ton neveu. Oui, grand-père, il existait, cet enfant, blond et charitable, au regard noir. Il m'avait dit son prénom. Justin…

Laroche se raidit. Il regarda autour de lui d'un air hagard, sans relâcher la vigoureuse pression qu'il exerçait sur les épaules de la domestique. Le contact de sa chair drue, à travers le tissu, l'odeur piquante qui émanait de ses aisselles le répugnaient.

— Je n'ai pas osé vous accabler hier ni avant-hier, reprit la jeune fille. Vous étiez tellement affligé. Comme moi, vous pensiez que Bonne-maman était morte.

Il balaya l'argument d'un geste de la main, sans cesser de tenir Madeleine.

— Justin ! Il était au château il y a dix ans, le soir de la tempête, la veille de votre départ ? s'écria-t-il, sidéré. Comment serait-ce possible ? Nous l'aurions su, Adela et moi, si un gamin habitait sous notre toit.

Il lutta contre la tentation de nouer ses doigts autour du cou de la domestique et de serrer violemment. Élisabeth le pressentit.

— Il faut qu'elle parle, grand-père ! Si vous souhaitez la faire taire, vous êtes coupable vous aussi. Comprenez-vous enfin ce qui a poussé Justin à nous quitter, à abandonner les chevaux qu'il aimait tant ? Ce n'était pas le neveu de Madeleine, elle lui a débité cette fable durant des années, en le maltraitant, en l'affamant, en le frappant. Pourtant c'était votre fils !

— Mon fils ? articula péniblement le châtelain, ahuri.

— Je voudrais en être certaine, même si je préférerais que ce soit faux.

Laroche fixait Élisabeth d'un air hébété. Elle était superbe de colère contenue et de dignité outragée.

— Est-ce que vous niez pouvoir être le père de Justin? s'enquit-elle à voix basse.

— Évidemment! décréta-t-il. Je ne me serais jamais abaissé à coucher avec cette bonne femme qui empeste le fumier et le graillon!

Ni Laroche ni Élisabeth ne virent Madeleine s'emparer du couteau à viande disposé près de l'assiette. Elle en décocha un coup sur le dos de la main droite du châtelain. Il hurla et lâcha prise. Tout de suite, la domestique se leva, une expression de pure démence sur sa face devenue hideuse, crispée, verdâtre.

— Puisqu'on lave not' linge sale, j'm'en vais vous rafraîchir la mémoire, Monsieur! Pendant un mois, vous êtes monté prendre vot' plaisir. Et après ça, j'étais grosse. Eh oui, m'selle, j'ai tout raconté à la patronne, histoire d'lui faire ravaler sa fichue fierté. J'suis point si bête, j'étais juste bonne à courir du matin au soir pour elle, à lui servir son porto. Vot' héritier, M'sieur le patron, c'est point cette p'tite sainte-nitouche, c'est not' gars, Justin. Quand il est sorti de mon ventre, j'n'avais que de la haine pour lui, et pour vous. J'ai juré de m'venger, que vot' femme et vous, j'vous le ferai payer, tout ça. Et puis j'm'suis dit que vot' gosse, il avait droit à sa part, et que j'me la coulerais douce, un jour.

Hugues Laroche, qui enveloppait sa main sanguinolente dans une serviette de table, tituba sous le choc. Il songeait, à l'instar de son épouse deux jours auparavant, à la sympathie innée que lui inspirait le jeune palefrenier, dont il appréciait les talents de soigneur et de cavalier. Une chose le troublait, cependant.

« Si Justin, bien éduqué, d'allure agréable, est le fils de cette harpie, c'est un miracle de la nature! se dit-il. Au fond, il pourrait être mon enfant. »

Il calcula très vite de quand dataient les besoins impérieux de son sexe, qui l'avait conduit jusqu'à la paillasse de Madeleine.

« C'était il y a vingt ans, Adela avait fait une fausse couche, alors que nous espérions tant avoir un petit garçon. Catherine m'échappait pour fréquenter Guillaume. Je buvais un peu trop, à l'époque, et je n'ai pas eu le choix, c'était elle, la virago, ou bien... »

— Grand-père ? cria soudain Élisabeth. Empêchez-la !

Madeleine tentait de s'enfuir en longeant le mur le plus proche vers la porte menant à l'office. Elle se sentait perdue et avait jeté le couteau par terre. Laroche fut plus rapide et il parvint à la saisir par un bras qu'il tordit brutalement en arrière. Terrassée par la douleur, la domestique se débattit en vain.

— Va chercher Alcide, qu'il m'aide à maîtriser cette furie, hurla le châtelain à Élisabeth. Et envoie le vieux Léandre au village, qu'il ramène les gendarmes.

Château de Guerville, trois jours plus tard, mardi 24 août 1897

Élisabeth et Bonnie étaient assises en face de Laroche, dans le grand salon où flottait une odeur d'encaustique. Des bouquets de roses et de dahlias égayaient les meubles sombres. Germaine avait choisi les plus belles fleurs pour trôner sur le piano à queue, respectant ainsi une des exigences d'Adela, qui aimait jouer de l'instrument en admirant des roses jaunes, dans leur vase en cristal de Bohême.

Le châtelain fumait un cigare, le visage marqué par l'amertume et une colère rétrospective. Il revenait de Rouillac, porteur de nouvelles dont la gravité le rongeait.

— Madeleine a tout avoué, lâcha-t-il après un long silence. On va la transférer à la prison d'Angoulême demain matin. J'abritais une créature infecte sous mon toit, depuis plus de vingt-cinq ans. Dieu soit loué, Adela n'est pas morte des manigances de cette sale bonne femme, sinon je ne l'aurais pas remise aux gendarmes, je l'aurais étranglée de mes mains.

— Qu'a-t-elle avoué précisément, grand-père ? demanda la jeune fille.

— Une partie de ce que tu avais deviné, Élisabeth. D'abord, en juin, le plat de champignons, des amanites toxiques. Elle savait que j'en mangerais à peine et puisque c'était elle qui me servait, elle était assez rusée pour mettre dans mon assiette les quelques cèpes mêlés aux autres. Il fallait m'épargner, pour que je puisse désigner mon prétendu fils comme l'unique héritier du domaine. Mais elle voulait se débarrasser de toi, ma chère enfant, et se venger d'Adela. Ensuite, « dépitée d'avoir raté son coup », ce sont les termes de sa déposition, elle lui a fait ingurgiter d'autres mixtures de sa composition, et jeudi matin, de la digitale.

Un gros soupir effrayé gonfla la poitrine de Bonnie. Elle se félicita intérieurement d'avoir toujours témoigné de l'intérêt aux plantes officinales, capables de soigner ou de tuer.

— J'étais intriguée par le malaise cardiaque de madame votre épouse, se permit-elle d'expliquer. Le docteur Trousset n'avait rien décelé au cœur, en auscultant Madame. Alors j'ai confié mes soupçons à Mlle Élisabeth, surtout après avoir ramassé les débris de la tasse qui avait contenu du café au lait. Il y avait un dépôt bizarre.

— Je vous remercie de votre perspicacité, Bonnie, concéda Hugues Laroche. Si vous pouviez veiller désormais sur la santé de ma femme, je vous dédommagerais par des gages importants.

— C'est inutile, Monsieur, je le ferai volontiers, sans rétribution.

Il approuva d'un signe de tête presque indifférent. Élisabeth ne le quittait pas des yeux, espérant en apprendre davantage.

— Grand-père, Madeleine a-t-elle commis d'autres forfaits ? Je pense pour ma part qu'elle a volontairement fait tomber Bonnie dans l'escalier de la salle des gardes, j'ignore dans quel but, ma gouvernante ne la gênait en rien.

— Comment savoir ce qui se trame dans un cerveau malade, professa le châtelain. Le brigadier qui a mené son interrogatoire s'en est ouvert à moi. Il prétend que Madeleine a su faire preuve d'intelligence, de ruse, tout en étant atteinte de démence. Elle s'est vantée, avec des rires atroces, d'avoir causé le décès de Vincent, l'ancien palefrenier et son amant.

— Mais pourquoi ? s'effara Élisabeth.

— Il était un obstacle à ses plans. Elle devait libérer la place de palefrenier et me présenter Justin, qui, en effet, a vécu cloîtré de deux ans à onze ans dans une soupente des combles, et qu'elle m'a recommandé cet hiver, en racontant que c'était un orphelin venu du sud de la Charente. Ce pauvre garçon a grandi dans des conditions affreuses.

— Une chose m'étonne, Madeleine n'avait aucune raison de lui faire croire qu'elle était sa tante. Et plus récemment, elle lui a interdit d'en parler. Par chance, il s'est confié à moi.

Oppressé, Laroche se tut, en se cachant les yeux de sa main bandée. Il dépeignait un monstre en jupons, qu'il avait cependant forcée alors qu'elle était jeune et vierge. Un frisson l'agita, lui fit monter le sang au visage. Il plongea dans ses pensées.

« J'ai eu du plaisir avec elle, parce qu'elle me résistait, apeurée, et que je l'ai déflorée comme un fou furieux. J'en faisais ce que je voulais, par la suite. Mais en la prenant, je pensais à... oui, je pensais à Catherine, je me disais que c'était ma propre fille dont je me rassasiais, et ça décuplait mes ardeurs. Qui est le vrai monstre ? Madeleine ou moi ? »

— La démence et les perversions qu'elle provoque sont encore une énigme pour la médecine et la science, débita-t-il d'un ton las. L'âme humaine demeure insondable. La haine, la rancœur conduisent souvent au crime.

Bonnie se signa ostensiblement, avant de se lever sans bruit. Elle était choquée par toute cette affaire. Déjà, en apprenant que Justin était peut-être le fils de Laroche, elle avait eu beaucoup de peine pour Élisabeth, celle-ci ayant fini par avouer les sentiments sincères qu'elle lui vouait.

— Si vous n'avez plus besoin de moi, mademoiselle, je préfère retourner au chevet de votre grand-mère, dit-elle tout bas. J'ai confié Mme Adela à Germaine, qui est très dévouée, mais elle a une surcharge de travail, désormais.

— Je te rejoins bientôt, Bonnie, assura Élisabeth. Je voudrais tellement que Bonne-maman recouvre la santé. Maintenant qu'on ne lui administrera plus de toxines, elle peut guérir ?

— Dieu t'entende, mon enfant ! soupira Laroche.

Ils se retrouvèrent seuls, tous deux hantés par l'image de la même personne : Justin.

— Que comptez-vous faire, grand-père ? attaqua la jeune fille. Je serai vraiment malheureuse si Justin ne revient pas. Je crains qu'il se soit engagé dans l'armée, en devançant le tirage au sort.

— L'imbécile ! enragea le châtelain. Et toi, avais-tu besoin de lui débiter ces fadaises, lui jeter à la figure que son bourreau était sa mère ? Tu devais m'en parler en priorité, nous aurions pris une décision ensemble.

— Parce que vous appelez ça des fadaises ? s'emporta-t-elle. Dans ce cas, prouvez-le-moi, grand-père ! Jurez sur la Bible que vous n'avez jamais eu de relations avec Madeleine ! Pourquoi vous accuserait-elle ?

— Qu'est-ce que j'en sais, moi ? Cette femme est dérangée, elle voudrait me faire endosser la paternité de son bâtard !

Le terme insultant irrita Élisabeth. Elle toisa Hugues Laroche de son regard d'un bleu limpide, étincelant d'indignation.

— Autant être franche, ajouta-t-elle. Je voudrais de tout mon cœur qu'il n'en soit rien, car j'ai des sentiments sincères pour Justin, et c'est réciproque. Nous avons même fait des projets de mariage. Nous étions prêts à patienter jusqu'à notre majorité, à patienter des années. Mais s'il est le frère de maman, j'en suis consciente, toute union est impossible.

— En somme, vous complotiez dans mon dos, alors que tu ignorais d'où sortait ce garçon ! rugit-il. Tu comptais épouser un palefrenier ! Bon sang, tu es bien comme ta mère, sans orgueil ni souci de ton rang social, attirée par le premier beau mâle qui passe !

Quoique blessée par les mots méprisants de son grand-père, Élisabeth garda son calme.

— Selon vous, Justin est-il votre fils ? insista-t-elle. Si vous en êtes certain, nous devons le chercher, le ramener ici, chez lui !

La fureur brouillait l'esprit de Laroche. Il se persuadait que sa petite-fille s'était offerte au jeune palefrenier, qu'elle exigeait son retour par amour.

— Es-tu enceinte de ses œuvres ? gronda-t-il sourdement.

— Non ! Comment osez-vous me poser une question pareille ?

— Et toi ? Tu m'interroges aussi, il me semble ! hurla-t-il.

D'un bond il se leva de son fauteuil. Il devait apaiser la fureur qui le terrassait. Le vase en cristal garni de roses jaunes lui servit d'exutoire. Il le projeta d'un geste rude contre les lambris où le verre se brisa. Les fleurs jonchèrent le parquet ciré, dans une pluie de pétales.

— Je n'aurai jamais de preuve d'une quelconque paternité, hormis les divagations de cette sorcière ! vocifέra-t-il. Eh bien oui, Justin est peut-être mon fils. Il y avait chez lui des détails qui me le rendaient familier, des expressions du visage, des façons de faire. Et il avait les cheveux blonds, le même blond doré que Catherine.

— Je n'y avais pas pensé, déplora Élisabeth. Maintenant que vous me le dites, si je me sentais aussi proche de lui, c'est peut-être grâce à nos liens de parenté. Grand-père, je vous en supplie, renseignez-vous auprès de l'armée. Il s'est enfui pour ne pas me nuire, ne pas me dépouiller de mon statut d'unique héritière de vos biens. Mais je suis disposée à aimer Justin comme un membre de ma famille. Il me manque et il vous manque aussi.

Hugues Laroche approuva d'un marmonnement confus. Il paraissait bouleversé. Apitoyée, soucieuse de le guider dans la bonne voie, Élisabeth s'approcha de lui et posa la main sur son épaule.

— Chère petite, heureusement que je t'ai ! dit-il d'une voix sourde.

Il se tourna vers elle et l'étreignit d'un mouvement farouche. Il la tenait étroitement serrée, en enfouissant son rude visage dans ses cheveux dénoués, seulement retenus par un ruban au-dessus du front.

— Je n'ai plus que toi, murmura-t-il à son oreille. Que tu sens bon, que tu es douce.

— Lâchez-moi, grand-père, je vous en prie !

Mais il l'enlaçait toujours, caressait son dos, sa taille, tout en tremblant, haletant. Quand Élisabeth sentit un baiser au creux de sa nuque, elle céda à la panique. Elle revit les images épouvantables du cauchemar qui l'avait tant effrayée, à bord de *La Touraine*. L'homme en noir, à la face voilée d'ombres glauques, elle savait soudain son nom, et reconnaissait son odeur de musc, la sécheresse de ses gestes.

— Laissez-moi, vous êtes fou ! s'égosilla-t-elle en réussissant à le repousser. Je ne pouvais plus respirer, ne me tenez plus jamais comme ça ! Je vous préviens, si vous recommencez, je m'en irai. J'ai de quoi payer mon retour en Amérique.

Il recula de plusieurs pas, sans oser la regarder. Élisabeth quitta le salon en courant. Elle maudissait son grand-père et ce vieux château où avaient fermenté tant de désirs malsains, de haines et de chagrins.

Montignac, auberge du Pont-Neuf, samedi 16 juillet 1898

Richard Johnson avait obtenu la même chambre qu'un an auparavant, mais en la louant pour deux jours uniquement. La chaleur était étouffante, un orage menaçait, si bien qu'il ne pouvait pas s'éloigner de la fenêtre grande ouverte sur le fleuve. Le jeu des nuages couleur de plomb, poussés par un vent de tempête, le fascinait, comme le vol acrobatique des hirondelles au ras des berges.

Il sursauta lorsqu'on toqua deux coups légers à sa porte. Son « oui, entrez » était des moins assurés. L'idée de revoir Élisabeth après trois mois le rendait nerveux.

Mais elle apparut et il la contempla avec la même passion que naguère. Toute vêtue de noir, une voilette estompant la beauté de ses traits, elle tenait une aumônière en velours brodé dans sa main gauche.

— Bonjour, Lisbeth, asseyez-vous. J'ai fait monter un repas froid pour nous deux, car il est midi passé.

— C'est très aimable à vous, Richard, répondit-elle d'une petite voix. Mais je n'ai plus d'appétit.

— Voudriez-vous un verre de vin, dans ce cas, ou bien du thé ? s'empressa-t-il.

— Plus tard, quand je serai moins nerveuse. Parlez-moi de vous, de votre vie angoumoisine, de votre travail ! supplia Élisabeth. J'ai vécu cloîtrée durant de longs mois, en oubliant presque le reste du monde, la campagne, les villes, l'océan, New York.

Elle ôta son chapeau et lui présenta un visage d'une pâleur touchante, qui avait perdu les rondeurs encore enfantines dont il se souvenait. La jeune fille avait maigri et il en fut affecté.

— Prenez cette chaise, c'est la plus confortable, conseilla-t-il en lui avançant le siège et en s'installant sur le bord du lit. Que vous dire de ma vie en France ?

— Déjà, vos progrès sur le point du langage sont évidents, fit-elle remarquer. Malgré votre accent.

— Un accent qui fait mon charme auprès des demoiselles ! Non, plus sérieusement, Lisbeth, pardonnez-moi de vous appeler ainsi, c'est plus doux et plus « anglais ». Je disais qu'en vérité je consacre une grande partie de mon temps à mon nouveau métier, dont vous vous êtes un peu moquée, l'année dernière.

— Oui, j'étais surprise et amusée de vous savoir nommé professeur d'anglais au lycée Guez-de-Balzac, c'est bien ce nom-là ? Si vous êtes encore en poste, je suppose que vous donnez satisfaction au directeur de l'établissement !

— Nous sommes devenus les meilleurs amis du monde, affirma l'Américain. Je dîne chez lui, son épouse m'apprécie beaucoup et leurs enfants aussi. Ces gens m'ont même trouvé un logement vraiment agréable sur le rempart du Midi, d'où j'ai une belle vue sur la campagne et sur la cathédrale.

Richard prit une pomme et la croqua de ses larges dents d'un blanc impeccable. Élisabeth retint un soupir.

— Vous êtes triste, n'est-ce pas ? insinua-t-il. Il fallait ces deuils cruels pour que vous désiriez me rencontrer.

— Hélas, souffla-t-elle, des sanglots dans la voix. Ma grand-mère s'est éteinte la semaine dernière et nous l'avons enterrée avant-hier. Une mort qui l'a délivrée, pourtant, après tous ces mois à l'état de grabataire, elle qui était si vive, si fière. Sans Bonnie à mes côtés, j'aurais eu moins de courage. C'est dur de voir une personne réduite à végéter au creux d'un lit.

Par pudeur, Élisabeth n'étala pas les détails pénibles.

« Pauvre Bonne-maman, elle avait le dos rongé d'escarres, il fallait changer les draps souvent, donner le bassin, faire sa toilette, songea-t-elle. Elle a pu nous parler les premiers temps, des paroles ânonnées, quasiment inaudibles, puis elle a renoncé. »

— Qu'en est-il de l'enquête dont je vous ai chargé ? interrogea-t-elle en chassant d'un mouvement de tête ces affligeantes pensées.

— Votre Justin est introuvable, Lisbeth !

— Ce n'est pas mon Justin. Il s'agit de mon oncle, le demi-frère de ma mère. Et grand-père souhaite autant que moi son retour au château.

— J'ai fait de mon mieux, plaida Richard Johnson. Sans nom de famille, la recherche est très compliquée. Il a pu emprunter je ne sais quel patronyme, excepté celui de sa mère.

— Madeleine Quintard ! dit-elle d'un ton ferme. J'ai été soulagée qu'elle échappe à la guillotine, et rassurée de la savoir en prison pour le restant de ses jours.

L'Américain se releva et fit les cent pas autour d'Élisabeth et de la table ronde sur laquelle était servi le repas froid, composé d'une salade de tomates, d'un rôti de porc cuit et de pain frais.

— Comme vous êtes froide, Lisbeth, déplora-t-il. Et sévère. Où sont vos adorables sourires, vos fossettes et vos joues roses ? Par vos lettres, je sais que vous pratiquez à l'excès l'équitation, que vous fréquentez assidûment l'église de Guerville, mais vous êtes si jeune, il faut vivre maintenant.

— Je survis, Richard, et je n'ai pas l'impression d'avoir eu dix-huit ans au mois d'avril, mais plutôt trente ans. Enfin, le pire est derrière moi. Ma grand-mère repose en paix, après le calvaire qu'elle a enduré. Savez-vous pourquoi ? J'ai la conviction que son esprit, lui, n'avait pas été atteint par la maladie. Non, il était prisonnier de ce corps inerte, aux fonctions ralenties, je le lisais dans les yeux de Bonne-maman combien elle en souffrait, et combien elle m'aimait.

— Qui ne vous aimerait pas ? s'exclama-t-il de manière un peu théâtrale. Mon offre tient toujours, Lisbeth, je vous épouse dès que vous y consentez.

— Il faudrait l'accord de mon grand-père, Richard ! rétorqua-t-elle non sans ironie. Je doute qu'il accepte un Américain à la tête de son merveilleux domaine.

Il perçut dans ses intonations une réelle douleur, teintée de peur. Quitte à être rabroué, il se mit à genoux devant elle.

— Élisabeth, je suis déterminé à vous chérir ma vie durant. Je dois rencontrer M. Laroche, lui prouver ma bonne foi, mes qualités et mon éducation. Je serai capable de le seconder dans ses vignes, de gérer ses comptes. Nous serions heureux, ma chérie. La réalité du mariage vous effraie, j'ai fini par l'admettre, mais dès que vous aurez connu la joie des sens, vous m'aimerez.

Elle lui adressa un regard énigmatique, en s'emparant d'une tranche de pain. Il le lui enleva des mains afin de l'obliger à ôter sa veste en serge noire.

— Il fait trop chaud pour porter ce genre de vêtement, dit-il.

Un coup de tonnerre ébranla le ciel. Un vent brûlant entra dans la chambre, en faisant claquer les rideaux. Richard déboutonna le col haut du corsage en soie grise de la jeune fille.

— Merci, je me sens plus à l'aise, admit-elle. Finalement, je vais boire un verre de vin.

Il bondit sur ses pieds et la servit. Élisabeth avala une gorgée et ferma les yeux un instant. Elle les rouvrit avec un léger sourire désespéré.

— Je ne vous ai pas donné certaines nouvelles du château, dans ma correspondance, Richard. Depuis l'automne dernier, c'est mon oncle Jean qui remplace Justin aux écuries. Il n'était pas très utile au moulin, dont l'activité périclite, à cause des minoteries modernes autour d'Angoulême. Mon oncle Pierre et sa femme, Yvonne, avaient des soucis d'argent, j'ai pu les aider grâce à la générosité d'Edward Woolworth. J'écris régulièrement là-bas, et les courriers de Maybel me sauvent de la mélancolie.

— Et cet oncle Jean, il sait s'occuper des chevaux ?

— Oui, il n'était pas très intéressé par le labeur du moulin. La farine le faisait tousser. Et puis il s'est rapproché de Bonnie, comprenez-vous ? Ils sont amoureux. Je les envie.

Soudain Richard se pencha et embrassa Élisabeth sur la bouche. Elle répondit à son baiser. Une pensée la traversa.

« Il vaudrait mieux que ce soit lui… Oui, lui qui est jeune et beau. »

17
Les pièges de l'amour

Montignac, auberge du Pont-Neuf, samedi 16 juillet 1898, même jour, même heure

Richard Johnson embrassait toujours Élisabeth, qui s'était levée pour se blottir contre lui, quand l'orage se déchaîna. Les roulements du tonnerre s'enchaînaient, tandis qu'une pluie drue s'abattait sur le village. Très vite, une délicate odeur pénétra par la fenêtre, celle de l'herbe mouillée, du vent rafraîchi.

— Je ne peux pas partir, je dois attendre qu'il ne pleuve plus, lui dit-elle, secrètement heureuse d'être si près de lui. Le contact de son grand corps d'homme la réconfortait.

— Oui, ce serait dangereux, renchérit-il en lui caressant le dos à travers la soie de son corsage. Nous sommes bien ici, à l'abri de tout, la porte close et le verrou tourné. Lisbeth, pendant ces longs mois que j'ai passés à Angoulême, tu n'as pas quitté mes pensées.

Elle s'écarta de lui pour contempler l'averse qui piquetait l'eau du fleuve. Richard disait vrai, la chambre lui faisait l'effet d'un asile hors du monde, cerné par le déluge. Il la rejoignit et l'enlaça à nouveau, mais en restant derrière elle. Là, il posa son menton sur son épaule et chuchota :

— J'en ai assez de me tenir à distance. J'ai bien compris, en lisant tes lettres, que tu étais malheureuse. Je t'en prie, épouse-moi, tu seras libre et je veillerai sur toi.

— La décision ne m'appartiendra pas, Richard, puisque je ne suis pas majeure. Mon grand-père refusera, je n'ai aucun doute sur ce point. Il… il se conduit de façon singulière, parfois. Je l'ai dit à Bonnie, depuis elle partage mon lit, au château.

L'Américain l'obligea à lui faire face. Il tressaillit en la découvrant effrayée, ses yeux si bleus empreints d'une profonde angoisse.

— Que veux-tu dire ?

Il abandonnait le pesant vouvoiement français, il renonçait à la traiter en jeune demoiselle inaccessible. Au fond de son cœur, il la considérait comme sienne. Élisabeth, de son côté, apprécia sa soudaine familiarité, qui lui rappelait sa complicité avec Justin.

— Mon grand-père se montre très affectueux, avoua-t-elle. Et le mot est faible. Il me cajole, me câline, effleure ma taille, quand il ne me serre pas dans ses bras. Je n'osais plus aller seule dans les écuries, alors Bonnie en a parlé à mon oncle Jean, qui a promis de me protéger.

— Et il faut se contenter de ça, te surveiller, te protéger ! s'écria Richard. Si j'étais ton oncle, je dirais mon opinion à Laroche sur ses sales manies.

— Mais je me fais peut-être des idées ! s'exaspéra-t-elle. Il a pu devenir très tendre et attentionné, à cause de la longue maladie de Bonne-maman.

Il la toisa d'un air inquiet, en lui caressant la joue. Elle baissa la tête.

— Lisbeth ? Tu te mens !

— Oui, je sais. Mon instinct, mon intuition me disent que son comportement est anormal. De surcroît, il agissait de la même manière avec maman, quand elle avait mon âge. Pépé Toine m'a raconté qu'elle s'était enfuie du château, à cause de ça.

Un sanglot de nervosité la fit taire. Richard vit un éclair zébrer le ciel couleur de plomb, au-dessus des frênes bordant le fleuve. Un vrai coup de canon éclata immédiatement.

— Ne restons pas près de la fenêtre, c'est dangereux, recommanda-t-il. Viens, tu trembles. Chérie, tu dois t'enfuir toi aussi. Il y aurait moyen de se marier avec l'accord d'un de tes oncles ou de ton autre grand-père.

— Mais pourquoi veux-tu autant m'épouser? s'étonna-t-elle.

— Pour te sauver mais surtout parce que je t'adore. Oui, je t'aime comme un fou. Et je te désire comme je n'ai jamais désiré aucune femme avant toi. Tu es de celles qui se donnent une fois mariée, n'est-ce pas?

— Qu'est-ce que tu en sais, Richard? répondit-elle d'une voix changée.

Elle le fixait d'un air hardi, et il revit dans ses prunelles d'azur l'appel ardent qui lui avait fait perdre tout contrôle, à bord du bateau.

— Ne joue plus avec moi, Lisbeth, murmura-t-il. Cette fois, je ne te laisserai pas m'échapper.

Sans le quitter des yeux, la jeune fille commença à déboutonner son corsage, dévoilant ainsi un corset en satin beige. Elle s'en débarrassa d'un geste lascif, et il put admirer le modelé de ses bras ronds, la naissance de ses seins. L'audace dont elle faisait preuve le paralysait. Elle dégrafa ensuite sa jupe et son jupon qui ruisselèrent autour de ses jambes, gainées de fins bas noirs, maintenus en haut des cuisses par des jarretières.

— Lisbeth, gémit-il.

Elle eut un sourire absent, pourtant elle l'observait, fascinée par ses traits virils, son grand front, le nez droit, le regard doré, ses cheveux noirs, épais et brillants. Sous la chemise qu'il portait, elle se représentait le torse à la peau satinée, le dessin des muscles et à l'abri du pantalon en toile blanche, elle imagina son sexe dur, l'arme de chair gorgée de sang dont il la blesserait à jamais.

Richard, lui, était pétri d'admiration. Élisabeth, moulée par la lingerie brodée, lui offrant des parcelles de nudité, évoquait à cet instant une de ces photographies grivoises que l'on scrutait avec délectation, à l'abri des regards, dans certains cercles réservés aux messieurs avides de plaisirs raffinés, ou parfois privés de ces mêmes plaisirs.

Il rompit l'enchantement qui l'embrasait en la soulevant à bras-le-corps pour l'emmener jusqu'au lit.

— Tu devrais me déchausser, insinua-t-elle d'une voix douce.

— Tout, je te débarrasserai de tout ce qui m'empêche de t'avoir nue, ma belle.

Élisabeth aurait volontiers fermé les yeux, mais elle s'efforça de les garder ouverts, afin de suivre sur les traits de Richard les effets de son exaltation, de sa joie de conquérant. Il délaça ses bottines, la lui ôta délicatement, en massant quelques instants ses petits pieds fins entre ses larges mains chaudes.

Le chant de la pluie, moins drue à présent, berçait la lente excitation qui s'emparait de la jeune fille. Quand il dégrafa son corset, il poussa un bref cri ravi, à la vue de ses seins libérés, ronds et blancs, aux mamelons bruns, qu'il s'empressa de couvrir de baisers gourmands, en mordillant les pointes durcies, en les effleurant de petits coups de langue.

— Cette fois, tu veux bien, balbutia-t-il. Que tu es belle, mon amour !

Il avait du mal à parler, terrassé par une transe sensuelle. Ses lèvres, charnues et fermes, parcouraient la peau veloutée, nacrée de ce corps alangui et docile. Ses gestes devinrent maladroits pour faire glisser la culotte en soie arachnéenne qui protégeait la toison sombre nichée en bas du ventre à peine bombé. Il dut se maîtriser pour ne pas la déchirer.

— Et toi, tu ne te déshabilles pas ? interrogea Élisabeth d'une voix faible, altérée par une peur mêlée d'impatience.

Ellc nc rcculerait pas, si grande était sa volonté de découvrir les secrets des relations charnelles avec Richard, qui avait le don de la troubler au plus intime de sa chair.

La veille, dans le grand salon assombri par les rideaux tirés, son grand-père l'avait de nouveau serrée contre lui. La pièce embaumait encore le parfum des branches de buis disposées dans des vases, la fragrance exquise des lys de la Madone et, fugace, l'odeur de la cire.

La bière en chêne où avait été exposée la dépouille mortelle d'Adela avait trôné là, et les gens du village de Guerville et des environs étaient venus en procession rendre un dernier hommage à la châtelaine.

La petite Germaine pleurait, Bonnie reniflait, un mouchoir humide entre les doigts, comme le vieux Léandre endimanché, accablé par le décès de Madame.

« Pourtant, hier soir, le veuf m'a prise dans ses bras, les yeux fous, en me répétant qu'il n'avait plus que moi à aimer, à chérir, et sa bouche a frôlé la mienne, se souvint-elle. Ensuite, il m'a caressé le bas du dos. »

Élisabeth, écœurée et apeurée, s'était sentie surtout infiniment vulnérable, d'autant plus que son oncle Jean n'avait pas le droit d'entrer dans le château. Il devait se cantonner au logement des écuries, celui de Justin.

— Tu as un air effrayé, chérie, il ne faut pas ! murmura Richard.

Il avait quitté sa chemise et baissait son pantalon. Hébétée, elle se concentra sur la vue de ses robustes épaules, de sa poitrine imberbe et matte. C'était un homme superbe, un athlète à la musculature harmonieuse.

« Ne plus penser ! s'ordonna-t-elle. Je dois vivre l'instant présent, oublier mes rêves, ne surtout pas penser. »

Elle affronta le moment fatidique où Richard, debout près du lit, fut entièrement nu, exhibant un membre viril qu'elle n'avait pas imaginé d'une telle proportion.

— Vraiment, ça ne me fera pas mal ? s'enquit-elle tout bas.

— Mais non, affirma-t-il d'une voix rauque.

Élisabeth lança un regard vers la fenêtre. L'orage grondait encore et il pleuvait à torrents. Soudain l'homme s'abattit à ses côtés, et ce n'était plus tout à fait Richard

Johnson, mais bel et bien un mâle conquérant, pressé de la posséder, d'assouvir son désir forcené.

D'abord il caressa son sexe assez délicatement, puis il fit rouler ses bas, en marmonnant un « dommage » qu'elle ne comprit pas. Johnson, malgré ses grands discours sur l'amour fou dont elle était l'objet, prisait beaucoup les tenues coquines, les bas noirs et la lingerie affriolante.

— Tu es belle de la tête aux pieds, ma chérie ! dit-il avant de se pencher sur le bas de son ventre. Ne te crispe pas, n'aie pas peur.

Il embrassa alors sa fleur intime, un baiser d'ogre affamé, qui la surprit et lui fit monter le rouge aux joues. Cependant, comme il donnait là aussi de savants coups de langue sur une zone très sensible de sa féminité, elle commença à respirer très vite, en proie à une exaltation fulgurante. Son corps vierge s'enflammait, elle se cambrait, se tordait, le souffle court, traversée par des ondes exquises de plaisir.

Bientôt, il lui sembla être tout entière soumise à la joie insensée que lui procurait l'insolite baiser. Elle osa caresser le dos de son amant, ses épaules, ses cheveux. Mais Richard, égaré par la frénésie sexuelle qui lui était propre, guida sa main jusqu'à son membre raidi. Il l'obligea à exercer des mouvements réguliers qui lui arrachèrent un grognement de satisfaction.

Un peu gênée, elle se plia à sa volonté, troublée par le contact de cette colonne chaude qui semblait vibrer sous ses doigts. La colère des éléments, dehors, faisait écho à la tempête sensuelle qui s'emparait d'elle. Des plaintes étouffées lui venaient, des gémissements incrédules.

Richard ne lui laissait aucun répit, il la grisait de caresses, des seins aux fesses, entre ses cuisses, le long de son dos, en la faisant rouler d'un côté du lit à l'autre, afin de ne rien perdre de sa nudité, de sa beauté. Élisabeth était dotée d'une peau satinée, nacrée, sur laquelle il posait des baisers un peu brusques. Elle fut bientôt prête à le recevoir, tenaillée par le besoin viscéral de le sentir en elle, d'être investie et de découvrir la jouissance que procurait l'union entre une femme et un homme.

Galant, habile à débiter des compliments et des serments, Richard Johnson savait aussi affoler ses maîtresses jusqu'à l'acte final. Mais c'était précisément le moment où il cédait à sa nature dominatrice. Il avait fait le nécessaire, selon lui, et à partir de là, il pouvait privilégier ses exigences et ne songer qu'à son propre plaisir.

Sans attendre, il entreprit de forcer l'hymen fragile qui était l'éternel symbole de la virginité. Grisé à l'excès par l'orgueil d'être le premier, il renonça à l'épargner. D'expérience, il savait qu'il fallait être efficace et ne pas écouter les protestations ou les plaintes. Élisabeth poussa un cri de douleur, mais songeant qu'ils se trouvaient dans une auberge, elle se mordit l'avant-bras, de crainte d'alerter d'éventuels voisins. La sensation de brûlure qu'elle éprouvait l'affolait, en brisant net désir et volupté.

— Enfin, enfin, tu es à moi, à moi! scandait Richard.

Il s'enfonça brutalement en elle, à grands coups de reins. Elle le supplia d'un regard éperdu, tandis qu'il la fixait en souriant, ses yeux couleur d'ambre brillant d'un triomphe hagard.

— Attends, attends, implora-t-elle.

Il l'entendait à peine, survolté, en pleine extase. En la prenant avec autant de fougue, il se libérait de ces longs mois de frustration durant lesquels elle l'avait obsédé, où cent fois, il l'avait dévêtue en pensée, et pénétrée ainsi, sur le mode de la vengeance. Persuadé qu'en la marquant de son sceau, elle deviendrait son esclave, il guettait par instants sa reddition, son abandon au plaisir. Élisabeth suffoquait sous son poids. Elle ne le tenait plus dans ses bras, mais gisait, écartelée, soumise à ses assauts insatiables qu'il ponctuait de mots en anglais, dont elle ne comprenait pas le sens. C'était un vocabulaire cru, réservé à des joutes sexuelles dénuées de sentiments.

— Pitié, ça suffit! gémit-elle. Je n'en peux plus.

Il s'immobilisa quelques secondes, étonné, puis il reprit ses mouvements spasmodiques, d'une telle vigueur qu'elle se mit à pleurer. Les larmes la détendirent. Peu à peu, elle céda à une timide complaisance pour ce sexe d'homme qui la fouaillait sans répit. Elle posa les mains sur le dos de son amant, puis elle planta ses ongles dans sa chair drue. Son corps s'éveillait à nouveau, les mêmes ondes chaudes et délicieuses irradiaient son ventre et ses seins.

— Oui, oui, haleta-t-il, car il devinait sa reddition.

Hagarde, Élisabeth fut soudain submergée par une étrange jouissance. Elle eut envie de crier, d'étreindre Richard, de sentir sa bouche sur la sienne. Il l'obligea à nouer ses jambes autour de ses reins. Ainsi elle s'offrait toute et il étouffa un râle sensuel.

— Oh, oh, oh oui, dit-elle à son tour, brûlante, égarée.

Le décor de la chambre, le bruit lancinant de la pluie, les grondements du tonnerre, plus rien ne lui fut perceptible. Elle se donnait, emportée loin du monde réel, consumée par une joie charnelle insensée, inimaginable. Son corps n'était plus qu'extase infinie, avidité et folie. Stupéfait, Richard se sentit happé par les chairs intimes de la jeune femme et il répandit sa semence en elle, avec un bref cri jailli du tréfonds de son être.

Il demeura allongé sur elle, comblé au-delà de tout. Élisabeth le repoussa d'un geste las.

— Je ne pouvais plus respirer, tu es lourd, avoua-t-elle.

Son cœur battait à un rythme précipité. Elle restait éblouie, désemparée. Jamais elle n'aurait supposé que de telles sensations existaient.

— Ma petite chérie ! chuchota-t-il en l'attirant près de lui. Je t'aime encore plus, maintenant. Et toi ?

Elle avait fermé les yeux, épuisée, presque somnolente. Il reposa sa question, en l'embrassant sur le front.

— Je n'en sais rien, un peu sans doute, répliqua-t-elle.

Sidéré, Richard la considéra comme si elle était malade ou sotte. Elle nicha sa tête au creux de son épaule.

— Tu m'as fait mal, quand même ! lui reprocha-t-elle.

— La prochaine fois, tu ne sentiras plus rien. Lisbeth, ne t'endors pas. Tu dois aller dans le cabinet de toilette. Il y a un bidet, lave-toi bien, je te prie. C'est inutile que tu sois enceinte tout de suite.

Un texte qu'elle avait lu dans une revue new-yorkaise lui revint en mémoire. En se levant, elle lui décocha une œillade moqueuse.

— Un journaliste prétendait que les Français ont l'apanage du romantisme et que les Américains en manquent cruellement. Ma foi, c'était la pure vérité. Tu me fais l'effet d'un mufle, là...

— Je suis simplement pragmatique, un mot français que j'ai appris dans le dictionnaire.

— Je le connais, merci, tu as l'esprit pratique, en somme.

Elle lui tourna le dos et passa dans le cabinet de toilette. Il soupira d'aise, car il avait pu se rassasier de la vision de ses fesses hautes et bien rondes. Appuyé sur un coude, il attrapa ses cigarettes, constatant alors une tache de sang frais sur la courtepointe en satin brodé, d'une teinte jaune safran.

« Je dédommagerai discrètement la lingère, songea-t-il. Ma belle petite Lisbeth, faite pour le plaisir ! Un cadeau des Cieux. »

Élisabeth, sa toilette effectuée, rassembla ses affaires, le corset, le jupon. Richard éclata de rire en bondissant du lit. Il désigna la fenêtre.

— Il pleut toujours, même si l'orage est terminé, déclara-t-il. Tu ne vas pas te sauver !

— Si, je dois absolument rendre visite à mon pépé Toine. Il n'a pas pu assister aux obsèques de ma grand-mère et c'était difficile pour lui. Ils étaient très amis, ces dernières années.

Il s'empara de ses vêtements et les jeta par terre. Ils étaient nus tous les deux et elle vit qu'il la désirait à nouveau. Elle aurait voulu s'en offusquer, mais la vue de son sexe durci la troubla, au souvenir du plaisir merveilleux que pouvait lui procurer ce membre arrogant.

Richard s'aperçut de son hésitation. Il croqua dans une fraise du compotier, lui en donna une. Un long baiser suivit, parfumé par les fruits. Peu après, Élisabeth succombait à la volonté de son amant, couchée en travers du lit dont l'Américain avait ôté la courtepointe et les couvertures. Il fut moins virulent, plus tendre et elle découvrit d'autres facettes de la jouissance.

— Je t'aime, oh oui je t'aime ! s'écria-t-elle ensuite.

Elle caressait son visage, effleurait ses lèvres d'un doigt, éblouie par ses traits séduisants, envoûtée par son regard de fauve.

— Tu m'aimeras chaque jour davantage, promit-il. Et sache une chose, Lisbeth chérie, ton grand-père ne pourra plus s'opposer à notre mariage. J'irai demain lui demander ta main, en précisant que nous avons brûlé les étapes, que suis un homme d'honneur et que je dois réparer mes torts.

Une véritable terreur s'empara d'Élisabeth. Elle songea à la violence contenue du châtelain, qui avait fait abattre la jument de sa propre fille, pour la punir d'avoir désobéi.

— Non, ça tournerait à la tragédie ! affirma-t-elle. Le fusil de chasse est chargé, rangé à portée de main dans le grand hall. Le jardinier, Alcide, ferait n'importe quoi pour ne pas perdre sa place. Tu pourrais être blessé ou tué, Richard. Non, il faut agir autrement. Sois patient, je veux bien t'épouser, mais dans quelques semaines. Tu devras m'emmener loin d'ici, dès que nous serons mariés. J'ai de l'argent, ne t'inquiète pas.

Richard Johnson, qui n'avait rien d'un héros, consentit à cet arrangement. Il l'aida à se rhabiller, déjà attristé à l'idée de son départ.

— Reviens demain ! insista-t-il. C'est dimanche, je garderai la chambre. Lundi, je dois être au lycée vers 7 heures du matin. Dis que tu vas à la messe, ici, à Montignac. Lisbeth, aie pitié, reviens.

— J'essaierai, mais n'espère pas trop.

Ils s'embrassèrent encore. Quand Élisabeth longea le couloir désert pour descendre dans la cour, ses jambes la soutenaient à peine. L'intérieur de ses cuisses était endolori. Elle fut soulagée de s'asseoir dans la calèche. Le valet d'écurie la salua.

— J'ai donné du grain à vot' bête, et à boire, aussi, m'selle.

Le garçon reçut un généreux pourboire. Il la remercia d'un signe de tête, assorti d'un clin d'œil égrillard qui la hérissa.

« Il sait ce que je viens de faire, se désola-t-elle. Tant pis pour ma réputation, mon plus affreux cauchemar ne peut plus se concrétiser. »

Élisabeth guida la jument, celle d'Adela, de race cob, sur le chemin du moulin. Son état d'esprit était proche de la jubilation. Elle se félicitait d'avoir anéanti un de ses mauvais rêves, notamment celui qui l'avait épouvantée, à bord de *La Touraine*, car l'homme en noir, à la face flouc, qui la déflorait avec sauvagerie, c'était Hugues Laroche.

— Au moins, ça n'arrivera pas ! dit-elle à mi-voix.

Cimetière de Guerville, même jour, deux heures plus tard

Antoine Duquesne, dans son costume du dimanche, son chapeau à la main, se recueillait devant le caveau où reposait Adela Laroche. Les marches du monument, fermé par une grille ouvragée, disparaissaient sous l'abondance de gerbes en fleurs naturelles et de couronnes en verroterie colorée. La lumière atténuée de cette fin d'après-midi dorait les pierres séculaires des tombes environnantes et un vent tiède agitait les roses, les lys, les anémones.

Élisabeth, si elle ne priait pas, empoignant le bras de son grand-père, qu'elle avait tenu à conduire jusqu'au cimetière de Guerville. Le vieux meunier s'était inquiété, quand elle lui avait exposé son projet.

— Et si Laroche me trouve là-bas, au village ?

— Le bourg de Guerville et ses sept cents habitants ne lui appartiennent pas, pépé Toine ! avait-elle rétorqué. Nous n'avons pas à nous tourmenter, je suis sûre qu'il est parti à Rouillac, comme tous les samedis.

Elle peinait désormais à appeler le châtelain « grand-père ». Le terme lui venait aux lèvres par habitude, mais il lui paraissait inapproprié et la répugnait.

— L'amitié de Mme Adela m'a été précieuse, lui avoua soudain Antoine Duquesne. Durant ces dix ans où je pleurais Catherine, Guillaume et toi, petite enfant perdue, livrée à la mort ou à un sort plus terrible encore, cette femme au cœur meurtri m'a soutenu. J'ai été heureux, malgré mon chagrin, de la voir s'adoucir et retrouver le caractère charitable et tendre qui avait dû présider à sa jeunesse. Elle était aigrie, petiote, par sa vie aux côtés de Laroche.

— Pourtant elle l'aimait, pépé Toine, elle me l'a assuré.

— Justement, quand on aime et qu'on découvre la personnalité ignoble de celui qu'on chérit, la chute est rude. Adela s'est murée dans une attitude austère, un refus de toute sensibilité. Mais grâce à ses confidences, j'ai compris pourquoi elle avait envoyé Catherine en pension dès ses dix ans. Elle l'éloignait du château, de son mari, qui vouait une adoration malsaine à leur fille. Viens, sortons de cette enceinte où de telles paroles ne sont pas de mise.

Bouleversée, Élisabeth contenait mal un tremblement nerveux. Elle aida le vieux meunier à s'installer dans la calèche, tout en lui désignant le clocher carré de l'église Notre-Dame de Guerville, un édifice de pur style roman, dépouillé des fioritures gothiques.

— Tu aurais peut-être aimé prier à l'église ? demanda-t-elle.

— Non, petite, ramène-moi à la maison. Je prie sous la voûte céleste, nuit et jour, peu importe le lieu, Dieu est partout. Je lui rends grâce d'avoir eu l'immense joie de te retrouver.

Elle grimpa sur le marchepied et s'assit à ses côtés, les rênes en main. La jument rousse se mit au trot dès qu'Élisabeth fit claquer sa langue.

— Pépé Toine, tu sais à quel point je t'aime, et combien j'ai rêvé de vivre à Montignac, dans la maison de mes parents. Hélas, il me reste trois ans à attendre, en appréhendant chaque jour passé près de cet homme rongé par la perversion. Serais-tu très triste si je m'en allais ? L'Américain dont je t'ai parlé au mois de mai, Johnson, souhaite m'épouser. Il m'aime sincèrement et je lui ai confié la peur que m'inspire mon ignoble grand-père.

Une expression d'intense dégoût marqua le visage d'Antoine. Il étreignit l'avant-bras de sa petite-fille.

— Alors, il recommence, ce monstre ? s'exclama-t-il. Petiote, pourquoi tu ne m'as rien dit ? Ni à tes oncles ? Il y a des lois, dans ce pays. Tu as suffisamment d'argent pour consulter un avocat et exiger de ne plus être sous sa tutelle. Nom d'un chien ! Qu'est-ce qu'il t'a fait ? Est-ce qu'il t'a touchée ? Viens dès ce soir habiter au moulin, je recevrai Laroche à coups de fusil ! J'ai su défendre ta mère, je te protégerai aussi. Nous pouvons compter sur Pierre, s'il apprend quoi que ce soit, tu n'auras plus rien à craindre.

La colère subite de son pépé Toine, d'ordinaire si calme, si pondéré, réconforta Élisabeth, tout en la gênant. Elle hésitait à dénoncer Hugues Laroche de façon catégorique, parce qu'il n'avait pas encore dépassé certaines limites.

— Je t'en prie, nous n'en sommes pas encore là ! décréta-t-elle. Bonnie veille sur moi. Le décès de Bonne-maman lui permet de me tenir compagnie à chaque instant. Ne t'inquiète pas outre mesure. Je me fais peut-être des idées, je suis tellement sensible. Les gestes de mon grand-père pourraient être affectueux, disons très affectueux. Je te promets de me réfugier au moulin, si je me sens menacée. D'ici là, je serai prudente et je vais préparer une valise, au cas où je devrais m'enfuir.

Le vieil homme poussa un gros soupir navré. Élisabeth lui adressa un sourire d'une pathétique douceur.

— Pour répondre à ta question, dit-il à mi-voix, au sujet d'un possible départ, oui, je serais très affligé. Tu me manquerais beaucoup, car tu es mon petit soleil, ma joie sur la terre. Mais si ton bonheur et ta liberté sont en jeu, je m'en réjouirais. Et puis je ne suis pas seul, j'ai Pierre, Yvonne, une femme en or, mes petits-fils. Je te fais confiance, mariée ou pas, tu reviendras vers nous, et je t'attendrai, comme je l'ai déjà fait. Après tout, je n'ai pas encore soixante-quinze ans.

— Tu es un jeune homme, en fait ! plaisanta-t-elle. Oh, pépé Toine, si tu savais combien je t'aime.

Élisabeth poussa la jument au grand trot. Bientôt ils suivaient le chemin qui longeait le fleuve Charente. Le meunier montra à sa petite-fille un martin-pêcheur à la robe turquoise et orange, puis un couple de hérons.

Le feuillage des saules, des grands frênes, bruissait au vent. L'herbe des talus scintillait, encore perlée par la pluie. L'air était frais, vivifiant.

— L'orage qui a éclaté en début d'après-midi a fait du bien, concéda Antoine Duquesne. Il fait meilleur et la terre avait besoin d'un peu d'eau.

— Oui, tu as raison, c'était un bel orage, qui m'a apaisée, répliqua-t-elle, toute rêveuse.

Elle songea qu'elle était devenue femme au rythme des coups de tonnerre, bercée par la chanson cristalline de l'averse. Une onde sensuelle la traversa, en revoyant le grand corps dénudé de Richard. Elle eut envie de ses baisers, de son odeur, de lui tout simplement.

« Mais je l'aime, alors ! s'étonna-t-elle. Je l'aime et il veut m'épouser. »

Pour la première fois depuis la disparition de Justin, il y aurait bientôt un an, Élisabeth eut le cœur en fête.

Terres de Guerville, vendredi 26 août 1898

Hugues Laroche poussa au galop son grand étalon gris. Le cheval, plein d'énergie, martelait le chemin de ses sabots ferrés. Perle, la jument d'Élisabeth, fut vite distancée. Fine et racée, elle n'était pas capable des mêmes prouesses que Galant.

Le châtelain avait emmené sa petite-fille dans une inspection de ses vignobles, les vendanges approchant. Depuis qu'elle l'avait repoussé et traité de fou, prise au piège de son étreinte et effrayée par un baiser équivoque au creux de sa nuque, Laroche gardait ses distances.

Les regards menaçants de la fidèle Bonnie, qui le surveillait du matin au soir, le tenaient également à l'écart de sa petite-fille, du moins à l'intérieur du château. Et dans les écuries, il devait affronter la mine hargneuse de Jean Duquesne.

Le frère cadet de Guillaume faisait très bien son travail de palefrenier, tout en demeurant taciturne et hostile. Pourtant le châtelain avait confiance en ses compétences et n'envisageait pas de le congédier.

Ils avaient scellé un accord : Duquesne logeait dans l'ancienne chambre de Justin, il y prenait ses repas et ne dépassait pas l'enceinte des communs, ce qui englobait la grange, les écuries et les diverses remises où étaient stockés le bois et les outils.

— Il n'y a pas de problème, Monsieur ! avait fièrement déclaré Jean. Je n'ai aucune envie de franchir le seuil de votre demeure.

Souvent, Bonnie et Élisabeth venaient déjeuner avec lui, et la jeune femme appréciait de passer un peu de temps dans la petite pièce où avait habité Justin. Il y avait laissé des traces, comme le calendrier des Postes, orné d'un tableau représentant la moisson, un miroir rond bon marché, et ses guêtres d'équitation.

Après avoir ralenti l'allure forcenée de son étalon, Hugues Laroche le remit au grand trot et s'engagea dans une allée bordée de tilleuls, qui menait à de vastes bâtiments. Élisabeth put enfin le rattraper, mais elle était agacée.

— Ma jument a fourni un effort considérable, grand-père, lui reprocha-t-elle. Voyez, elle est en sueur.

— Si Perle se révèle incapable de galoper sur une distance aussi minime, je t'achèterai un autre cheval, rétorqua-t-il.

— Vous appelez ça une distance minime? s'insurgea-t-elle. Il y avait environ quatre kilomètres.

Le châtelain s'obstinait à ne pas regarder sa petite-fille, pour l'unique raison qu'elle portait la toilette d'amazone de sa mère, en velours vert clair. Il se demandait si elle l'avait fait exprès, afin de le mettre mal à l'aise, ou s'il s'agissait d'un simple hasard.

— Je veux garder Perle! insista Élisabeth. Je me suis attachée à elle. Peut-être qu'il faudrait la ménager un peu. Il me semble qu'elle avait plus d'énergie au printemps.

Son grand-père lui décocha un rapide coup d'œil de côté. Il expliqua, d'une voix qu'elle estima détestable :

— Galant a sailli ta jument, qui était en chaleur. Je les avais mis au pré tous les deux. Elle est pleine de cinq mois environ.

Élisabeth ne put s'empêcher de rougir, à cause de l'intonation moqueuse de Laroche et de sa façon d'insister sur le mot «sailli» et «chaleur». Pour dissimuler son trouble, elle protesta :

— Vous auriez dû m'avertir, je ne l'aurais pas prise ce matin, surtout pour faire un si long trajet.

— Ne t'inquiète donc pas, elle pourra encore travailler quelques semaines.

Il descendit de cheval devant la grande porte double d'un des bâtiments. Tout de suite, un homme accourut et saisit les rênes de l'étalon.

— Bonjour, Colin, je viens faire visiter les chais à Mlle Élisabeth, qui me succédera plus tard. Occupe-toi de sa jument, bouchonne-la et ne la fais pas boire dans l'immédiat.

— Oui, monsieur Laroche, marmonna l'employé du chai.

Il baissait la tête, mais il admirait discrètement Élisabeth, superbe dans sa tenue couleur de printemps. Elle mit pied à terre en refusant l'aide de son grand-père. Il la trouva d'une beauté captivante, avec ses cheveux bruns nattés dans le dos, son chapeau du même vert que ses vêtements très ajustés, qui exaltaient la féminité de ses formes adorables.

Une fois encore, le châtelain crut revoir sa fille Catherine, et il dut s'écarter d'un pas rapide pour ne pas prendre Élisabeth par le bras, dans le seul but de la toucher, de respirer son parfum.

Peu après, la jeune femme le suivait dans la pénombre des chais, où s'alignaient des fûts en chêne, des cuves en cuivre.

— Nous sommes dans la région des Fins Bois ! déclara-t-il. Je produis notamment du cognac, mais aussi un excellent pineau. Certaines parcelles me permettent d'obtenir un vin de table qui se vend bien.

Des odeurs particulières assaillaient l'odorat d'Élisabeth, un mélange d'alcool, de pierres sèches, de tanin. Malgré le va-et-vient des ouvriers qui préparaient le matériel pour les vendanges, ils furent soudain isolés du personnel, dans un bureau envahi de registres, de livres et dont les murs s'ornaient de tableaux.

— Je viens souvent ici, ma chère enfant ! annonça Laroche. Mais c'est le domaine de mon régisseur, Damien Signac. Il ne doit pas être loin. Il saura t'enseigner les rouages du métier, s'il m'arrivait malheur.

— Je préférerais retourner à l'air libre, grand-père ! répliqua-t-elle. Il fait très chaud et ça ne doit pas être aéré fréquemment.

— Catherine appréciait cet endroit, oui, ce bureau, dit-il sans paraître l'avoir écoutée. Ta mère se passionnait pour l'élevage de chevaux. Si j'avais répondu à ses désirs, les écuries du château n'auraient pas suffi.

Hugues Laroche contourna la lourde table en merisier et s'assit dans le fauteuil en cuir. Il alluma un cigare.

— Tu n'as aucune idée, Élisabeth, de qui était Catherine avant de croiser le chemin de Guillaume Duquesne. Elle me secondait et s'intéressait à la gestion de la propriété. Parfois, en dépit de mon avis, elle participait aux vendanges, sans craindre de se salir les mains, ni de grimper sur le tombereau pour vider sa hotte pleine de beaux raisins. Je pensais, en l'observant, qu'il m'aurait fallu une femme de son acabit. J'ai aimé de tout mon cœur Adela, mais elle n'appréciait que les bals, les causeries entre amies, la restauration du château. Catherine était un pur diamant. Quand j'ai songé à la marier, les prétendants me semblaient minables, indignes d'elle. J'ai eu la sottise d'espérer qu'elle ne me quitterait jamais.

Mal à l'aise, Élisabeth agitait sa cravache, qu'elle avait gardée en main.

— Mais c'était votre fille ! lui assena-t-elle d'un ton dur. Vous en parlez comme d'une femme à votre convenance.

— Hé ! J'avais tort, puisqu'elle est tombée amoureuse d'un charpentier, un fils de meunier. J'ai dû me résigner. Enfin, on ne refait pas le passé, il vaut mieux préparer l'avenir.

Elle perçut une menace dans ces derniers mots. Son intuition de plus en plus aiguisée la fit réfléchir à toute vitesse. Hugues Laroche l'avait emmenée pour visiter les chais, en lui exposant une foule de renseignements sur la conduite du domaine. Il voulait d'elle ce qu'il n'avait pas eu de sa propre fille.

— Maman était libre d'aimer un homme de son choix ! s'écria-t-elle. J'ai une excellente mémoire, je me souviens que la veille de notre départ pour Le Havre, elle se montrait attentionnée envers vous, et même assez gentille ! Comment a-t-elle pu vous pardonner, après ce que vous lui aviez fait endurer ? Vous avez abattu son cheval, le jour où elle portait la toilette que j'ai choisie ce matin. Et tuer un animal innocent n'était pas si grave, en comparaison de votre tyrannie, de votre soif de possession. Je ne remplacerai pas maman dans vos projets insensés et sordides, je vous préviens !

Élisabeth était survoltée. Elle avait peur de son grand-père et réagissait en le défiant. Il se leva brusquement, un éclat malsain au fond de ses yeux bruns. Les narines de son nez en bec d'aigle frémissaient sous l'effet de la fureur.

— Petite garce ! susurra-t-il entre ses dents. J'ai dépensé une fortune pour te faire rechercher en Amérique, je te couvre de cadeaux, je te laisse courir à ta guise dans le pays, j'ai engagé ton oncle, un cul-terreux, pour faire preuve de tolérance, je nourris ta gouvernante, qui engraisse à vue d'œil, et c'est ainsi que tu me remercies ? J'attendais plus de gratitude de ta part !

— Et moi je croyais recevoir de l'affection, de la tendresse, du respect, ce qu'on est en droit d'attendre d'un grand-père, ce que m'offre pépé Toine, lui ! répondit-elle d'une voix claire.

Laroche s'approcha d'un air hébété. Il se tenait les bras le long du corps, les poings serrés.

— Tu mériterais que je te frappe, mais je ne dois pas commettre d'erreur, sinon tu vas me filer entre les doigts, toi aussi.

— Que vous me frappiez ou non, je vais partir. Vous êtes mon tuteur légal, cependant si je raconte au notaire qui a signé l'acte de quelle manière vous me traitez, il m'aidera et j'irai vivre au moulin.

Hugues Laroche écrasa son cigare dans le cendrier en cristal, posé sur le bureau. Il eut ensuite un geste théâtral, en riant tout bas.

— De quelle manière je te traite ! répéta-t-il. Au décès de mon épouse, je t'ai serrée contre moi, pour te consoler et apaiser ma peine. Je t'ai embrassée dans le cou, parce que tu gardais la tête baissée, et il n'y a là rien de malsain. Que veux-tu raconter à mon vieil ami maître Rigaud ? Je t'ai offert une jument de race, une parure de perles, des robes de confection, et tu n'es pas enfermée en haut d'une tour, que je sache? Allons, Élisabeth, cesse de te comporter en fillette stupide. J'ai plusieurs affaires à régler ici. Tu ferais mieux de rentrer au château ou de rendre visite au vieux Duquesne, qui d'après certaines rumeurs n'en a plus pour très longtemps.

— Vous êtes abject! lui dit-elle en s'empressant de sortir de la pièce.

Dix minutes plus tard, Élisabeth empruntait un chemin droit et herbu, qui traversait des vignes. Elle observa les grappes de raisin, presque parvenues à maturité, tant la fin du mois d'août était chaude. Perle trottait à un rythme régulier, en secouant sa jolie tête couleur de soie brune.

— Là, ma belle, je ne te ferai pas galoper! soupira-t-elle.

Pour chasser ses idées noires, la jeune femme songea au petit animal niché dans les flancs de sa jument. Elle calcula que le poulain naîtrait en février. Son cœur lui fit mal, car il lui revint le douloureux souvenir du bébé que portait sa mère, à bord de *La Champagne*, douze ans auparavant.

«Je pourrais avoir un frère de cet âge!» se disait-elle. «Il jouerait sur les trottoirs mal famés du Bronx, ou bien papa aurait gagné suffisamment d'argent et nous aurions habité un endroit paisible.»

Les nerfs à vif, Élisabeth ressentit le besoin lancinant de voir Richard, d'être blottie dans ses bras. Ils s'étaient retrouvés le samedi ou le dimanche après-midi à l'auberge du Pont-Neuf, ce qui avait éveillé la curiosité des commères de Montignac. Les Duquesne récoltèrent rapidement des allusions perfides sur la bonne conduite de «Mlle Élisabeth Laroche».

Pierre s'était dit outré par le comportement de sa nièce, mais son épouse, la douce Yvonne, l'avait raisonné. Quant à Antoine, en sa qualité de doyen de la famille, il avait hasardé que les jeunes gens ne faisaient rien de répréhensible.

— Le jeune homme qu'Élisabeth rencontre est américain, ils sont contents de bavarder en anglais et d'évoquer New York et les Woolworth, avec lesquels ma petiote correspond toujours, avait-il tranché. Et il y aura sûrement un mariage, qui mettra Laroche hors d'état de nuire.

Pierre Duquesne avait capitulé, tout en proposant à son père une solution susceptible de faire taire les ragots.

— Si c'est sérieux, papa, qu'elle reçoive son Américain dans sa maison. Yvonne continue à faire le ménage, à l'aérer, et au moins c'est à l'écart du village.

Jean, qui se rendait fréquemment au moulin, avait suggéré cet arrangement à Élisabeth. Elle s'était empressée d'écrire à Richard et elle se réjouissait déjà de lui faire découvrir l'humble logis où elle était née et avait passé ses six premières années.

Château de Guerville, même jour, une heure plus tard

Les écuries semblaient désertes lorsque Élisabeth y pénétra, en tenant Perle par les rênes. Elle remit la jument dans son box, la dessella et lui ôta sa bride. Néanmoins l'absence de son oncle Jean l'intriguait. Elle supposa qu'il était en compagnie de Bonnie, sa gouvernante ne manquant pas une occasion de se promener dans le parc, dans l'espoir de croiser son amoureux, car elle le surnommait ainsi, d'un ton câlin.

— Oncle Jean ? appela-t-elle par acquit de conscience.

— L'est pas là, vot' tonton ! répliqua une voix aigrelette, à l'accent charentais prononcé.

Mariette apparut, l'œil mauvais. Elle s'accouda à la porte du box, une brindille d'herbe au coin de la bouche. La jeune lingère continuait à seconder sa mère, Margot.

— Bonjour, lui dit gentiment Élisabeth. Qu'est-ce que tu fais là, ce n'est pas le jour de la lessive !

— Ben, j'voulais des nouvelles de mon promis, l'Justin ! Sûr qu'il vous écrit, à vous !

— Non, je suis désolée, Mariette, je n'ai reçu aucune lettre. Je le regrette, car je me fais beaucoup de souci pour lui.

Mariette avait rarement adressé la parole à Élisabeth, si bien que celle-ci se méfiait. Dans l'état d'exaltation où elle était, son instinct semblait à fleur de peau.

— Dites, m'selle, c'est-y vrai ce qu'on raconte ? Justin, y serait le fils du patron ?

— Nous n'avons aucune preuve formelle. Qui t'en a parlé ?

— Alcide. Madeleine l'avait dressé à écouter aux portes, comme elle le faisait. L'aurait fallu lui couper la tête, à cette sorcière. Elle peut nous envoyer des maléfices depuis sa prison.

— J'en doute, puisqu'on la transférait à Bordeaux.

— Bah, causez-en à Germaine ! La pauvre, sa mère s'est cassé la jambe, l'aut' jour, en descendant dans sa cave. Et la Madeleine, elle la menaçait tout le temps des pires choses, elle et sa famille.

Élisabeth retint un soupir agacé. Elle fit signe à Mariette de reculer, pour pouvoir enfermer Perle. Le râtelier était déjà garni de foin, la jument avait de l'eau propre. Encombrée de la lourde selle d'amazone, elle se dirigea vers la sellerie. La petite lingère lui emboîta le pas en sautillant.

— J'voulais des nouvelles de Justin, parce que je suis grosse de quatre mois, alors faudrait qu'y revienne me marier, pardi.

— Qu'est-ce que tu as dit ? s'enflamma Élisabeth. Mais c'est impossible, Justin a quitté le pays depuis un an. Si tu es enceinte, ce n'est pas lui le père.

Révoltée, la jeune femme considéra Mariette des pieds à la tête. C'était une assez jolie fille, blonde et rose, à la poitrine arrogante. Une expression sournoise, des lèvres mince, la déparaient. Le bas de sa jupe de toile bleue était élimée, son caraco en lin jaune semblait usé jusqu'à la trame.

— C'est que je l'ai revu, mon promis, y a pas si longtemps, se vanta-t-elle en se dandinant d'un air satisfait. On a couché ensemble, tiens, dans la grange de mon père. Justin, y n'pouvait pas se passer de moi, parce que j'n'lui tenais pas la dragée haute[1], comme vous !

Perplexe, Élisabeth réfléchissait, toutes ses facultés en éveil. Il s'ajoutait désormais à son don de voir l'avenir en rêve la capacité de déceler les mensonges.

— Tu mens ! trancha-t-elle. Tu m'annonces ta grossesse car tu espères épouser l'éventuel héritier du château, c'est ça ? Je peux facilement te démasquer, toi aussi, comme j'ai su la vérité sur Madeleine. Il se dégageait d'elle l'odeur du vice, du crime, et ma gouvernante ne se trompait pas non plus en affirmant que ma malheureuse grand-mère avait absorbé de la digitale.

Mariette fronça les sourcils, inquiète, pourtant elle insista d'un ton insolent.

— J'sais quand même avec qui je couche, non ? J'suis une fille sérieuse !

— Hélas, je suis navrée, mais j'ai appris de source sûre où se trouvait Justin. Il s'est engagé dans la marine et il navigue du côté de Toulon. J'ai payé un détective dans ce but.

Elle mentait effrontément, afin d'obliger la lingère à revenir sur ses paroles.

— Et je sais aussi, par Justin, que tu avais l'intention d'épouser un certain Bertrand, qui t'a eue vierge, et aura du bien à la mort de son père, la maison, des parcelles de blé. Tu aurais prétendu le préférer, ce garçon-là, dont le service militaire devait s'achever dans moins de quatre ans. Seulement ta mère, Margot, et le vieux Léandre m'ont annoncé son retour. Bertrand a été réformé il y a précisément cinq mois. Alors tu devrais vite faire publier les bans. Je t'offrirai une robe neuve pour la noce, et un bracelet en argent serti de turquoises.

---

1. Expression populaire signifiant « faire attendre quelqu'un sans rien lui accorder ».

— Ben, vous alors ! marmonna Mariette, ébahie. C'est ben vrai, pour la belle robe et le bracelet ?

— Oui, je tiens toujours mes promesses. Et tu auras deux louis d'or.

— Merci, mademoiselle, s'appliqua à dire la lingère. Merci ben.

Elle s'en alla au pas de course, en sifflotant. Élisabeth s'adossa au mur le plus proche. Elle aurait donné cher pour voir entrer Justin et rire avec lui du stratagème échafaudé par Mariette, mais ce fut son oncle Jean qui la rejoignit dans le local où régnait une tenace senteur de cuir et d'onguent aux baies de laurier, utilisé pour graisser les sabots des chevaux.

— Ah ! Tu es de retour ! s'étonna-t-il.

Il n'avait pas son bon sourire habituel. Élisabeth aurait aimé se réfugier dans ses bras, car elle avait encore l'impression de revoir son père. Les deux frères arboraient les mêmes boucles noires, les mêmes yeux gris, et jusqu'à la forme du visage. Jean était moins grand, cependant, et d'une ossature plus frêle.

— Grand-père m'a conseillé de rentrer, il avait beaucoup à faire dans les chais. Tu as des ennuis, oncle Jean ?

— Pas des moindres ! Talion, le hongre blanc, souffrait de violentes coliques. Je l'ai fait marcher, comme me l'a conseillé le vieux Léandre, qui s'y connaît un peu, mais au bout d'un quart d'heure, ce pauvre cheval s'est effondré et il n'a pas pu se relever. Il est mort.

— Mon Dieu, grand-père l'adorait. Il l'a laissé au pré, cet été, parce qu'il lui fallait du repos. Et puis il préfère monter Galant.

— Je vais être congédié avant la nuit ! déplora Jean. Nous ne nous verrons plus, Bonnie et moi. Enfin, tout dépend de toi.

— Comment ça ?

— J'ai accepté de travailler sous les ordres de Laroche surtout pour être plus près de Bonnie, et veiller sur toi aussi, bien sûr, même si je n'ai pas le droit d'entrer dans ce fichu château. Alors il y a une solution très simple, tu épouses ton Américain et moi je me marie avec Bonnie. Ensuite on quitte la région.

— Mais Jean, tu te berces d'illusions. Il y a des documents à établir, en vue d'une union légale, et une bénédiction à l'église ne suffit plus. Aucun officier de mairie ne consentira à un mariage sans l'autorisation de mon tuteur.

— Et papa ? Antoine Duquesne est ton grand-père lui aussi, il peut donner son accord. Pourquoi t'entêter à rester ici, bon sang ?

— Je l'ignore, quelque chose me retient, que je dois découvrir, rétorqua Élisabeth.

Le ton montait. Bonnie arriva in extremis pour couper court à la querelle qui s'annonçait.

— Seigneur, quelle histoire ! s'écria-t-elle, les joues rouges d'avoir couru. Mademoiselle, Richard Johnson s'est présenté au château et Germaine l'a introduit dans le grand salon. Venez vite. Il exige un entretien avec M. Laroche.

Élisabeth ôta son chapeau et le tendit à Bonnie. Ensuite elle se précipita dehors, partagée entre la panique et la joie.

18

De Catherine à Élisabeth

Château de Guerville, même jour

Richard Johnson admirait les tableaux du grand salon quand Élisabeth entra dans la pièce. Elle eut un doute, d'abord, à cause de sa tenue vestimentaire, un élégant complet veston en lin gris clair, assorti d'une écharpe en soie blanche. Un canotier et une canne à pommeau d'ivoire complétaient sa mise. Ainsi, il avait tout d'un riche étranger, d'autant plus qu'il s'adressait à la petite Germaine en anglais.

— Ah ! Mademoiselle, enfin ! s'écria celle-ci. J'étais bien gênée, je ne comprends pas ce que dit ce monsieur, mais il répétait votre nom, alors je l'ai laissé entrer.

— Tu as eu raison, Germaine, laisse-nous à présent. Et prépare du café et du thé, je te prie.

— Oui, mademoiselle.

Une fois seule avec Richard, Élisabeth se jeta à son cou. Il redoutait des reproches acerbes, aussi, tout surpris, il lui donna un baiser.

— J'avais envie de te voir et tu es là, avoua-t-elle à son oreille. Nous avons de la chance, mon grand-père ne sera pas de retour avant midi. Richard, qu'est-ce que tu as imaginé encore, en osant venir jusqu'ici ?

— M. Laroche ne m'a jamais vu, j'ai l'intention de me faire passer pour un Américain fortuné qui désire acheter du cognac, et visiter ce splendide château de fond en comble. On dirait une forteresse du Moyen Âge, il y a même un pont-levis, de grosses tours. Nous n'avons rien de tel à New York !

— Le Dakota Building a beaucoup d'allure, quand même, dit-elle d'une voix rêveuse. Si tu habitais là, tu ressentirais vite une atmosphère pesante. Je parviens à la tolérer, grâce au souvenir de maman. Je suis installée dans sa chambre, où elle a abandonné ses affaires de jeune fille, et souvent j'ai l'impression qu'elle est là, toute proche de moi.

Richard jeta un coup d'œil vers la double porte avant de lui donner un autre baiser, plus insistant. Enfin, il recula un peu.

— Lisbeth, tu es d'une rare beauté en amazone, et ce velours vert est ravissant. Il ne convient pas vraiment à tes yeux bleus, mais s'accorde à tes cheveux bruns.

— C'était une toilette de ma mère, mais elle est comme neuve, car elle ne l'a pratiquement jamais mise. Richard, il faut t'en aller. Un cheval vient de mourir. J'en suis peinée, mais mon grand-père va être d'une humeur exécrable en l'apprenant. Sois gentil, ne complique pas la situation. Ce n'est pas le moment de jouer ta comédie, tu risquerais d'envenimer les choses. Et que voulais-tu vraiment ? Te faire passer pour un voyageur, revenir souvent et prétendre ensuite être amoureux de moi, demander ma main…

Il la dévisagea de ses prunelles ambrées, l'air sidéré. Élisabeth devinait fréquemment ce qu'il pensait ou prévoyait.

— J'avais envisagé quelque chose de ce genre, en effet, admit-il. On dirait que tu lis en moi !

— Peut-être, concéda-t-elle, attristée.

Elle n'avait jamais parlé de ses cauchemars à Richard, ni de son intuition désormais proche de la clairvoyance.

Quand ils se retrouvaient, leur temps était compté, deux heures environ, et ils les consacraient à leur appétit de plaisir. Johnson était un amant vigoureux et insatiable, mais il savait être tendre, attentif. Élisabeth puisait de la force dans ses bras, sous ses caresses, sans éprouver la nécessité de se confier à lui.

— Tu n'es pas une jeune femme ordinaire, hasarda-t-il. C'est ce qui m'a séduit chez toi, dès que je t'ai vue à Central Park.

Germaine revenait, un lourd plateau à bout de bras. Elle était rarement aussi rapide. Élisabeth s'en étonna.

— Tu es d'une rare efficacité, Germaine, nota-t-elle.

— J'ai toujours de l'eau bouillante à disposition, mademoiselle, et les services à café et à thé sont prêts à être utilisés, protégés de la poussière par un torchon propre, se vanta la domestique, tout en contemplant, presque bouche bée, le beau visiteur.

Fine mouche, Élisabeth comprit mieux les raisons du zèle de la timide Germaine. Comme Bonnie entrait à son tour, la mine dépitée, elle annonça à tous qu'elle montait se changer.

— Je vous confie M. Johnson, dit-elle d'une voix douce.

Le soleil inondait la vaste chambre jadis dévolue à sa mère. Un ineffable parfum de rose surprit la jeune femme, tandis qu'elle se déshabillait en toute hâte. À demi-nue, elle alla se rafraîchir dans le cabinet de toilette. Un gros broc en porcelaine de Limoges, à motifs bleus et jaunes, contenait de l'eau, qu'elle versa dans la cuvette de même facture.

De nouveau Élisabeth fut charmée par la tenace fragrance florale, où se mêlait maintenant la senteur exquise des lys. Elle éprouva alors un serrement de cœur, certaine qu'il s'agissait d'un message qu'une présence invisible lui transmettait.

— Maman ? appela-t-elle tout bas. Est-ce que tu es près de moi ? Maman ?

Il ne se passa rien d'extraordinaire. Soudain Élisabeth se jugea stupide. Ses fenêtres étaient ouvertes et des rosiers grimpants poussaient en bas des murs.

— Je suis trop sensible, se reprocha-t-elle en enfilant sa robe de soie mauve, qui dévoilait ses épaules.

Elle s'enveloppa d'un châle en satin, arrangea une mèche de sa chevelure et s'empressa de descendre au salon. Richard sirotait une tasse de thé, en grande conversation avec Bonnie. Germaine s'affairait à ranger les partitions qui traînaient sur le piano à queue.

— Monsieur Johnson, je vous raccompagne, déclara Élisabeth d'un ton mondain. Mon grand-père vous recevra un autre jour.

Richard capitula, non sans un sourire désolé. Il salua Bonnie et Germaine. Dès qu'ils furent dehors, la jeune femme fut moins aimable.

— Par pitié, ne recommence jamais, ordonna-t-elle. Demain, nous avons rendez-vous à Montignac, dans la maison de mes parents. Je m'en faisais une fête, Richard. Si grand-père te voit, il sera furieux et il pourrait m'interdire de sortir.

— Justement, il faut mettre un terme à son despotisme ! rétorqua-t-il.

Il désigna d'un geste rageur le pont-levis relevé, les murs épais et leurs énormes pierres de taille.

— Tu finiras prisonnière de cette forteresse, Lisbeth, et ce vieux satyre parviendra à te souiller pour toujours ! décréta-t-il.

— Mais non, il n'osera jamais franchir certaines limites, j'en ai la certitude. Et je te rappelle qu'en France, comme en Amérique, les demoiselles de la haute société n'ont aucune liberté à mon âge. Je t'ai accordé beaucoup, Richard, tu le sais. J'ai jeté ma vertu aux orties, c'est une expression du pays.

— Tu le regrettes ?

— Non, c'était ma décision, tu sauras pourquoi quand j'aurai l'occasion de discuter longuement avec toi ! affirma-t-elle. Je t'en prie, pars vite. Si tu veux, va dès maintenant à Montignac, tu reconnaîtras facilement la maison. Elle est située à cinq cents mètres du moulin, près d'un bois de chênes. Il y a un portillon peint en vert clair, au bout d'un chemin bordé de buis et puis la girouette sur le toit est vraiment particulière, elle représente une sirène. Papa l'avait forgée lui-même. Yvonne, ma tante, cache la clef sous une pierre du perron, à gauche. J'essaierai de te rendre visite ce soir. Sinon j'arriverai demain midi. Au fait, comment es-tu venu jusqu'à Guerville ?

— Tu ne le croiras pas ! Le directeur du lycée m'a prêté sa voiture à moteur[1], qu'il a achetée au mois de juin. Franchement, j'ai fait sensation partout où je suis passé. Si je la gare près de Montignac, je vais attirer une foule de curieux.

Il lui adressa un sourire plein de charme. Élisabeth, touchée par son air réjoui et par son accent qui évoquait la lointaine cité new-yorkaise, se hissa sur la pointe des pieds pour l'embrasser. Richard l'étreignit et lui rendit son baiser.

— Je t'attendrai ce soir, Lisbeth chérie, chuchota-t-il à son oreille. Et demain, après-demain, toute ma vie.

Elle fut parcourue d'un frisson voluptueux et s'écarta de lui à contrecœur.

Hugues Laroche, dissimulé à l'angle du bâtiment des écuries, avait assisté à la scène. Une fureur meurtrière le submergeait.

Maison de Catherine et Guillaume Duquesne, samedi 27 août 1898, vers midi

Élisabeth attacha Perle dans la stalle située au fond d'un modeste bâtiment où son père avait jadis aménagé un établi, pour ses petits travaux de menuiserie. Richard, qui avait entendu un bruit de sabots à l'arrière de la maison, s'aventura dans le local mal éclairé.

— J'avais peur que tu ne viennes pas, avoua-t-il en restant à prudente distance, car il craignait les chevaux.

— Pourtant j'ai failli partir hier soir, répondit-elle avec un soupir. Mais Bonnie m'en a dissuadée. Elle était inquiète, à cause de la mort de Talion. Pourtant mon

1. Dès 1890, René Panhard, Émile Levassor et Armand Peugeot ont industrialisé des véhicules équipés d'un moteur à quatre temps.

grand-père n'a pas réagi, en apprenant la perte d'un de ses chevaux préférés. Il est reparti immédiatement, sans même faire de reproches à mon oncle Jean.

— Où est-il allé ?

— Je l'ignore, Richard. Nous l'avons entendu rentrer à plus de minuit. Et ce matin, il a attelé lui-même la calèche et il est encore parti. J'ai essayé de lui parler, mais il ne m'a pas répondu, rien, pas un mot.

Elle dessella sa jument, la bouchonna à l'aide d'une poignée de paille. Enfin elle caressa son encolure d'un geste amical.

— Quand j'étais petite, ajouta-t-elle, maman avait un âne gris, qui occupait cette stalle. Depuis six mois, je veille à ce qu'il y ait toujours de la paille propre, ici, du foin et du grain. Je ne le dis à personne, mais je viens parfois me reposer sous le toit de mon seul vrai foyer, la maisonnette, comme l'appelait ma mère.

Il approuva d'un signe de tête, l'air songeur, tout en étudiant la gracieuse silhouette de la jeune femme, qui portait sa tenue d'amazone en serge brune. Elle lui tendit un sac en tapisserie, qui était accroché par une lanière à un crochet de la selle.

— J'ai pris une robe, de la lingerie, mais je n'ai rien prévu pour le repas. Nous trouverons de quoi grignoter.

— Sois tranquille, j'ai acheté des œufs et des légumes, ce matin. La voiture est garée dans la cour du moulin. Je me suis permis d'aller faire la connaissance de ton autre grand-père, Antoine. Et du coup, j'ai rencontré ton oncle Pierre. Je leur ai annoncé ma ferme intention de t'épouser, Lisbeth. Ce sont des gens très accueillants, en dépit de leur pauvreté.

Tout de suite, Élisabeth se rebella. La remarque la hérissait.

— La richesse ne fait pas la valeur d'une personne. Pépé Toine est un saint homme ! s'écria-t-elle. Et tu n'aurais pas dû brûler les étapes, encore une fois tu agis en dépit du bon sens. Cette démarche, nous aurions pu la faire ensemble, quand je l'aurais jugé bon. Dis-moi, voudrais-tu de ce mariage si je n'étais que la petite-fille d'un vieux meunier sans fortune ? Bonnie m'avait mise en garde à New York, déjà. Elle te traitait de coureur de dot.

Richard la saisit par la taille pour l'enlacer. Il couvrit son front, ses joues, le bout de son nez de légers baisers. Elle le toisait cependant d'un air méfiant.

— Lisbeth ! Je t'épouserais même si je t'avais trouvée errant le long des routes, en haillons, parce que je suis incapable de vivre sans toi. Je t'aime de tout mon être, tu es l'unique trésor que je convoite sur terre. Je t'ai vexée en évoquant la pauvreté des Duquesne, mais j'en étais ému, frappé. Sais-tu pourquoi ? Ils sont souriants, chaleureux, tous ! Ton oncle Pierre, Yvonne, sa femme, et ton grand-père. La pièce où ils m'ont fait entrer m'a paru… Comment dit-on en français ? Rustique, voilà, c'est ça. Et imprégnée de l'odeur de la fumée, de la suie.

— Eh bien, ça ne m'a jamais dérangée, je suis plus à mon aise dans la cuisine du moulin que dans le grand salon du château.

Elle le repoussa et quitta la remise pour traverser le jardin. L'abondance de fleurs l'émerveilla. Des dahlias, des volubilis, des renoncules, des capucines avaient envahi la moindre parcelle de terre et sur les murs couraient des rosiers, les sarments d'une glycine centenaire, une vigne palissée.

— Maman ! murmura-t-elle.

Une image de Catherine s'imposa à son esprit. Sa mère allait et venait dans le jardinet, son arrosoir en zinc à bout de bras, un tablier bleu ceignant sa taille. C'était son bonheur de planter diverses variétés de graines, de repiquer des plants, et l'été de composer des bouquets.

— C'est étrange, Richard, mais depuis le décès de ma grand-mère Adela, je ressens comme une présence, très fugace. Hier, dans ma chambre, il y avait un parfum de lys, or il n'en pousse pas autour du château, et ce n'est pas la saison.

— Ce sont des choses qui se produisent parfois, n'y attache pas d'importance, Lisbeth ! répliqua-t-il. Entrons vite et enfermons-nous à double tour. Des curieux peuvent nous épier, à travers les buissons.

Élisabeth regretta d'avoir amené Richard dans la maison de ses parents, dès qu'ils furent à l'intérieur. Rien n'avait changé après tant d'années. Le décor lui était si familier qu'elle eut la sensation insolite d'être dédoublée. Elle était d'une part la fillette de six ans, de l'autre une jeune femme qui se donnerait bientôt à son amant. Troublée, elle considéra les meubles en bois clair, les bibelots bon marché sur le manteau de la cheminée et sur sa droite les chambres, dont les portes étaient ouvertes.

— Dis donc, c'est vraiment petit ! commenta Richard.

— Oui, la cuisine, deux chambres et un cellier ! Papa aurait sans doute ajouté une pièce, si nous étions restés en Charente.

Il perçut un tremblement dans sa voix cristalline. D'un geste impérieux, il la serra contre lui.

— Ne pense pas au passé, Lisbeth chérie. Nous sommes tous les deux, c'est le plus important. As-tu faim ?

— Non, pas du tout. Richard, j'ai eu tort de te donner rendez-vous ici. Ce serait immoral de faire l'amour sous ce toit, sur le lit de mes parents, car celui de ma chambre d'enfant est trop petit. Et puis je ne suis pas d'humeur à ça.

— Tu exagères ! s'exaspéra-t-il. Immoral, dis-tu ? Le mot est fort, puisque nous allons nous marier. Ton ignoble grand-père Laroche se conduit de façon immorale, lui, à te cajoler, à t'embrasser dans le cou. Lisbeth, ne me déçois pas. Je pense à toi du matin au soir, et la nuit je suis obsédé par le souvenir de ton joli corps, de ta nudité.

Il lui prit la main droite, qu'il plaqua sur le bas de son ventre pour lui prouver combien il la désirait. Sans la laisser protester, il s'empara de sa bouche et son baiser était sans équivoque.

— Viens, ordonna-t-il. Et ferme les yeux, tu oublieras vite où tu es, ma chérie. Je te rends heureuse, tu me le prouves à chaque fois.

Richard cédait à nouveau à la frénésie aveugle et sourde de ses exigences charnelles. Il ne se souciait plus de romantisme, de tendresse, tant qu'il n'avait pas obtenu satisfaction. Élisabeth était sienne, elle lui appartenait et il ne tolérait aucune réticence de sa part.

Plus expérimentée, la jeune femme aurait pu lutter contre les pulsions excessivement viriles de son amant. Mais c'était un monde dont elle découvrait, hébétée, une des facettes les plus primaires. Personne ne lui avait parlé des relations amoureuses. Ses parents étaient d'une totale discrétion, les Woolworth aussi.

Prise de langueur, elle se laissa entraîner dans la pièce voisine, sur le lit double de Catherine et de Guillaume. Comme toujours, Richard la plongea dans un tourbillon de rudes caresses, de baisers goulus sur la nuque, au creux de son décolleté.

Excité par leur isolement, il la déshabilla en un tour de main, jetant la veste et la jupe d'amazone sur le sol, lui ôtant corsage et jupons avec habileté.

— Doucement, je t'en prie ! implora-t-elle.

Elle n'avait plus que son corset en satin rose, lacé dans le dos. Les jambes molles, elle voulut s'allonger mais il l'obligea à rester debout.

— Tes cheveux, maintenant ! haleta-t-il.

Il défit son chignon natté, éparpilla ses lourdes boucles brunes sur ses épaules nues. Enfin il la contempla, le regard fou.

— Quand nous serons mariés, je te photographierai dans ce genre de tenue, et tu prendras un air coquin ! dit-il d'une voix étranglée. Tu es adorable et je vais te rendre hommage, ma petite beauté.

Richard la poussa au creux de l'unique fauteuil de la pièce. Il s'accroupit pour être à la hauteur de son pubis couvert d'une courte toison frisée. D'un coup de tête, il lui fit écarter les cuisses pour couvrir de baisers son sexe moite, fleur de chair rose dont il était affamé. Il agaça du bout de la langue le bouton qui la rendait languide, abandonnée à ses caprices d'homme.

Élisabeth se mit à gémir, parcourue de tressaillements exquis. Elle en perdait le souffle, s'offrant tout entière, le cœur survolté. Un spasme la secoua.

— J'ai envie de toi ! balbutia-t-elle. Tout de suite !

Il l'aida à se lever et elle alla s'abattre en travers du lit, tandis qu'il se dénudait à son tour. Très vite, il s'enfonça en elle, avec un cri sourd de joie délirante. Grisée par son ardeur, la jeune femme perdait conscience du lieu et de l'heure. Elle respirait vite, paupières closes, soumise aux mouvements saccadés de Richard au sein de son intimité, et enfin transportée au paroxysme du plaisir, ce qui lui arracha une longue plainte heureuse.

Avant même de libérer sa semence, il lui suggéra, pour la première fois, de lui tourner le dos, en appui sur les mains et les genoux.

— Mais non, nous ne sommes pas des bêtes ! s'affola-t-elle.

Il eut un rire moqueur en caressant ses fesses rondes, dont la vision charmante l'exalta davantage encore. Il la débarrassa de son corset, puis la pénétra d'un élan forcené. Élisabeth étouffa une plainte lascive, d'abord comblée, en proie à de nouvelles sensations éblouissantes, puis elle finit par demander grâce à Richard, qui semblait infatigable.

Elle subit un ultime assaut, tremblante d'épuisement. Le grand frisson sensuel qui terrassa son amant la renseigna. Il avait joui en elle et serait bientôt étendu de tout son long, un sourire béat sur ses traits sublimés par l'extase.

— Est-ce que tous les hommes sont comme toi ? interrogea-t-elle quelques minutes plus tard.

— Je t'interdis bien de te poser la question ! trancha-t-il. Une femme doit se consacrer corps et âme à son mari, exception faite des veuves, ou des catins.

Élisabeth réprima le sanglot qui la suffoquait. Elle avait un peu honte, car après avoir éprouvé du plaisir, elle songeait à Justin et il lui arrivait de pleurer sans bruit. Elle s'imaginait livrée à ses baisers et cédait à un obscur chagrin.

Richard, la semaine dernière, avait surpris ces quelques larmes et s'en était glorifié.

— Tu pleures de bonheur, Lisbeth, je suis flatté.

Confuse de ce qu'elle considérait comme un grave péché, l'inceste étant un tabou ancestral, la jeune femme s'évertuait à câliner son amant, à lui dire des mots doux.

— Au rythme où vont les choses, tu seras bientôt enceinte ! décréta l'Américain alors qu'elle se blottissait contre lui. Et là, M. Laroche ne pourra pas s'opposer à notre union. Je serai le gendre parfait, il s'en rendra compte au fil des jours. Mes études d'architecture lui seront utiles, car le château aurait besoin d'être restauré sans nuire à son cachet.

— Je ne suis pas pressée d'être mère ! s'insurgea-t-elle. Tu décides pour moi. Nous habiterons Guerville, à t'écouter, même si je n'ai qu'une idée, vivre là, dans ma maison.

— Dans ton cagibi ! J'ai appris le terme grâce à un professeur de français, au lycée.

Furieuse, Élisabeth se redressa, en dissimulant sa poitrine d'un pan du couvre-lit en satin brodé.

— J'ai le droit de choisir quand j'aurai un enfant et où je le mettrai au monde. Autant être franche, j'avais écrit à Maybel il y a deux semaines, pour lui dépeindre la longue agonie de Bonne-maman. J'ai également avoué la peur que m'inspirait mon grand-père. J'ai eu sa réponse ce matin. Il n'y avait guère de lignes, mais elles m'ont réchauffé le cœur : « Reviens à New York si tu le souhaites, Lisbeth, ma fille chérie ! Edward et moi nous serons les plus heureux du monde si tu reprenais ta place chez nous. Envoie-nous un télégramme au cas où tu voudrais de l'argent, nous ferons immédiatement une transaction... » Le reste de la lettre ne t'intéresserait pas.

— Retourner en Amérique ? hasarda Richard. Pourquoi pas, si nous avons pu nous marier avant le départ.

Elle s'apprêtait à en discuter encore lorsqu'un fracas affreux retentit dans la cuisine toute proche. Du bois avait craqué, du verre également, qui avait volé en éclats. Tous deux, pétrifiés par la stupeur, entendirent un pas lourd, assorti du cliquetis d'une paire d'éperons.

Hugues Laroche apparut sur le seuil de la chambre. Il avisa le couple entièrement nu, les vêtements épars sur le parquet. Eux demeuraient muets, abasourdis, mais ils constatèrent que le châtelain agitait sa cravache le long de sa jambe droite. Élisabeth se prépara au pire, à une vindicte d'une rare violence.

Richard, lui, connaissait la plus pénible humiliation de son existence. S'il se levait afin de s'expliquer et de protéger la jeune femme, il exhibait son membre viril, qu'il se refusait aussi à cacher d'une main, comme un coupable.

— Tu as cinq minutes pour t'habiller et me suivre, Élisabeth ! lui dit froidement son grand-père. Quant à vous, monsieur, je vous conseille de quitter au plus vite le pays.

— Je n'irai nulle part sans Lisbeth, rétorqua Richard, rassuré par le calme apparent de Laroche. Je ne peux pas nier ce qu'il y a entre nous, cependant j'ai l'intention de l'épouser. J'étais au château, hier, dans le but de vous demander sa main, monsieur.

— Vous êtes le fameux Johnson, n'est-ce pas ? Le détective que j'ai payé une fortune et qui montre beaucoup de zèle dans son travail ! insinua Hugues Laroche. Ne jouez pas les hommes d'honneur. Je pourrais très bien porter plainte contre vous, pour avoir abusé de ma petite-fille, même si je me doute qu'elle était consentante.

— Et qui portera plainte contre vous si vous faites du tort à ma fiancée, car je la considère comme telle ? hurla Richard.

— Tais-toi, par pitié, supplia-t-elle, les bras croisés sur ses seins.

Laroche quitta la pièce. Élisabeth bondit du lit et enfila ses jupons, sa culotte, sa jupe et son corsage, abandonnant son corset. Elle laça ses bottines de ses doigts tremblants.

— Lisbeth, ne rentre pas au château ! murmura l'Américain.

— N'aggrave pas la situation, il y a Bonnie là-bas, je ne risque rien.

Elle attacha ses cheveux en toute hâte, à l'aide d'un ruban et coiffa son chapeau en feutrine. Richard lui empoigna le bras.

— J'ai peur pour toi, ma chérie ! souffla-t-il.

Élisabeth ne répondit pas, mais elle lui adressa un sourire. Il émanait d'elle une lumière étrange, qui le réconforta un peu.

— Je ne crains rien, affirma-t-elle tout bas.

Le spectacle qu'elle découvrit dans la cuisine la désola. Son grand-père avait enfoncé la porte-fenêtre, ornée de rideaux en macramé. Le carrelage rouge était jonché de bouts de vitre, et la serrure forcée avait fendu le bois peint en vert clair.

Hugues Laroche observait le modeste décor d'un œil hautain. Elle comprit qu'il était au-delà de la colère, de l'indignation, de la fureur même et d'autant plus dangereux.

— Dépêchons-nous ! ordonna-t-il. Je n'étais jamais entré dans cette maudite bicoque, j'ai hâte d'en sortir. Dire que Catherine se contentait de ça ! Ta mère doit avoir le cœur qui saigne, de son paradis, en te voyant jouer les putains.

Prudente, Élisabeth garda le silence. Elle s'élança dans le jardin, suivie par son grand-père. Richard Johnson les rattrapa près du portillon, simplement vêtu d'un pantalon et d'une chemise boutonnée de travers, ses cheveux noirs en bataille.

— Monsieur Laroche ! cria-t-il. Ne soyez pas stupide. Discutons du mariage qui s'avère inévitable ! Je suis prêt à rester en France, à vous seconder dans la gestion du domaine, à restaurer les parties du château qui menacent ruine !

— Et moi, monsieur Johnson, je suis prêt à vous tuer, si vous touchez encore une fois à Élisabeth ! répondit-il. Disparaissez de ma vue, sinon…

L'Américain recula, livide. Le regard glacial de Laroche brillait d'un éclat meurtrier.

Château de Guerville, une heure plus tard

Le retour s'était effectué au galop. Galant avait mené un train d'enfer, et la jument d'Élisabeth semblait à bout de forces.

— Pauvre Perle ! déplora celle-ci en frictionnant sa robe de poils bruns, moite de sueur.

Elle cherchait désespérément des yeux son oncle Jean, mais les écuries étaient vides de toute présence humaine, hormis son grand-père, occupé à desseller l'étalon. Il n'avait pas cherché à lui parler ni même à la sermonner lorsqu'ils avaient ralenti l'allure, à l'entrée du parc.

Ce silence obstiné angoissait Élisabeth plus que des insultes ou des vociférations hargneuses. Laroche, lui, luttait contre le feu intérieur qui le dévorait. La vision du buste ravissant de sa petite-fille, lors de son intrusion dans la chambre, le hantait, comme l'obsédaient les jeunes seins ronds, fermes, nacrés, le modelé des bras, la ligne du cou, et la pointe d'une hanche, pareille à un galet blanc.

Il en serrait les dents, les sourcils froncés, acharné à ne pas commettre l'irréparable sur-le-champ.

— Où est mon oncle ? osa demander Élisabeth d'une voix mal affermie.

— Je l'ai congédié, renvoyé brasser de la farine et patauger dans la boue ! tonna-t-il. Qu'il en crève, à l'instar de Talion, une pauvre bête morte par la faute de ce cul-terreux. Sors de là, sinon je ne réponds de rien. Tu mériterais le fouet.

Elle prit la fuite, saisie d'une anxiété intolérable. Le pont-levis était baissé, un fait assez exceptionnel. Élisabeth l'emprunta afin de se rendre directement dans le grand hall. D'ordinaire, elle appréciait la vaste salle médiévale, en dépit des trophées de chasse qui l'avaient tant impressionnée, fillette, mais elle lui trouva une atmosphère sinistre.

« Le ciel s'est couvert, il va pleuvoir, alors il fait sombre, c'est pour ça ! » songea-t-elle sans vraiment y croire.

Le vieux Léandre pointa son long nez dans l'entrebâillement de l'étroite porte donnant accès à l'escalier qui descendait à l'office. Jamais le jardinier ne s'aventurait jusque-là.

— Bonjour, Léandre, murmura-t-elle en enlevant son chapeau et ses gants. Monsieur ne tardera pas, il s'occupe des chevaux. Aurais-tu besoin de quelque chose ?

Il fit non de la tête, en regardant autour de lui. Élisabeth, qui avait hâte de retrouver Bonnie, se dirigea vers l'escalier.

— Puisque tu es là, Léandre, voudrais-tu dire à Germaine de préparer du thé et du lait chaud, et qu'elle monte le plateau dans ma chambre, et non dans le salon !

— C'est ben le souci, mademoiselle, Germaine, elle est point là ! répondit Léandre en triturant sa casquette élimée.

— Que je suis étourdie, nous sommes samedi, Monsieur a dû lui accorder un jour de congé supplémentaire.

— Non, mademoiselle. Germaine devait s'rendre chez sa mère demain dimanche, pas avant !

— Bonnie doit être au courant, je te remercie, Léandre.

Élisabeth s'efforçait de paraître à l'aise, presque détendue. Cependant elle subissait le contrecoup du choc nerveux qu'elle avait vécu, plus d'une heure auparavant. Il lui semblait urgent de retrouver sa gouvernante, de lui avouer sa liaison avec Richard, de pouvoir s'abriter sur son sein quasiment maternel.

Au lieu d'aller dans sa propre chambre, elle poussa la porte voisine pour gagner du temps. Il n'y avait personne.

— Bonnie ? appela-t-elle. Bonnie, ma Bonnie, où es-tu ?

Elle inspecta les lieux, où tout était en ordre. Le lit et son édredon rouge, la panière où s'entassaient des pelotes de laine, les chaussures alignées sous l'armoire, dépassant à peine.

— Elle sera partie se promener, ou bien elle aura suivi oncle Jean, supposa-t-elle à mi-voix.

Pendant qu'Élisabeth raisonnait ainsi, une peur insidieuse l'envahissait. L'immense édifice ne lui avait jamais paru aussi silencieux. Soudain elle eut la certitude d'entendre des bruits à l'étage.

— Germaine et Bonnie sont sûrement là-haut !

Sa solitude devenait insupportable. Elle s'engagea dans le couloir puis dans l'escalier qu'elle avait gravi jadis, guidée par Madeleine. Elle entrouvrit enfin la porte de la nursery, où elle n'était revenue qu'une fois, six mois auparavant.

— Tout est pareil, les rideaux en tulle, le petit lit à barreaux, la cheminée en marbre rose, la grande armoire ! constata-t-elle.

Le haut miroir sur pied, une psyché, qui lui avait causé tant de frayeur à l'époque, lui renvoya son reflet. Elle étudia ses traits tendus, ses cheveux mal coiffés, sa bouche gonflée par les baisers de Richard. Mais elle se trouva surtout d'une pâleur anormale, et son regard limpide exprimait un début de panique.

— Justin ! appela-t-elle tout bas. Si tu pouvais apparaître et me consoler encore !

Une boîte en carton beige, sur le parquet, attira son attention. Élisabeth se baissa pour la ramasser. Une fois le couvercle soulevé, elle découvrit des soldats de plomb, aux couleurs en partie effacées.

— Où ai-je mis le joueur de tambour ? se demanda-t-elle, le cœur lourd.

De l'index, elle bouleversa l'ordre des figurines, mais un détail l'intrigua. Un épais papier grisâtre tapissait le fond de la boîte, et d'un côté, il y avait un renflement, sous lequel était caché un modeste calepin d'écolier.

— C'était peut-être à Justin !

Elle le prit et s'apprêtait à le feuilleter quand elle entendit des pas. Sans réfléchir, elle dissimula sa trouvaille dans la poche de sa veste. Hugues Laroche fit irruption peu après.

— Qu'est-ce que tu fais ici ? aboya-t-il. Descends vite dans ta chambre.

— Je cherchais Bonnie, et Germaine !

— Je les ai congédiées. Demain, une femme du village prendra son service aux cuisines.

— Comment ? Je ne comprends pas, grand-père ! Vous n'aviez pas le droit de renvoyer Bonnie. C'est ma gouvernante, je lui verse ses gages. Pourquoi auriez-vous fait ça ? Je conçois que vous êtes furieux, après ce qui est arrivé aujourd'hui, mais ce matin, vous ignoriez ma relation avec Richard Johnson.

— Crois-tu ? Je vous avais vus, hier après midi ! Ce bellâtre t'embrassait à pleine bouche, dans l'allée. J'ai choisi de partir, pour ne pas faire d'esclandre. Et ce matin, justement, dès que tu as filé, pareille à une chatte en chaleur, j'ai questionné Germaine et Bonnie. Elles étaient complices, alors je les ai fichues dehors ! Dehors la racaille !

Laroche perdait toute mesure. Il se délectait d'être grossier, d'user des mots qu'il feignait d'habitude de mépriser. Un vertige terrassa Élisabeth. Elle était désormais seule dans le château avec cet homme vieillissant dont le profil d'aigle la terrifiait.

— Tu es sous ma tutelle, Élisabeth ! ajouta-t-il d'un ton moins âpre. Que fait un respectable citoyen confronté à une garce qui couche avec le premier venu ? Une jolie catin qui est sa petite-fille ? Il doit sévir et personne dans son entourage ne saurait le désapprouver. Je répète, descends dans ta chambre.

Mais elle était incapable de bouger. Il l'empoigna par le coude et la força à avancer. Cinq minutes plus tard,

Élisabeth, assise au bord de son lit, écoutait le déclic de la clef dans une serrure, puis dans une autre. Elle n'aurait accès qu'à son cabinet de toilette, équipé de commodités.

— J'agis pour ton bien et ta sécurité ! précisa son grand-père derrière une des portes. Ce soir, tu te passeras de repas, demain Aline te montera du pain et du lait.

Élisabeth ne daigna pas répondre. Elle se releva et alla se dévêtir derrière son paravent en laque, à motifs d'inspiration japonaise. Ensuite, l'esprit vide, elle fit sa toilette, enfila une chemise de nuit et se coucha.

Il faisait grand jour, encore. Bientôt la pluie ruissela sur les toitures d'ardoise, et coula en torrents le long des gouttières. Dans le grand salon, Alcide, pétri de docilité, alluma un feu, sur l'ordre du maître absolu du château.

Village de Guerville, même jour, même heure, chez les parents de Germaine

Gustave Caillaud était charron de son état. Son atelier jouxtait la pièce sombre où son épouse cuisinait et où ils couchaient, dans un lit fermé par des rideaux. Germaine dormait dans le grenier, sur une paillasse. Elle était leur plus jeune enfant. Ses deux frères avaient quitté le pays pour travailler dans la Compagnie des chemins de fer. Mariés, pères de famille, ils n'envoyaient pas un sou à leurs parents.

— On était ben contents de la placer, not' gamine ! répéta Amélie Caillaud à Bonnie, assise au coin de l'âtre. Faut qu'on lui trouve de nouveaux patrons, à c't heure.

L'adolescente s'était réfugiée à l'étage, à peine rentrée chez elle. D'une petite voix, elle avait supplié Bonnie d'expliquer la situation à son père. La gouvernante, qui se refusait à s'éloigner du château, s'attardait dans l'humble maison des Caillaud. Elle avait payé Amélie pour avoir un repas, à midi, puis elle s'était rendue à l'église du bourg, pour allumer un cierge, avant d'aller au cimetière, prier sur la tombe d'Adela Laroche.

Maintenant, de retour près du feu réduit à quelques braises, sous les poutres basses, noircies par la fumée, Bonnie ne savait plus que faire ni que dire.

— Madame Caillaud, je vais monter discuter un peu avec votre fille. Je l'entends pleurer.

— Bah, Germaine, elle a toujours eu la larme facile. Pensez, elle touchait de bons gages au château, ça lui fait peine.

— Si je peux la consoler, hasarda Bonnie en posant le pied sur la première marche d'un escalier étroit.

En arrivant dans l'atelier du charron, occupé à ferrer une roue en bois, Bonnie avait annoncé à l'homme que M. Laroche avait congédié sa fille et qu'elle-même avait été mise dehors.

— Je suis pourtant la gouvernante attitrée de Mlle Élisabeth, s'était-elle indignée. Je ne coûte rien à son grand-père.

— Ben, c'est lui qui commande, quand même ! avait répondu le charron, sans cesser de marteler la plaque de fer qu'il devait fixer sur son support. Pour Germaine, c'est point pareil, j'vais lui frotter les côtes si elle s'est mal tenue.

— Votre fille est une excellente employée de maison, il ne faut pas la punir ! avait protesté Bonnie. Mais M. Laroche, dès qu'il est furieux, ne raisonne plus. Il faut dire qu'un de ses chevaux est mort hier soir. Un hongre blanc qu'il aimait beaucoup.

— Ce serait-y pas Talion ? Une belle bête, boudiou. Sûr, ça l'a retourné, c'est un bilieux, le châtelain.

Cette brève conversation revenait à l'esprit de Bonnie, au moment où elle pénétrait dans le grenier. Il y faisait chaud et on percevait la chanson de la pluie sur les tuiles. Des pommes, des poires étaient alignées sur des claies, et dans un angle, des épis de maïs séchaient sur un drap usagé. La paillasse de Germaine se trouvait sous une lucarne. Un cadre en planches évoquait un lit rudimentaire, une caisse servait de table de chevet, où trônait un bougeoir.

— Ma pauvre petite, remets-toi, ton père ne te battra pas ! murmura gentiment Bonnie.

Germaine était secouée par de gros sanglots, le visage en partie enfoui dans un oreiller crasseux, ses cheveux blonds emmêlés.

— Ta mère s'inquiète, et moi aussi, parce que tu n'arrêtes pas de pleurer, chuchota la gouvernante. Mlle Élisabeth parviendra à fléchir M. Laroche, nous pourrons reprendre nos fonctions bien vite, j'en suis certaine.

— Vous, peut-être, mais pas moi ! lâcha Germaine dans un souffle anxieux. Bonnie, je suis une fille perdue. Pitié, ne dites rien à mes parents. Tenez, regardez ce qu'il m'a donné.

L'adolescente extirpa une pièce scintillante de la poche de sa robe. Sans bien connaître les monnaies françaises, Bonnie songea au louis d'or qu'avait reçu Justin après un coup de cravache en pleine figure, un incident dont Élisabeth lui avait parlé assez récemment.

— Un louis d'or ! marmonna Germaine. Pour que je me taise et que je disparaisse du pays.

Bonnie se sentit glacée. Elle n'était guère souple, mais elle réussit à s'asseoir sur le plancher poussiéreux.

— Que s'est-il passé, ma pauvre petite ? interrogea-t-elle à voix basse en lui caressant la joue.

— Depuis l'arrestation de Madeleine, je couche là-haut, dans sa chambre à elle. Du bruit m'a réveillée, et… et Monsieur se tenait près de mon lit, une lanterne à la main. Il titubait, je suis sûre qu'il avait bu. Je lui ai demandé de s'en aller, mais il a suspendu la lampe à un clou, et il a rejeté mon drap et il s'est jeté sur moi. Son haleine sentait l'alcool. Ensuite, vous comprenez ce qu'il a fait… Il devait avoir peur que je crie, parce qu'il m'a enfoncé son mouchoir dans la bouche. Il était comme fou. J'ai eu mal, très mal. Pendant qu'il me faisait la chose, il répétait « Catherine, Catherine ». Oh, ça n'a pas duré longtemps, il est reparti. Et ce matin, il m'a ordonné de rentrer chez moi, en me glissant ce louis d'or dans la poche.

Germaine pleura jusqu'à suffoquer. Enfin elle ajouta, avec un regard effrayé :

— Je ne pourrai plus me marier, je suis une fille perdue. Aucun homme ne voudra de moi, plus tard.

— Seigneur, est-ce possible, une telle horreur? gémit Bonnie. Ma pauvre enfant. Cet homme n'a aucune moralité, et de plus, il est fou, fou à lier. Sois courageuse, Germaine. Je vais prévenir les gendarmes.

— Oh non, pitié, Bonnie, si vous faites ça, tout le village saura ce qui m'est arrivé. Je vous en prie, je ne veux pas qu'on le sache, j'en mourrais. Avec l'argent, je vais partir à Poitiers, chez mon frère Léon. Il me trouvera une place.

— Et si tu es enceinte?

— Non, ça ne se peut pas, je venais d'avoir mes lunes, et ma mémé prétendait qu'on n'attrape pas d'enfant, à cette période-là.

L'adolescente soignait moins son langage, n'ayant plus à jouer les domestiques accomplies. Bonnie en fut émue et attristée.

— Je l'espère de tout cœur, ma petite Germaine. Allons, ne pleure plus, sinon ta mère devinera ce que tu as enduré. Tu fais bien de partir loin d'ici. Moi, je dois retourner au château, mademoiselle a dû rentrer et je ne veux pas qu'elle soit seule avec ce sale vieux bonhomme.

— Oh, il n'oserait pas faire du mal à mademoiselle, il l'aime trop, affirma Germaine en reniflant.

— Que Dieu t'entende! Il aimait trop sa fille Catherine, je viens de comprendre de quelle ignoble façon, et toi, pauvrette, tu en as payé le prix.

Château de Guerville, même jour, deux heures plus tard

Élisabeth, après avoir beaucoup réfléchi, recroquevillée au creux de son lit, s'était relevée et rhabillée, en choisissant une jupe droite et un corsage en lainage à col rond.

Elle se sentait à la merci de son grand-père, qui pouvait entrer à tout moment, étant en possession des clefs.

D'abord, elle ouvrit la fenêtre et se pencha. Le sol tapissé d'herbe jaunie lui parut à une distance considérable. Dépitée, elle se souvint du calepin qu'elle avait trouvé dans la boîte de soldats de plomb.

Il lui paraissait primordial de s'occuper l'esprit, afin de rester calme et de ne pas céder à la peur.

— Tout va rentrer dans l'ordre, Bonnie ne m'abandonnera pas, ni oncle Pierre, ni Richard ! affirma-t-elle à mi-voix.

La jeune femme s'installa dans une bergère tapissée de velours rose et ouvrit le carnet à la première page. Tout de suite elle reconnut l'écriture de sa mère, en déchiffrant la date et les mots qui suivaient : *9 juin 1875, jour de la Sainte-Diane. Mes pensées secrètes.*

Élisabeth calcula son âge à l'époque, Catherine avait dix-sept ans.

— Comme moi en quittant New York ! se dit-elle.

Son cœur se serra. Elle pressentit que les bruits entendus dans la nursery n'étaient pas d'ordre naturel, et qu'on l'avait appelée là-haut, car elle devait lire ces pages.

— Ma petite maman, si c'est toi qui m'as fait signe, écoute-moi. Je t'aime très fort, et je te demande pardon pour ce que j'ai fait avec Richard, mais je vais l'épouser, je te le promets.

Elle avait murmuré, pourtant il lui sembla que ses mots résonnaient dans le silence. C'était une illusion, cependant, gênée, elle commença à lire.

Samedi 12 juin 1875

Mère s'est encore absentée, en visite chez tante Clotilde. Le fait-elle exprès ? Je lui ai déjà dit que je n'aimais pas être seule avec mon père. Elle s'en moque. Comme le mois dernier, il est entré dans ma chambre et il s'est assis dans le fauteuil, en m'attirant sur ses genoux. Il m'a caressé les cheveux, les joues, les épaules. Je n'ai pas osé bouger ni protester, pourtant j'ai eu envie de crier, car sa respiration changeait et son regard devenait fixe.

J'ai réussi à le fuir, en prétendant que j'avais envie d'une balade à cheval. Mais il m'a accompagnée jusqu'aux écuries. Par chance, les palefreniers, Robert et Marcel, sont venus lui parler d'une livraison de grain en retard. J'aurais voulu galoper droit devant moi, ne plus jamais revenir dans ce château que je déteste, autant que je déteste mon père.

Le texte couvrait trois pages, à cause de la petite taille des feuillets. Élisabeth, révoltée et effrayée, continua sa lecture.

Vendredi 25 juin 1875

Ce matin, j'ai supplié ma mère de me laisser passer les mois d'été à Arcachon, chez mon amie du pensionnat, Marguerite de Maumont. Après bien des soupirs, elle a enfin consenti, mais je n'ai pas pu me réjouir. Il y avait une condition, l'accord de mon père.

J'étais tellement en colère que j'ai répondu ceci : « Maman, vous savez très bien que papa refusera, alors autant ne pas me donner de fausse joie. »

Elle m'a dévisagée d'un air inquiet. Soudain j'ai compris qu'elle savait ce qui se passait sous son toit. Quelle joie ! Maman m'a aidée à faire mes valises en m'annonçant qu'elle m'accompagnait à la gare de Rouillac, d'où j'aurais un train pour Angoulême. Là-bas, Marguerite m'attendrait, elle est au courant de mes soucis.

Jeudi 2 septembre 1875

Je suis de retour au château, après les plus merveilleux jours de ma vie, au bord de la mer, sans la peur insidieuse de mon père. J'ai enfin pu dormir en paix, car il ne venait plus s'asseoir au bord de mon lit, ni embrasser mes mains, le coin de ma bouche, ou bien me caresser les cuisses à travers le drap.

Marguerite m'a conseillé de me marier le plus vite possible, puisque je ne retourne pas en pension. Voilà la condition des jeunes filles de la prétendue bonne société. Je devrais vouer ma vie à un homme pour échapper à la perversité d'un autre homme, qui est mon propre père.

Si je me marie un jour, ce sera par amour, le grand amour dont je rêve.

Élisabeth eut envie de pleurer, en songeant à son père adoré, Guillaume. Ses parents s'étaient aimés passionnément, et elle se demanda si Richard la rendrait heureuse.

Jeudi 14 octobre 1875

Ce soir, dans la sellerie, mon père a dépassé toute mesure. Il m'a enlacée et embrassée sur la nuque, en mordillant une mèche de mes cheveux qui dépassait de mon chapeau. Sa main droite a effleuré mes seins. J'étais terrifiée mais envahie de dégoût, de colère. Je l'ai repoussé de toutes mes forces et je l'ai giflé.

Par malheur, les palefreniers étaient dehors, sinon ils auraient pu s'interposer. Je sais qu'ils me respectent et m'aiment bien. Papa était sidéré par mon geste. Il est devenu rouge et a pris le fouet d'attelage. J'ai reçu une belle correction, mais je n'ai pas poussé un cri. Quand il a cessé de me frapper, je l'ai menacé de révéler son penchant incestueux pour moi à mes grands-parents, à ma mère, et que s'il essayait encore de me toucher, je m'en irais et ne reviendrais jamais. Sa réponse : « Ne fais pas ça, Catherine. »

Je pense avoir marqué un point, il semblait vraiment anxieux à l'idée de me perdre.

Lundi 27 décembre 1875

Deux mois environ de paix. Nous avons fêté mes dix-huit ans en famille, avec ma tante Clotilde et mon oncle Armand. Maman m'a offert un nécessaire à couture en ivoire et vermeil, de quoi m'occuper durant les mois d'hiver.

Mon père m'a acheté une jument superbe. Tout bas, devant son box, il a promis de ne plus m'importuner à condition que je le seconde dans les affaires du domaine, et que je consente à lui sourire de nouveau.

Je pense que sa plus grande crainte est de me savoir amoureuse ou disposée à me marier. Il interdit à maman de donner des bals et m'escorte désormais chaque fois que je pars à cheval.

Quelle existence m'attend, je l'ignore, mais je rêve souvent de partir en Amérique, d'embarquer sur un grand bateau et de mettre l'océan Atlantique entre mon père et moi. Je m'en fais la promesse ce soir, un jour je foulerai les pavés de New York.

Ces derniers mots atteignirent profondément Élisabeth. Elle découvrait, surprise, que Catherine souhaitait s'exiler avant même de rencontrer Guillaume Duquesne.

— Maman, ma petite maman chérie ! dit-elle tout bas. Tu n'as jamais pu admirer New York, ni fouler ses pavés. C'est injuste, tu avais tant souffert ici, pourquoi es-tu morte ? Pourquoi, mon Dieu ?

Aveuglée par ses larmes, Élisabeth tenta de déchiffrer le dernier texte, qui était écrit en plus petit.

Octobre 1878

Guillaume, Guillaume, Guillaume ! C'est lui, Guillaume, mon grand amour. J'écrirais cent fois ce prénom si je pouvais. Je l'ai croisé il y a trois semaines à la foire de Montignac, où j'étais allée, chaperonnée par maman et Madeleine. Il a suffi d'un regard, d'un sourire, et j'ai su qu'il était mon destin.

Hier soir, avec l'aide de Marcel, le vieux palefrenier, qui est un camarade du père de Guillaume, le meunier Duquesne, j'ai pu passer une heure avec celui que j'aime.

Mes parents étaient invités chez des voisins, fait exceptionnel, alors je me suis échappée, par la porte des cuisines.

Rien ni personne ne m'empêchera d'épouser Guillaume. Il est compagnon charpentier, il a vingt-cinq ans et les plus beaux yeux gris de la terre.

Élisabeth s'aperçut alors qu'il manquait deux pages à la fin du calepin. On les avait arrachées, des fragments dentelés en témoignaient. Elle referma le petit carnet et le rangea dans la poche de sa jupe. Il faisait sombre dans la chambre, aussi discerna-t-elle aisément un rai de lumière sous la porte. Quelqu'un se tenait là, derrière les battants en chêne.

— Grand-père ? appela-t-elle. Ouvrez, je sais que c'est vous. Ouvrez, je veux vous parler !

Il y eut un déclic. La clef tournait dans la serrure. Hugues Laroche apparut, hagard, une lanterne à bout de bras.

19
Revirement

Château de Guerville, même soir

Le sang cognait aux tempes d'Élisabeth, qui guettait le moindre mouvement de son grand-père, toujours immobile sur le seuil de la pièce. Elle avait peur, certaine que son sort se jouait à ce moment précis. Un pas en avant ou bien en arrière pouvait tout faire basculer.

Si elle n'avait pas lu le calepin de Catherine, elle aurait peut-être reculé, face à cet homme hanté par ses démons, mais sa mère avait triomphé, elle s'était enfuie de l'enfer et avait gagné des années de véritable bonheur.

La jeune femme sentit une force nouvelle l'envahir. Elle ne serait pas une victime. L'air farouche, elle s'avança.

— Je souhaite avoir une conversation sérieuse avec vous, grand-père ! dit-elle d'une voix nette. Pouvons-nous aller dans la salle à manger. J'aimerais aussi pouvoir dîner.

Interloqué, le châtelain la toisa avec méfiance. Il hésitait. En fait, sa fureur retombée, il avait pris la mesure de l'acte odieux dont il était coupable. C'était un peu vague, dans son esprit, mais il se souvenait d'avoir violenté la petite Germaine, sous l'emprise de l'alcool.

— Grand-père, m'avez-vous entendue ? insista Élisabeth. J'ai beaucoup de choses à vous dire. Déjà je n'admets pas d'être punie comme une enfant et j'exige que Bonnie revienne.

— Léandre lui a ouvert, ta gouvernante prépare un repas dans les cuisines, bougonna-t-il.

— Et Germaine ?

— Elle était de congé demain dimanche, comme toujours. Mais du coup, je viens de l'apprendre par Bonnie, elle préfère partir travailler à Poitiers. Je te l'ai dit, une femme la remplacera, Aline.

Laroche semblait abattu, presque confus. Élisabeth devina qu'il ne tenterait rien. Elle s'empressa de sortir de la chambre, dans sa hâte de vérifier que sa gouvernante était vraiment là.

Sans attendre son grand-père, elle courut jusqu'à l'office où flottaient de délicieuses odeurs. Des légumes cuisaient, de la viande grillait au creux d'une poêle.

Là, il faisait clair, grâce aux trois suspensions en opaline accrochées aux poutres. Le vieux Léandre et Alcide étaient assis à la table, un verre de vin entre les mains. Et Bonnie, un tablier noué autour de sa taille rebondie, s'affairait devant le gros fourneau en fonte.

Élisabeth se jeta à son cou en tremblant de soulagement. Elles s'étreignirent un instant.

— Tu es là, Bonnie, comme je suis contente ! J'étais si inquiète, je t'imaginais en perdition, en pleine campagne.

— Non, mademoiselle, j'étais au village.

— Avec Germaine ? Pourquoi s'en va-t-elle ? Je pense que mon grand-père l'a chassée sous le coup de la rage, j'aurais fait en sorte qu'elle reprenne sa place.

Bonnie fit mine de surveiller le potage. Il lui coûtait de mentir à Élisabeth, mais elle avait promis à l'adolescente de garder le secret. Elle n'oublierait jamais sa prière désespérée : « Pitié, mademoiselle ne doit pas savoir, ni mes parents, vous êtes la seule au courant, Bonnie. Si quelqu'un l'apprend, je me jetterai dans la Charente, j'en fais serment. »

— Germaine a sa fierté, elle n'a pas supporté d'être congédiée sans raison valable, soupira la gouvernante.

Et puis elle avait sûrement envie d'habiter une grande ville. En attendant, j'ai repris du service, et ça me plaît de remettre la main à la pâte !

Élisabeth ne prêta pas attention au timbre faussement gai de Bonnie. Elle avait un dur combat à mener et rejoignit Hugues Laroche dans la salle à manger.

Un bon feu flambait sous le manteau en pierre de la cheminée. Son grand-père allumait les grandes lampes à pétrole réparties sur les meubles.

« C'est dans cette pièce que nous étions il y a douze ans, songea Élisabeth. Mes parents, Bonne-maman, mon grand-père et moi. Et il n'y a que deux survivants. »

— Tu tenais à me parler, je t'écoute ! déclara Laroche d'un ton mal assuré.

Il jeta un coup d'œil vers le plateau en argent où étaient disposés une bouteille de cognac et des verres en cristal. Mais il ne s'en approcha pas. Des images le traversaient, qui le glaçaient. C'était soit le regard plein d'épouvante de Germaine, pendant qu'il la forçait, soit la blondeur de ses cheveux sur l'oreiller et ses larmes, après, quand il s'était retiré d'elle, hébété.

— J'avoue m'être mal conduite, en ayant une liaison avec Richard Johnson, commença Élisabeth. J'étais amoureuse de lui, à New York, il me plaisait et en le retrouvant en France, j'ai été bouleversée. Je l'aime sincèrement. Vous m'avez insultée, ainsi que maman, ces deux derniers jours, pourtant vous n'êtes pas irréprochable et vous le savez très bien.

Hugues Laroche se retourna et la dévisagea. Il tenta d'être désagréable, sans y parvenir tout à fait.

— Tu vas encore me reprocher de me montrer trop affectueux envers toi ? Ou bien autre chose ?

Élisabeth se troubla, car elle percevait un début de panique chez son grand-père, lui d'ordinaire implacable et autoritaire.

— Non, vous n'avez rien fait de vraiment grave, du moins pas encore. Mais j'ai lu tout à l'heure un calepin, où maman exprimait ses pensées, ses terreurs et évoquait votre comportement, qu'on pourrait qualifier d'incestueux.

— Incestueux, et puis quoi encore ? C'était de l'amour ! gronda-t-il, effaré. De l'amour et de la jalousie. Je n'ai rien fait de mal à Catherine. La preuve, elle m'a pardonné, une fois mariée et mère de famille. Nous avions discuté longuement, le soir de l'anniversaire de tes trois ans. Adela avait organisé un goûter dans le parc, Guillaume était là et je lui ai proposé, encore une fois, de venir vivre au château, de me seconder. Il a refusé. Mais Catherine et moi, nous sommes allés marcher sous les arbres, et je lui ai dit combien je regrettais mes actes passés. Seigneur, ma fille n'était que bonté, intelligence, elle m'a absou de mes fautes et même, elle m'a embrassé sur la joue.

Cet aveu conforta Élisabeth dans sa décision. Elle ne voulait plus de conflit, d'angoisse, de brutalité.

— Dans ce cas, grand-père, en mémoire de maman, promettez-moi de faire des efforts. Je consens à travailler à vos côtés, mais vous trouveriez aussi une aide efficace en la personne de Richard Johnson. Les gens de Montignac aiguisent leur langue, ma réputation là-bas en souffre, et mon autre famille également, mes oncles et pépé Toine. Si nous annonçons nos fiançailles et un prochain mariage, les ragots cesseront d'eux-mêmes. Vous aussi, vous tenez à l'honneur de votre nom, de votre exploitation. Il faudrait éviter le scandale. Que penseront vos employés, vos clients si je reste seule avec vous, cloîtrée dans votre forteresse ? Grand-père, j'ai dix-huit ans, j'ai envie de profiter de l'existence agréable que je pourrais avoir ici. Donnons des bals, des fêtes !

Abasourdi par le discours de sa petite-fille, Hugues Laroche alla s'asseoir près du feu. Il savait au fond de lui qu'elle avait raison.

— Dans son carnet, maman parle d'une tante Clotilde, reprit Élisabeth. Est-ce votre sœur ou celle de ma grand-mère ?

— Ma sœur cadette, veuve depuis six ans. Elle m'écrit une fois par mois, pour se plaindre de sa solitude. Pourtant elle habite un beau logis du côté de Segonzac.

— Vous n'avez même pas eu l'idée de l'inviter, pour me la présenter! s'étonna la jeune femme. Pourquoi n'a-t-elle pas assisté aux obsèques de Bonne-maman? Il y avait si peu de monde, juste les villageois et vos amis de Rouillac.

— Clotilde se trouvait alors sur la Riviera, à Nice. J'ai expédié un télégramme, mais elle n'a pas pu partir en temps voulu.

Élisabeth déambula dans la vaste salle à manger. Il faisait presque nuit à présent. Elle alluma les bougies d'un chandelier, se posta près d'une fenêtre et caressa le velours vert foncé des doubles rideaux. Contre son gré, en dépit de tout, elle s'était attachée à ce vieux château et son esprit en effervescence élabora d'autres projets.

— Si nous signons une trêve, grand-père, je vous aiderai à redonner son lustre à notre domaine. Vous devriez demander à votre sœur Clotilde de venir séjourner ici. Je suis sûre qu'elle sera heureuse de me connaître. Ensuite, nous pourrions célébrer mes fiançailles! Mais vous ne m'avez pas répondu sur ce point.

— Bah, ton Américain ou un autre, peu m'importe! soupira-t-il. Tu n'as pas tort, autant ne pas prêter le flanc aux commérages. Et puisque tu as vécu des années aux États-Unis, on ne s'étonnera pas que tu épouses un citoyen américain. Mais tu oublies un détail, le décès d'Adela est tout récent. Ce serait inconvenant de donner des réjouissances alors que nous sommes en deuil.

Sa victoire, d'une rapidité surprenante, encouragea Élisabeth à se montrer encore plus téméraire.

— Eh bien, pour les fiançailles, ce n'est guère gênant, nous nous contenterons d'un dîner officiel, hasarda-t-elle. Mais au moins, Richard sera libre de me rendre visite, nous aurons le droit de nous rencontrer sous votre tutelle. Je lui apprendrai à monter à cheval. Quant au mariage, il se ferait dans un an, pendant l'été prochain. Ainsi je resterai près de vous, car je peux vous l'avouer, j'avais prévu de m'enfuir, comme maman, et de retourner à New York.

Le châtelain frémit de tout son corps. Il enfouit soudain son visage entre ses mains.

— Non, je ne veux pas te perdre, Élisabeth. Je me soignerai, je te le promets. Le docteur Trousset avait prescrit du bromure de potassium, j'en prendrai un peu, et je ne boirai plus d'alcool. J'approuve tes projets, tu as quartier libre, comme on dit dans l'armée. Mais ne pars pas, je t'en supplie.

Bonnie fit son entrée, en lançant un regard incendiaire à Laroche. Elle avisa la table vide et haussa les épaules. L'air hautain, ce qui la rendait presque comique, avec son chignon roux à moitié défait et son tablier, elle sortit la nappe du lourd vaisselier en merisier.

— Je mettrai le couvert, Bonnie ! s'écria Élisabeth. Serais-tu vexée de dîner à l'office, nous n'avons pas terminé de discuter, grand-père et moi ?

— J'en avais l'intention, mademoiselle. Je serai mieux en cuisine, où l'ouvrage ne manque pas ! rétorqua la gouvernante.

Dès qu'elle fut sortie, Élisabeth disposa le nécessaire pour leur repas. En observant furtivement son grand-père, elle le vit qui essuyait quelques larmes du bout des doigts. Elle eut l'étrange impression d'avoir abattu un redoutable géant sans savoir avec quelle arme.

— Vous pleurez ?

— Un être humain est parfois partagé entre deux natures, une bonne et une mauvaise. Je te l'accorde, chez moi, la mauvaise prend souvent le dessus. Mais à l'idée de ne plus t'avoir près de moi, j'ai envie d'être meilleur. Élisabeth, j'ai perdu Catherine, ma fille adorée, la chair de ma chair, et maintenant mon épouse que j'aimais tendrement, même si je l'ai fait souffrir. J'ai besoin de toi à mes côtés. Fiancée, mariée, maman à ton tour, mais à mes côtés.

Hugues Laroche était sincère, la jeune femme le sentit et s'en émut. Elle eut un élan vers lui, immédiatement refréné, par prudence.

— Je vous remercie de baisser votre garde, grand-père, dit-elle simplement. Ah ! Voici Bonnie.

Ils dégustèrent en tête à tête un épais potage aux tomates, lié à la crème fraîche, puis du jambon à la poêle, accompagné de petits pois. Tous deux silencieux, ils semblaient apprécier un début de sérénité.

— Je te demanderai une chose ! déclara cependant le châtelain après le dessert, composé de pêches et de prunes. Respecte la période des fiançailles. Tu ne dois plus céder à Johnson jusqu'à votre mariage.

Élisabeth rougit, en se souvenant de l'intrusion de son grand-père le matin même, dans la chambre où elle était nue, ainsi que Richard.

— Une année de chasteté s'impose, sois logique, ajouta-t-il. Si tu étais enceinte avant la noce, tous nos plans s'effondreraient.

— En effet, c'est une mesure inévitable, concéda-t-elle. Je vous promets de m'y conformer, grand-père.

— Très bien ! Il semble qu'une nouvelle ère s'annonce ! déclama-t-il, enfin apaisé, un sourire timide sur ses lèvres minces.

Bonnie, une heure plus tard, sut lui rappeler qu'il devrait lui aussi se conformer à ses volontés. Élisabeth s'étant retirée dans sa chambre, la gouvernante suivit le châtelain dans le fumoir, où il s'apprêtait à allumer un cigarillo.

— Monsieur, susurra-t-elle, penchée sur son fauteuil, je vous l'ai dit en toute discrétion lors de mon retour, je sais ce que vous avez fait à cette pauvre Germaine. Si Mlle Élisabeth l'apprenait, elle vous aurait définitivement en horreur et s'en irait. Quant à moi, je vous préviens, si vous osez nuire à votre petite-fille, je vous rappelle que je connais les plantes aussi bien que Madeleine, et même les plus dangereuses. Mais ça vous soulagerait peut-être de rendre l'âme, votre âme toute noire, alors j'irai plutôt raconter vos exploits aux gendarmes. Sur ce, je vous souhaite une bonne nuit, monsieur Laroche.

Il hocha la tête en guise d'accord. Pour une fois, il s'estimait vaincu.

Château de Guerville, dimanche 28 août 1898

En se réveillant, Élisabeth fut un peu surprise de voir Bonnie allongée près d'elle. Néanmoins elle se souvint aussitôt qu'elle avait demandé à sa gouvernante de coucher dans son lit. Toutes les deux s'étaient promis d'avoir une longue conversation mais, épuisées par une journée riche en émotions, elles s'étaient endormies aussitôt.

Des rayons pourpres illuminaient la grande chambre. C'était l'aurore et les oiseaux chantaient à tue-tête dans le parc.

— Bonnie, il fait jour ! murmura la jeune femme. Je dois te parler.

— Oui, oui, je sais ! grommela celle-ci, somnolente.

Élisabeth eut envie de rire, lorsque Bonnie se tourna vers elle. Des mèches rousses dépassaient en désordre de son bonnet de nuit, et ses joues étaient marquées par les plis de l'oreiller.

— Ce n'est pas très gentil de vous moquer, mademoiselle, lui reprocha-t-elle. Je me doute que je ne suis pas jolie à voir, le matin.

— Tu es mignonne, Bonnie, on dirait une poupée !

— Hum ! Une poupée de trente-quatre ans, avec une perruque de rouquine. Votre oncle Jean ne doit pas avoir bonne vue, pour me faire la cour. De toute façon, je ne veux plus me marier.

Attendrie par la mine chagrine de sa seule amie, Élisabeth se redressa et tapota le drap.

— Tu m'expliqueras pourquoi plus tard, Bonnie, car moi je vais me fiancer bientôt, avec Richard Johnson. J'espère que tu me pardonneras, parce que je t'ai caché beaucoup de choses ces derniers temps. Des choses qui vont te faire bondir.

— Dites toujours, mademoiselle !

Élisabeth, à voix basse, se confessa. Elle avoua les baisers et les caresses, à bord du paquebot, avant de préciser qu'elle était devenue la maîtresse de l'Américain en juillet, deux jours après l'enterrement d'Adela Laroche. Elle dut enfin lui raconter l'épouvantable incident de la veille.

— Seigneur ! Votre grand-père a défoncé la porte de votre charmante petite maison, et il vous a trouvés nus, Richard et vous ? s'écria-t-elle, les yeux dilatés par la stupeur. Quand même, mademoiselle, je suis très déçue. Je vous pensais incapable de braver les interdits de l'Église. Comment avez-vous pu vous donner à cet homme, sans être mariée ?

— J'étais si malheureuse, Bonnie. Justin avait disparu, et tu sais pourquoi. Jamais nous n'aurions le droit de nous aimer. Et puis il y a autre chose. Tu dois me croire sur parole. Pendant la nuit où nous avons couché à l'hôtel des Trois-Piliers, à Angoulême, j'ai refait le même cauchemar que sur le bateau. Cette fois, je me suis éveillée terrifiée et j'ai noté, en anglais, ce qui se passait dans ce rêve affreux. Depuis je le fais régulièrement, dès qu'un songe me paraît chargé de sens ou d'une menace possible.

Bonnie s'était assise. Elle se signa, très pâle soudain, à l'instant d'interroger Élisabeth.

— Et qu'est-ce qui vous arrivait, mademoiselle, dans ces cauchemars ?

— Un homme en noir, dans une pièce sombre, un homme sans visage, me violait. C'était un acte barbare, atroce, et j'avais envie de mourir. D'abord, j'ai cru qu'il s'agissait de Richard, mais dans le cauchemar que j'ai fait à l'hôtel, j'ai reconnu l'homme. Est-ce la peine que je te dise son nom ?

— Je ne pense pas, concéda la gouvernante, qui pensait à la petite Germaine, victime d'un viol brutal la nuit précédente.

— Moi qui n'ai pas pu, fillette, sauver papa, j'ai voulu défier le destin, en m'offrant à Richard. J'ai réussi, Bonnie. Mon grand-père n'osera plus rien tenter, encore moins quand je serai mariée. S'il avait refusé mes propositions, hier soir, au dîner, je lui aurais raconté tout ceci.

Élisabeth sortit ensuite le calepin de Catherine du tiroir de sa table de chevet.

— Tu le liras, Bonnie. Je veux que tu saches à quel point j'ai senti la présence de maman, dans la nursery, et ici, dans cette pièce. Si je n'avais pas lu ce carnet, je n'aurais pas eu la force d'affronter mon grand-père. Je n'ai plus envie de partir, je désire vivre en France, choyer mon cher pépé Toine, et mes cousins, Gilles et Laurent. Toi, tu vas épouser oncle Jean, j'en suis sûre.

« Enfin, je t'ai dit toute la vérité ! Je suis libérée d'un grand poids.

— J'aimerais en dire autant, mademoiselle.

— Qu'est-ce qui te tracasse, dis-moi, Bonnie ? Si seulement tu m'appelais par mon prénom, ça briserait une barrière entre nous.

— Non, je ne peux pas, et c'est joli, « mademoiselle », même si hélas vous n'en êtes plus une. Oh, ne prenez pas ma remarque pour une critique, mais à dix-huit ans, vous êtes plus avertie que moi, sur les relations de couple. Si j'épouse votre oncle, il faudra que j'en passe par là, non ?

— Sûrement !

— Eh bien flûte ! Si vous voulez le savoir, ça me fait peur. J'avais cherché à me renseigner auprès d'une de mes cousines, quand je m'imaginais mariée à Harrison, elle m'a répondu : « Tu verras bien quand tu y seras ! » Je n'étais guère avancée.

Bonnie fixait obstinément les rideaux en mousseline, qui filtraient le soleil, afin de ne pas regarder Élisabeth. La jeune femme lui chuchota à l'oreille :

— La première fois, c'est un peu douloureux, mais je t'assure, ça devient très plaisant, exaltant, par la suite. Le plus important, à mon avis, c'est d'aimer très fort son époux.

Elle retint un soupir et se leva. Pieds nus, elle trottina jusqu'à la fenêtre et l'ouvrit. Le paysage l'enchanta, aux couleurs déjà moins vives, en cette fin d'été. Un vol d'hirondelles traversa le ciel d'un bleu pâle, et l'air embaumait la terre humide. Au loin, s'étendaient les vignobles, et derrière la ramure des chênes, elle aperçut des chevaux au pré.

Élisabeth se persuada qu'un avenir tranquille l'attendait. Les jours prochains, elle serait très occupée et ainsi elle ne penserait plus à Justin. Pourtant il reviendrait, il ne pouvait en être autrement.

« Et je l'aimerai, maman, parce qu'il est ton frère, aussi doux et gentil que toi. »

Bonnie la vit envoyer un baiser à l'invisible, du bout des doigts et rire tout bas, son ravissant profil ourlé par la lumière matinale.

Pour la préserver, la gouvernante se promit de garder le secret de Germaine. Élisabeth avait suffisamment été éprouvée par la vie, elle avait droit au bonheur, même si celui-ci était fondé sur des mensonges et des crimes.

New York, Dakota Building, lundi 2 janvier 1899

Il neigeait tant et le froid était si vif que Maybel Woolworth avait renoncé à sa promenade quotidienne dans Central Park, en compagnie de Scarlett Turner, sa voisine, devenue sa grande amie. Les deux femmes, qui avaient fêté ensemble leur quarante-quatrième anniversaire, passaient des heures à bavarder, à grignoter des biscuits et à boire du thé.

En l'absence d'Edward, elles sortaient les cartes de tarot de leur cachette, toujours en quête de réponses à leurs attentes respectives. Elles avaient interrogé les énigmatiques arcanes aux dessins colorés à la fin de l'été et une partie de l'automne.

Si Scarlett, célibataire par besoin d'indépendance, souhaitait enfin rencontrer « l'âme sœur », Maybel tenait à savoir la date du retour d'Élisabeth, dont elle n'avait pas douté au mois d'août.

Sa folle espérance avait été déçue par la longue lettre qu'elle venait de relire, dans laquelle Élisabeth leur annonçait ses futures fiançailles, en octobre, avec Richard Johnson, en expliquant que son grand-père s'était radouci, de peur de la perdre. Elle prétendait qu'il n'était plus le même homme.

Maybel méditait sur cette phrase en particulier, lovée dans un fauteuil en cuir, emmitouflée d'un somptueux châle en laine angora. Un pas familier résonna dans le large couloir de l'appartement. Elle entendit la voix rocailleuse de Norma, leur domestique, toujours à leur service. Son époux entra peu après dans le salon et l'embrassa sur le front.

— Chérie, tu relis les anciens courriers de Lisbeth ! dit-il en lui caressant les cheveux. Tiens, tu es seule ? Quelle chance ! Je craignais de trouver Scarlett sur le divan, en conversation avec un des fantômes qu'elle croise chez nous.

— Edward, ne plaisante pas sur un sujet aussi sérieux. Tu passes tes journées au bureau, ou bien à Wall Street, je m'ennuierais terriblement sans elle. Mais aujourd'hui, Scarlett avait un rendez-vous à Broadway.

— Tant mieux, car j'ai une surprise, une nouvelle lettre et à l'épaisseur, nous aurons encore un reportage photographique.

— C'est merveilleux ! s'exclama Maybel. Ne t'inquiète pas si tu me vois relire la délicieuse prose de Lisbeth. Je suis comblée, nous la reverrons cet été, en France, pour son mariage. M. Laroche a vraiment changé, il nous a invités !

Elle frappa dans ses mains, comme une enfant égayée. Attendri, Edward lui tendit l'enveloppe.

— Et avant de nous présenter au château de Guerville, nous irons séjourner sur la fameuse Riviera, la Côte d'Azur ! lui rappela-t-il. Tu as été si courageuse de surmonter ta mélancolie, Maybel, je suis heureux de t'offrir ce grand voyage.

— J'en rêve tout éveillée ! affirma-t-elle. Je ne peux pas y croire, quand je vois la neige ruisseler derrière les fenêtres, et que j'ai les pieds gelés malgré le chauffage central ! Pourtant au mois de juillet, je découvrirai la France, la Méditerranée et surtout je pourrai serrer Lisbeth dans mes bras. N'oublie pas, tu as promis de renouveler ma garde-robe. Les Françaises sont à la pointe de la mode.

— Ouvre vite la lettre ! dit-il en guise de réponse.

Les Woolworth s'amusaient beaucoup en regardant les clichés que leur envoyait fidèlement Élisabeth. Ses fiançailles avec le beau Richard Johnson ne les avaient pas vraiment étonnés. Ils reconnaissaient que c'était un jeune homme séduisant, instruit et fantaisiste.

— Nous possédons maintenant une vraie galerie de portraits, nota Maybel.

Elle avait acheté un grand album relié en cuir ouvragé pour ranger les photographies, en respectant la chronologie. Le couple avait souri devant les images des vendanges, notamment celle où « leur » Lisbeth, coiffée d'un chapeau de paille, portait une hotte remplie de raisins. Quant au cliché d'une taille plus conséquente, pris le jour des fiançailles, Edward l'avait fait encadrer et il ornait le dessus de la cheminée.

Maybel le désigna d'un mouvement de tête à son mari. Elle admirait souvent la radieuse jeune fille qui posait au pied des murailles du château, au bras de Johnson.

— Qu'elle était belle ce jour-là ! Il devait faire soleil, la lumière faisait briller ses cheveux, soupira-t-elle, ravie. Et cette longue robe plissée, au décolleté en dentelle, comme elle lui allait bien.

— En fait, c'est une bonne chose pour nous qu'elle épouse un Américain, renchérit Edward. Richard a de la famille à New York, ils auront un prétexte pour traverser l'océan de temps en temps.

Sa femme le fit taire en posant l'index sur sa bouche, mais il couvrit son doigt de baisers.

— Je commence à lire, chéri ! déclara-t-elle, rieuse.

Château de Guerville, 18 décembre 1898

Chère mummy, *cher* daddy,

Quand vous recevrez cette lettre, nous serons en 1899, une nouvelle année qui me verra devenir Mme Johnson, et où j'aurai la joie immense de vous revoir, mes parents de cœur ! J'étrenne cette formule qui me plaît, car je vous aime toujours autant et j'ai hâte de vous faire visiter le château, le domaine dans son ensemble, les vignes, les chais, les écuries.

Vraiment, l'existence que je mène me semble presque parfaite. Les gens du pays me saluent bien bas, quand je me promène à cheval ou en calèche.

Hélas, et j'espère vous faire rire, mon fiancé n'a aucun talent pour l'équitation. Lui, il se passionne pour les voitures à moteur, et il prévoit d'en acquérir une le plus rapidement possible.

Comme je vous le disais dans ma précédente missive, Clotilde, la sœur de grand-père, s'est installée définitivement ici. C'est une charmante dame, fort bavarde, qui a le mérite de disputer d'interminables parties d'échecs avec Richard ou avec grand-père.

Sa fille, Anne-Marie, habite elle aussi avec nous depuis un mois. Elle s'en ira après le Nouvel An. Je m'entends bien avec elle, qui est veuve, la malheureuse, à seulement trente-six ans.

Je suis toujours satisfaite des services d'Aline, la domestique qui a remplacé Germaine, dont je regrette le minois innocent. J'ai engagé une cuisinière et une nouvelle femme de chambre, puisque la famille s'est agrandie et par conséquent, les tâches ménagères.

Qu'en est-il de ma chère Bonnie ? Elle n'est encore ni fiancée, ni mariée. Mon oncle Jean se languit, mais grâce à moi, il a retrouvé son emploi de palefrenier et il peut souvent croiser sa « promise ». On dit cela en France, du moins à la campagne.

J'en suis parfois attristée, sachant très bien pourquoi Bonnie refuse de l'épouser. Elle ne veut pas s'éloigner de moi, pourtant je suis bien entourée et je lui accorde peu de temps.

Cet automne, qui fut particulièrement humide, j'ai veillé sur la santé de mon pépé Toine, accablé de rhumatismes. Il en plaisante, me répétant qu'à vivre au bord de l'eau, presque sur l'eau, tous les meuniers sont atteints de ce problème, douloureux et même handicapant.

Mom *chérie, je pense que ma robe de fiançailles t'a plu. Je t'avais dit sa couleur et le tissu, du taffetas rose poudré, je ferai en sorte que tu sois éblouie par ma robe de mariée. Richard l'a dessinée, oui, mon fiancé, très bon en dessin s'il ne tient pas sur un cheval, a conçu un modèle splendide. Comme il fera chaud en juillet, j'ai songé à une mousseline de soie, et je livre un secret, le corsage sera entièrement brodé de fleurs en nacre.*

Que vous dire encore ? Je suis en paix avec mon passé, j'évoque par là mon enfance et le décès de mes parents adorés. Richard me le répète, je dois regarder devant moi, me distraire et briller en société.

Je me rends en sa compagnie à des bals donnés chez des voisins fortunés, mais afin de respecter la mémoire de Bonne-maman, nous n'avons encore invité personne à valser dans le grand salon. Cela viendra, notamment le soir de la noce. Dad, *je te réserve la première danse.*

Quelques dernières lignes encore pour vous confier que grand-père et Richard s'entendent de façon raisonnable. Ils discutent architecture, restauration du corps de logis Renaissance, et afin de se faire mieux apprécier, mon fiancé s'est mêlé de ventes à l'étranger, je parle des eaux-de-vie Laroche, bien entendu.

Je vous promets d'écrire une fois par mois d'ici cet été, où j'aurais le bonheur de vous recevoir en Charente. Je vous présenterai à pépé Toine, qui a déjà mis de côté une bouteille de son cidre, pour l'occasion.

Chère mummy, *cher* daddy, *je joins à ma lettre d'autres clichés. Vous verrez Bonnie, amaigrie et souriante, mon oncle Jean, le sosie ou presque de mon cher papa, mes cousins Gilles et Laurent qui m'accueillent toujours avec de grands sourires et des câlins. Ils ont respectivement dix ans et sept ans, à présent. Je les aide à étudier leurs leçons, quand je rends visite à ma tante Yvonne.*

C'est l'heure de décorer le gigantesque sapin de Noël dressé dans la salle à manger. Anne-Marie et Clotilde m'attendent, car je suis la seule à ne pas avoir le vertige, en haut de l'escabeau. Au menu du réveillon, concocté par Bonnie, qui n'est plus seulement ma gouvernante, mais aussi celle du château, il y aura des faisans rôtis, des truffes en papillotes, un gâteau au chocolat et d'autres délices.

J'ai choisi une carte de vœux pour vous deux, lorsque je suis allée à Angoulême, escortée par tante Clotilde. Je suis certaine qu'elle vous plaira beaucoup, et puis elle est nappée de givre artificiel, qui m'a fait songer à la neige sur les pelouses de Central Park. Je vous embrasse de tout mon cœur,

Votre Lisbeth.

Maybel replia les deux feuilles avec soin et contempla la carte postale. Elle représentait un lac gelé, bordé de buissons de houx, avec en retrait une petite maison au toit blanc de neige, à l'unique fenêtre éclairée. Un rouge-gorge était perché sur une branche, au premier plan. Edward effleura les paillettes argentées d'un doigt timide.

— Que notre fille est attentionnée, délicate, aimante ! dit-il tout bas. Oui, notre fille chérie.

— Personne ne nous écoute, nous pouvons l'appeler ainsi, insista Maybel. Lisbeth semble enfin heureuse là-bas. Je ne vais pas le déplorer, même si j'étais folle de joie quand elle évoquait un retour précipité, après la mort d'Adela Laroche.

— Elle est heureuse, rectifia Edward. Je la sens pleine d'entrain, d'énergie, et bien entourée par sa famille, ses deux familles.

— Bien sûr, tu as raison ! admit sa femme d'une voix douce.

Le négociant l'attira tendrement contre lui. Il était las et aspirait au repos, bien au chaud, bercé par le crépitement du feu et la vision des rideaux de neige derrière les hautes fenêtres du Dakota Building. Il aurait été désemparé s'il avait su lire dans les pensées de son épouse.

« Scarlett se serait trompée, alors ? se demandait Maybel. Souvent, quand elle tire les cartes, elle prétend que Lisbeth aime un autre homme et n'est pas vraiment heureuse. Je ne devrais plus l'écouter, comme me le conseille Edward. »

Frileuse, elle se réfugia dans les bras de son mari, en rêvant du beau jour d'été où elle embarquerait pour la France.

Montignac, jeudi 20 avril 1899

La barque glissait doucement sur l'eau verte du fleuve Charente. Richard, un chapeau sur ses cheveux noirs, le fameux canotier à la mode, ramait à un rythme régulier, sans déployer trop d'efforts. Élisabeth écoutait, rêveuse, le clapotis du courant contre la coque en bois. La jeune femme protégeait son visage du soleil grâce à une ombrelle en satin.

— Nous devons évoquer un tableau d'Auguste Renoir ! s'écria Anne-Marie, elle aussi à l'abri d'une ombrelle jaune.

La nièce du châtelain, férue de peinture, faisait partager sa passion à Élisabeth, qui l'écoutait avec intérêt. La charmante veuve n'avait pas quitté Guerville après le Nouvel An, et de toute évidence, elle y demeurerait jusqu'au mariage des jeunes gens.

— C'est une idée exquise, cette promenade en barque, ajouta-t-elle, que nous vous devons, Richard !

— Mon fiancé est toujours inspiré quand il s'agit de me faire plaisir ! admit Élisabeth. J'espère que nous allons trouver cette petite île dont nous parlait oncle Pierre. Un déjeuner sur l'herbe, Anne-Marie, ça ne vous rappelle rien ?

— Mais si, le tableau d'Édouard Manet ! Il reste à souhaiter qu'aucune de nous deux ne joue le rôle de la jeune femme toute nue[1] ?

Elles éclatèrent de rire, sous le regard agacé de Richard. S'il était enchanté d'être officiellement fiancé à Élisabeth, la période de chasteté qu'elle lui imposait le rendait très nerveux.

— Renoir aussi a peint son *Déjeuner*[2] précisa Anne-Marie. Mais des années plus tard, et la toile n'a pas fait scandale. Oh, chère Élisabeth, je voudrais vous emmener à Paris, visiter le musée du Louvres, et Versailles.

— Nous irons l'an prochain, en 1900 ! s'enflamma la jeune femme. Richard nous accompagnera, il connaît bien la capitale, paraît-il.

— Il ne paraît pas, Élisabeth, j'y ai séjourné trois semaines ! protesta celui-ci. Tu me taquines sans cesse, depuis hier. Vous êtes d'accord, Anne-Marie ?

— Peut-être, accusons l'air printanier, et la gaieté adorable de votre belle fiancée ! répliqua-t-elle. Voudriez-vous la voir triste, silencieuse ?

— Non, bien sûr ! affirma Richard.

---

1. Une femme nue figurait au premier plan du tableau de Manet, ce qui avait créé un scandale.

2. Allusion au *Déjeuner des canotiers* (1880).

Il accéléra la cadence, en se penchant en arrière pour mieux plonger les rames dans l'eau. Élisabeth feignit d'admirer les iris jaunes qui poussaient sur la berge. Elle savait parfaitement ce qui rendait son futur mari aussi irritable.

« Eh bien, moi, j'apprécie cette longue période d'abstinence, comme Richard nomme le fait de me laisser en paix ! songea-t-elle. Je n'avais pas envie d'être enceinte avant le mariage. »

Pourtant, elle avait failli lui céder plusieurs fois, tant il la suppliait et la harcelait de baisers, dès qu'ils étaient seuls. Elle parvenait à résister, mettant en avant la promesse faite à son grand-père.

— Je ne trahirai pas mon engagement, Richard, tu as tes entrées au château, ma dot te convient, puisque tu pourras acheter ta fameuse voiture à moteur ! lui disait-elle afin de l'apaiser. Mon grand-père respecte lui aussi sa promesse, il a changé, tu l'as constaté toi-même. Sois patient.

Le bel Américain patientait, mais la jeune femme était d'une telle beauté, avait tant de charme, qu'il endurait un calvaire, du moins en jugeait-il ainsi. Les paupières plissées, il l'admirait à travers ses cils, en imaginant des scènes d'amour torrides, dès qu'elle porterait son nom. Ils avaient prévu de partir en lune de miel au bord de la Méditerranée, et même de prendre le bateau pour la Corse, qu'Élisabeth souhaitait découvrir.

Une heure plus tard, le trio achevait de pique-niquer, assis sur une grande couverture en madras. Après avoir remonté un bras du fleuve, ombragé par les frênes et les saules, Richard avait accosté dans la crique d'une petite île, où se dressait un cabanon en planches, peinturluré d'un enduit à la chaux.

Élisabeth et Anne-Marie avaient dégusté avec appétit le pain frais, les œufs durs, le pâté en croûte préparé par Bonnie, mais l'Américain s'était d'abord accordé une cigarette, puis il avait grignoté du fromage et des noix.

— Quel endroit romantique ! s'extasia Anne-Marie. Voulez-vous du thé, Élisabeth ?

— Volontiers. Mais je vous sers, tendez-moi votre gobelet !

Elle déboucha la bouteille thermos en souriant gentiment. Un poisson sauta hors de l'eau, ce qui la surprit. Elle renversa un peu de liquide sur sa jupe rayée.

— Zut ! Je suis maladroite ces temps-ci.

— Tu es nerveuse, à l'approche de ton anniversaire, ma chérie ! décréta Richard. Quelle idée aussi d'organiser un bal costumé, qui ne sera pas vraiment un bal, mais un goûter donné dans le parc ! Pour ma part, ce samedi 22 avril, où tu fêteras tes dix-neuf ans, j'aurais aimé une sortie à Angoulême et un repas dans un excellent restaurant.

— Ne la contrariez pas ainsi, le sermonna Anne-Marie. L'idée vient de ma mère, et non d'Élisabeth.

— Oui, ma grand-tante Clotilde adorait les bals masqués, quand elle était jeune fille, alors nous avons décidé de célébrer mes dix-neuf ans en nous déguisant. Et dans le parc, pour respecter la mémoire de Bonne-maman. Il n'y aura qu'un violoniste, pour la musique. Gilles et Laurent viendront, tu te rends compte, c'est un genre de miracle ! Grand-père a accepté que mes cousins soient là, deux petits Duquesne inoffensifs. Oncle Jean ira les chercher en calèche.

— Pardonne-moi, Lisbeth ! soupira Richard en lui prenant la main. Je m'inquiète surtout de la façon dont tu comptes me travestir. Je ne voudrais pas être ridicule.

— Je le saurai demain au plus tard, *darling* ! répliqua-t-elle en riant. Mais je te verrais bien en pirate ou en marquis, coiffé d'un grand chapeau à plumes, et les mollets gainés de bas blancs.

Cette fois, Anne-Marie fut prise d'un fou rire. Élisabeth ne tarda pas à l'imiter. La plaisante compagnie de la cousine germaine de Catherine lui faisait envisager les semaines à venir comme une suite de moments agréables, riches en conversations littéraires et artistiques.

— Et d'où sortirais-tu cette tenue extravagante de marquis ? s'alarma Richard.

— Je suis capable de la coudre avec l'aide de Bonnie ! rétorqua Élisabeth d'un air malicieux.

Ils bavardèrent encore des costumes et de la pièce montée que devait élaborer la nouvelle cuisinière, experte en pâte à choux. Anne-Marie finit par s'allonger au soleil, sa capeline sur le visage. C'était une jolie femme brune, aux yeux bruns, qui avait le nez aquilin des Laroche.

— Elle s'est endormie, chuchota Richard un quart d'heure plus tard. Lisbeth, si nous allions visiter le cabanon ?

Il l'implorait de son regard doré, une moue sur ses belles lèvres charnues. Élisabeth se leva sans bruit et le suivit parmi les herbes folles et les orties. Elle éprouvait une dangereuse langueur. Leur expédition en barque sur le fleuve, l'atmosphère insolite de la petite île cernée par les eaux la rendaient plus sensible à la séduction de son fiancé.

Richard n'eut aucun mal à tirer la porte branlante du cabanon, laissé à l'abandon depuis quelques années. Pourtant l'intérieur avait meilleur aspect.

Main dans la main, les jeunes gens étudièrent l'aménagement sommaire du lieu : des étagères vermoulues, deux tabourets fabriqués sur place, à l'aide de rondins, une caisse en planches et, pendues à un clou, deux épuisettes au manche de bambou, au filet troué.

— Le pêcheur qui venait ici doit être mort ! murmura Élisabeth.

— Tu n'as rien de plus gai à dire, ma chérie ? Aurai-je droit au moins à des baisers, à te caresser un peu ?

Il n'attendit pas sa réponse et l'embrassa sur la bouche, en enveloppant son sein droit de sa paume gauche. Le désir l'égarait, il le lui signifia en mimant l'acte sexuel d'une langue dure, prise de frénésie. Il commença à soulever sa jupe, mais Élisabeth lui échappa, haletante.

— Es-tu devenu fou ? Anne-Marie peut se réveiller ! Elle nous cherchera… Je te connais, Richard, si je te laisse faire, tu ne pourras plus te dominer. Dans moins de trois mois, je serai ta femme et tu m'auras à ta disposition nuit et jour, dans ton lit. Si tu pensais parfois à me cajoler, à me dire des mots doux! Je suis venue en rêvant de ça, d'un instant de tendresse, de complicité, mais tu voulais une étreinte rapide, à la sauvette.

Élisabeth sortit en courant. Elle était déçue et humiliée. Vite, elle essuya les larmes qui coulaient sur ses joues et alla s'asseoir au bout de l'îlot, au pied d'un orme.

«Je suis sotte de croire que Richard deviendra attentionné, câlin. Oh! Il l'est, mais après avoir pris son plaisir, pas avant, constata-t-elle, le cœur serré. Et moi j'avais envie aussi, oui! il me trouble toujours autant, j'en ai les jambes tremblantes. Dès qu'il me touche, je suis faible, je suis à sa merci.»

Peu à peu, la jeune femme se calma. Elle avait eu la force de résister à sa propre sensualité, qu'elle estimait exacerbée, ce dont elle s'effrayait souvent. Il lui semblait alors avoir hérité de la tare de son grand-père et elle en venait à faire preuve de clémence à l'égard des odieuses pulsions d'Hugues Laroche.

Richard la rejoignit, penaud. Il l'aida à se relever et elle lui adressa un sourire contraint.

— Je te demande pardon, Lisbeth. Viens, Anne-Marie voudrait rentrer.

Le retour fut moins joyeux que l'aller. Le ciel se couvrait et le trio était silencieux, chacun plongé dans ses pensées.

«Tant pis, je vais retourner en ville, demain soir, et je rendrai visite aux dames d'une certaine maison! méditait l'Américain. Sinon, Lisbeth me prendra en horreur et elle pourrait encore annuler notre mariage.»

Anne-Marie, quant à elle, se souvenait de son époux, emporté par la tuberculose six ans après leurs noces, jour pour jour. Elle n'avait pas voulu aimer un autre homme.

« Il n'y aura eu que lui dans ma vie de femme. Mon seul regret, c'est de ne pas avoir d'enfants à chérir. Dieu en a décidé ainsi. »

Élisabeth ne songeait ni à l'amour, ni à sa future progéniture. Elle avait fait un rêve étrange, deux nuits auparavant. Ce n'était pas un cauchemar, cependant il l'avait marquée et d'expérience, elle savait qu'il s'agissait d'une prémonition. Tout se déroulait dans la pénombre, et elle était seule, en quête d'un énorme coffre où elle trouverait d'anciens déguisements. Ensuite, elle pleurait et hurlait, sans être menacée par qui que ce soit.

« Pourquoi ai-je fait ce rêve ? se demandait-elle, tout en effleurant la surface de l'eau du bout des doigts. Je crois sentir encore l'odeur de poussière, de vieux bois, et le plancher sous mes pieds. »

Plus intriguée qu'inquiète, elle se rappela combien elle avait été étonnée, quand sa grand-tante, le matin suivant, lui avait parlé d'un grand coffre en cuir qui devait encore se trouver dans les combles du château.

— J'y ai pensé lorsque nous avons décidé, avant-hier, d'une fête costumée ! lui avait expliqué Clotilde. Ce sera tellement charmant. Notre mère donnait toujours un bal masqué à la fin du Carême, pour Mardi gras. Une fois, elle avait déguisé Hugues en chevalier, et moi je portais une toilette de bergère. Tu devrais monter dans le grenier avant ton anniversaire, tu dénicheras peut-être de jolies choses.

Les paroles de sa grand-tante obsédèrent Élisabeth jusqu'à leur arrivée devant les écuries. Ils avaient fait atteler le phaéton, pour se rendre au bord de la Charente. Son oncle Jean se précipita et flatta l'encolure du cheval, un robuste percheron blanc.

— Avez-vous fait une belle balade ? s'enquit-il en aidant Anne-Marie à descendre de la voiture.

— C'était un enchantement ! répondit celle-ci.

— Et nous avons trouvé facilement la petite île que nous avait indiquée oncle Pierre, grâce au cabanon qui se repère de loin ! précisa Élisabeth. Richard adore ramer, il devrait s'inscrire à des compétitions d'aviron.

— Et une pique venimeuse de plus ! se plaignit ce dernier en riant. En fait, Jean, je peinais sérieusement, au retour, j'avais les muscles endoloris.

— Bonnie doit vous attendre pour servir le thé, vous pourrez vous reposer ! lança Jean en adressant un clin d'œil au fiancé de sa nièce.

Élisabeth prit le temps d'aller caresser la pouliche de Perle, née en février, et parquée avec la jument dans un enclos tout proche. Perle la salua d'un hennissement modulé et fut gratifiée d'un bout de pain dur.

Clotilde accueillit la petite troupe d'un large sourire. Elle brodait près de la cheminée, dans la salle à manger, une pièce plus chaleureuse à son goût, et qu'elle préférait au grand salon.

— Le thé est prêt ! annonça-t-elle. Anne-Marie, ma chère fille, tu as une mine superbe, ce sont les bienfaits du grand air. Bonnie va apporter du cake aux fruits confits.

— Où est grand-père ? interrogea Élisabeth.

— Mon frère est imprévisible, soupira Clotilde. Il a décidé de partir pour Rouillac, sur son Galant. Selon Hugues, l'étalon avait besoin d'exercice. Je suppose que c'était un prétexte, et que cette sortie imprévue concerne ton anniversaire.

Anne-Marie prit Élisabeth par la taille et l'embrassa sur la joue.

— Chacun de nous, ici, souhaite vous gâter, chère cousine, lui souffla-t-elle à l'oreille.

— Eh oui ! fanfaronna Richard. Moi, j'ai déjà acheté ton cadeau.

Une vague de bonheur transporta Élisabeth. Au fil des mois, les ombres et les chagrins du passé s'estompaient. La présence de sa grand-tante et de sa fille y avait grandement contribué. La jeune femme pouvait se partager sans craintes ni mensonges entre ses deux familles, les

Laroche et les Duquesne. Certes, elle était consciente que jamais son « pépé Toine » et son oncle Pierre ne mettraient les pieds au château, ni même sur les terres du domaine, mais elle s'en accommodait, puisqu'ils préféraient l'accueillir au moulin.

— Pendant votre promenade, mes enfants, j'ai établi la liste des invités, annonça Clotilde d'une voix maternelle. Nous serons une dizaine de personnes, samedi. Bonnie consent à porter un loup, vous savez, ces masques en velours noir, mais refuse de se déguiser. Le docteur Trousset, son épouse et leurs trois filles ont répondu par retour du courrier, ils seront là.

Élisabeth approuva, soudain mal à l'aise. Elle qui était tellement heureuse un peu plus tôt éprouvait maintenant une angoisse intolérable. Un sentiment d'urgence lui poignait la poitrine. Elle ne parvenait plus à écouter sa grand-tante et surtout, elle ne pouvait pas détacher ses yeux du portrait de Catherine. C'était une photographie prise le jour des vingt ans de sa mère, que le châtelain lui avait montrée le soir de Noël, car il l'avait fait encadrer.

« Maman, j'ai l'impression que tu me regardes toi aussi ! Ma si jolie maman… On dirait que tu es vivante. »

Oppressée, affolée, Élisabeth n'eut plus qu'une idée, s'isoler et reprendre ses esprits. Par chance, Bonnie vint poser le cake tiède sur la table du thé, en proposant de le découper. La diversion venait à point. Personne ne prêta grande attention à la jeune femme quand elle se leva et s'éloigna.

— Je monte dans ma chambre prendre un châle ! cria-t-elle en guise d'explication.

Mais Élisabeth grimpa à vive allure jusqu'au grenier. Elle n'en connaissait qu'une partie, celle attribuée aux domestiques depuis des siècles.

« J'étais venue là après le départ de Justin, pour voir l'endroit où Madeleine le cachait de tous ! se remémora-t-elle. Un triste recoin sous la charpente, une paillasse. »

Elle longea les cloisons grisâtres qui délimitaient les petites chambres où avaient dormi des générations de servantes, de bonnes, de lingères. Au-delà s'étendait un vaste espace envahi par la pénombre, les immenses combles de la forteresse.

— Maman, qu'est-ce que je fais là ? demanda Élisabeth d'une petite voix tremblante.

20
Coup de théâtre

Château de Guerville, même jour, même heure

Les immenses combles du château ressemblaient à un autre monde insoupçonné, à portée de main d'Élisabeth, et qu'elle avait cependant dédaigné. Il y avait là des meubles endommagés, couverts de poussière, des caisses entrouvertes, dans lesquelles elle devinait d'anciens livres, des matelas éventrés, des traversins eux aussi déchirés où devaient nicher les souris et les loirs.

Là où les toitures s'abaissaient, on avait empilé de vieilles ardoises, des morceaux de gouttière en zinc. La jeune femme espérait trouver l'énorme coffre de son rêve, sûrement celui dont avait parlé sa grand-tante, mais elle ne voyait que des cartons jaunis, des valises en cuir béant sur des pièces de linge en charpie.

— Je perds mon temps ! dit-elle tout bas.

Un bruit d'ailes, tout proche, la fit sursauter. Une chouette blanche venait de quitter la poutre où elle était perchée, dérangée par son intrusion.

Élisabeth la vit voleter lourdement sous le réseau complexe de la colossale charpente. L'oiseau se faufila avec une facilité surprenante dans l'espace laissé entre une porte et son arcade en pierre.

— Bien sûr, ça doit donner accès à un autre grenier, celui d'une des tours, raisonna-t-elle à mi-voix.

Elle fut incapable de savoir de quelle tour il s'agissait, ayant perdu tout repère. Poussée par la curiosité, elle se précipita sur les traces de la chouette et souleva le loquet de la porte, dont le bois lui parut anormalement en bon état.

— C'est fermé à clef!

Élisabeth aperçut la serrure, qui n'était même pas rouillée. Elle comprit qu'on l'avait amenée jusque-là, par le biais du rêve ou d'une autre manière dont elle avait une vague idée.

— Maman, c'est toi? chuchota-t-elle. Qu'est-ce que je dois faire? Ils vont se demander où je suis passée, en bas, si je tarde encore.

Elle se persuadait que sa mère l'entendait et pouvait l'aider. Fébrile, elle se mit à chercher partout, en bas de la muraille arrondie du haut de la tour, jointée à la chaux avec le plancher, puis dans les interstices des pierres plusieurs fois centenaires.

« C'est inutile, celui qui ferme cette porte garde la clef sur lui, et ça ne peut être que grand-père. Est-ce qu'il me la donnerait? Que dissimule-t-il ici? »

Ses pensées se bousculaient. Subitement Élisabeth releva la tête et observa les chevrons au-dessus d'elle. Se hissant sur la pointe des pieds, elle passa ses doigts sur la face intérieure, tapissée de poussière. Au bout d'une trentaine de centimètres, alors qu'elle allait renoncer, son pouce effleura un objet en métal.

C'était la clef. Vite, la jeune femme ouvrit, sans plus se soucier de rien. Si quelqu'un la rejoignait, ce serait Richard ou Bonnie, et elle leur débiterait une quelconque explication.

« Je raconterai que je voulais absolument leur apporter les déguisements, pour les regarder tous ensemble. »

Malgré la faible clarté du jour déclinant, Élisabeth découvrit immédiatement le fameux coffre. Il était vraiment d'une taille exceptionnelle, presque une armoire miniature, mais dotée d'un couvercle.

— Alors c'était ça, rien que ça ! s'étonna-t-elle tout haut.

Elle était dépitée, car elle s'était sentie dans un état de transe et espérait quelque chose d'indéfini, néanmoins d'important.

Penchée en avant, elle brassa des costumes soyeux, à l'odeur de tissu fané, des faux cols raidis, des métrages de dentelle. Mais les robes étaient de petite taille, souvent déchirées, ainsi que les costumes de garçons.

Exaspérée et déçue, car elle pensait avoir été réellement guidée là par sa mère, elle secoua un chapeau noir, doté d'une longue plume rouge, puis le jeta de toutes ses forces contre le mur qui lui faisait face. Elle se redressa vivement, prête à redescendre dans la salle à manger.

— Mais... Qu'est-ce que c'est ?

Elle fixait avec une profonde perplexité deux grosses malles en bois, à renforts en cuir pour l'une, en fer pour la seconde. Son cœur se mit à battre au ralenti, comme s'il allait s'arrêter, car elle connaissait ces deux malles.

Sa mémoire lui en renvoya l'image, mais ailleurs, des années auparavant.

— Sur le carrelage rouge de notre cuisine, papa avait étiqueté la sienne, aux renforts en fer, et maman s'était assise en riant sur la nôtre, aux renforts en cuir. Mon Dieu !

Glacée, Élisabeth contourna le coffre et s'agenouilla devant les bagages de ses parents, disparus le jour de leur embarquement à bord de *La Champagne*. De ses mains tremblantes, elle défit le système de fermeture de celle où Catherine avait soigneusement rangé leurs affaires.

« Ta poupée sera bien à l'abri, ma princesse, nous lui ferons prendre l'air du large dès que nous serons sur le bateau ! »

La phrase venait de résonner dans l'esprit d'Élisabeth, alors que lui apparaissaient, intacts, les vêtements de sa mère, les siens, pliés d'un côté, et sa poupée. Elle s'en empara et la serra contre sa poitrine.

Antoine Duquesne la lui avait fabriquée avec tant d'amour, en sculptant le corps, les bras et les jambes en bois fin, du tilleul. Pour la tête, le meunier avait travaillé du buis, où il avait dessiné un visage souriant.

— Et il avait cousu lui-même les habits, en cotonnade rayée, parce qu'il voulait de jolies couleurs. Je me souviens, pépé Toine m'avait recommandé de ne pas tirer sur les cheveux, c'étaient des nattes en laine, qu'il avait collées sous le bonnet rouge.

Élisabeth manquait d'air. Elle avait envie de pleurer, de crier, mais la violence du choc l'en empêchait. D'un geste hésitant, elle remit la poupée à sa place, saisit un corsage de Catherine.

— Il sent encore son parfum ! Maman, oh maman !

La jeune femme refusait de penser, d'en déduire la moindre hypothèse, de peur de céder à une crise de nerfs ou de folie. Elle ouvrit la malle de son père. La forme des outils du compagnon charpentier se dessinait sous son regard dilaté, des outils enveloppés dans des torchons pour les protéger. Guillaume les avait rangés sur ses vêtements, sa blouse grise, ses pantalons de velours.

— Mais non, non, non ! gémit Élisabeth, qui put enfin éclater en gros sanglots, libérant la tension intolérable de son cœur.

Bonnie la trouva recroquevillée sur elle-même, en larmes. La gouvernante lui tapota l'épaule.

— Mademoiselle ? Eh bien, qu'avez-vous ? Votre grand-tante m'a envoyée vous chercher dans les combles. Elle avait vu juste, elle était certaine que vous aviez décidé de dénicher le fameux coffre. Vous avez réussi ! C'est bien cette antiquité pleine de chiffons ? Pourquoi pleurez-vous ?

— Bonnie, ces deux malles, ce sont celles de mes parents, qui avaient disparu, soit sur le bateau, soit sur les quais du Havre ! Et elles sont là ! balbutia Élisabeth en reniflant.

— Il y a sûrement une explication, mademoiselle !

— Bonnie, je t'en prie, enferme-nous. Personne ne doit entrer, tant que je n'ai pas compris ce qui s'est passé. Regarde, c'est la poupée que m'avait offerte pépé Toine pour me tenir compagnie pendant le voyage. Je l'ai eue une semaine avant le départ, je ne la quittais pas.

— Et vous la réclamiez, le premier soir chez les Woolworth !

— Non, ce n'était pas celle-ci, mais l'autre que j'avais perdue, la plus petite que maman avait confectionnée sur le paquebot, en nouant des mouchoirs sur un bout de bois. Bonnie, nous devons réfléchir. Pourquoi ces malles ont-elles échoué en haut d'une des tours du château ?

La gouvernante, qui avait minci, s'installa assez souplement sur le plancher, assise en tailleur, et elle examina à son tour les bagages.

— C'est simple, mademoiselle, comme elles avaient été égarées, on les a renvoyées à votre grand-père. Les gens des chemins de fer ont dû les inspecter et obtenir le nom de votre maman ou de votre papa.

— Dans ce cas, les malles auraient été expédiées au moulin. Le nom de Laroche ne figure nulle part, ni l'adresse de Guerville.

Bonnie fut obligée d'en convenir. Élisabeth essuya ses joues humides de son avant-bras.

— De toute façon, si on admet que les bagages sont revenus ici je ne sais comment, grand-père et Bonne-maman auraient dû me le dire, me les montrer.

— Ils craignaient peut-être de vous causer du chagrin !

— Peut-être, mais ça me semble peu probable. Surtout de la part de mon grand-père. Il s'est amélioré, je ne peux pas le nier, hélas j'ai parfois une impression pénible, comme s'il faisait des efforts surhumains pour se tenir correctement, et qu'il pourrait encore me faire du mal.

— Ne vous tourmentez pas pour ça, mademoiselle, protesta Bonnie d'un ton farouche. M. Laroche n'osera pas. Pensez donc, il file doux devant sa sœur, et puis il a trop peur de vous perdre.

Élisabeth soupira, accablée d'une poignante nostalgie. Du dos de la main, elle effleura la casquette de Guillaume, ensuite elle caressa un sachet de lavande enfoui entre les chemises de nuit de Catherine.

— Et ce portefeuille en cuir, il appartenait à votre papa ? lui demanda soudain Bonnie.

— Où était-il ?

— Derrière sa malle, celle où il y a ses outils. Remarquez, sans vous vexer, j'ai des doutes. C'est du crocodile, ça coûte cher.

— Fais voir ! s'écria la jeune femme. Non, je n'ai jamais vu ce portefeuille. Tu crois que ce sont des billets, à l'intérieur, c'est épais. Non, on dirait des papiers, des reçus.

Quelques minutes suffirent à Élisabeth pour comprendre. Elle examina un à un les feuillets, bouche bée, son regard bleu peu à peu envahi par une horreur indicible. Bonnie suivait sur son beau visage livide les ravages provoqués par ce qu'elle découvrait.

— Ce n'est pas possible ! dit-elle enfin, d'une voix presque inaudible. Non, il n'a pas pu… non, il n'a pas osé…

Elle se tut, en proie à un malaise. Il lui fallut toute son énergie et l'influx d'une rage folle pour ne pas s'évanouir, cependant elle préféra s'allonger à même le plancher.

— Regarde, Bonnie, regarde. Lis, toi aussi, lis.

Peu après, la gouvernante ânonnait une série de « Seigneur » et de « Mon Dieu ». Pourtant le pire était à venir.

— Le plus épouvantable, mademoiselle, ce sont ces deux pages qui étaient pliées en quatre ! Vous ne les avez pas vues. Je suis certaine qu'elles viennent du calepin de votre maman. Elles ont été arrachées et la date correspond.

Pleine de compassion, Bonnie l'aida à se redresser et lui frictionna les tempes et les joues. Élisabeth fut en mesure de déchiffrer l'écriture de Catherine, qui trahissait de la hâte ou bien de la panique.

10 décembre 1878, jour maudit et nuit maudite, j'ai annoncé à papa que j'épouserais Guillaume en janvier prochain, puisque je suis majeure dans douze jours... Il est devenu fou furieux, alors que ma pauvre maman était alitée, à cause d'une fausse couche. Elle a entendu nos cris, car la querelle était d'une terrible violence. J'ai reçu des gifles, ensuite celui qui se prétend un père exemplaire m'a embrassée sur la bouche, d'une façon odieuse, il me serrait fort contre lui, j'ai senti son désir, et c'était abominable. Il me touchait les seins, et même plus bas, à travers ma jupe. J'avais peur, mais il me répugnait tant que je l'ai mordu à la joue. Il m'a lâchée et je suis montée en courant m'enfermer dans ma chambre.

Et cette nuit, il tambourinait à ma porte, en me suppliant de lui ouvrir, car il voulait me demander pardon. Je sais ce qu'il voulait en vérité. Je n'ai pas cédé, et j'ai couru me réfugier au chevet de maman.

Demain je m'enfuis, Antoine Duquesne est prêt à m'accueillir jusqu'au mariage. Guillaume et ses deux frères me protégeront. Mon cauchemar sera enfin terminé.

— C'est sûrement pendant cette nuit-là qu'il est monté chez Madeleine ! affirma Bonnie dès qu'Élisabeth eut replié les deux pages.

— Oui, sans doute. Moi qui commençais à éprouver de la pitié pour lui. Je ne lui pardonnerai jamais, jamais. Cet homme est un monstre de perversité, un fou et un criminel.

— Je sais, mademoiselle. Hélas ! Oui, je le sais.

— Mon pauvre papa, je le revois qui s'approchait de nous, sur le quai, au Havre. Il était défiguré par les coups, on lui avait volé son argent et la montre à gousset de pépé Toine, même son alliance, Bonnie ! Et les sales types que mon grand-père, non, je ne veux plus l'appeler ainsi... ces brutes que Laroche avait payées pour tuer papa ont gardé les bijoux, comme une partie de leur salaire. Heureusement, papa était fort, et il savait se battre, sinon je l'aurais perdu avant même de débarquer à New York.

— Quelle abomination, s'effara Bonnie. Le plan paraît évident, si votre père était retrouvé mort ou agonisant, votre maman serait restée en France, et rentrée ici, avec vous.

— Tu dis vrai, c'était ça le plan diabolique d'un homme malade de jalousie, qui refusait de perdre sa fille, parce qu'il l'aimait comme on aime une femme ! murmura Élisabeth. Et ces bandits avaient dû voler nos malles avant. Tout se tient, il fallait empêcher maman et moi de partir en Amérique. Bonnie, j'ai la nausée, et puis j'ai envie de le tuer !

— Chut, mademoiselle, ne dites pas des choses pareilles.

Élisabeth tremblait convulsivement, hantée par les mots d'une cruelle banalité qui auraient pu signer l'arrêt de mort de son père. Ils étaient inscrits sur les télégrammes en papier beige qu'elles avaient lus, Bonnie et elle. Depuis le sinistre « pas pu éliminer Duquesne » au « envoyer grosse somme promise au plus vite ».

Mais à une date ultérieure, Laroche avait dû donner des ordres, des consignes, car on lui répondait que l'affaire serait vite réglée. Tous ces échanges sans âme instillaient un froid atroce dans les veines d'Élisabeth. Elle supplia sa gouvernante de remettre les papiers dans le portefeuille.

— Qu'est-ce que nous allons faire, Bonnie ? interrogea-t-elle en claquant des dents. Dans l'état où je suis, je ne peux pas revoir ma grand-tante, ni Anne-Marie. Redescends, je t'en supplie, et invente n'importe quoi. Je me suis cognée à un chevron, alors tu m'as ramenée dans ma chambre.

— Et votre grand-père ?

— Ne l'appelle plus comme ça, par pitié !

Un déclic dans la serrure la fit taire. Bonnie, après avoir fermé à double tour, avait machinalement mis la clef dans la poche de son tablier blanc.

Hugues Laroche poussa le battant. Il leur sembla gigantesque, car elles étaient assises sur le sol.

— La curiosité des femmes ! déclara-t-il d'une voix rauque, ayant avisé les malles ouvertes. J'ai été prudent de faire un double de la clef. Sortez, Bonnie, je tiens à parler avec ma petite-fille.

— Parler de quoi ? s'exclama Élisabeth en se levant, soutenue par sa gouvernante. De ces malles ? Je me souviens du chagrin de mon père, quand il a annoncé à maman qu'elles avaient disparu. Et je revois maman faisant de son mieux avec le contenu de son sac en tapisserie, où elle avait mis quelques affaires de première nécessité. Vous avez voulu tuer papa, sans songer à la douleur que vous auriez causée à votre fille ! Elle était enceinte et elle n'avait plus sa layette, plus rien ! Je vous hais ! Je vais vous dénoncer à la police, j'ai des preuves.

Le châtelain surprit le mouvement de Bonnie, qui s'empressait de cacher le portefeuille en crocodile sous son tablier.

— Donnez-moi ça, ordonna-t-il sans hausser le ton, mais les yeux brillants de fureur. Je haïssais ton père, Élisabeth, et j'avais raison ! Il avait monté la tête de Catherine, en lui promettant monts et merveilles une fois qu'ils vivraient à New York. Sans lui, elle ne serait pas morte pendant cette tempête, sans lui, son corps n'aurait pas été jeté à la mer, comme un paquet dont on se débarrasse.

— L'unique coupable, c'est vous ! rétorqua-t-elle. Et vous le savez et ça doit vous ronger. Bonne-maman était-elle au courant de vos ignobles manigances ? Seigneur, moi qui n'ai pas écouté les conseils de *dad*, oui, mon second père, Edward Woolworth. Il se méfiait de vous, il ne se trompait pas. Vous haïssiez papa, et maintenant, à cause de vous, je conçois la haine, sa brûlure, car je vous hais ! Je vous maudis !

— Tais-toi ! menaça Hugues Laroche en refermant la porte à clef. Que sais-tu du sort qui nous guette à chaque instant de la vie ? J'ai décidé de supprimer ton père avant le départ du paquebot, oui, mais si les abrutis chargés de la sale besogne avaient réussi, Catherine serait encore vivante ! Elle vivrait ici, avec toi et son fils. Ce petit garçon né trop tôt, jeté à l'océan lui aussi.

Bonnie priait en silence. Elle espérait que Richard finirait par s'inquiéter de leur absence et découvrirait l'entrée du grenier de la tour.

— J'en sais quelque chose ! répondit Élisabeth d'une voix dure. Je faisais des cauchemars, avant de quitter la France, mais j'étais si petite que je ne comprenais pas bien leur sens. Je ne vous l'ai jamais dit, pourtant j'avais vu la scène des funérailles de maman, son corps enveloppé d'une toile, les marins en noir qui confiaient sa dépouille à la mer. J'ai vu l'agression dont papa a été victime dans le Bronx, sans oser le prévenir, et il est mort, comme maman. Mais c'est peut-être vous, là encore, qui avait payé ces hommes pour le tuer ?

— Petite sotte ! Quand j'ai débarqué à New York, j'ignorais ce qui était arrivé à Guillaume ! Une chose est sûre, je me fichais de son sort, je ne pensais qu'à toi !

— Je n'en doute pas, il fallait remplacer maman, m'avoir à votre merci, pour me tripoter, m'embrasser, comme vous le faisiez avec elle !

— Tais-toi donc ! répéta Laroche. Quand c'est ton Américain qui te tripote et t'embrasse, et que tu es toute nue, ça te plaît, non ?

Il bondit en avant, en contournant le grand coffre. Il avait un regard de dément. Terrifiée, Bonnie s'interposa pour lui barrer le passage. Il la frappa en pleine face et la repoussa d'un second coup dans l'estomac. Elle vacilla et s'effondra, le nez en sang. Élisabeth la vit tomber contre le mur et rester inanimée, le front contre les pierres.

— Bonnie ! gémit-elle. Espèce de sale brute ! Assassin !

Une pulsion meurtrière lui brouillait l'esprit. Elle se jeta sur son grand-père et cogna au hasard sa poitrine, son visage, en l'insultant. Il soufflait comme un animal enragé lorsqu'il lui saisit les poignets et les broya entre ses doigts.

Impuissante à se dégager, Élisabeth, à moitié aveuglée par des larmes de colère et de désespoir, comprit soudain que tout était en place. Son cauchemar se concrétisait. Il faisait sombre, la silhouette imposante d'un homme vêtu de noir la dominait.

Elle fut incapable de pousser un cri quand Laroche la renversa sur le plancher, entre le coffre et les malles de ses parents.

« Non, non, pas ça ! » pensa-t-elle.

Ensuite il y eut un froissement de jupe, de jupon, et la douleur fulgurante entre ses cuisses, la sauvagerie d'un acte innommable qui la changea en gibier éperdu, en victime affolée. Enfin, après une plainte d'agonie, elle sombra dans un bienfaisant néant.

Richard Johnson, une lanterne à la main, s'arrêta net sur le seuil du grenier de la tour, dont la porte était grande ouverte. Il avait lui aussi erré sous les combles plusieurs minutes avant d'arriver là, guidé par des murmures.

— Ah, quand même, vous êtes là ! s'écria-t-il, tout de suite effaré par le visage tuméfié de Bonnie.

La gouvernante tenait Élisabeth dans ses bras. Elles étaient toutes les deux debout, derrière le coffre, mais il constata que sa fiancée était d'une pâleur affreuse et semblait souffrir.

— Qu'est-ce qui s'est passé ici ? Chérie, regarde-moi !

— Mon grand-père est devenu fou de rage, Richard, parce que j'ai découvert les malles de mes parents, et la preuve qu'il avait voulu faire assassiner mon père il y a douze ans ! assena-t-elle d'une voix dure. Pour récupérer le portefeuille contenant ces preuves, il a frappé Bonnie, qui est tombée contre le mur, et moi aussi, il m'a jetée violemment par terre. Dans la chute, mon dos a heurté le couvercle du coffre.

— Quoi ? Mais comment aurait-il fait ? Il ne peut pas avoir eu le temps de monter jusqu'aux combles ! À son retour, il nous a rendu visite dans la salle à manger, en refusant une tasse de thé, ensuite il s'est rendu dans les cuisines, pour discuter avec Léandre, au sujet d'arbustes d'ornement à planter avant samedi. Il y est resté longtemps, j'en suis certain, ensuite il est reparti à cheval. Anne-Marie a entendu un bruit de galopade. Elle était même étonnée, car il fera bientôt nuit. Moi, je commençais à trouver le temps long, aussi je suis venu aux nouvelles.

— Un peu tard, hélas ! gémit Bonnie en secouant la tête d'un air navré.

Élisabeth haussa les épaules. Elle arborait un masque tragique, mais sans verser une larme ni trembler.

— Je suppose que vous lui avez dit où j'étais ! dit-elle.

— Oui, ta grand-tante. Elle a plaisanté, en prétendant que tu redescendrais une fois déguisée, pour nous amuser.

— Alors c'est très simple ! rétorqua la jeune femme. Justin m'a raconté que de l'office aux greniers, il y a un escalier étroit à l'intérieur des murs, réservé aux domestiques. Petit garçon, il l'utilisait pour se glisser dans les cuisines et remonter en cachette. Ce monstre a pu nous rejoindre sans attirer l'attention et se sauver de la même façon. Richard, tu es vraiment sûr que mon grand-père est reparti ?

— Oui, Lisbeth ! Si je comprends bien, en fait il s'enfuyait ! Ce que tu m'apprends est épouvantable. Ce vieux fou mérite de finir en prison.

Élisabeth approuva d'un signe de tête, sous le regard anxieux de Bonnie qui la serrait contre elle.

— Je vais vous accompagner dans votre chambre, mademoiselle. Il faut vous reposer.

— Me reposer ! Oh non, Bonnie !

La gouvernante fronça les sourcils, indécise. Lorsqu'elle avait repris connaissance, Élisabeth était en train de se relever et l'appelait tout bas. Elles étaient seules. Son premier geste avait été de chercher le portefeuille en crocodile, mais il avait disparu.

— J'ai eu tellement peur, Bonnie, avait murmuré la jeune femme. Je croyais que tu étais morte, le crâne fracassé.

— Et vous ? s'était-elle exclamée. Où avez-vous mal ?

Comme soudainement forgée dans de l'acier, Élisabeth, en apparence très calme, lui avait donné les mêmes explications qu'à son fiancé, en plus détaillées.

— J'étais furieuse, parce qu'il t'avait frappée et que tu gisais contre la muraille, et pour tout le reste ! J'ai essayé de le cogner à mon tour, et là il m'a rejetée en arrière si fort que je suis tombée et ma tête a heurté le sol. J'ai dû perdre conscience quelques minutes. Il en a profité pour fuir avec les preuves de ses crimes.

Malgré cette brève rétrospective, Bonnie s'interrogeait encore, sachant de quoi était capable Laroche.

— Sois raisonnable, Lisbeth, en effet tu as besoin de repos ! insista alors Richard. Sortons de cet horrible endroit. Et vous, Bonnie, il faudrait un docteur, on dirait que votre nez est cassé, et votre front saigne toujours.

Il avait pris la main d'Élisabeth. Elle la lui retira d'un geste brusque.

— Ne t'occupe pas de ça, Richard ! ordonna-t-elle. Nous avons du baume d'arnica et de l'huile camphrée, dans mon cabinet de toilette. Maintenant, je t'en conjure, je voudrais que tu m'écoutes sans me couper la parole ni tenter de me faire changer d'avis. Tu vas faire exactement ce que je te demande, et pour une fois, ne prends aucune initiative. Promets-le !

Interloqué par le ton sec et le regard impérieux de sa fiancée, il promit à voix basse.

— Tous les soirs avant le dîner, ma grand-tante et Anne-Marie se retirent dans leurs chambres respectives. Là, elles doivent m'attendre. Tu vas leur annoncer que j'ai heurté une poutre, et que je me suis allongée un peu, que nous nous retrouverons pour le repas. Et là, tu attendras qu'elles soient montées.

— D'accord, dit-il gravement.

— Ensuite tu iras aux écuries vérifier que le box de Galant est vide, d'une part, et surtout tu prieras mon oncle Jean d'atteler le phaéton, avec les deux meilleurs chevaux. Cela nous laisse le temps, à Bonnie et moi, de préparer chacune un bagage. Attends-nous là-bas, et explique la situation à Jean.

— Où comptes-tu aller, chérie ?

— Je m'en vais, Richard, le plus loin possible de ce château. Jamais je ne pourrai accuser légalement mon grand-père, il va détruire les documents. Je ne veux plus jamais le revoir, alors je retourne à New York. Toi, fais ce que tu veux.

Johnson eut l'intelligence de ne pas lui poser de questions au sujet de leur avenir, ni de l'argent indispensable à la traversée. Il n'eut qu'une réponse : « Je te suivrai n'importe où, Lisbeth ! »

Élisabeth, à peine dans sa chambre, continua à organiser leur départ. Elle avait su ne pas grimacer de douleur en descendant l'escalier en pierre et là encore, elle maîtrisa ses intonations.

— Bonnie, sers-toi des grands sacs en cuir que j'avais achetés à la foire, en septembre de l'an dernier. Dans le mien, mets deux ou trois corsages, deux jupes, du linge de corps, une robe et ma poupée, je l'emmène. Où est mon costume de voyage ? Je vais me changer dans le cabinet de toilette...

Fébrile, elle fouilla elle-même son armoire pour prendre une culotte, un corselet en satin qui soutenait les seins. Sans un mot, sa gouvernante lui tendit la jupe en velours brun, la veste assortie et un chemisier en popeline rose.

— Merci, Bonnie, fais vite ton sac aussi.

— Oui, mademoiselle, ne vous tracassez pas.

Dès qu'elle fut seule dans la petite pièce, la targette poussée, Élisabeth ôta tous ses vêtements avec colère. Nue, elle remplit d'eau froide la plus grande de ses cuvettes, celle en métal émaillé, et commença à se laver, à l'aide d'un carré de linge.

Les dents serrées, le regard fixe, elle savonna frénétiquement son sexe endolori, se rinça à plusieurs reprises, inondant le parquet ciré, se frotta encore et encore. Le souffle court, elle versa ensuite le contenu entier du broc sur son corps, et reprit le savon, se lava à nouveau. Elle se répétait qu'elle n'avait pas pu vaincre le destin, et en éprouvait une fureur désespérée.

Bonnie, l'oreille collée à la porte, retenait sa respiration. Elle ne doutait plus, renseignée d'instinct par le besoin fiévreux de la jeune femme d'effacer la souillure qu'elle avait subie.

« Pourtant son corsage n'était pas déchiré, ni sa jupe. Alors, pendant un moment, j'ai cru qu'elle me disait la vérité. Il l'avait juste repoussée rudement, comme moi ! » songeait-elle.

De l'autre côté du battant, Élisabeth, haletante, se séchait. En s'habillant, elle considéra avec amertume la jolie jupe rayée de blanc et de bleu qu'elle avait étrennée pour la balade en barque.

« Mon Dieu, ça me paraît dater d'un siècle ! se dit-elle. Je ne savais pas à quel point j'étais heureuse. »

En sortant, Élisabeth aperçut Bonnie qui bouclait un des sacs en cuir. Sans lui adresser la parole, elle chaussa ses meilleures bottines. Elle s'était composé un visage impassible et avait natté ses longs cheveux, avant de quitter son refuge.

— J'ai presque fini, je n'emporte pas grand-chose, lui précisa la gouvernante.

— Merci, Bonnie. Où est ma pochette en velours, doublée de toile à l'intérieur ?

— Dans le troisième tiroir de la commode, mademoiselle.

Élisabeth agissait comme un automate, toujours surveillée par Bonnie, qui la vit successivement vider tous ses bijoux de leurs écrins, puis en garnir la pochette, dans laquelle elle ajouta une grosse liasse de billets de banque et son carnet de chèques[1]. Elle se rendit dans la chambre d'Adela, où rien n'avait été touché depuis son décès.

— J'emporte tout ce qui pourra se changer en argent comptant, décréta-t-elle en prenant les parures d'émeraude de sa grand-mère, ses bagues, et des louis d'or. Ne fais pas cette tête, Bonnie, tout ceci compose mon héritage, je ne vole rien.

— Mademoiselle, vous me faites de la peine, soupira celle-ci. Il vous a violée, n'est-ce pas? Comme dans vos cauchemars.

— Mais non, que vas-tu inventer! Il était trop pressé de s'enfuir.

— Pourquoi vous êtes-vous lavée si longuement, alors?

— Je n'ai plus le droit d'être propre! s'indigna Élisabeth, mais sa voix vibrait bizarrement. Tu m'ennuies, Bonnie. Si les horaires n'ont pas été modifiés, nous avons un train qui part d'Angoulême pour Paris dans environ trois heures. J'avais pris des dépliants à la petite gare de Vouharte, l'été dernier, quand j'avais déjà envie de m'enfuir. Mais c'était trop tôt, il fallait que je reste, pour découvrir la vérité. Maman le souhaitait, j'en ai la conviction.

— D'accord, d'accord! balbutia Bonnie, sidérée.

— Je sais ce que je fais, ajouta Élisabeth. En alternant grand trot et galop, les chevaux de race cob peuvent couvrir plus de quinze kilomètres en une heure. Il faut se dépêcher, je veux embrasser pépé Toine au passage, car je ne le reverrai jamais, cette fois. Je laisse un message à Clotilde et à Anne-Marie, et nous y allons. Elles le trouveront plus tard, en nous cherchant au moment du dîner.

Bonnie enfila sa redingote et mit son chapeau. Élisabeth, la taille marquée par sa veste cintrée, un foulard beige noué autour du cou, rédigea quelques lignes sur une page de son bloc de correspondance :

---

1. Les chèques ont été mis en service en 1865 par la Banque de France.

Chère grand-tante, chère Anne-Marie,

Un grave événement m'oblige à quitter le pays immédiatement. Je suis désolée de ne pas pouvoir vous dire adieu. Pardonnez-moi, vous comprendrez un jour. Surtout, je vous en prie, rentrez à Segonzac au plus vite, je vous écrirai là-bas. Bonnie part avec moi, bien sûr, ainsi que Richard.

Élisabeth

— Les pauvres dames, elles vont être bouleversées ! déplora Bonnie. Elles sont si gentilles et elles vous aiment beaucoup.

— Tant pis, je n'ai pas le choix ! Le monstre qui a conçu ma chère maman va revenir, cette nuit, demain ou après-demain, mais il reviendra. Les bêtes malfaisantes de son espèce rentrent dans leur repaire et si je me retrouve en face de cet homme, je le tuerai. Il m'a appris à tirer au fusil.

En prononçant ces mots, les mâchoires de la jeune femme se crispèrent, sa poitrine se souleva spasmodiquement. Affolée, la gouvernante s'empara des deux sacs. Elle avait eu soin de cacher bijoux et argent au fond de celui d'Élisabeth, sous sa lingerie.

— Eh bien, filons d'ici, mademoiselle ! conseilla Bonnie.

Sur le chemin de Montignac, dix minutes plus tard

Les deux chevaux galopaient si vite, excités par cette sortie dans la fraîcheur du crépuscule, que le phaéton semblait voler et non rouler. Jean, perché sur le siège du cocher, tirait souvent sur les rênes pour les ralentir un peu. Il avait suivi sans discuter les consignes de sa nièce. Les révélations rapides et confuses de Richard y étaient pour beaucoup.

L'Américain, pensif, tenait Élisabeth contre lui. Elle se montrait étrangement silencieuse, mais elle avait posé sa tête lasse au creux de son épaule et il en était comblé.

Bonnie, tout en se cramponnant à la portière, parlait à son « promis ». Gênée par le bruit des roues et celui des sabots ferrés, elle haussait la voix.

— Tu as bien compris, Jean, nous repartons pour New York. Je suis désolée, je t'ai donné de faux espoirs, mais c'est mieux ainsi. Tu rencontreras une femme plus jeune, plus jolie, et puis moi, je ne peux pas quitter Mlle Élisabeth.

Le séduisant Jean Duquesne se retourna en souriant, en dépit de la gravité de la situation.

— Bonnie, on ne choisit pas une femme comme on achète un fruit. Nom d'un chien, je t'aime, et j'aime ma nièce. En mémoire de Guillaume, je me dois de la protéger. J'ai des économies, je pars avec vous, je prendrai un billet de troisième classe. On se mariera en Amérique ! Et ça me plaît de voir l'océan, de marcher dans New York, là où mon frère est mort. Je pourrai prier pour lui. Et puis je serai franc, si je reste ici, je réglerai son compte à Laroche, pour tout le mal qu'il a fait.

— Oncle Jean, vraiment, tu viens avec nous ? Je suis tellement contente ! s'écria Élisabeth. Là-bas, je te présenterai à Baptiste Rambert, l'ami de papa.

— Je l'ai rencontré une fois, il avait dormi au moulin, répliqua son oncle. Il était grand temps que je quitte la France !

Bonnie demeurait muette de stupeur et de joie. Le vent de leur folle course séchait les larmes timides qui coulaient le long de son nez. Élisabeth s'écarta de Richard et enlaça sa gouvernante et amie.

— Tu vas devenir ma tante, lui chuchota-t-elle à l'oreille. Ce sera fini de m'appeler « mademoiselle ». Je t'aime tant.

Un sanglot la secoua, puis un autre. Bonnie l'étreignit, la cajola.

— Pleurez un bon coup, ma petite chérie, murmura-t-elle. Moi aussi je vous aime, comme une mère aime sa fille. Pleurez, ça soulage.

Incommodé par les cahots, Richard luttait contre la nausée. Il se tourmentait lui aussi, ce qui n'arrangeait pas son malaise. Un doute affreux s'était insinué dans son esprit, quand il avait couru jusqu'aux écuries du château. Il y pensait toujours.

« Pourquoi ce départ précipité, insensé ? se disait-il. Il fallait tout avouer à Clotilde, à Anne-Marie, dénoncer Laroche et alerter les gendarmes, qu'ils le recherchent. On lui donne l'occasion de brûler les preuves qui l'accableraient. Déjà, Bonnie pouvait porter plainte, pour les coups reçus. C'est une agression, et Lisbeth a été brutalisée. Ou peut-être pire, sinon elle n'aurait pas une telle hâte de s'éloigner. »

C'était là le point délicat qui l'obsédait. Si sa fiancée avait subi un viol, si elle se confiait à lui, il redoutait de réagir par le dégoût et par une jalousie démesurée. Pas un instant, il ne s'imagina compatissant. Un peu honteux, il préféra chasser ses doutes.

« Non, je refuse d'envisager ça ! Ce vieux pervers a décampé, de peur de croupir en prison, se persuada-t-il. Non, je délire. Lisbeth était calme, lucide. On sentait qu'elle haïssait son grand-père, mais elle ne se serait pas comportée de cette manière, s'il l'avait violée. »

Le bel Américain ignorait la force d'âme de celle qu'il aimait. De même, il ne soupçonnait pas son orgueil de femme, ni sa rare clairvoyance. Sans en avoir conscience, Richard chérissait et désirait Élisabeth comme un objet précieux, doté cependant d'un esprit charmant et fantasque, en somme le plus beau jouet qu'il n'ait jamais possédé et que nul ne devait lui dérober.

Moulin Duquesne, une heure plus tard

Antoine Duquesne berçait sa petite-fille sur son cœur perclus de tant de chagrins et de deuils. Il avait tout de suite compris qu'un drame s'était déroulé sous les toits séculaires de la forteresse de Guerville.

Pierre, qui se trouvait à une fenêtre de l'étage, l'avait averti en criant qu'une voiture, tirée par deux chevaux, entrait dans la cour du moulin. Ensuite il avait dévalé l'escalier, Yvonne sur ses talons, elle aussi prise de panique.

Jean était entré le premier dans la cuisine, en tenant Bonnie par la main.

— On vient vous dire adieu, s'était-il exclamé. Papa, embrasse ma future épouse, je pars pour New York, on se mariera là-bas.

Élisabeth était apparue presque aussitôt, digne, le teint pâle, un vague sourire sur les lèvres.

— Pépé Toine, serre-moi fort ! avait-elle supplié en courant vers lui. Je dois m'en aller, et je ne reviendrai jamais. J'aurais voulu vivre près de toi, mais ça n'arrivera pas. Pardonne-moi, je suis obligée de te quitter, de vous quitter.

Apitoyé par la détresse de sa nièce, qui sanglotait, Jean s'était chargé d'exposer brièvement la terrible découverte qu'avait faite celle-ci, dans le grenier d'une des tours.

Il venait d'achever son récit. Pierre, horrifié, les poings serrés, jeta un regard humide sur Élisabeth, blottie dans les bras de son grand-père. Le vieil homme, bouleversé, la repoussa délicatement.

— Pauvre petiote, pars vite ! recommanda-t-il. Nous en avions parlé, tous les deux. Une seule chose compte pour moi, ce n'est pas la vengeance, ni la justice des hommes, non, c'est ton bonheur. Je préfère te savoir en sécurité de l'autre côté de l'Atlantique que menacée ici. Laroche paiera un jour pour ses crimes.

Le silence se fit, pesant. Antoine Duquesne prit alors le beau visage d'Élisabeth entre ses mains chenues, avec une infinie tendresse, et il plongea son regard bleu dans les yeux aussi bleus de la jeune femme.

— Pour tous ses crimes ! chuchota-t-il si bas que personne hormis sa petite-fille n'entendit.

Il avait deviné la blessure secrète qu'elle dissimulait, à l'éclat traqué des prunelles limpides, au frémissement de son corps meurtri. Plus haut, il dit encore :

— Je te bénis, ma petiote. Que Dieu t'ait en sa sainte garde ! Maintenant partez vite, tous.

Sur ces mots, il serra Élisabeth très fort contre lui, la câlinant comme si elle était encore une enfant, puis il l'étreignit en l'embrassant sur le front. Il donna un baiser paternel à Bonnie et à son fils Jean. Yvonne, en larmes, se désolait.

— Gilles et Laurent sont chez ma mère, je pars tôt à la foire demain. Ils vont être tellement déçus !

— Je me doute, ils se réjouissaient tant de venir à ma fête d'anniversaire, hasarda Élisabeth en étreignant sa tante.

— Oh ça ! Ils se consoleront vite, non, ils seront malheureux de ne plus te voir, ils t'aiment fort, nous t'aimons tous.

Richard jeta un coup d'œil inquiet à l'horloge. Il avait été catégorique, il tenait à récupérer ses affaires personnelles dans son logement angoumoisin.

— Ne te fais pas de souci, on sera à l'heure ! affirma Jean.

Élisabeth recula vers la porte, avec une expression de pur désarroi et d'immense tristesse. Elle prenait la mesure des ravages qu'avait causés Hugues Laroche, depuis des années.

« Tant de vies gâchées, de joies condamnées ! songeait-elle. Mes parents auraient pu vivre heureux, là ou ailleurs, sans sa haine malsaine… Mes oncles, mon pépé Toine seraient en paix, sans ce monstre ! »

La haine la dévorait. Elle envoya un ultime baiser à sa famille du bout des lèvres puis, soutenue par Richard, elle se rua vers le phaéton. Bonnie s'installa à son tour.

Il faisait nuit noire. Jean détacha les chevaux. Il alluma les lanternes de la voiture, fixées de chaque côté de son siège, et reprit sa place, en ajustant les rênes.

— Et que ferez-vous de la voiture, de ces bêtes? s'inquiéta Pierre, qui les avait escortés.

— Il y a une écurie de louage près de la gare, on les y laissera avec l'adresse du château, répondit Élisabeth. Oncle Pierre, tu me donneras des nouvelles, et je t'écrirai dès que nous serons à New York, chez *mom* et *dad*, mes parents par le cœur. Adieu, veille bien sur mon pépé Toine. Oh! J'ai oublié, dis-lui que j'ai retrouvé sa poupée, dans la malle de maman, et que cette fois-ci, elle part bien avec moi pour l'Amérique.

— Je lui dirai, prends soin de toi, Élisabeth!

Jean serra la main de son frère et manœuvra dans la grande cour pour franchir le porche. Du seuil de la maison, Antoine Duquesne vit disparaître le phaéton, mais il avait eu le temps d'apercevoir, par l'étroite lucarne située à l'arrière, le visage d'Élisabeth.

Le vieux meunier se signa et pria de toute son âme pour le salut des voyageurs. Il y avait tant de dangers, du bourg de Montignac à Paris, de Paris à New York. Les accidents, les tempêtes… Il refusa soudain d'avoir peur, pour imaginer le chemin longeant le fleuve, dont les eaux sombres miroiteraient au clair de lune. Les parfums du printemps s'exalteraient, et sûrement le trot cadencé des chevaux ferait s'envoler les oiseaux nichés dans les ajoncs.

— Adieu ma petite Élisabeth! dit-il tout bas. Adieu, sois heureuse!

Table des matières

De la même auteure

La saga de Val-Jalbert

I. *L'Enfant des neiges*, Chicoutimi, Éditions JCL, 2008; *L'Orpheline des neiges*, Paris, Calmann-Lévy, 2010
II. *Le Rossignol de Val-Jalbert*, Chicoutimi, Éditions JCL, 2009; Paris, Calmann-Lévy, 2011
III. *Les Soupirs du vent*, Chicoutimi, Éditions JCL, 2010; Paris, Calmann-Lévy, 2013
IV. *Les Marionnettes du destin*, Chicoutimi, Éditions JCL, 2011; Paris, Calmann-Lévy, 2014
V. *Les Portes du passé*, Chicoutimi, Éditions JCL, 2012; Paris, Calmann-Lévy, 2015
VI. *L'Ange du lac*, Chicoutimi, Éditions JCL, 2013; Paris, Calmann-Lévy, 2016

La saga du Moulin du loup

I. *Le Moulin du loup*, Chicoutimi, Éditions JCL, 2007; Paris, Les Presses de la Cité, 2008
II. *Le Chemin des falaises*, Chicoutimi, Éditions JCL, 2007; Paris, Les Presses de la Cité, 2009
III. *Les Tristes Noces*, Chicoutimi, Éditions JCL, 2008; Paris, Les Presses de la Cité, 2010
IV. *La Grotte aux fées*, Chicoutimi, Éditions JCL, 2009; Paris, Les Presses de la Cité, 2011
V. *Les Ravages de la passion*, Chicoutimi, Éditions JCL, 2010; Paris, Les Presses de la Cité, 2012
VI. *Les Occupants du domaine*, Chicoutimi, Éditions JCL, 2012; Paris, Les Presses de la Cité, 2013

La saga d'Angélina

I. *Angélina. Les Mains de la vie*, Chicoutimi, Éditions JCL, 2011; Paris, Calmann-Lévy, 2013

II. *Angélina. Le Temps des délivrances*, Chicoutimi, Éditions JCL, 2013 ; Paris, Calmann-Lévy, 2014
III. *Angélina. Le Souffle de l'aurore*, Chicoutimi, Éditions JCL, 2015 ; *La Force de l'aurore*, Paris, Calmann-Lévy, 2015

La saga des Bories

I. *L'Orpheline du Bois des Loups*, Chicoutimi, Éditions JCL, 2002 ; Paris, Les Presses de la Cité, 2003
II. *La Demoiselle des Bories*, Chicoutimi, Éditions JCL, 2006 ; Paris, Les Presses de la Cité, 2006

La saga du lac Saint-Jean

I. *Le Scandale des eaux folles*, Chicoutimi, Éditions JCL, 2014 ; Paris, Calmann-Lévy, 2016
II. *Les Sortilèges du lac*, Chicoutimi, Éditions JCL, 2015 ; Paris, Calmann-Lévy, 2017

La saga de Faymoreau

I. *La Galerie des jalousies*, Chicoutimi, Éditions JCL, 2015, t. I ; Paris, Calmann-Lévy, 2017
II. *La Galerie des jalousies*, Chicoutimi, Éditions JCL, 2016, t. II ; Paris, Calmann-Lévy, 2017
III. *La Galerie des jalousies*, Chicoutimi, Éditions JCL, 2017, t. III ; Paris, Calmann-Lévy, 2017, t. III

La saga d'Abigaël

I. *Abigaël. Messagère des anges*, Chicoutimi, Éditions JCL, 2017, t. I ; Paris, Calmann-Lévy, 2018
II. *Abigaël. Messagère des anges*, Chicoutimi, Éditions JCL, 2017, t. II ; Paris, Calmann-Lévy, 2018
III. *Abigaël. Messagère des anges*, Chicoutimi, Éditions JCL, 2017, t. III ; Paris, Calmann-Lévy, 2018
IV. *Abigaël. Messagère des anges*, Paris, Calmann-Lévy, 2018, t. IV
V. *Abigaël. Messagère des anges*, Paris, Calmann-Lévy, 2018, t. V
VI. *Abigaël. Messagère des anges*, Paris, Calmann-Lévy, 2018, t. VI

Les enquêtes de Maud Delage

VOLUME I
1. *Du sang sous les collines*, Chicoutimi, Éditions JCL, 2012
2. *Un circuit explosif*, Chicoutimi, Éditions JCL, 2012

VOLUME II
1. *Les Croix de la pleine lune*, Chicoutimi, Éditions JCL, 2013
2. *Drame à Bouteville*, Chicoutimi, Éditions JCL, 2013
VOLUME III
1. *Cognac, un festival meurtrier*, Chicoutimi, Éditions JCL, 2013
2. *Vent de terreur sur Baignes*, Chicoutimi, Éditions JCL, 2013
VOLUME IV
1. *L'Enfant mystère des terres confolentaises*, Chicoutimi, Éditions JCL, 2013
2. *Maud sur les chemins de l'étrange*, Chicoutimi, Éditions JCL, 2013
3. *Nuits à haut risque*, Chicoutimi, Éditions JCL, 2013

Livres hors série

L'Amour écorché, Chicoutimi, Éditions JCL, 2003
Le Chant de l'océan, Chicoutimi, Éditions JCL, 2004; Paris, Les Presses de la Cité, 2007
Les Enfants du Pas du Loup, Chicoutimi, Éditions JCL, 2004; Paris, Les Presses de la Cité, 2005
Le Refuge aux roses, Chicoutimi, Éditions JCL, 2005; Paris, L'Archipel, 2005; Paris, Calmann-Lévy, 2018
Le Val de l'espoir, Chicoutimi, Éditions JCL, 2007; Paris, Calmann-Lévy, 2016
Le Cachot de Hautefaille, Chicoutimi, Éditions JCL, 2009
Les Fiancés du Rhin, Chicoutimi, Éditions JCL, 2009
Les Amants du presbytère, Chicoutimi, Éditions JCL, 2015; Paris, Calmann-Lévy, 2017
Abigaël. Messagère des anges, Chicoutimi, Éditions JCL, 2017
Amélia. Un cœur en exil, Paris, Calmann-Lévy, 2017
Astrid. La reine bien-aimée, Chicoutimi, Éditions JCL, 2017; Paris, Calmann-Lévy, 2018

mariebernadettedupuy.e-monsite.com

À paraître en janvier 2020

M
MARQUIS
Québec, Canada